D1367576

OYA BAYDAR
MELEK ULAGAY

BİR DÖNEM İKİ KADIN

Birbirimizin Aynasında

Can Yayınları 1948

1. basım: Şubat 2011
Bu kitabın 1. baskısı 10000 adet yapılmıştır.

Yayına hazırlayan: Faruk Duman

Kapak tasarımı: Ayşe Çelem Design
Kapak resmi: © Orhan Taylan

Kapak baskı: Azra Matbaası
İç baskı ve cilt: Ekosan Matbaası

ISBN 978-975-07-1273-9

CAN SANAT YAYINLARI
YAPIM, DAĞITIM, TİCARET VE SANAYİ LTD. ŞTİ.
Hayriye Caddesi No. 2, 34430 Galatasaray, İstanbul
Telefon: (0212) 252 56 75 / 252 59 88 / 252 59 89 Faks: (0212) 252 72 33
www.canyayinlari.com
yayinevi@canyayinlari.com

OYA BAYDAR
MELEK ULAGAY

BİR DÖNEM İKİ KADIN

Birbirimizin Aynasında

SÖYLEŞİ

Oya Baydar'ın Can Yayınları'ndaki diğer kitapları:

Elveda Alyoşa, 1991
Kedi Mektupları, 1992
Hiçbiryer'e Dönüş, 1998
Sıcak Külleri Kaldı, 2000
Erguvan Kapısı, 2004
Kayıp Söz, 2007
Çöplüğün Generali, 2009

OYA BAYDAR, 1940'ta İstanbul'da doğdu. İlk romanını on yedi yaşındayken yazdı. 1964'te İstanbul Üniversitesi Sosyoloji Bölümü'nü bitirdikten sonra aynı bölümde asistan oldu. 1960 sonrasının hareketli siyasal-toplumsal ortamında sosyalist mücadeleye katıldı, edebiyata bütünüyle ara verdi. 1969'da İstanbul Üniversitesi'yle ilişkisi kesildi, Ankara Hacettepe Üniversitesi'ne sosyoloji asistanı olarak girdi. 12 Mart 1971 askerî müdahalesinde tutuklandı. Tahliye olduktan sonra Türkiye Sosyalist İşçi Partisi'nin kurucuları ve yöneticileri arasında yer aldı. *Yeni Ortam* ve *Politika* gazetelerinde köşe yazarlığı yaptı. 12 Eylül 1980 darbesinde yurtdışına çıkmak zorunda kaldı. On iki yıl Almanya'da sürgünde yaşadı. 1989'dan sonra yeniden edebiyata dönen Oya Baydar roman yazmayı sürdürüyor; barış ve demokrasi hareketinde aktif olarak yer alıyor.

MELEK ULAGAY, 1946'da İstanbul'da doğdu. Ortaokul ve liseyi Arnavutköy Amerikan Kız Koleji'nde bitirdi. 1966-67'de Paris'te lisan kurslarına devam ettikten sonra 1968'de İstanbul Üniversitesi İngiliz Dili ve Edebiyatı Bölümü'ne girdi. 12 Mart 1971 askerî darbesinde Türkiye'yi terk etmek zorunda kaldı. Hollanda'da siyasi mülteci oldu. 1974'te, siyasi aftan yararlanarak Türkiye'ye döndü. 1975 yılında İngiliz Dili ve Edebiyatı'ndan mezun olduktan sonra ODTÜ Hazırlık Bölümü'nde İngilizce dili okutmanı olarak çalıştı. Aynı dönemde Ankara Üniversitesi Siyasal Bilgiler Fakültesi'nde, Uluslararası İlişkiler dalında yükseklisans yaptı. 12 Eylül 1980 askerî darbesinden sonra İstanbul'a döndü. Ressam Orhan Taylan'la evlendi. Helsinki Yurttaşlar Derneği ve çeşitli sivil toplum kuruluşlarında çalıştı. 1992 yılından bu yana kendi şirketi Ajans 21'de belgesel film yapımcılığı ve yönetmenlikle uğraşıyor.

[illegible]
[illegible]
[illegible]
[illegible]
[illegible]
[illegible]
[illegible]
[illegible]
[illegible]
[illegible]

[illegible]
[illegible]
[illegible] 1938 [illegible]
[illegible]
[illegible]
[illegible]
[illegible]
[illegible]
[illegible]
[illegible]
[illegible]
[illegible]
[illegible]

İçindekiler

İlk söz

Yıllar sonra yeniden karşılaştığımızda ikimiz de orta yaş sınırındaydık. Gövdenin "artık yoruldum, yavaşla biraz" dediği, ruhun ise her daim genç ve dinamik kalmak istediği, karmaşık duyguların yaşandığı bir dönem. İkimiz de, Türkiye'nin ve dünyanın fırtınalı bir çağında, ülkemizde ve yabancı ülkelerde geçen çalkantılı yaşamlardan sonra kendi toprağımıza, kendi iklimimize geri dönmüştük. Son altmış yıla tanıklık etmiş iki kadın, hikâyelerimizi anlatıyorduk birbirimize. Her ikimiz de "kendi gerçeğimizi"; yaşadıklarımızdan, duygularımızdan, anılarımızdan oluşan öznel "gerçeği" aktarıyorduk.

Her insanın yaşamöyküsü bir anlatıdır; kendi kendine kurguladığı bir anılar dizisi. Neyi anımsadığımız, neyi unuttuğumuz, gözümüzün önüne gelen yüzler, mekânlar hepsi bu kurgunun parçasıdır. Bazen, yıllar boyu anlattığımız hikâyelere kendimiz de inanmaya başlarız. "Gerçeği anlatabilmek için yalan söylüyorum," der Jean Genet. Yine de anlattıklarımız bizim hikâyemizdir, nasıl yaşamışsak öyle. Biz de yaşadığımız bir dönemi, kendi gerçeğimizin aynasına yansıyan yüzüyle anlattık, anlatırken aynadaki suretlerimizi gördük. Bazen güldük, bazen hüzünlendik, çokça düşündük, kendimizi sorguladık.

Her şeyi anlattık, bütün gerçekleri söyledik, çırılçıplak göründük demiyoruz. Samimi, içten, çekincesiz konuştuk; ama her insanın mahremi, hiç kimseyle paylaşmayacağı anıları, duyguları vardır. Biz de kendi mahremimizi ve başkalarının bizde saklı mahremini korumaya gayret ettik. Anlattıklarımızı sansürlemedik, yazıya dökerken de konuşma tadında kalmasına özen gösterdik. Bu yüzden kimi tekrarlar, yazı dilini zorlayan doğal konuşmalar, zamanda ve mekânda sıçramalar da var metinde. Zaman zaman anlattığımız olaylara, tarihlere bir daha bakma, maceralarımızı birlikte yaşadığımız arkadaşlarımıza danışma ihtiyacı duyduk.

Bizim yaşadıklarımıza benzer şeyler; hatta çok daha ağırlarını ya da çok daha ilginçlerini yaşamış binlerce, on binlerce insan var bu ülkede. Biz "Birbirimizin Aynasında" konuşurken, bir yolu da açmak istedik.

Türkiye'de ve dünyada solun durumu, bölünmüşlüğü, geniş kitlelerden kopukluğu, kimilerine göre de yenilgisi üzerine çok yazılıp çizildi. Ama bunların çoğu iktidar konumundan bakan erkek egemen gözün gördükleriydi. Tarihi sadece erkekler yazmamalı; tarih, erkeklerin insandan çok siyasete odaklı resmî tarihi olmamalı; o tarihi yaşarken nasıl birarada olduysak, yazarken de birlikte yazılmalı, diye düşündük.

Bizimki bir başlangıç, geçmişi yansıttığımız ayna da bizim kendi aynamız. Umarız devamı gelir, başkaları da kendi aynalarını tutarlar tarihimize.

İstanbul, 29 Aralık 2010

I

Çocukluğumuz, ilkgençliğimiz

Seni ilk gördüğümde...

OYA – Seni ilk gördüğümde, bu kadar güzel olmak nasıl bir duygudur acaba, diye düşünmüştüm.

MELEK – Güzel... Ben mi?

OYA – Evet, sen tabii. Farkında değilmişsin gibi yapma.

MELEK – Güzellik mi bilemiyorum ama yirmili yaşlarımda kendime göre bir havam vardı galiba. Ne zamandı senin hatırladığın o ilk karşılaşma?

OYA – 1968'in son günleriydi. Doğu Perinçek benimle görüşmek istemiş, görüşme sizin evde ayarlanmıştı; belki de annenin ya da ağabeyin Osman'ın (Ulagay) eviydi, hatırlamıyorum; Harbiye civarında bir apartmandı. Sol harekette ayrışmaların, bölünmelerin, kavga gürültünün ayyuka çıktığı günlerdi. O sıralarda siz Perinçek taifesindendiniz. Doğu'yu sen benden iyi bilirsin; hep örgütlenme, hareketine adam kazanma peşindedir. O günlerde MDD'ci (Milli Demokratik Devrim) gençlik içinde yıldızı iyice parlamaya başlamıştı. Ben de bizim çevrenin, yani TİP'li (Türkiye İşçi Partisi) veya TİP'e yakın sosyalist kesimin İstanbul Üniversitesi'ndeki popüler asistanlarından biriyim, öğrencilerle çok yakın ilişkilerim var, üstelik TİP'teki kavga gürültüde kafam epeyce karışmış. Yani tam Doğu'ya göre bir avım.

MELEK – Evet, öğrenciler arasında popülerdin. Senin doktora tezin reddedildi diye öğrenciler rektörlüğü işgal etmişlerdi.

OYA – Hah, işte tam o günler. Sen de biliyorsun demek.

MELEK – Bilmez olur muyum! Ben de vardım rektörlüğe gidenler arasında.

OYA – Yok yahu! Sen o zaman Edebiyat Fakültesi'nde miydin?

MELEK – Evet, İngiliz Filolojisi'nde öğrenciydim.

OYA – Neyse, o olayları ayrıca konuşuruz. Doğu Perinçek'le sizin evde buluştuk. Hatırladığım kadarıyla, ağabeyin Osman, Doğu, bir de ben vardık odada. Başkası varsa bile unutmuşum, kayıttan düşmüş. Zaten Osman da konuşmanın sonuna kadar kalmadı. Derken oturduğumuz odanın kapısı açıldı, içeri "Hayatımda gördüğüm en güzel kız bu," diye düşündüğüm biri girdi. Gerçekten o kadar güzel miydin, yoksa o anda bana mı öyle geldi bilmiyorum; ama işte o güzel kız sendin Melekçiğim. Bana şöyle bir bakıp veresiye selam verdin, duvara dayalı uzun bir büfe vardı, onun üstünden ya da çekmecelerinden birşeyler alıp çıktın. Bütün bunları da son derece rahat, ilgisiz bir eda ile yaptın.

MELEK – Benim belleğimde, anlattığın karşılaşma hayal meyal. Ama benim seni Oya Baydar olarak ismen tanımam daha eskiye dayanıyor. Sen Notre Dame de Sion'da öğrenciyken ilk romanını yazmıştın. Annem de eski Notre Dame de Sionlu. Onun zamanında okulun yatılı kısmı Kadıköy'deymiş sanırım, annem orada okumuş, ciddi bir Fransız eğitimi almış. Hatırlıyorum; büyük bir heyecanla, Notre Dame de Sion'dan genç bir kız çıktı, müthiş bir yazar, Fransa'da Françoise Sagan on sekiz yaşında roman yazdı, dünyada büyük olay oldu, halbuki bak bizde de neler oluyor, diye hayranlık dolu bir ifadeyle seni anlatınca, doğrusu ben de çok etkilenmiştim o zaman. Annemin bunları söyleme tarzından "Sen böyle haytalık yaparken, aklın fikrin gezmede tozmada iken, bak millet neler yapıyor" gibisinden bir dokundurma da sezmiştim yani.

OYA – Halbuki o romanı yazdım diye okul beni son sınıftan atmaya kalktı. Bir genç kız nasıl roman yazar, hem de aşk romanı! Okul disiplin kurulu yetmedi, Milli Eğitim Bakanlığı Yüksek Disiplin Kurulu'na gönderdiler. Annem de çok kızdı bu roman işine. Babam iki üç yıl önce ölmüştü, dar gelirliydik, dul-yetim maaşıyla geçiniyorduk. Fransızca dersi vererek ya da konfeksiyoncu bir tanıdık için evde basit işler yaparak, çocuk paltolarına miki figürleri aplike ederek üç beş kuruş kazansam da güç koşullarda okuyordum. Birinci Levent'in en mütevazı, en küçük evlerinden birinde oturuyorduk. Onca fedakârlık yapılmıştı ben iyi bir okulda okuyayım diye. Son sınıfta okuldan atılmam tam bir faCIA olacaktı. Annenin aksine, benim annem, mahvettin bizi, beni öldüreceksin, yine münasebetsizlik yaptın, roman yazmak da ne, okulunu bitirir, sonra ne halt edeceksen edersin, falan diye çok kızmıştı. Senin anneni merak ettim şimdi; iki farklı anne tipi çıkıyor ortaya.

MELEK – Annem ilginçtir, onu sonra konuşuruz. Şu romanı nasıl yazdın, neydi bu ilk roman bir anlatsana önce. Ben hiç hatırlamıyorum. Annem o kadar övdü ama herhalde okumadım.

OYA – Okumamışsındır. Zaten o ilk roman *Hürriyet*'te yayımlandığında sen olsa olsa on iki, on üç yaşlarındasın. Valla, inan ki konusunu ben de hatırlamıyorum.

MELEK – Ah, işte bu daha matrak.

OYA – Ben çocukluğumdan beri hep yazar olucam, yazar olucam diye hayal etmiştim. Senin de vardı herhalde böyle bir tutkun.

MELEK – Ben, tiyatrocu olucam derdim.

OYA – Bir ara ressamlığa da heveslendim ama çabuk geçti. 1945-46 yılları olmalı, *Doğan Kardeş* çocuk dergisi çıkardı, hatırlar mısın? Sen altı yaş küçüksün benden ama...

MELEK – Tabii, hatırlamaz olur muyum? Ben de yetiştim *Doğan Kardeş*'e.

OYA – Bizimkilerin tabiriyle halk çocukları *Çocuk Haftası* okurlardı, biraz daha seçkin sayılan, eğitimli burjuva ailelerin, memurların, öğretmenlerin falan çocukları da daha çok *Doğan Kardeş* okurdu. Oraya okur mektupları yazılırdı. Ben de yazmışım: "Bu kardeşinizin adı Oya Baydar, büyüyünce yazar olmak istiyor," diye. Bir de şiir eklemişim: "Keşke Bir Bülbül Olsaydım". Yani baştan beri yazma isteğim varmış demek.

MELEK – Yazma isteğin varmış ama istek olarak kalmamış, gerçeğe dönüştürmüşsün. Biraz anlatsana, nasıl oldu da o yaşta *Hürriyet* gazetesinde yayımlatabildin romanını.

OYA – O sırada, bak annen hatırlatmış sana, Fransa'da Françoise Sagan diye on sekiz yaşında bir genç kızın *Bonjour Tristesse (Merhaba Hüzün)* romanı çıkmıştı ve bütün dünyada olay olmuştu. Tabii o yaştayken, böyle dünyaca tanınmak, meşhur olmak iyi bir şey gibi geliyor insana. Ay ben de yazayım, ben de tanınmış bir yazar olayım! Oturdum bir roman yazdım. Şimdikiler bilmez, belki sen de kullanmamışsındır; eskiden, sarı saman kâğıdından ucuz müsvedde defterlerimiz vardı. İşte öyle bir sarı deftere kurşunkalemle bir roman yazdım. Tek hatırladığım, genç kızın sevdiği yakışıklı adamın –galiba doktordu– gözleri kör oluyordu sonunda. Sevişme sahneleri de vardı haa... Galiba bir çamlıkta sevişiyorlardı. Bunu hatırlıyorum, çünkü zamanın muhafazakâr okurlarından biri gazeteye oldukça küfürlü bir mektup göndermişti; beni ahlaksızlıkla suçluyor, "Çamların iğneleri kıçınıza batmadı mı?" diye soruyordu. Romana benim verdiğim adı gerçekten de hatırlamıyorum; *Umut Yolu*'na benzer bir başlık olabilir.

MELEK – Kaç yaşındasın peki?

OYA – Yazıp bitirdiğimde on yedi yaşındaydım, *Hürriyet* gazetesinde yayımlandığında on sekiz olmalıyım. O zamanlar gazetelerde ünlü yazarların romanları tefrika edilirdi. Şimdiki gençler belki bilmez bu tefrika olayını. Yani romanın her gün bir parçası yayımlanırdı. Refik Halit Karay'ın aşk romanlarını hatırlıyorum mesela. Açtım telefonu *Hürriyet* gazetesine, yazıişleri müdürüyle görüşmek istediğimi söyledim, sekreterine bağladılar. İşte şöyleyken böyle, ben şu yaştayım, bir roman yazdım, sizde yayımlanmasını isterdim, bir okur musunuz, dedim. O zamanlar rahmetli Tahsin Öztin'di *Hürriyet*'in yazıişleri ya da umumi neşriyat müdürü. Aklın durur! Bana randevu verdiler. Gazeteye, koltuğumun altında sarı defterimle gittim. Bir ilgi, bir ilgi. Ben şapşal mı şapşalım o zamanlar. O gün gazetede çekilen fotoğraflar var: Üzerimde kendi ördüğüm merserize bir bluz, uzun bir etek, şaşkın bir surat; gözlerimi kocaman kocaman açmışım... Ama ne gam! Romanı büyük reklamla, tanıtımla, "Türkiye'nin Sagan'ı" anonslarıyla yayımladılar. Ben artık uçuyorum, edebiyat alanında bir yıldız doğuyor! Belki ben de bir Françoise Sagan olurum!.. Hem de şekerim, bana zamanın parasıyla 1500 lira verdiler.

MELEK – Aaa... İyi para.

OYA – Tabii iyi para. O zamanlar annemle benim toplam gelirimiz 600 lirayı geçmiyor ayda. Hiç unutmuyorum, *Hürriyet* gazetesi Cağaloğlu'nda İran Konsolosluğu'nun karşı köşesindeydi. Hemen oralardaki bir dükkândan 300 liraya eski bir Remington daktilo edindim. 500 lirasını anneme verdim. Kalan parayla da Paris'e uçak bileti aldım! Biz Dame de Sionlular için Paris efsane şehir, dünyada görmek istediğimiz tek yer. Bir nedenim daha var acele Paris'e gitmek için: Şimdi içinde ne yazdığını bile hatırlayamadığım bir veda mektubu bırakarak çekip giden, yani beni eken sevgilimin Paris'te olduğunu öğrenmişim. Bu fasıllara sonra geliriz. Demek o zamanlar da basın sansasyona meraklıymış ki, romanı gazetede *Kalbimin Aradığı Erkek* adıyla yayımlamasınlar mı! Daha fazla ilgi çeksin diye tabii.

MELEK – Haaa... şimdi anlaşılıyor.

OYA – İşte annenin sözünü ettiği o roman. Ama kitap olarak hiç çıkmadı, neyse ki eski gazete sayfalarının arasında unutuldu kaldı. Ben ondan sonra iki gençlik romanı daha yazdım: *Allah Çocukları Unuttu* ve *Savaş Çağı Umut Çağı*. 1963'ten sonra roman yazmayı bıraktım. Artık başka bir dönem başlamıştı.

MELEK – Yani yazma işi bitti mi?

OYA – Ondan sonra üniversitede asistanlık, sol militanlık, devrimcilik, sosyalist partiler... Kendimizi boylu boyunca kabaran devrimci dalgalara attığımız yıllar. Tabii çok yazıp çizdim, neredeyse hiç durmadan yazdım diyebilirim; ama sosyolojik araştırmalar, toplumsal yapı incelemeleri, siyasal polemik metinleri, sonraları da köşe yazıları; bu türden edebiyatdışı işler.

MELEK – Çok enteresan; belki annemden dolayı, benim kafamın derinliklerinde sen hep yazar Oya Baydar olarak kaldın. Çünkü sonraki yıllarda, siyasi ortamda biz hep farklı yerlerde olduk. Tabii siyasal kimliğinden haberdardım; ama yazar Oya Baydar belleğimde öne geçmiş.

Dönemin havasını yansıtabilmek için şu doktora maceranı, öğrencilerin seninle dayanışmak için rektörlüğü işgal etmelerini konuşalım biraz. Ne hareketli günlerdi değil mi? Bütün toplum ayaktaydı, üniversitelerde işgaller, boykotlar... Fabrikalarda işçiler, kırsalda köylüler, şehirlerde bizler, yani gençlik.

Olaylı bir doktora macerası

OYA – Doktora tezimin ikinci kez reddi, öğrencilerin rektörlüğü işgal etmeleri, benim atılmamak için acele istifa edip üniversiteden ayrılmam, 1968'in son günleridir. O günlerin kabına sığmayan kıpır kıpır Türkiyesi gibi hayatımın da çalkantılı, hareketli, karmakarışık bir dönemiydi. İstanbul Üniversitesi'nde sosyoloji asistanıydım ama akademik kariyerim kesintiye uğramıştı. Türkiye İşçi Partisi üyesiydim ama parti içindeki ayrışmalarda yalpalayıp duruyordum. Evliydim ama evliliğim de sallanıyordu. Yani her şey altüsttü hayatımda.

MELEK – Neden reddedilmişti doktora tezin? Yetersiz miydi gerçekten?

OYA – "Türkiye'de İşçi Sınıfının Doğuşu"nu araştırmıştım. Ücretli emeğin izini 17., 18. yüzyıllardan başlayarak 1920'lerin ortalarına kadar sürmüştüm. O zamana göre bayağı iyi bir araştırmaydı. Zaten uzun bir dönem konuyla ilgili tek kaynak sayıldı. Çok çalışmıştım kütüphanelerde, arşivlerde. Eski gazeteleri tarayabilmek, belgeleri okuyabilmek için eski yazı öğrenmiştim. Sorun tez çalışmasında değil, tezin konusunda ve benim siyasal kimliğimdeydi. İstanbul Üniversitesi Edebiyat Fakültesi'ndeki klikler arasındaki iç tepişmeye, Türkiye'de sınıfların olmadığını, hele de işçi sınıfından hiç söz edilemeyeceğini iddia eden *Yön* çizgisindeki profesörüm Cahit Tanyol'un tezimin reddi doğrultusunda yürüttüğü sıkı kulisleri eklersen, reddin gerekçesi anlaşılabilir.

MELEK – Tam da solda MDD'cilikle (Milli Demokratik Devrim)

sosyalist devrimci TİP (Türkiye İşçi Partisi) çizgilerinin çatıştığı, bir yandan da yükselmekte olan sola karşı sağın saldırısının sertleşmeye başladığı bir döneme rastlamış senin doktora maceran.

OYA – Evet, tam öyle bir dönem. Öğrencilerle gündüzleri derslerde, eylemlerde, fabrikalarda, grevlerde; geceleri parti ve örgüt toplantılarında ya da meyhanelerde birarada olduğumuz; başımızda bir yandan devrim bir yandan kavak yellerinin estiği, bugünden bakıldığında anlaşılmaz, inanılmaz görünen günlerdi. Tez jürisi çalışmayı yeterli kabul ettiği halde Fakülte Profesörler Kurulu bir yıl arayla iki kez reddetti. Deniz Gezmiş'in başını çektiği bir kısım öğrenci de, benimle dayanışmak ve gerici olarak nitelendirdikleri profesörleri protesto için rektörlüğü işgal etti.

MELEK – "Mini işgal" denmişti o eyleme, ben de bu vesileyle rektörlük binasının içini ilk kez görmüştüm. İlk üniversite işgali midir senin olay? Çoğu yerde öyle yazıldı.

OYA – Hayır, yanlış. İlk üniversite işgal eylemleri, ilk boykotlar 1968 Haziranı'nda, Fransa'daki Mayıs eylemlerinin başlamasının hemen ardındandır. İlki Ankara'da Dil Tarih'tedir hatırladığım kadarıyla, sonra İstanbul'da boykotlar ve fakülte işgalleri oldu. Mini işgal ilk rektörlük işgali olabilir.

Ben işgalden hemen önce sosyoloji bölümünde son bir ders vermiştim. Sosyal düşünce tarihi dersiydi. Tarih boyunca düşünce özgürlüğünün nasıl engellendiğini Sokrates'ten başlayarak anlatmış, benim doktoramın reddini de egemen sınıfların ve onların işbirlikçisi üniversite mensuplarının düşünce özgürlüğüne karşı saldırısı olarak niteleyip sıkı bir nutuk çekmiştim. Sonucun rektörlük işgali olacağını düşünmemiştim. Böyle bir olay yaratmak işime gelmezdi. Yine de, kışkırtıcı demeyeyim ama pek de masum bir konuşma değildi herhalde. Zaten amfide normalde altmış, yetmiş öğrenci olması gerekirken çoğu başka fakültelerden hiç tanımadığım birkaç yüz öğrenci vardı. Belli ki birşeyler kotarılıyordu. Ders bitti; sloganlar, alkışlar arasında amfiden çıkıp odama geldim. İçeri yeni girmiştim ki kapı vuruldu, kapıda uzun boylu, yakışıklı bir delikanlı. "Ben Deniz Gezmiş'im, teziniz reddedildiği için rektörlüğü işgale gidiyoruz," dedi ve cevabımı bile beklemeden yürüdü gitti. Öylece kalakaldım. Durun, yapmayın diyecek halim yok; böyle bir tavır küçük burjuva pasifizmi olarak damgalanır. Zaten, yapmayın desem beni kim dinleyecek! Eylem çoktan planlanmış. Tamam Oya, dedim kendi kendime, artık burada sana ekmek yok, bu üniversitede seni barındırmazlar. Zaten Profesörler Kurulu'ndakilerin, konusunu bile bilmedikleri doktora tezini iki kez reddetmeleri de gözden çıkarıldığımı açıkça gösteriyor. Öğrenciyi suça teşvik, tahrik falan diye meslekten ihraç edilmem söz konusu. Hiç değilse memuriyetten çıkarılmış duruma düşmeyeyim diye hemen o gün istifamı yazıp sekreterliğe bıraktım, çekmecelerimi boşalttım, Laleli'deki binanın arka kapısından çıktım. O sırada rektörlük işgal edilmiş, gürültü patırtı kopmuş.

Geçenlerde çoğu o işgal olayını yaşamış, 68 kuşağından eski sosyoloji öğrencileri beni buldular, kırk iki yıl sonra birlikte bir yemek yedik. Kırk kişiden fazlaydılar, çok duygulandım. Tabii yine bu konu konuşuldu. Bir öğrenci o zamanlar çok güldüğümüz "rezonans" hikâyesini anlattı.

MELEK – Çok komik bir hikâyedir o, anlatsana.

OYA – Bunlar rektörlüğün kapısına dayanıyorlar. Rektörlük sekreteri, hayır açamam diye feryat ediyor. Bakıyor ki öğrencileri içeri sokmazsa işler daha beter olacak, Deniz Gezmiş gelsin, ona teslim ederim, diyor. Yani Deniz resmî, mutemet işgalci durumunda. Öğrenciler içeri giriyorlar, biri masanın üzerine çıkıyor. Masanın üstünde değerli bir kristal avize var. Olayı, "ben oradaydım", diye nakleden eski öğrencim, masanın üstüne çıkanın Deniz olduğunu söyledi. Ben bundan pek emin değilim. Ama matrak olan şu: Masanın üstündeki genç ayaklarını masaya vurarak yüksek sesle nutuk atarken, kristal avize titreşmeye başlıyor. Sekreter, avize düşecek, kırılacak korkusuyla, "Rezonans yapıyor, rezonons yapıyor!" diye panik içinde bağırıyor.

Hikâye eğlenceli; ama ben istemeden de olsa tahrikçi durumundayım. Zaten Laleli'den Levent'teki eve geldiğimde sivil polisler çoktan kapıdaydı.

MELEK – Sana ilişmiyorlar mı peki?

OYA – Hayır, ilişmiyorlar, sadece kapının oralarda dolaşıp gözlüyorlar. Birkaç parça giyeceğimi küçük bir çantaya koyup bir süre sonra evden çıktım. Ertesi gün Ankara'da TİP'in (Türkiye İşçi Partisi) olağanüstü genel kurulu vardı. Sovyetler'in Çekoslovakya'ya müdahalesini eleştiren, Türkiye'ye özgü, güler yüzlü sosyalizmden, ceberrut devletten söz eden tartışılmaz Genel Başkan Aybar'a karşı muhalefet büyümüştü. Örgüt parça parçaydı, herkes ayrı baş çekiyordu, bir arkadaşımızın deyimiyle tam bir fetret devri yaşanıyordu. Biz de TİP üyesiyiz ya, İngiliz Filolojisi'nde asistan olan Murat Belge ile birlikte, gece otobüsüyle Ankara'ya, kongreye gideceğiz. Delege melege değiliz ama parti içindeki hay huy arasında, bizler, İstanbul'dan bir grup üniversite mensubu da, Üçüncü Yol diye bir takım oluşturmuşuz. Gece otobüsüne atlayıp Murat'la birlikte Ankara'ya, olağanüstü genel kurula gittik. Böyle tuhaf, heyecanlı günlerdi işte. Koşuşturma, hareket, heyecan iyi de, ne yapacağımı, hayatıma nasıl bir yön verebileceğimi bilmiyorum. Üniversite faslı kapanmış görünüyor, parti karmakarışık. O sırada Muzaffer New York'ta, Columbia Üniversitesi'ndeydi.

MELEK – Muzaffer Sencer; ilk kocan yani...

OYA – Evet, ikimiz de sosyoloji bölümünde asistandık, o Fullbright bursunu kazanmış, iki yıllığına Amerika'ya gitmişti. Biz 1964'te evlenmiştik, dört yıldır evliydik. İlişkimizin fırtınalı bir dönemindeydik; birbirimizle de, ayrı da yapamadığımız, tutkulu ama yorucu, yıpratıcı bir ilişkiydi. Muzaffer orada dağıtmış, uyum sağlayamıyor, yalnız da yapamıyor. Kendini bana bağımlı hissettiği için çeşitli yollar deneyerek bu bağımlılıktan kurtulmaya çabalıyor, çabaladıkça başına yeni dertler açıyor, büsbütün bunalıyor, dönmek istiyor. Ben ise burada belirsizlikler içinde huzursuzum. Onun yanına gitmeye, hem kafamı toplamaya hem de birlikteliğimizi bir kez daha gözden geçirmeye, bir daha denemeye karar verdim. 1969 Ocak ayının ilk günlerinde New York'a uçtum.

MELEK – Evliliğiniz kurtuldu mu bari?

OYA – Ne gezer! Daha sonra konuşuruz belki bunları. Kadın meselesiyle, kutsal aile kavramıyla da ilgili bir konu bu. Bir ilişkinin yıpranmasında, kopmasında eşlerin ortak sorumluluk payı vardır.

MELEK – Bence sen bu ilişkide de yine kendini suçlu ya da sorumlu hissetmişsindir, Dame de Sion eğitiminden geçmiş biri olarak.

OYA – Doğru valla! Katolik ahlakının izleri galiba.

İki farklı okul, iki farklı eğitim

MELEK – Yıllar yıllar sonra, 2001'de Barış Girişimi'nde buluşup birbirimizi daha yakından tanıdıkça, toplantılarda, etkinliklerde, birlikte işler yaparken, bazen ne kadar anneme benziyorsun, ne kadar anneme benzeyen tepkilerin, davranışların var diye düşünmüşümdür. Neden bilmem, şimdi sen anlatırken yine aynı duyguya kapıldım. Ben bunu ikinizin de Notre Dame de Sionlu olmanıza bağlıyorum.

OYA – Haklısın; o okul insana öğle bir damga basar ki, yenileri bilmem ama eski Dame de Sionluların çoğunda hissedersin izini. Tabii Katolik rahibelerin eski Dame de Sion eğitiminden söz ediyoruz. Şimdi orası da diğer okullar gibi bir okul.

MELEK – Annem de senden yıllar önce o okulda Katolik eğitiminden geçmiş. Dinî anlamda değil tabii ama davranış, etik anlayış, gündelik yaşam kuralları falan konusunda.

OYA – Evet, Katolik ahlakı. Sabahları karatahtada "devoir, devoir, devoir", yani "vazife, vazife, vazife" ya da "önce vazife" yazardı. Önce bunu okurduk. Sonra, en önemlisi: "Sen her şeyden sorumlusun." Her zaman her şeyden sorumlu hissetmişimdir kendimi. Sokaktaki aç kediden de, insanlardan da, konu komşudan da, dünyadan da. Bu yüzden de hep eksiklenmişimdir sorumluluklarımı yerine getiremediğim için, hep kendimi suçlu hissetmişimdir.

MELEK – Evet, her şeyden sorumlusun, her yaptığın suç ve günah olabilir.

OYA – Ay valla aynen...

MELEK – Dolayısıyla sürekli bir suçluluk hissi duyma, suçlu hep sensindir, karşıdaki değil.

OYA – Ay, ay! Beni anlatıyorsun. Hâlâ öyle işte. Sokakta yürürken biri çarpar, oram buram acır, sendelerim, neredeyse yere düşeceğim; affedersiniz diyen yine ben olurum. Ebedi suçlu, ebedi günahkâr benim ya... Bir de tabii kendini aşırı sorgulama, kendine karşı acımasız olma durumu var. Belki pek fena bir şey de değil, ama insanı acıtıyor. Kendi kendini yiyorsun. Şunu öğretirlerdi bize okulda: En iyi sen olacaksın, en iyisini sen yapacaksın ama bunu kimseye fark ettirmeyeceksin, kendinden söz etmeyeceksin, "ben" demeyeceksin, Tanrı karşısında olduğu gibi insan karşısında da alçakgönüllü olacaksın. Mesela, bazen okuma toplantılarında, okur buluşmalarında okurlar iltifat ederler, bazen de aşırı övgüler yağdırırlar. İşte ben o zaman yerin dibine girerim, görünmez olmak isterim. Alçakgönüllülükten değil, utandığımdan. Kendi yaptıklarımı, yazdıklarımı da pek beğenmem, mutlaka bir eksik vardır diye düşünürüm.

MELEK – İnsanların kendilerini ve işlerini pazarlamak için bin takla attıkları, binbir yola başvurdukları günümüz dünyasında pek de anlaşılır bir davranış değil seninki! Neyse işte, annemin bana bunları sürekli anlatması, beni de bu yönde eğitmeye çalışması yüzünden bende Dame de Sion'a karşı acayip bir tepki, hani neredeyse alerji oluşmuştu. Zaten çocukluğumdan beri annem gibi olmayıp onun karşıtı olma eğilimi taşıdığım için Dame de Sion'a gitmemeyi kafama koymuştum. İlkokulu Işık'ta bitirdikten sonra –ki sanırım özel yabancı okullara sınavla öğrenci almaya o yıl ya da bir yıl önce başlanmıştı– ben Arnavutköy Kız Koleji, High School ve Notre Dame de Sion sınavlarına sokuldum. Dame de Sion sınavında, tam bir domuzlukla, bilerek yarı boş kâğıt verdim, High School sınavında yanımdakiyle konuştuğum için sınavdan atıldım, böylece kapağı Kolej'e atmayı başardım.

O sırada Bebek'te oturuyoruz. Mahalle arkadaşlarımın hepsi Arnavutköy Kız Koleji'ne gidiyorlar. Ben biraz İngilizce biliyordum zaten. Küçükken bir Norveçli mürebbiyem vardı, bana okuma yazmayı İngilizce olarak öğretmişti.

OYA – Farklı sınıfsal konumlardan geliyoruz, diyordum ya; dadılar, mürebbiyeler, hele de o yıllarda zengin üst sınıfların göstergesiydi.

MELEK – Haklısın, varsıllığın en iyi göstergelerinden biri evde bulunan değişik hizmetkârlardır. Çocukken çeşitli dadılarım, bakıcılarım oldu. Hepsini sevgiyle anarım. Çocukluk yıllarımda bana bakan Ermeni dadım, ben ona Teta derdim, çok sevecen bir kadındı. O yıllarda henüz gençti ama hiç evlenmemişti. Annesi

Kurtuluş'ta oturur, arada ziyaretimize gelirdi. Teta dindardı ve ilginç bir şekilde değişik Hıristiyan mezhepleri arasında gidip gelirdi. Sanırım Ortodoks iken Protestan olmuştu, daha sonraki yıllarda ise Yehova Şahitlerine katıldı. Tetamla ilişkim hep sürdü. O kadar ki ben Ferhat'ı doğurduğum zaman gelip benimle oturdu. Artık çok yaşlıydı; ama o haliyle bile Ferhat'a büyük sevgi ve şevkat gösterirdi. Şimdi bakıyorum da hali vakti yerinde olanlar arasında Filipinli dadılar revaçta. Yani hizmetkârlar değişse de işin özünde bir şey değişmiyor. Ben çok küçük yaşımda bu hizmet edenler ve edilenler farkını kavramıştım. Hanımlar ve hizmetkârlar: sınıf ayrımının en çarpıcı biçimi.

Neyse, Norveçli mürebbiyeden geldim bu konulara. O zamanlar Kolej'de hazırlık iki yıldı. Sınavla doğrudan ikinci hazırlığa girdim. Böylece kendimden bir yaş büyüklerin arasına düştüm. Tabii bugünkü yaşımızda bir yaşın, hatta on yaşın önemi olmuyor; ama o zaman acayip küçük sayılıyordum. Sınıfın en küçüğü olunca, ezilirim horlanırım korkusuyla aşırı yaramaz, kudurgan bir karakter geliştirdim o yıllarda. Kolej genellikle o zamanki Dame de Sion'un tam tersi bir eğitim verirdi. Özgür birey, kuşku, soru sorma, kendi adına düşünebilmek gibi çok temel değerleri orada aldım. Bir de kendine güven, özgüven... O yıllarda İstanbul'da bizim gibi ailelerin Arnavutköy Kız Koleji'ne giden çocukları biraz hafifmeşrep, açık saçık olmaya meyilli görülürdü. Onlar Kolejli kızdır, serbesttirler, denirdi. Nasıl anlatayım, mesela oğlanlarla gezmeye tozmaya daha açıktırlar gibi bir önyargı yaygındı.

OYA – Çok haklısın, öyle düşünülürdü. Ancak şöyle bir şey de var: Tepki de gelişebiliyor. Ben bizim okulun en isyankâr, en tepkisel, uyumsuz öğrencilerinden sayılırdım. Mezuniyetten yıllar sonra bile, yaramazların, ele avuca sığmazların çoğunlukta olduğu sınıflar için "Oya Baydar'ın sınıfından iyi" veya "Oya Baydar'ın sınıfından kötü" değerlendirmesi yapıldığını söylediler, daha sonraki mezunlar. Sınıfa bu yaftayı yapıştıran da bendim. O tâbi kılma, mutlak itaat, boyun eğdirme disiplinine karşı kendi kişiliğimi ancak böyle, isyan ederek koruyabiliyordum. Her hafta sonu mutlaka cezaya kalan, ikide bir disiplin kuruluna çıkarılan, sörlerin kendi deyimleriyle "burnumu indirtmek" için çabalayıp başaramadıkları, serkeşin tekiydim. Ama derslerim çok iyiydi, parlak öğrenciydim, bundan kurtarırdım kısmen. Bir de tabii zengin çocuklar okulunda yoksul çocuk kompleksi. Hem burnu havada görünmemde, hem de derslerimin iyi olmasında bunun büyük payı vardı sanırım. Yemekli, yani okuldaki tabirle "yarım pansiyon" eğitim ücreti aile bütçemize ağır geldiğinden yemeğimi sefertasında getirip tek başıma bir odada yerdim. Serkeşliğimin ve burnumdan kıl aldırmaz halimin asıl nedeni: Yemeğimi evden getirdiğim için, Bonmarşe'den alınmayıp teyzemin evde diktiği üniformam sizinkilerden farklı ve daha rüküş olduğu için beni küçümsemeye kalkmayın sakın, ben hepinizden daha başarılıyım, daha iyiyim, gösterisi yapmaktı herhalde. Ama hatırlıyorum, dokuzuncu sınıftan sonra, yani özgüvenimi kazanınca, artık bütün bunların önemi kalmadı. Dersleri asmak mı istersin, okuldan kaçmak mı istersin, pervasız bir öğrenci oldum.

MELEK – Peki senin o okula verilmen nasıl oldu? Kendin mi istedin?

OYA – Benim babam frankofondu. Önce İstanbul'daki Saint Benoit'ya verilmiş, 1900'lerin başları olmalı. Orası da bir Katolik okulu. Bizim sörler (rahibeler) gibi orada da *frère*'ler var. Sonra, paşa torununun gâvur mektebine gitmesi caiz değildir, söz olur diye Galatasaray'a aktarılmış. Orayı bitirince Fransa'ya, babaannemin tabiriyle "ulum-u siyasiye" tahsiline gönderilmiş, bu sırada Birinci Dünya Savaşı başlayınca tahsili yarım bırakıp dönmüş, savaşa katılmış. Böyle bir Fransız kültürü etkisi var. Bir de Amerikan kültürünü küçümsemek, sonradan görme saymak, Batı'yı Avrupa ile sınırlamak... Benim baba tarafım Osmanlı bürokrasisiyle, Saray'la ilişkiliydi. Babaannemin annesi Abdülmecid'in sarayındaki Çerkes kadınlardanmış. Babamın dedesi ise Ahmet Sırrı Paşa'ymış. Bir aristokrasiden söz etmek mümkün olmasa da Saray'la ilişki seçkinci bir zihniyet iklimi yaratıyor. Babama göre Kolej yeni zenginlerin kızlarının okuduğu, onun tabiriyle Amerikan züppeliğinin hâkim olduğu, klasik eğitim veremeyecek bir yerdi. Tabii ki aslında öyle değildi, bu düşünceler bir çeşit kültürel tutuculuğun yansımasıydı. Ama 1950'lerde bizimkilerdeki imajı böyleydi Kolej'in. Ben de ele avuca sığmayan bir tipim; bu iyice şımarır orada, açılır saçılır diye Notre Dame de Sion, yani rahibelerin eğitimi tercih edildi.

Şimdi sen anlatırken gerçekten de kafama takıldı Melek. Annenin eğitimi, onun ailesi belli ki hiç sıradan değil. Biraz anlatsana aile çevresini.

MELEK – Annemin ailesi Batılı değerlere, Batı kültürüne bağlıydı. Annemin aldığı eğitim de öyle. Söylediğim gibi önce Notre Dame de Sion'da başlıyor, sonra büyükbabam onu dayılarımla birlikte Almanya'ya yolluyor. Nazizmin yükselmeye başladığı yıllarda annem Almanya'da bir kız okulunda okuyor. O sırada savaş çıkıyor, annem geri geliyor ve Arnavutköy Kız Koleji'ne veriliyor. Yani üç ayrı okul, üç dil, üç kültür. Üç dili de çok iyi konuşurdu. O zamanki ölçülerle, hatta bugünün ölçüleriyle bile çok okuyan, kültürlü bir kadındı. Bir de çok güzeldi, galiba her şeyin fazlasına sahipti annem.

Ailelerimiz, köklerimiz

OYA – Söz annenden açılmışken ailelerimizi konuşalım biraz. Köklerimiz nerelere dayanıyor, nerelerden gelmişler? Türkiye'nin toplumsal çeşitliliğini, bir göç ülkesi olduğunu, farklılıklarımızı ve benzerliklerimizi bir kenarından sergileyebilmek için de yararlı olur bu bence. Nasıl bir kültürel, toplumsal tarihten geliyoruz? Köklerimizden neler almışız, neleri reddetmişiz? Mesela benim ana tarafımda da baba tarafımda da Tatar'dan Çerkes'e her türlü millet var. Seninkilerde de öyle sanırım. Biliyorsan, anne tarafından başla anlatmaya.

MELEK – Biraz biliyorum ama okuyanların ilgisini çeker mi?

OYA – Bu işe başlarken, sadece "sosyalist harekette yaşadıklarımız" gibi dar, bence biraz da kısır bir çerçeve içinde kalmayalım; anlattıklarımız Türkiye'nin bir dönemine, o dönemin insanlarına, yaşamına bizim kendi küçük pencerelerimizden bir bakış da sağlasın diye düşünmemiş miydik? Sen anlat yine de. Heyecanlı bölümlere sonra geleceğiz ister istemez.

MELEK – Dedem; yani annemin babası Hüsnü Kortel, aslen Erzincanlıymış. Mühendishane-i Hümayun'u bitirdikten sonra birkaç yıl yol ve köprü inşaatlarında çalışıyor, sonra da devletin açtığı sınavı kazanıp elektrik mühendisi olmak üzere Belçika'ya, Liège'e gönderiliyor. İlk elektrik mühendislerinden biri olduğu için Birinci Dünya Savaşı'nda cepheye yollanmıyor, kendi alanında cephe gerisinde çalışıyor. Daha sonra İstanbul Sanayi Müdürü oluyor, sonra da Zonguldak Maden Müdürlüğü'ne atanınca, aile Zonguldak'a taşınıyor. Orada madencilere iyi imkânlar sağlamaya çalışan dedem halk tarafından seviliyor ve Zonguldak'tan mebus seçiliyor. En son görevi de Tekel Umum Müdürlüğü. Ben onu tanıdığımda emekliydi. Çok severdim dedemi. Yumuşak huylu, bağ bahçe meraklısı, kültürlü bir adamdı. İki dayımı ve annemi, o günün koşullarını düşünürsek çok iyi okutmuş, eğitim konusunda kızını da oğullarından ayırmamış. Çocuklarını Almanya'ya göndermesi de ilginç; kendisi Belçika'da okumuş; ama çocuklarını daha iyi eğitim alacaklarını düşündüğü Almanya'ya gönderiyor. Büyük dayım önemli bir fizikçiydi: Fikret Kortel. Uzun yıllar İstanbul Üniversitesi'nde ders verdi profesör olarak, daha sonra da Boğaziçi Üniversitesi'nde çalıştı.

OYA – Bebek üstünde bir Kortel Korusu vardı.

MELEK – Evet, dedemin soyadıyla anılıyor. Dedem o zamanlar bağ bahçe olan Bebek'te arazi alarak meyve yetiştirmek istiyor. Bugün binalarla dolu olan koru benim çocukluğumda meyvelikti, sıra sıra meyve ağaçları vardı. Biz orada piknik yapardık. Sonra inşaata açıldı, evler, villalar yapıldı.

Anneannem emekli General Hüseyin Mazlum'un kızı. Çok ilginç bir kadındı. Güzel giyinir, alaturka piyano çalar ve şarkı söylerdi. Ortaokuldan sonra okumadığı halde iyi Fransızca konuşurdu. Güzel bir kadındı ama otoriterdi, beni korkuturdu. İyi silah kullandığı da söylenirdi. Onun aile tarafında paşa kızları, saraya yakın kişiler vardı. Bana çok ilginç gelen bu kadınlar çocukluğumun sisli anıları içinde hayal meyaller. Arada annem ve anneannem ile bu hanımların ziyaretine giderdik. Mesela Haşim Paşa'nın kızı Zübeyde Hanım'ın Beylerbeyi'ndeki köşkünü ve bahçesini çok iyi hatırlıyorum.

OYA – Adı neydi anneannenin?

MELEK – Vecihe.

OYA – Benim babaannemin adı Melek'ti de ondan sordum, belki sana da anneannenin adını vermişlerdir diye.

MELEK – Aaaa.... ne ilginç. Melek, benim dedemin annesinin adı.

OYA – Anneannem güzel bir kadındı demiştin; sana bakıyorum da...

MELEK – Ben ona benzemem; bana sanırım baba tarafından Çerkeslik geçmiş. Ama dediğim gibi, anneannem otoriter, akıllı, enteresan bir kadındı. Özetleyecek olursak, anne tarafı kültürel olarak Batılı yaşam biçimine, Batı'ya dönük. Evde klasik Batı müziği dinlenirdi, bir de alaturkanın iyisi.

OYA – Evet, Osmanlı'nın son döneminde Batılı yaşam biçimine dönük, Batılı değerleri sindirmeye çalışan bir kesim var. Babaannemin evinde, baba tarafımdan bütün akrabaların İstanbul'daki evlerinde, piyano vardı mesela. Babaannem 1867-68 doğumlu olmalı hesaba göre. Piyano başında fotoğrafları vardır. O günlerin Avrupa modasına göre giyinmiş, başında zülüflerini, saçlarının bir kısmını açık bırakan, arkadan fiyonk yapılmış türban gibi bir şey. Bir de ne komik! Piyano önlüğü diye dantelli mantelli küçük bir önlük... Sonra o önlüklerden birini bana verdi piyano derslerine başladığımda. Neye yararmış ki acaba? Piyano çalarken insanın önlüğe neden ihtiyacı olsun? Modaymış zahir.

MELEK – Evet; Osmanlı aristokrasisi mi demeli, Saray mı demeli, öyle bir kesim olduğu açık. Bizimkilere dönecek olursak, alaturka olacaksa da iyisi olacak; utlar, kanunlar doğru çalınacak. Annem ve iki dayım da bu havaya bağlı; çok kültürlü, kozmopolit, yani nasıl diyeyim, mesela ben annemin Hıristiyan kültürüne her zaman daha yakın olduğunu düşünmüşümdür. Tabii ki nüfus kâğıdında Müslüman; ama aldığı eğitimle, kültürel kalıplarla da öteki tarafa yatkın.

OYA – Peki evde, ailede dindar bir hava var mıydı? Mesela benim baba tarafımda hiç yoktu. Babaannemin oruç tuttuğunu, namaz kıldığını, dua okuduğunu hiç görmedim. Babam ise ateistti; dindarlara saygılıydı, dinsel pratikleri kültürel gelenek olarak kabul ederdi; ama kendisinin hiçbir dinle ilgisi ilişkisi yoktu benim bildiğim kadarıyla. Anneannem oruç tutardı, namaz kılmazdı. Niye namaz kılmıyorsun anneanne, diye sorduğumuzda, "Benim namazım kılınmış," derdi, ne demekse. Yani anne tarafımda da dinsel vecibeler pek yerine getirilmezdi.

MELEK – Bizde de anne tarafımda dindarlık yoktu. Tabii Ramazan, iftarlar, bayram ziyaretleri, âdetler, gelenekler hepsi yerine getirilirdi ama oruç tutmazlardı. Annem de oruç tutmazdı. Babaannem dindardı bak! Ama kimseye karışmazdı.

OYA – Annen kaç doğumluydu?

MELEK – 1919.

OYA – Benimkinden beş yaş küçükmüş ama aynı kuşak. Peki baba tarafın?

MELEK – Baba tarafımı daha iyi bilirim. Baba tarafından dedem İbrahim Ethem Bey'in babası Rüstem Efendi, 1864'teki büyük tehcir sırasında, binlerce Çerkes gibi Rusya'dan Türkiye'ye gelmiş bir Kafkas göçmeni. Tehcirde binlerce aile parçalanmış, dedemin ailesi de bunlardan biri. Ailenin bir bölümünün Kafkasya'nın Kuban bölgesinde kaldığı söylenirdi. Rüstem Efendi İstanbul'a geldiğinde daha çocuk yaşta, aile güç koşullarda yaşıyor. Rüstem Efendi okulu bitirince gümrükte kâtiplik yapmaya başlıyor, aile Aksaray'da sade bir yaşam sürdürüyor. Rüstem Efendi, kendi ailesi gibi Kafkas göçmeni olan Balaban Paşa ailesinden Adviye Melek Hanım'la evleniyor. Ben onun adını taşıyorum işte.

Dedem ailenin ilk çocuğu. Babası iyi eğitim almasını önemsiyor. Mekteb-i Osmani, Mülkiye Rüştiyesi gibi okullarda okuduktan sonra 1884'te, on dört yaşında Askerî Tıbbiye İdadisi'ne giriyor. Bu okulun amacı, o dönemin tek tıp yüksekokulu olan Mekteb-i Tıbbiye-i Şahane'ye öğrenci hazırlamak. Dedem 1897'de giriyor buraya. Hem hekim ve bilim adamı hem de aydın olarak onun kişiliğini belirleyen kuşkusuz burada geçirdiği yıllar oluyor. O dönemde Mekteb-i Tıbbiye-i Şahane sadece bir tıp okulu olmanın ötesinde, ülkenin sosyal ve siyasal hayatına da etkileri olan bir kurum; II. Abdülhamid'in istibdat düzenine karşı da bir muhalefet merkezi. Dedem hiçbir zaman aktif politikaya girmemiş, bilim adamı ve araştırmacı olarak yaşamayı seçmiş bir adam ama Abdülhamid'e de muhalif. Tıbbiye'yi 1903'te bitirince Gülhane Hastanesi'nde staja başlıyor, orada kimya laboratuvarının başında bulunan, bizde Deycke Paşa olarak tanınan Alman hekim ve bilim adamı Deycke ile tanışıyor. Onun yanında üç yıl çalışıyor, hekimliğe ilaveten kimyager de oluyor. O yıllarda Aksaray'daki evde kendine bir laboratuvar kuruyor. Dedem İbrahim Ethem Bey, el becerileri olan, yeni buluşlar peşinde koşan, hem çalışkan hem de mucit ruhlu biri.

OYA – Gelelim babaannene; o nereli, nasıl evlenmişler?

MELEK – Babaannem Seyyide Hanım, Atina'nın güneyinden, Larissa'dan (Yenişehir) büyük bir çiftlik sahibinin kızı. Aile Çıralı Konağı olarak bilinen büyük bir evde yaşıyormuş o zaman. Ancak, 1880'lerde Rumeli'deki karışıklıklar ve baskılar sonucu İstanbul'a göç ediyorlar. Bütün çiftlik, topraklar, zenginlik, her şey geride kalıyor. Fatih'te bir konağa yerleşiyorlar ve Seyyide Hanım'la dedem görücü usulüyle İstanbul'da evleniyorlar. Babaannem ilginç bir kadındı. Çok geniş bir aileden; erkek kardeşleri var, kuzenleri var; zengin bir toprak ağasının kızı olarak yetişmiş, insanları çekip çevirmeyi biliyor. Kalabalık ailede büyümüş ve o geleneği sürdüren bir kadın. Ben babaanemi çok severdim. Benim üzerimde de büyük etkisi vardır. Osmanlı denilen o ilginç yapıyı en iyi temsil eden bence babaannemdir.

Evdeki laboratuvardan ilaç sanayiine

OYA – İbrahim Ethem Bey'in o küçük laboratuvarı mı sonradan ilaç sanayiine dönüşecek olan?

MELEK – Evet. Evlenince, İbrahim Ethem Bey Seyyide Hanım'ın Fatih'teki konağına taşınıyor, küçük laboratuvarını da orada kuruyor. Ancak taşındıktan kısa bir süre sonra 1908'deki Çırçır yangınında konak yanıp kül oluyor. Dedem bir de o dönemde salgın olan tifo hastalığına yakalanıyor ve çok ağır geçiriyor. Zaten daha sonra da hastalığın kalbinde yol açtığı hasar nedeniyle genç sayılabilecek yaşta ölüyor. Ben onu hiç tanımadım.

OYA – Peki İbrahim Ethem laboratuvarı ne oluyor?

MELEK – Dedemle babaannemin arka arkaya dört erkek çocukları olmuş; biri de babam. İbrahim Ethem Bey, bir yandan kendi laboratuvarında çalışırken bir yandan da devlet hizmetinde hekimlik yapıyor. Birinci Dünya Savaşı sırasında orduyu salgın hastalıklar kırıp geçiriyor; özellikle de kolera ve tifüs. Dedem, tifüse karşı mücadele eden 3. Ordu Sıhhiye Reisi Tevfik Sağlam'ın yanına Erzurum'a, Doğu Cephesi'ne gönderiliyor. Savaş sonrasında İstanbul'a dönüyor, Cumhuriyet'in kurulmasından sonra işleri gelişiyor. Evinin altındaki laboratuvarı, Divanyolu gibi merkezî bir yerde bulunan Şark Mahfili'ne taşıyor. "Laboratoire du Docteur Ibrahim Edhem" adını da "Dr. İbrahim Ethem Kimya Evi" olarak değiştiriyor. Bir anlamda yerli ilaç sanayiinin kuruluşunun ilk adımlarından biri. Dönemin devlet eliyle zengin yaratma ya da başka bir deyişle yerli sanayiciyi teşvik siyasetinin parçası olarak girişimcilere sağlanan desteklerden bizim aile de yararlanıyor.

Dedemin evinin bir odasında kurduğu laboratuvar 1924-1934 arasında Divanyolu'nda hizmet verdikten sonra Çemberlitaş Peykhane Sokak'a taşınıyor. Benim çocukluğumda da buradaydı. Çemberlitaş'taki laboratuvara çocukluğumda sık sık giderdim, oranın havasını, deney için kullanılan tavşanları, karaciğer ekstresinin kokusunu çok iyi anımsıyorum. Bir anlamda tıp dünyasının içinde büyüdüm ve o nedenle de tıp çok ilgi duyduğum bir alan oldu.

OYA – Baban ve amcaların işi sürdürdüler mi daha sonra? Yani bir süreklilik sağlanabildi mi?

MELEK – Evet; ailenin dört erkek çocuğu da tıp, kimya, eczacılık okuyorlar, baba mesleğini sürdürmek üzere yetiştiriliyorlar. Sadece eğitim yoluyla değil, hepsi daha küçük yaştan tüp tutmayı öğreniyorlar, ambalajlamaya, etiketlemeye yardım ediyorlar, yani çekirdekten yetişiyorlar. Babaannem de zaten işin başında, kocasıyla birlikte çalışıyor. Herkesin her işi yaptığı bir aile işletmesi. Varsıllık yavaş yavaş, çok çalışarak oluyor.

Ben doğduğumda dedem ölmüştü; ama babam ve amcalarım babalarının yolunda hızla ilerlemeye devam ediyorlardı. Ben ailenin varsıllaşmaya başladığı, işin büyüdüğü dönemde doğdum. Ben küçükken Çubuklu'da büyük bir yalıya taşınmıştık. Babam ve amcalarım daha önce kiracı olarak oturdukları yalıyı satın alıp onarmışlar. Babaannem ve dört oğlu, yani babam ve üç amcam ve aileleri, karıları, kuzenlerim... Böyle herkesin birlikte oturduğu büyük bir aile ve büyük bir ev. Benim çocuklukla ilgili en hoş anılarım oraya aittir. Büyük bir bahçe, insanlar, bahçıvanlar, her gece kurulan kalabalık sofralar. Yani şöyle söyleyim: Sofrada akşamları on beş, yirmi kişi olunurdu. Biz çocuklar bazen ayrı yemek yerdik ve buna çok sevinirdik. Büyüklerle yenen uzun akşam yemekleri bize çok sıkıcı gelirdi. Çubuklu'daki yalı çocukluk anılarımda büyük yer tutar. Beni çok etkilemiştir. Bu kadar sosyal olmam, her türlü insanla ilişki kurmam, nasıl diyeyim, herkese açık olmam; bu huylarımın baba tarafından, babaannemden geldiğini düşünüyorum.

OYA – Ne kadar farklı aile yapılarından geliyoruz. Sen hep geniş aile anlatıyorsun. Benimki ise tipik çekirdek aileydi. Üstelik tek çocuktum. Senin aksine, oldukça yalnız bir çocukluk geçirdim. Annem, babam, bir de yılda birkaç ay gelip kalan, çocukluğumda en sevdiğim kişi olan teyzem... İkide bir babamın tayini çıkıyor; orada burada, Anadolu'da gezip duruyoruz. Daha çok köylerde, küçük kasabalarda, askerî garnizonların çevresinde yaşardık. Orduevlerinin bahçelerinde, bir de çevredeki kırlarda oynamama izin verilirdi. Subay çocuklarından arkadaşlarım olurdu; ama tam birbirimize ısınacakken babamın yine tayini çıkar, başka bir yere taşınırdık. Buna karşılık büyüklerle, genç subaylarla falan iyi arkadaşlık ederdim. Belki de bu yüzden biraz erken gelişmiştim, kendi yaşıtlarımdan fazla hazzetmez olmuştum. Yani, diyeceğim o ki, çocukken kalabalık ailede büyümekle yalnız olmak arasında, insanın sonradan karakter yapısını etkileyen önemli farklar var.

"Saraylı" babaanne

MELEK – Babaannemin adı Melek'ti dedin, annesi de Saray'danmış yanlış anlamadıysam. Osmanlı'da böyle bir Saraylılık olayı vardı değil mi?

OYA – Evet ama bu bir asalet unvanı ya da Batı'dakine benzer bir aristokrasi değil. Terim daha çok Saray'a bir yanından bulaşmış, Saray'da bulunmuş kadınlar için kullanılır bildiğim kadarıyla. Padişahların, şehzadelerin eşleri, çocukları, gelinleri, damatları yanında, bir de Saray haremindeki kadınlar, kızlar var; kadınefendiler, hanımsultanlar yanında bir de hizmetkârlar, kalfalar, halayıklar var. Bilirsin, "deli saraylı" diye de bir tabir vardır halk arasında. Giyimleri, kuşamları, Türkçeleri, hikâyeleri halktan farklı olduğu, geçmişe takılı kalmış oldukları için böyle adlandırılırlardı belki de. Benim babaannem biraz bu kategoriye girerdi.

Kendi ailesinden kimsesi yoktu, akrabaları hep kocasının tarafındandı. Onlar da fazla uğramazlardı semtine. Yalnız bir kadındı babaannem. Seçilmiş bir yalnızlık mıydı yoksa zorunlu olarak katlandığı bir yalnızlık mı, bilmiyorum. Çerkesti; incecik, ufak tefek, saçları neredeyse topuklarına kadar uzanan, hep topuklu terliklerle, uzun elbiselerle dolaşan bir kadın. 92 yaşında öldüğünde bile gözleri sürmeliydi. Bakırköy'de, Mektep Sokak'ta aileden kalmış, eskiden bir yanı harem, bir yanı selamlık olan iki taraflı ahşap bir konakta tek başına, köpeği Tango ile yaşardı. Sonra köpek de öldü zaten. Ne biçim sağırdı, anlatamam; kulağının yanında top patlatsan duymazdı. Kocası Miralay Ali Rıza Bey'in erken ölümü yüzünden hastalanıp sağır olduğu söylenirdi. O koca evi bölüm bölüm kiraya vermişti. Biri Rum, biri Ermeni iki kiracısı vardı. Rum kiracıların oğlu Hristo terziydi, altı yaşındayken bana, havacı asker kaputundan bozma mavi renkli bir Shirley Temple mantosu dikmişti. Hatırlar mısın o zamanların harika çocuk yıldızı Shirley Temple'ın karton bebeklerini? Kâğıttan çeşit çeşit giysileri vardı, keser giydirirdik. Şimdiki Barbi bebekler gibi, ama kartondan. İşte onun paltosu gibi bir palto dikmişti bana Hristo. Paskalya'da, Noel'de babaanneme gittiğimde kiracılara da uğrardım. Özenle boyanmış Paskalya yumurtaları, çikolatadan tavşanlar, irili ufaklı oyuncak Noel Babalar, Noel çamına asılmış küçük hediyeler, babaannemin evini çocuk gözümde büsbütün çekici kılardı.

MELEK – Bizim evde de Noel'de, yılbaşına doğru kutlama yapılır, çocuklara hediyeler verilir, Paskalya'da yumurta boyanırdı. Kültürler iç içe geçmişti böyle. O evde babaanne ile birlikte yaşadınız mı hiç?

OYA – Çok kısa bir süre için, birkaç aylığına kalmıştık Bakırköy'deki evde. Babamın tayini İstanbul'a çıkmıştı, ev bulup taşınana kadar o evde yaşadık. Aslında babaanneme ayda bir götürülürdüm, tabii o sırada İstanbul'daysak. Babam, annesinin ziyaretine daha sık giderdi. Benim için büyük ev orasıydı; büyük ama ıssız ve yalnız bir ev. Babaannemin kulağı duymadığından, evinin anahtarını sokağa bakan sürme pencerenin içine bırakırdı, bütün Bakırköy de bunu bilirdi. Ne günlermiş! Onca yıl ne hırsızlık oldu ne de bir ilişen. Şimdi olsa eve girmekle de yetinmez, kadıncağızı öldürürlerdi bile. Deli Melek Hanım da derlerdi ona; aslında deli değil, sadece farklıydı bence. Sıradan değildi, başka bir dünyadandı sanki. Dinleyen buldu mu sarayı, saraylıları, paşa konaklarını, prenses düğünlerini, eski güzel günleri anlatırdı, masal anlatır gibi. Ölümünden sonra eski, sararmış bir fotoğrafını buldum. Bir askerî hastane koğuşunda yaralılara bakarken hemşire kıyafetiyle çekilmiş bir fotoğraf. Nerede, ne zaman? Büyük ihtimalle İstanbul'da. Belki Birinci Dünya Savaşı sırası. Yaralı askerler kim, bunu da bilmiyorum, yabancıya benziyorlar.

MELEK – Yani babaanne işgalci Fransız askerlere mi bakıyor?

OYA – Bilmiyorum, olabilir de. İşin kötüsü bunlara merak sarmaya başladığımda artık soracak kimse kalmamış olması. Her neyse...

Babaannemle annem birbirlerinden nefret ederlerdi. Babamla annem Erzurum'da tanışmışlar. Annem on sekiz yaşında, Çapa Öğretmen Okulu'ndan yeni mezun olup Erzurum'a atanmış çiçeği burnunda bir öğretmen. O zamanlar babam yarbay olarak Şark hizmeti yapıyor Erzurum'da, bir de galiba ara ara askerî ataşe olarak Sovyetler'e gidip geliyor. Fotoğrafları vardır yerlere kadar siyah deri paltolarla, tam casus pozunda. Annemle aralarındaki yaş farkı neredeyse yirmi. Evlenip annemi İstanbul'a annesiyle tanıştırmaya getirdiğinde Melek Hanım gelini hiç beğenmiyor, oğluna layık görmüyor. Annemin o günlerdeki fotoğraflarına bakıyorum; gencecik, pek güzel, eskilerin ferik elması gibi dedikleri türden. Ama babaannem ne prensesler ne kontesler hayal ediyor oğlu için. Bana, "Ah kızım ah, anan olmasaydı şimdi sen prenses olacaktın, babanı Mısır prensesi bilmem kimle evlendirecektim. Bunlar babanın çamaşırlarını yıkıyorlardı, çamaşırların arasına okunmuş sabun koyup büyü yaptılar, babanı elde ettiler," gibi sözler söylerdi.

MELEK – Hah hah ha! Yani böyle açık açık mı?

OYA – Evet, açık açık. Annemin yüzüne bile, "Ay Hanım, oğlum bir kuyrukluyıldızdı, sana çarptı," derdi. Kendisi Saray'dan ya; annemi küçümsüyor, oğluna layık görmüyor. Annem haliyle çok bozulurdu bu duruma. Kendi ailesinin de aşağı kalmayacağını, baba tarafının Kırım hanlarından geldiğini anlatırdı. Annemin babası Ahmet Şükrü Bey, bizimkilerin tabiriyle maarifçiymiş, Selanik'te kız rüştiyesini o kurmuş. Büyük teyzemin anlattığına göre, kız okulu açtı diye softalardan çok tepki görmüş, yolda çevirip tartaklamışlar, suratına tükürmüşler. Sonra Anadolu'da çeşitli yerlerde maarif müdürlüğü yapmış. 1914'te Sivas'a tayin oluyor. Annem Sivas'ta doğmuş. Ve şimdi sıkı dur: Ahmet Şükrü Bey 1915'te Sivas'ta Tehcir Komisyonu üyesi.

MELEK – Deme...

OYA – Dedim bile. Belki sonra konuşuruz işin bu tarafını; ama bende Ermeni meselesinde jeton düştüğünde, biraz daha ayrıntılı bilgi alabileceğim kimse kalmamıştı ailede. Dayım ve büyük teyzelerim ölmüşlerdi, annem ise o sıralarda daha bebek. Yine laf karıştı araya, babaannemin evine dönelim. Ben çocukken çok severdim o eve gitmeyi. Orada farklı renkler, farklı masallar vardı. Babaannem, ahşap konağın tavan arasında duran bir sandığı açar, incilerle altın sırmayla işlenmiş muhteşem bir ipek dantel tuvalet çıkarırdı mesela. "Bu benim gelinliğim," ya da "Bu, rahmet olsun, Ahmet Sırrı Paşa'nın torunu, Galip Paşa'nın kızı Şahver Hanım'ın gelinliği," derdi. Dokunmama, hatta giymeme izin verirdi. Ben de o işlemeli dantel tuvaletlerin eteklerinden gizlice parçalar keser, bebeklerime elbise dikerdim. Uzattım lafı da, çocukluğumun büyülü anıları arasında işte babaannemin o evi, bir de askerî garnizonların bulunduğu yerlerdeki kırlar, tarlalar, orduevi bahçeleri, kuşlar, otlar, çiçekler, kediler, köpekler var.

Baba tarafından akrabalar, çok genç yaşta ölmüş dedem Ali Rıza Bey ve onun babası Ahmet Sırrı Paşa'dan geliyor. Babamın baba tarafından akrabaları daha çok Küçükyalı'da, Bostancı'da eski ihtişamını yitirmiş, dökülmeye yüz tutmuş ahşap köşklerde otururlardı. O köşklerin manolyalı, Malta eriği ağaçlı, küçük ponpon gülleriyle sarılı kameriyeli geniş bahçeleri vardı. Ağır kadife perdeler, yaldızlı, oymalı mobilyalar, kararmış mermer merdivenler... Ama köşklerin içi, odalar, sofalar küf, toz, rutubet kokardı. Büyük halalardan biri öldüğünde taziyeye ben de götürülmüştüm. O tuhaf koku bütün eve yayılmıştı, herhalde bu yüzden, rutubet, toz, hela karışımı o kokuyu ölüm kokusu sanırdım çocukluğumda. Şimdi o konakların yerinde on on beş katlı apartmanlar, siteler yükseliyor. Küçükyalı'daki çiftliği hatırlıyorum. 1940'larda, 50'lerde bile Küçükyalı bayağı şehirdışı sayılırdı. Banliyö treniyle gidilir, trenden inince atlı arabaya binilirdi anayolun üstündeki çiftliğe ulaşabilmek için.

MELEK – Öyleydi tabii. O zamanlar oralar şehirdışı banliyö.

OYA – Öyle uzak ve ücra ki, mesela 1915 öncesinde, Ermeni çeteciler o çiftliği basmış, bütün erkekleri öldürmüşler, sadece anasının karnında bir erkek çocuk kalmış. Çiftliğin kapılarını açan da kendi Ermeni çalışanları, kâhyaları. Kemal Tahir de bir romanında yazar bu olayı. Başka konu ama yeri gelmişken; mesela babamın en yakın arkadaşları Ermeniydi, babaannemin kiracıları da öyle. Ben ailede bu olaylar yüzünden Ermeni düşmanlığı duymadım hiç. Ermeniler başka, çeteciler başka... Bir de demin konuşurken annemin babasının Tehcir Komisyonu üyeliği dikkatini çekmişti ya senin, şimdi yeri gelmişken anlatayım.

Büyük teyzem İclâl o sırada 16 yaşında, genç kız. Ben ondan, bir de dayımdan dinlemiştim ama hani öyle hoş bir çocukluk anısı olarak. Anlattıklarına göre, bir gün dedem işten eve geliyor; çok üzgün, sinirli. "Bu evde Ermeni komşulardan alınan bir topluiğne görürsem hepinizi kulaklarınızdan tavana asarım!" diye gürlüyor. Dayım hayvan beslemeye meraklı. Kaçan ya da katliama uğratılan Ermeni ailelerden birinin kümesinden iki tavuk bir horoz almış, yüklüğe saklamış. Mesele ortaya çıkınca çok kötü dayak yiyor. "Ah, evlerini yerlerini bırakıp gittiler; malları, mülkleri, hayvanları, eşyaları kapanın elinde kaldı. Nasıl olsa döneceğiz diye altınlarını ziynetlerini evlerin altına gömmüş kimileri diye duymuştuk; gidiş o gidiş, dönemediler," diye anlatırdı teyzem. "Çok iyilerdi; bizim Türklere benzemezlerdi, medeniydiler," de derdi. Ama tehcirin, acı olayların, katliamın farkında değillerdi, hele anneannem hiç farkında değildi. Ermeni çeteciler Türkleri kesmiş, devlet de onları sürmüş... o kadar. Belki de hem bireysel hem de toplumsal bilinçaltları olayı yokmuş gibi, hiç olmamış gibi kabul etmeye zorluyordu. Dönemin sıradan insanlarının psikolojisini anlatmak için söyleyeyim: Hiçbirinde Ermeni düşmanlığı yoktu; aksine Ermeni komşuları, dostları vardı. Hani şimdi 1915 olayları,

Ermeni kırımı tartışılırken bu konudaki cehaletten, unutkanlıktan yakınıyoruz, olmadı öyle bir şey falan diyenleri kınıyoruz ya, galiba aslında sıradan insanlarda bir farkındalık eksikliği vardı. Çoğu farkında değildi olup bitenlerin, tabii ki farkında olmamaları için her şey yapılmıştı; ama bilenler, farkında olanlar da sanırım vicdanlarının yükü büsbütün ağırlaşmasın diye unutmayı yeğlemişlerdi.

MELEK – Bizim ailede de gayri müslimlere ayrı muamele yapıldığını hiç görmedim. Babaannem dindardı; namaz kılar, oruç tutar, içki içmezdi. Ama kendisi gibi olmayanlara karşı her zaman hoşgörülüydü. Ne kendi çocukları ne de biz torunları üzerinde baskı kurardı. Ermenilerle de yakın ilişkiler vardı. Evin işlerine bakan Ermeni ustalar, Kapalıçarşı'daki kuyumcular, Ada'dan Ermeni dostlar, herkes eve girer çıkardı.

OYA – Baba tarafım anlattığım gibiydi işte. Anne tarafına gelince; annemin baba tarafı Kırımlı. Bana bile bazen sorarlar Tatarlık var mı diye. Bariz Tatar çizgilerim yok ama anlayan anlıyor. Dede Molla Ömer Kırım Hanı'nın çocuklarına ders verirmiş, bizimkilerin tabiriyle müderrismiş. Ben, Kırım kökenli olup da hanlardan olmakla övünmeyene pek rastlamadım zaten! İşin aslına bakarsan Kırım Hanlığı daha 1700'lerin ortalarında yıkılıyor. Ama Kırım'da hanlık döneminden kalan büyük toprak sahibi ya da ticaret erbabı, güçlü, Müslüman aileler var. Babaannem nasıl saraylılıkla övünürse, anne tarafım da hep maarifçi olmakla övünürdü. Molla Ömer, Kırım Savaşı'ndan sonra ailesiyle birlikte Romanya'ya göç ediyor. Köstence'ye iskân oluyorlar ve diğer Kırım göçmenleri gibi bunlara da toprak veriliyor. Önce Tuna Nehri'nin ortasında bir adada kaldıkları, orada çiftlikleri olduğu söylenirdi. Bunu da araştırmak gerek, başka bir kaynakta da gördüm böyle bir adanın varlığını. 93 Harbi'nden sonra (1876-77) oralar da karışınca Molla Ömer, oğlu Hasan Şükrü'yü, yani biraz önce Sivas'ta Tehcir Komisyonu üyesi olduğunu söylediğim dedemi ve hamile kızı Ayşe'yi Köstence'den gemiye bindirip İstanbul'a gönderiyor. Ayşe gemide bir kız çocuk doğuruyor. Adını Bahriye koyuyorlar, yani "denize ait". Molla Ömer Romanya'da kalıyor, bir daha ondan haber alınamıyor. Bunları biraz da Türkiye insanının köklerine doğru gittikçe ne hikâyeler, ne değişik ve karışık kimlikler, ne maceralar olduğunu hatırlatmak için anlatıyorum.

Anneannem Bursa'da Hancılar diye bilinen bir aileden. Babası Emin Bey Bursa Telgraf müdürüymüş. Kökleri neresi bilmiyoruz; anneannem Bursalıyım derdi ve Bursalı olmakla övünürdü. Bütün yakın akrabaları, kardeşinin kızları, torunları Bursa'da otururlardı benim çocukluğumda. Bursa'ya onları ziyarete giderdik, Çekirge'de hamamlı kaplıcalı otelleri vardı, bizim için kapatılan sıcak havuzlara girmeyi çok severdim. Dedemle anneannem nerede, nasıl evlenmişler bilmiyorum. Dedem Hasan Şükrü, Arnavutluk'ta Prizren'de, sonra Üsküp'te, daha sonra Selanik'te maarif müdürlüğü yapmış. Selanik'te kız rüştiyesi açtırdığı için softalardan tepki gelince Yemen'e sürülmüş. Bir düşün: Bir ucu Prizren'de, Selanik'te, öteki ucu Yemen'de olan çöküş halinde bir imparatorluk. Yemen'e gitmek istemeyince Musul'a çıkmış tayini. Sonra Adana, Urfa, Sivas ve nihayet Niğde'de 1916 veya 17'de tifüs salgınında ölüm. Anneannemi düşün bir! Yedi çocuğu olmuş, ikisi ölmüş. Çocukların her biri bir yerde doğuyor. İstanbul'dan Musul'a, Arnavutluk'taki Prizren'den Adana'ya arabayla bilmem kaç günde çoluk çocuk nasıl geldiklerini anlatırdı. Yine de doğurmaktan, büyütmekten korkmuyor. Prizren'de mi, Musul'da mı, artık neredeyse, yaptığı doğum pek hoşuna gitmiş nedense; oh, pek güzel doğurdum burada, bir tane daha yapayım, demiş. Kendisi böyle anlatırdı, biz torunlar da çok gülerdik bu işe.

MELEK – İmparatorluğun inanılmaz çalkantılı dönemleri: Kırım Harbi, 93 Harbi, Balkan Savaşı, sonra Harbi Umumi, yani Birinci Dünya Savaşı, sonra Cumhuriyet... Dedelerimizden, anneannelerimizden, babaannelerimizden başlayarak annelerimize, babalarımıza kadar, hepsi o çalkantılı dönemin içindeler. Düşünsene, 500 yıllık yapı dağılıyor, yıkılıyor. İnsanların hayatı altüst oluyor. Ben o kuşağa hayranlık duyuyorum, çok zor şartlarda yaşamış dirençli insanlar. Senin anneannen gibi ben de babaannemi düşünüyorum; kadın Balkan Harbi sırasında, dünya savaşı sırasında arka arkaya dört çocuk doğurmuş, bunu da çok normal bir şeymiş gibi yaşıyor. Hayat karşısında böyle bir doğallıkları ve dirençleri var. Ama annelerimizin kuşağı, Cumhuriyet kuşağı daha farklı. Nasıl diyeyim, onlar Türkiye'nin görece rahat ve ilginç bir döneminin insanları. Ben annemle babamı balolarla, uzun tuvaletler ve simokinlerle, eğlencelerle, rahat, zengin bir ortamda hatırlıyorum.

Bir subay çocuğu, bir burjuva kızı

OYA – Benimkiler öyle zengin değillerdi; orta, hatta dar gelirliydiler. 1940'larda, 50'lerde subaylar ekonomik olarak orta-alt gelir grubuna dahil sayılırdı. Çoğunlukla Anadolu'nun küçük kentlerinde, kırsaldaki garnizonlarda, subay gettolarında yaşanır, mahfel denilen orduevlerinde eğlenilirdi. Balolar, eğlenceler olurdu tabii: Cumhuriyet baloları, 23 Nisan balosu, yılbaşı kutlamaları. Babam pek hoşlanmazdı bu merasimlerden; ama bazen görev icabı zorunluluktan, bazen de annemin ısrarıyla giderlerdi. Annem, senin de söylediğin gibi dantel tuvaletler, ipek tafta elbiseler giyerdi böyle günlerde. Her balodan önce, ay rezil olacağım, giyecek yeni bir şeyim yok, dediğini; bir de kürk manto özlemi çektiğini hatırlarım.

Çocukluğum kırlarda geçti. İlk hatırladığım yer Erzincan. Büyük Erzincan depreminden sonra şehrin dışına kurulmuş yeni deprem evlerinden birinde oturuyorduk. Evin hemen yanından, kum zeminli sığ bir dere akardı. Yandaki evde oturan levazım subayının oğlu Özdem Sanberk'le o derenin kenarında oynardık. Özdem benden iki yaş büyüktü. Bir gün, omuzlarına attıkları kalın bir kalasa sarılmış, o günkü üç karışlık boyumla bana canavar gibi görünen kocaman bir yılan taşıyan iki adam geçti derenin içinden. Yılan gerçekten büyük olmalı ki, biri önde biri arkada yürüyen iki adam ancak taşıyordu. Korkudan kaskatı kesilmiş dururken, Özdem kum kovasına doldurduğu dere suyunu başımdan aşağı dökmez mi! Avaz avaz ağlayarak eve koşarken, "Yılanlı suyu döktü, yılanlı suyu döktü başıma!" diye bağırıyormuşum. Sonra günlerce küstüm Özdem'e. Her gün gelip, "Oya Baydar Ablacığım, bir daha yapmayacağım, barışalım, oynayalım," diye yalvarıyor, ben kendimi odalara kapayıp çıkmıyorum dışarı. Ama tek arkadaşım da o, başka çocuk yok etrafta, mecburen barıştım sonunda.

Daha sonra Merzifon, Samsun, Terkos Gölü civarındaki Tayakadın Köyü... Babam oradan oraya sürülüyor, hep de kırsaldayız. Tayakadın'da beş yaşındaydım artık. 1945'te İkinci Dünya Savaşı bitmek üzere, ama babamın komutanı olduğu topçu alayı sınır öncesi birliklerden biri; yani savaş düzeni sürüyor, düşman uçakları hedef almasın diye geceleri karartma var hâlâ. Ev haline getirilmiş derme çatma kulübedeki pencerelerimizde siyah storlar. Karanlık basınca telaşa düşüyorum, aman hemen kapatalım, bombalamasınlar bizi. Savaş korkum ve savaş karşıtlığım sanırım o günlere geri gider.

O yıllarda asker ailelerinin yaşadığı mahrumiyetlerin tümünü yaşıyoruz. Bir çocuk için eğlenceli tarafları da var bu hayatın. Mesela Tayakadın'da benim bir atım vardı. Nasıl izin verirlermiş bilmem; ama beni atın üzerine çıkarırlar, sonra da bırakırlardı, yalnız binerdim o ata. Bir keresinde başka bir ata bindim. Bu kısrak yakındaki bir çiftliğe aitmiş meğer. At binicisini hemen anlar, ona göre davranır. Çocuk halimi fark edince tırısa kalktı, düşmemek için atın boynuna sarıldım. Kırlardan bayırlardan aşırarak sanırım Ispartakule civarında bir çiftliğe getirdi beni. Çiftliktekiler de şaşırdı. Çiftliğin sahibi bir hanımdı; sonra annemlerle dost oldukları için adını bile hatırlıyorum: Leyla Hanım. Uzun deri çizmeleri, golf pantolonuyla tam bir hanımağa. Ben anlatabildiğim kadarıyla anlattım maceramı. Alay komutanının kızı olduğumu söyledim. Manyetolu denilen telefonlar var o zaman, babamı buldular. Bir tabur asker beni arıyormuş meğer. O maceradan sonra, bir daha at binme izni verilmedi.

Rüzgârda deniz gibi dalgalanan buğday tarlaları, kır tavşanları, çeşit çeşit otlar, kırçiçekleri, sokak köpekleri, kuzular, kediler, tavuklar çocukluğumun parçası oldu. Çok sonra, yazmaya başladığımda, sadece okurların değil edebiyat eleştirmenlerinin, özellikle de Fethi Naci'nin dikkatini çekmişti doğayla olan bağım. Bitkileri, çiçekleri, hayvanları böyle yakından tanımama şaşırmıştı Fethi Agabey.

Dar gelirli bir subay ailesiydik; ama sınıfsal köken ve eğitim itibarıyla babam ordunun genel profiline pek uymazdı. Hele de o yıllardaki subay ortalamasına göre, eğitim düzeyi, yaşam kültürü olarak epeyce üstte sayılırdı.

Annem Cumhuriyet'in ilk öğretmen kuşaklarından, İstanbul'daki Çapa Kız Öğretmen Okulu'nun 1932 mezunlarından. Ama en fazla bir yıl öğretmenlik yapmış, evlendikten sonra hiç çalışmamış, mecburi hizmetini bile tamamlamamıştı. 1946'da, çocuk halimle hatırlıyorum, mecburi hizmetini yapmadığı için tazminat talebi gelmişti de bizimkiler pek telaşa düşmüşlerdi. Sonra Ankara'da Milli Eğitim Bakanlığı arşivlerinde bir yangın oldu, bu işten böylece sıyırttı. Babam, "Arşivleri sen yaktın herhalde," diye dalga geçerdi annemle. Yani ailenin geliri dar ama özlemler, özenilen yaşam tarzı tam da senin anlattığın gibi. Cumhuriyet baloları, tuvaletler, denizyolları gemilerinin restoranlarında giyinip kuşanıp yemekler... 1940'ların 50'lilerin önemli atraksiyonu sayılan İzmir Fuarı'na mutlaka gidilir, Orduevi'nde kalınır ama Kemeraltı'ndaki ünlü restoranda çipura ya da trança şiş yenir. Tiyatroya gitmek bir merasimdir, giyinip kuşanılır. Yılbaşı geceleri annemlerin tiyatroya gidip oradan çıktıktan sonra bir dost evinde toplandıklarını, oyun masaları kurulup poker, konken, bezik oynadıklarını hatırlarım. Tabii bizimkilerin eğlenceleri, yaşamları çok daha mütevazıydı, eninde sonunda bir subay maaşı ama özlemler aynı. Sosyo-ekonomik ölçütlere göre, sınıfsal olarak senin ailenle benimki farklı yerlerde. Yani klasik deyimlerle konuşacak olursak, seninkiler Cumhuriyet burjuvazisi sayılır, benimkiler ise küçük burjuva bürokrat kesimden subay ailesi.

MELEK – Sınıfsal olarak, evet... Ama eğer burjuva diyeceksek, bu, babamların nesliyle başlıyor. O küçük laboratuvardan büyük bir ilaç fabrikasına geçiliyor. O yıllarda ABD Truman doktrinini ilan ediyor, Soğuk Savaş ortamına giriliyor. Sovyet etkisini zayıflatmak için Avrupa ve Ortadoğu'yu da içine alan büyük bir ekonomik hamle, daha doğrusu plan devreye sokuluyor: Marshall Planı. Türkiye de Marshall Planı'ndan yararlanan ülkelerden. Bizimkiler de bu çerçevede kredi alıyorlar, Amerikan ilaç şirketleriyle yeni anlaşmalar yapıyorlar.

OYA – Yani 50 sonrası, Demokrat Parti dönemi. Hani senin de benim de sınıf düşmanı bellediğimiz işbirlikçi burjuvazi...

MELEK – Evet, ironik bir durum. Ailenin zenginleşmesi 50 sonrasında başlıyor. Ancak bizim aile açısından paradoksal bir durum var. İbrahim Ethem Kimya Evi, Cumhuriyet'in yerli sanayii koruyan, yabancı firmaların Türkiye pazarına girişini engellemeye çalışan himayeci yasalarıyla kurulmuş ve gelişmiş bir şirket. Oysa Demokrat Parti döneminde, 1954'te çıkarılan Yabancı Sermayeyi Teşvik Kanunu ile yeni bir evreye giriliyor. Bu yasa gereği yerli ilaç sanayiinin yabancı şirketlerle rekabet edebilmesi için yeni ortaklıklar kurması ve büyümesi kaçınılmaz oluyor. Topkapı'daki fabrika o yıllarda kuruldu ve tabii iş birden çok büyüdü. Benim çocukluğuma denk düşen dönemdir bu. Babamın sürekli yabancı işadamlarıyla buluştuğunu, yeni anlaşmalar nedeniyle sık sık yurtdışına gittiğini hatırlarım. Bu dönem ailenin zenginleştiği, en varsıl olduğu yıllar. Ama aile hiçbir zaman Demokrat Partili olmadı, hatta koyu CHP'li kaldılar.

OYA – Ailelerin sınıfsal konumlarını karşılaştırmak için söylersem, babam paşa torunu; Fransız mektebinde, Mekteb-i Sultani'de, bir iki yıl da Fransa'da okumuş ama subay. Askerliği seçmekten çok, zorunlu olarak subay olmuş. Üniversite eğitimini tamamlamadan, gönüllü olarak Birinci Dünya Savaşı'na katılıyor; cepheden cepheye, Suriye'ye, galiba Libya'ya kadar gidiyor. Trablusgarp maceraları, İngilizlere esir düşmesi, esaretten dilsiz Bedevi kılığında kaçması, çocukluğumdan kulağımda kalmış hikâyeler. Savaş bittiğinde, liseyi bitirip de savaşa katılmış gençlere "ikmal-i tahsil"le, yani askerî eğitimi iki yılda tamamlama koşuluyla subay olma hakkı tanınıyor. Babam da, artık bundan sonra yapılacak bir şey yok, deyip Harbiye'ye giriyor, sonra da Harp Akademisi'ne gidip kurmay oluyor. Parlak bir subaymış, diye anlatılır. O zaman orduda dil bilen çok az, bu iyi Fransızca ve Almanca biliyor, askeri ataşelik, umumi müfettişliklerde müşavirlik yapıyor daha çok. Orduya hiç uyum gösterememişti. Belki de askerî okul disiplininden geçmediği için. Kafasının basmadığı emri uygulamamak, üstleriyle tartışmak... Tabii orduya uymayacak işler.

MELEK – Yani sendeki isyankâr ruh ondan.

OYA – Evet, sanırım, çünkü annem son derece konformist bir kadındı. İsyan değil itaat. Her şeyden ödü kopardı. Babam farklıydı; mesela üstlerine karşı itaatsizlikle yargılandığı bir davadan hüküm giyince, ordudan atmamışlardı ama kurmaylığını geri almışlardı. Bu hiç de olağan değildi, çünkü kurmaylık doktora gibi bir şey. Profesörlük veya albaylık bir rütbedir, titrdir ama kurmaylık veya doktora uzmanlıktır, geri alınması mümkün değildir. Neyse işte, bu olaydan sonra babam üniformasını çıkartmış, Eskişehir'de garnizona sivil gitmeye başlamıştı. O zaman ben 6 yaşındaydım ama hatırlıyorum. Sivil Albay diye ünlenmişti çevrede. Deli Cevat Albay da derlerdi. Albaylıktan yukarı terfi ettirilmedi. Hakkındaki soruşturmalar benim hatırladığım kadarıyla hep üstlerin emirlerini tartışmak veya üstlere gerekli saygı ve itaati göstermemektendi. En son, 1950'de, en yakın arkadaşı Necati Amca (Orgeneral Necati Tacan) önemli bir yere gelmişti, babamın da sicil amiri durumundaydı galiba. Askerî şûrada muhalifler olsa da artık bu defa generalliğe terfi etmesine kesin gözüyle bakılıyordu. O sırada Türkiye NATO'ya yeni girmiş, Amerikalı subaylar ve kurmaylar gelmişler, Türk Ordusu'nun üst rütbeli kurmay subaylarıyla ilk "harp oyunu" oynanacak. Babam o sırada albay ama kıdemi itibarıyla vekâleten İstanbul Boğaz Komutanı. Harp oyununun konusu da herhalde Sovyetler'e karşı Boğazları koruma planı. Bir gece önce Necati Amcalar bize gelmişlerdi. Necati Amca'nın babama "Cevat, çıkıntılık yapma, yanlış da olsa önerdikleri, sus; nihayetinde bu bir oyun," dediğini hatırlıyorum. Ama ne mümkün! Babam önce susuyor, sonra Amerikalılara patlıyor: "Siz bu coğrafyanın şartlarını nereden bileceksiniz, Türk Ordusu'nun durumu hakkında hiçbir fikriniz yok, o dediğinizi yaparsak bire kadar kırılırız," diye. Bir de galiba, Amerikalı komutanın ayağını masanın üzerine dayayıp oturması karşısında bizimki de aynı pozu almış. Doğru mu bilmem ama öyle anlatılırdı. Tabii, terfi falan suya düştü. 1951'de ilk beyin kanamasını geçirdi, ardından da emekli oldu zaten.

Annem babamın general olamamasına çok üzülürdü. Düşünsene, babamın arkadaşlarının hepsi korgeneral olmuş, annemin çevresinde herkes paşa karısı. Hanım günlerinde kadınların kocalarının rütbe sırasına göre oturtuldukları dönemler. İkram yapılırken en yüksek rütbelinin karısından başlanır. Bizimki hâlâ albaylıkta sayıyor. Bu yüzden evde hır çıktığını, annemin babamı serkeşlikle, dik başlılıkla suçladığını hatırlarım. Ben hep babamın yanındayım ya, annemi kızdırmak için, fırsat bulduğumda "Az yaşa çok yaşa, her albay olmaz paşa," tekerlemesini söylemekten büyük zevk alırdım.

MELEK – İstanbul'da nerede oturuyordunuz o zamanlar?

OYA – Babamın emekliliğine kadar Sarıyer'de oturuyorduk. Dereboyu'nda, denize ve çarşıya çok yakın bir evdeydik. O zamanlar Sarıyer Deresi vardı ve yağmur yağdığında taşkın olurdu. Sarıyer'in çok canlara mal olmuş sel feleketleri ünlüdür. 1951 baharında yine büyük bir sel geldi. Tam o günlerde ben kızamık çıkarıyorum. Sel suları oturduğumuz evin altını oymaya başladı. Yukarıdaki Maden tepelerinden, ev enkazlarını, hayvan ölülerini, önüne ne çıkarsa hepsini sürükleyerek, köpüre köpüre denize doğru akıyor sular. Üstelik öyle ağır ağır değil, bir anda geliyor sel. Korkunç bir şey. Sular evin ikinci katına doğru çıkmaya başlayınca, biz damdan dama geçirilerek kurtarıldık. Kızı Sezer Sarıyer İlkokulu'nda sınıf arkadaşım olan Sarıyer Börekçisi'nin çarşı içindeki evine sığındık.

Artık Sarıyer'de ne dere var ne dereboyu ne de sel sularının geldiği Maden Mahallesi tepeleri. Geçen yıl gittim, her yer silme konut olmuş, siteler yapılmış bütün tepelere. Sadece dere değil, Sarıyer'in ünlü içme suları da neredeyse kurumuş, parmak gibi akıyor pınarlar; hepsi bir işletmecinin elinde kır gazinolarına, içkili çalgılı mekânlara dönüşmüş.

MELEK – Ailenin siyasi tavrı nasıldı? Baban asker olduğuna göre, CHP'li miydi?

OYA – Hayır, tam tersi. 14 Mayıs 1950 seçimlerinde Sarıyer'deydik, babam sivil elbise giyerek annemle birlikte seçim sandığına gitmiş, anneme DP'ye (Demokrat Parti) oy verdirmişti. 1950 seçimlerinde DP'nin "Yeter! Söz Milletindir" afişini, babamın bu sloganı çok sevdiğini hatırlıyorum.

Şimdi düşünüyorum babamın siyasal görüşleri neydi diye. Sanırım İttihatçılara hiç yakın olmamış. Talat Paşa'yı, Enver Paşa'yı sevmezdi. Talat'la Enver memleketi hırsları uğruna batırdılar derdi. O zamanın ilk Osmanlı liberali ademimerkeziyetçi Prens Sabaheddin'le bir fotoğrafı vardı. Prens'in Türkiye'ye döndüğü 20'lerin başları olmalı. Fotoğrafta babam çok genç görünüyor. Belki Saray ilişkileri yüzünden rastlantısal bir yakınlık, belki de fikri bir yakınlık, bilmiyorum. Ama, şimdiki aklımla değerlendirdiğimde siyasal bir örgüt disiplinine bağlanabilecek biri olmadığını düşünüyorum. Ordunun disiplinini bile kabul edememişti. İnönü'den hiç hoşlanmazdı; neden diye sorulduğunda, "Şeflerden hazzetmem, hele de millilerinden ve ebedilerinden hiç," derdi. Atatürk düşmanı olduğunu söyleyemem, onun askerî deha olduğunu, çevresindekilere birkaç numara büyük geldiğini kabul ederdi. Ama mesela Mustafa Kemal'den, "Kemal de o işleri öyle yapmasaydı, etrafındaki dalkavuklara kapılmasaydı, adamı çevresi diktatör yaptı," gibi eşitlik ilişkisi çerçevesinde söz ederdi. Babaannem ise, Osmanlı Sarayı dağıldığı, düzeni bozulduğu için herhalde, Atatürk'ü pek de rahmetle anmazdı. Onun imparatorluk hayalleri ve geçmişin anılarıyla örülü masal dünyasında, masalı orta yerinden kesen adamdı Mustafa Kemal.

MELEK – Tipik bir asker ailesi olmadığı anlaşılıyor seninkilerin. 1950'lerde halkın askerlere bakışı nasıldı, bunu hatırlıyor musun?

OYA – Mesafeliydi. Asker devletin gücünü temsil ederdi, bu yüzden de halkla arasında uzaklık vardı. Çocuk halimle bunu nereden bildiğimi soracak olursan, ilkokulu köy okullarında, küçük kentlerin halk çocuklarının gittiği okullarda okudum. Biz subay çocukları bu mesafeyi hissetmişizdir hep. Sınıfı sıraya dizip ceza vermek için elindeki sert cetvelle bütün çocukların avuçlarına vuran öğretmen sıra size geldiğinde cetveli yumuşakça kaydırıverir. Buna karşılık, teneffüse çıktığınızda sınıfın bıçkını bir punduna getirip çelme takar, subay babanın forsu bize sökmez, gibi laflar söyler. Zaten ailenizin de yöre halkıyla hizmetlerini gördürme dışında ilişkileri olmaz. Subay aileleri orduevlerinde veya evlerde kendi aralarında buluşup görüşürler. Bir de işin başka bir boyutu var. 1920'lerin 30'ların vatanı kurtarmış şanlı ordu imajı, 50'lere gelindiğinde aşınmaya başlamıştı. Ekonomik durumları da gerilemiş subaylar artık iyi damat adayı sayılmaz olmuşlardı. Hiç unutmadığım bir anım vardır: Sarıyer'de oturduğumuz evin arkasındaki küçük, rutubetli avluda komşu çocuklarıyla oynardık. Avludaki oyun arkadaşlarım arasında, Sarıyer'de küçücük bir manifatura dükkânı olan Tahir Bey'in oğlu Taner vardı. Benden bir iki yaş büyüktü; on bir, on iki yaşındaydı olsa olsa. Sapsarı kafalı, mavi çipil gözlü bir oğlandı. Çıyan Taner'di lakabı. Bir gün oyunda bana kızmış, şöyle söylenip duruyordu: "Ne olacak! Subay çocuğu, donsuz." Anlamamıştım da eteğimi açıp donumu göstermiştim. Palazlanmaya başlayan küçük ticaret erbabının, orta boy tüccarın, yeni zenginlerin subay algılaması böyleydi o sıralarda. Benim Taner de herhalde evde konuşulurken duymuştu askerlerin, subayların yoksul olduklarını, donsuz olduklarını. Annemin, hele de manavdan bakkaldan alışveriş yaptıktan sonra eve döndüğünde sinirli ve buruk bir sesle, "Ayaklar baş oldu. Düne kadar eşekle seyyar satıcılık yapan çulsuz Mustafa manav dükkânı açmış. Pazarlığa kalkışınca, istersen al abla, diye terbiyesizleniyor," dediğini çok iyi hatırlıyorum. Kimi yorumcular 27 Mayıs darbesini DP iktidarı döneminde askerin hem ekonomik hem de statü ve saygınlık olarak gerilemesine bağlarlar. Tek neden olmasa da payı vardır bunun bence.

Neyse işte, babam o ağustosta da terfi edemedi, bir de üstüne beyin kanaması geçirdi. 1951'de yaş haddinden emekli oldu. 1951 Eylülü'nde 1. Levent'e taşındık. Zaten o zamanlar 2., 3., 4. Levent mahalleleri henüz proje olarak bile yoktu.

Bir zamanlar Levent

İlk toplu konut projelerinden biridir Levent evleri. Ya ilk ya da Ankara Bahçelievler'den sonra, ikincisi. Şehrin ortasında olmasa da, şöyle sakin bir semtte başını sokacak bir ev edinmek isteyen orta gelirli insanların bütçesine uygun; küçük bir peşinat karşılığında, aylık taksitlerle ev sahibi olabileceğiniz bir konut projesiydi. Hatırlıyorum, bizim ev için peşin üç bin beş yüz lira verilmişti, sonra da yirmi yıl, ayda 75 lira ödenecekti. Babamın malla mülkle ilişkisi yoktu. Annem kimden duyduysa duymuş Levent evlerini, çok ısrar etti biz de alalım diye. O sırada babam emekli ikramiyesini almış, büyük bölümünü beraber müteahhitlik işleri yapalım diyen bir arkadaşına kaptırmış, elde birkaç bin lira kalmış. Babamı çok seven, emeklilikten sonra da ilişkisini hemen kesmeyen açıkgöz bir emireri vardı. Ona vekâlet verdiğini; git, satış günü müracaat kuyruğuna erkenden gir, en küçüğünden, en ucuzundan bir ev al, dediğini hatırlıyorum. Sonradan çok dalga geçmişlerdi, böyle bakkaldan peynir alınır gibi ev alınır mı diye. Neyse ki alınmış!

Levent'e taşınacağımızı duyan eş dost çok şaşırmıştı. Yahu orada kurda kuşa yem olursunuz, bir hastalansanız hastaneye yetişemezsiniz; yol yok, vasıta yok, diye çok söylenmişlerdi. Hastaneye yetişemesek de mezarlık hemen karşıda, cenazemizi kaldırmak kolay olur, diye dalgasını geçerdi babam. Levent'e taşındıktan beş yıl sonra Zincirlikuyu'ya kaldırdık onu, dediği gibi kolay oldu. 50'lerin başlarında gerçekten de dağ başıydı oralar. Şehir, Şişli otobüs garajında, yani şimdiki Cevahir alışveriş merkezinin orada biterdi. O noktayla Levent arasında sadece Mecidiyeköy Likör Fabrikası, Gazeteci Evleri, sonra da Zincirlikuyu Mezarlığı vardı. Gerisi kırlık, dutluk, birkaç eski bağ evi... İnan bana 1954 kışında bizim oralara kurt inmişti de, elde fener, kimilerinde mavzer, kurt kovalanmıştı bahçelerin içinde.

Levent'e geldiğimizde on bir yaşındaydım. Taşınmamızdan iki gün sonra da yeni okuluma, Dame de Sion'a başladım. 1. Levent'teki küçük evde 1965'e kadar yaşadım. Sonra yine aynı çevrede başka bir apartmanda 1980'e kadar oturdum. Yani, İstanbul'un neresindensin diye sorulsa, Leventliyim derim.

Levent Mahallesi'nin altmış yıllık evrimi, İstanbul'un toplumsal-ekonomik-kentsel büyümesinin hem aynası hem de özeti sayılabilir. Biraz bu yüzden, biraz da ilkgençlik günlerimin, çocukluk aşklarının, ömür boyu süren arkadaşlıkların, acı tatlı anıların unutulmaz semti olduğu için anlatmak istiyorum Levent'i.

Disney filmlerinde veya çocuk resimlerinde gördüğümüz; küçük bahçeler içinde pastel yeşil, pembe, sarı evlerle, masal dekoru gibi bir yerdi 1950'lerin başlarında. Bizim evimiz 45 metrekareydi, en küçük ikiz evlerdendi. Evin yüksek çatısına, o sıralarda inşaat malzemesi olarak yeni kullanılmaya başlanmış duraleks denen sıkıştırılmış mukavvadan iki küçük oda ya da bölme yaptırdı babam: yatak odalarımız. Kışın öyle bir soğuk olurdu ki, hâlâ unutmadım. Isınmak için sıcak su torbası yetmez, yatağa sobanın üstünde kızdırılmış, önce kâğıda, sonra da temiz bezlere sarılmış tuğla alırdık.

Karşı sıramızda iki katlı, villa tipi evler vardı. Oraların sahiplerinin hali vakti biraz daha yerindeydi, benim gözümde zengin sayılırlardı. Levent'in bütün sokakları çiçek ve kuş adları taşırdı. Gül Sokak, Güvercin Sokak, Krizantem Sokak, Lale Sokak... Bizim ev Sülün Sokak'taydı, sokağımız Çalıkuşu Sokak'la kesişirdi. Bilmem rastlantı mı artık, ikiz evimizin bitişiğindeki evin kızlarından küçüğünün adı Sülün'dü. Ama daha ilginci, Reşat Nuri Güntekin Çalıkuşu Sokak'ta otururdu. Bu bir rastlantı değildi, Levent'ten ev aldığının farkına varılınca sokağa yazarın adı verilmişti. Reşat Nuri'nin kızı Elâ ile aynı gün aynı okula gitmeye başladık. Böylece Elâ Güntekin hem mahalleden hem okuldan en yakın arkadaşım oldu. Çalıkuşu'nda oturan bir başka arkadaşımız Nazan'dı (Şimdi Sabancı Müzesi Müdiresi Nazan Caferoğlu Ölçer). O Avusturya Lisesi'ne gidiyordu yanlış hatırlamıyorsam. Bizim karşımızda, Sülün Sokak'la Gül Sokak'ın kesiştiği köşede Üsküdarlı ailesi vardı. Büyük kızları İnci, Robert Kolej Mühendislik bölümünün ilk iki kız öğrencisinden biridir. Yanımızdaki ev Binbaşı Reşat Kutat ailesinindi. Silme Çerkes bir aile. Beş yaşındaki kızları Pınar, Gül Sokak'ta oturan, ikisi de öğretmen Akat çiftinin oğlu Asaf Savaş Akat'la yaşıttı galiba. Tam karşımızdaki görece büyük, villa tipi evde sokağımızın en aristokrat, en görmüş geçirmiş ailesi vardı. Çerkes asıllı iki kibar hanımefendi ve onlara hala diyen Polat Ağabey'le Emine Abla. Sonradan öğrendik ki Mahmut Şevket Paşa suikastı sırasında arabayı kullanan, sonra da yurtdışına kaçarak idamdan kurtulan kişinin kız kardeşleri ve oğluyla kızıymış Polat Ağabey'le Emine Abla. Ama asıl şaşkınlık, birbirlerini önceden tanımayan Kutat ailesiyle bu ailenin kaderlerinin, kırk yıl önce nasıl dramatik şekilde kesişmiş olduğu öğrenilince yaşandı. Reşat Kutat'ın babası Miralay Fuat Bey, o suikasta karıştığı iddiasıyla 1911'de idam edilmişti.

Daha kimler yoktu ki Levent'te... Yine Çalıkuşu Sokağı'nda gazeteci Mithat Perin, yaşıtımız olan oğlu Barış, iki ev ötede Gündüz Vassaf, çarşıdaki dükkânlardan birini kiralamış, gazete bayiliği ve ufak çaplı kitapçılık yapmaya çalışan Aziz Nesin... Ben onun Aziz Nesin olduğunu çok sonra öğrendim, demek bizimkiler de bilmezmiş, tanımazmış Nesin'i ki hiç sözü edilmemişti. O küçük kırtasiyeci kitapçıdan *Varlık* dergisini ve Varlık yayınlarını alırdım. Normal boy kitaplar 1 lira, kalınlar 2,5 liraydı. O sıralarda tanımadığım, sonradan Leventli olduklarını öğrendiğim ya da şimdi hatırlayamadığım daha kimler, kimler... Mesela Perihan Mağden de Levent'te yaşamış yanlış bilmiyorsam. Ama onun kuşağı bizden epeyce küçüktür, o yüzden belki kaydetmemişim. Bizim Sülün Sokak'ın devamında oturan piyanist Haluk Ağabey'i (Tarcan), onun büyüğü Dr. Operatör ve müzikçi Bülent Tarcan'ı hatırlıyorum mesela.

Levent Çarşısı, mahallenin girişindeki iki sıralı küçük dükkândan ibaretti. Tek lüksümüz, hâlâ aynı yerdeki pastacıydı. Çok güzel supanglez yapardı. Yazın da dondurma alırdık oradan. Şimdi sitelerin, gökdelenlerin ortasında kalmış tarihî Levent kışlası, biz çocuklar için "Perili Köşk"tü. Tabii ki oraya kadar gitmemize asla izin verilmezdi. Bugünkü çılgın trafikli Etiler yolu, yani Nispetiye Caddesi, o günlerde toprak bir patikaydı. Etiler kooperatif evlerinin yapımına birkaç yıl sonra başlandığında, bugün Etiler-Ulus-Hisarüstü bölgesini içine alan geniş alan, çamlık ve kırlıktı. Bebek'e inen toprak yolun iki yanı karanfil ve çilek tarlalarıydı. Yazın, biz çocuklar, başımızda bir büyükle bu yollardan yürüyerek Bebek'e, denize inerdik. Yol boyu da "Ödlüyorum, ödlüyorsun, ödlüyor" diye ödlemek fiilini çekerdik, öylesine tenhaydı oralar. Levent'in hemen karşısında, Zincirlikuyu Mezarlığı'ndan boğaza doğru, bugün en lüks alışveriş merkezlerinin, plazaların, daha ileride Sanayi Mahallesi'nin, Gültepe'nin kurulu olduğu kırsal bölgede sabahları kapımıza süt getiren sütçümüzün kulübesinden başka bir şey yoktu. Eczacıbaşı İlaç Sanayii, Fako, Metal Kapak, vb. fabrika binaları daha sonra yapıldı. Bölgeyi Beşiktaş'a bağlayan, günümüzün ana arterlerinden biri olan Barbaros Bulvarı 1958'de açıldığında, Yıldız Camii ve Sarayı hariç, iki tarafı bomboştu. Burada ilk binalar, hatırladığım kadarıyla 1960'tan sonra yapıldı. Bu bölge de silme fidanlık, dutluktu. Yıldız Sarayı ve Camii'nin önündeki parkta, hâlâ birkaç dut ağacı geçmişe tanıklık ediyor.

Ulaşım, hele de ilk yıllarda kırk beş dakikada bir Taksim'e kalkan otobüsle sağlanırdı. Sonra Levent-Taksim-Şişhane-Aksaray-Beyazıt-Eminönü ring seferleri başladı. Bayram günlerinde Taksim'de Sular İdaresi'nin önünde renk renk ışıklı su gösterisi yapılır, çevre bayraklarla süslenirdi. En büyük eğlencemiz ring otobüsüne Levent'ten binip hiç inmeden dolaşmaktı. O zamanlar öyle servis falan yok, sabahları Elâ ile birlikte Harbiye'deki okulumuza giderken, sardalye kutusu gibi tıklım tıklım dolu otobüste pestile dönerdik. Otobüs yolcuları hep tanıdık olurdu. Tavşan Amca dediğimiz tavşan suratlı bir bey vardı; bizi korur, sahip çıkar, otobüsün kapısına asılı kalmışsak içeri çekerdi. Çok kar yağdığında yollar kapanır, otobüsler işlemezdi. Böyle bir günde Elâ ile, Harbiye'den Levent'e kadar in cin top oynayan yollarda karlara bata çıka yürüdüğümüzü, karanlık bastığını, korktuğumuzu hatırlıyorum.

Levent'in kuş ve çiçek adlı sokakları asfalttı. Sarmaşık gülleri, hanımelleri ve anneannemin ısrarla ful-u bahrî dediği filbaharlarla, mevsimine göre türlü çeşitli çiçeklerle, çimlerle, meyve fidanlarıyla bezeli bahçelerle çevriliydi. Herkes bahçesine meraklıydı; birbirimizden fide, tohum, çiçek soğanı alırdık. Arka bahçelerimizde turp, yeşil salata, yeşil soğan, maydanoz, dereotu tarhları ve ayva, elma, armut, şeftali fidanları olurdu. Babam çilek de dikmişti bizim bahçeye; artık bahçelerde manavlarda görülmeyen kokulu, pembe, küçük Osmanlı çilekleri.

Bir de bitip tükenmeyen kedi maceralarımız vardı. Elâ ile ben kedi delisiydik. Ne kadar kedi varsa toplar, bakmaya çalışırdık. Kimisi üç beş yavru doğurur, erkek kediler parçalamasın diye daha gözleri bile açılmamış yavruları annelerimize göstermeden gizlice eve alırdık. Öyle adım başı veteriner, hayvan kliniği falan yok. Belediye veterineri vardı sadece, o da daha çok kuduz vakalarıyla uğraşırdı. Kedi dediğin sokakta doğar, kapıda beslenir; sevmek için, bir de çok kar kış olursa içeri alınır. Bazen bakımsızlıktan, bazen uyuz oldular diye gazla silmeye kalkıştığımız için, bazen zehirlendiklerinden ölürlerdi. Ölen kedimizin ardından sokağımızın bütün çocukları bir kedi cenaze töreni düzenler, kediciğimizi gözyaşı ve ağıtlarla, o zamanlar toprak bir patika olan şimdiki Nispetiye Caddesi'nden başlayarak Beşiktaş'a, Ortaköy'e doğru uzanan uçsuz bucaksız kırlara götürür, bir süpürge çalısının ya da bir kayanın dibine gömerdik.

Sokaklarda bisikletli onlarca çocuk, motorize küçük bir ordu gibi dolaşırdık. Sokağın bir yanındaki akasya ağacından öteki yanındaki ağaca file gerer, voleybol oynardık. Ya da yakar top, kuka gibi oyunlar. Her gün bütün sokak, hele de bizim çevremizdeki beş evin ahalisi bir evde toplanılır, sıcak sıcak kurabiyeler, poğaçalar eşliğinde çaylar içilirdi. Dertler, sevinçler, aile meseleleri, biz çocukların sorunları bu geniş mahalle meclisinde bazen gürültü patırtı, bazen de güzellikle hep birlikte konuşulur, çözülürdü.

Gül Sokak'la bizim Sülün Sokak'ın kesiştiği köşedeki iki katlı, villa tipi ev, yedek parçacı Selahattin Amcaların (Üsküdarlı) eviydi. Oğulları Bülent, iki kızları İnci ve Yıldız High School'a gidiyorlardı. DP'nin ekonomi politikalarının verdiği ivmeyle 1950'lerde sınıf atlayan ticaret erbabının yaşam düzeyi ve özlemlerinin çok iyi bir örneğiydi onlar. Eski de olsa, saatte 60 kilometrenin üstüne çıkamasa da sokağımızın tek arabası onlarındı. Zengin amcaları Baki Üsküdarlı, Şan Sineması'nın işletmecisiydi. Bizim bütün sokak, çoluk çocuk Şan Sineması'nda bedava film izler, pazar konserlerine giderdik. Hatırlıyorum, *Avare* diye bir Hint filmi gösterimdeydi o sıralarda. İstanbul, *Avaremu* şarkısı ve Raj Gapor için yanıp tutuşuyordu. Biz bütün mahalle, o filmi Şan Sineması'nda seyretmiştik, hem de birkaç defa.

En geniş ve iyi ısınan tek ev onlarınkiydi, galiba kat kaloriferi de yapılmıştı sonraları. Bu yüzden kış aylarında o evde toplanılırdı. Bazen lokma dökülür, bazen evlerde börek yapılıp taşınır, sekiz on kişi orada yenip içilirdi. Bir kış, camekânlı odada onlarca civciv beslendiğini, biz yiyip içerken, sohbet ederken civcivlerin ayaklarımızın altında dolaştığını, Zeynep Hanım Teyze'nin civcivler yerleri kirletmesinler diye onlara küçük donlar dikip giydirdiğini hatırlıyorum. Gerçeküstü bir atmosfer işte. Galiba Selahattin Amca'nın bir alacağına karşılık kuluçka makinesi olan bir esnaf o civcivleri vermiş. Hikâyelerimiz, yaşamlarımız böyle naifti.

Kedilerimizin, tavuklarımızın birbirine karıştığı, dertlerimizin ortaklaştırılıp dermanın hep birlikte arandığı, annelerimize babalarımıza kızınca veya onlardan kötü azar işitince komşu eve sığındığımız; makam araçları, mesela külüstür cipleri olan subayların, mahallemizin çocuklarını resmî araca doldurup okula bıraktıkları, bütün evlerin kapılarının açık olduğu, anahtarların kapı üstünde durduğu, bugün artık unutulmuş, belki de garipsenen bir yaşam sürdürdüğümüz yer; çocukluğumuzun masum ve güzel anılarının mekânıydı Levent.

Bizim minik evler, bölgeye kat çıkma izni verilmediği için gökdelene, apartmana dönüşmedi çok şükür, ama yakındır. O çocuk resimlerini andıran, küçük pencereleri kırmızı ya da yeşil tahta kepenkli, bahçeleri ahşap çitle çevrili, kırmızı kiremit damlı mütevazı evler süslendi püslendi, yerlere kadar inen camlar, vitraylar takıldı, görgüsüzce boyandı, yaldızlandı; kimisi oto galerisi, kimisi şirket merkezi, birçoğu kebapçı, restoran falan oldu. Bisikletlerle ya da yaya dolaştığımız bomboş yollar otomobilden geçilmiyor şimdi, trafik tıkanıyor. Karanfil ve çilek tarlalarının arasından Etiler'e doğru giden, oradan da Bebek'e inen yer yer toprak, yer yer arnavutkaldırımı Nispetiye yolu, şimdi iki yanında lüks mağazaların, Akmerkez'in, blok apartmanların, kliniklerin bulunduğu, şehrin en yoğun trafiğine sahip, karşıdan karşıya geçmenin imkânsız olduğu, alt-üst yollarla, geçitlerle dolu bir cadde.

Şimdi bana, hayatının hangi yıllarına geri dönmek istersin diye sorsalar, hiç duraksamadan Levent günlerine derdim: umut ve masumiyet günlerimize. Sülün Sokak'ın Kızları diye bir roman yazmak var hep içimde. O sokağın çocukları, hele de kızları, hepimiz ne kadar değişik hayatlar yaşadık, ne badirelerden geçtik, ne kadar değiştik! Tıpkı Levent Mahallesi gibi, İstanbul gibi, Türkiye gibi.

Geçtiğimiz günlerde Elâ'yı kaybettim, kaybettik. Cenazeden sonra Levent'e gittim. Bisikletle tur attığımız, oyun oynadığımız, kedi kovaladığımız, tenha köşelerinin sık yeşillikleri arasında çocukluk aşklarımızı yaşadığımız sokaklarda dolaştım. Artık tanıdık hiçbir şey kalmamıştı orada. Herkes taşınmış, annelerimizin babalarımızın kuşağı çoktan bu dünyadan göçmüş, sıra bize gelmişti artık. Levent'i, Elâ'yı kaybettiğimiz gün, içimde bitirdim. Bir daha döneceğimi de hiç sanmıyorum.

MELEK – Anlattıklarından babandan çok etkilendiğini anlıyorum. Baban ne zaman öldü? Kaç yaşındaydı?

OYA – Can Yücel'in "Ben hayatta en çok babamı sevdim" mısraı benim için de geçerlidir. Galiba babam da en çok beni sevmişti. Kız çocukların anneleriyle yakın ilişkileri olur, bizde tam tersiydi; her şeyi, bir kız çocuğu için en mahrem konuları bile babamla paylaşırdım. Özgürlükçü bir adamdı, bana hiçbir şeyi yasakladığını hatırlamıyorum, Bazen bir erkek çocuk gibi yetişmem, güçlü ve kendime güvenli olmam konusunda biraz zorlardı beni. Bu, hem anneme tepkiydi hem de kadın olarak toplumda ezilmemi engellemek içindi. Babam 1956 Martı'nda öldü. 56 yaşında dendi. Ama şimdi bütün verileri birleştirdiğimde, babamın 1896'lı olduğu anlaşılıyor. Demek ki öldüğünde 60 yaşındaymış. Garip bir şey anlatayım. 6-7 Eylül olayları 1955'te olmuştur ya, babamın ikinci beyin kanamasını geçirip sonra da ölmesinin nedenidir o vahşet.

MELEK – Neden? Nasıl oldu bu?

6-7 Eylül'ü hatırlıyoruz

OYA – 6-7 Eylül olaylarından bir gün sonra, babam beni de aldı, Taksim'e gittik. Bana birşeyler anlatmak mı istiyordu, yalnız başına gitmeyi gözü yememiş miydi, bilemiyorum. O korkunç manzarayı, Taksim'in halini, yanmış, ters çevrilmiş otomobilleri, sokaklara yayılmış kırık dökük malları, top top kumaşları, ara sokaklardaki talan edilmiş, camları kırılmış, yakılıp yıkılmış evleri görünce, zaten yüksek tansiyonu olan babam, birden fenalaştı. Manzara gerçekten de korkunçtu, ben de hiç unutmadım. On beş yaşında bile yoktum o sıralarda ama çok utandığımı hatırlıyorum. Şimdi de zaman zaman hani kendi yapmadığımız işlerden, sorumlu olmadığımız kötülüklerden utanç duyuyoruz ya, onun gibi. Bir de şu var: Babamın kuşağı, hele de İstanbullular, azınlıklarla büyümüş, en iyi arkadaşları azınlıklar olmuş bir kuşaktır. Hatırlarım, işte Hayk Amca, Yasef Amca, Rober, Oberle, Siranuş Teyze, anneme midye dolması yapmayı öğreten meyhaneci Dimitri, dişçimiz, doktorumuz, hep babamın azınlıklardan dostları, arkadaşları. Sanırım o kuşağın kentli aydın kesimleri azınlık kültürüne daha yakındı, İstanbul'un kozmopolit ortamında yetişmişlerdi, aynı ortamlarda birlikte yaşamışlardı. Babam o manzaraya dayanamadı işte. Bir taksiyle eve geldik, daha da fenalaştı, hastaneye kaldırıldı. Zaten daha önce de bir beyin kanaması geçirmiş ama atlatmıştı. Bu defa daha ağır oldu, felç geldi, bir daha da tam düzelmedi. Çok onurlu, tuhaf bir adamdı. Kendini hayat karşısında haksızlığa uğramış, yenilmiş hissediyordu. Felçli olarak yatağa bağlı kaldığı sıralarda, akıllı kızım benim, bir tek sana güveniyorum, bana tabancamı getir, diye yalvarırdı bana. Böyle yaşamaktansa intihar etmek isterdi. Kâbus gibi hatırlıyorum o günleri.

Benim için 6-7 Eylül biraz da babamın ölümüne yol açan meşum olaydır. Peki sen hatırlıyor musun, sizin aile nasıl yaşamıştı o olayı?

MELEK – Ben daha küçüktüm, dokuz yaşındaydım. Çubuklu'da yalıdaydık. Çubuklu, Müslüman bir semt o zamanlar. Tam bizim karşımız Yeniköy. Çubuklu'dan görüyoruz; yer yer yangınlar var. Sahildeki gazinolardan, meyhanelerden, evlerden piyanoların, eşyaların denize atıldığını karşı taraftan dürbünle izleyebiliyorduk. Bende çocukluktan kalan en ürkütücü anılardan biridir bu. Babamın, annemin, ailenin tepkisini hatırlıyorum; çok büyük bir şoktu, çünkü bizim ailede de, aynı sizinkiler gibi azınlıklarla dostluk vardı. Zaten bizim çocukluğumuzda, böyle ayrımlar hissetmedik; Ermenilerle, Rumlarla eşit olmadığımız gibi bir his hiç duymadık. Hatırlıyorum; Yeniköy yanıyordu. Ailedeki hava, CHP'li gelenekten de gelindiği için, bütün bu olayların iktidardaki Demokrat Parti'nin tertibi olduğuydu. Ama Çubuklu ne de olsa olayların kalbine uzaktı. Babamlar şehre inip de manzarayı gördükten sonra evde bir matem havası estiğini; babamla amcalarımın, zarara uğramış, işyerleri yakılıp yıkılmış gayrimüslim arkadaşlarını ziyarete gittiklerini hatırlıyorum. Bir de babaanneme bir terzi gelirdi: Madam Anasto Heybeliada'da oturan dul bir Rum hanımdı.

OYA – O zamanlar evlere gelen gündelikçi terziler vardı, bak bana da hatırlattın.

MELEK – Madam Anasto gelince üç gün, dört gün kalır, bütün mevsimlik dikişleri bitirirdi. İşte o günlerde Madam Anasto gelmişti yine dikişe. Karşılıklı bahçede oturmuşlardı bizimkilerle. Onun ağladığını, babaannemin de onu, "Ah Anastocuğum, bizim de başımıza neler neler geldi, bizi de çiftliklerimizden topraklarımızdan kovdular..." falan diye teselli etmeye çalıştığını hatırlıyorum. Yine de bütün bunlar biraz sisli anılar benim için. On yaşında bile değildim daha.

OYA – Hani, "Biz çocukluğumuzda Ermeni, Rum, Yahudi, böyle ayrımlar bilmezdik," dedin ya, aklıma bizim okuldan bir Ermeni arkadaşımızın sözleri geldi. Bizim Dame de Sion'da benim okuduğum yıllarda azınlıklardan öğrenciler sanırım Kolej'den daha fazlaydı. Yani Türkler azınlıktaydı bir bakıma. Gerçekten de böyle ayrımlar yoktu kafalarımızda. Şimdi 50 yıl sonra bile, çok seyrek de olsa sınıf arkadaşları hâlâ toplanıyoruz. Bir gün "Biz ayrı gayrı bilmezdik. Nereden çıktı bu düşmanlıklar, nasıl bu hale geldik," diye konuşurken, bir Ermeni arkadaşımız, içime çok oturan, vicdanımı sızlatan bir söz söyledi: "Evet, siz bilmezdiniz ama biz bilirdik," dedi. Bunun ne demek olduğunu şimdi çok iyi anlıyorum. Ötekinin nasıl hissettiğinin bile farkında olamıyoruz. Kendimizden hoşnutuz, biz hiç ayrımcılık yapmadık, hiç böyle duygularımız yok diye... Ama o farkında. Arkadaşımın o sözü çok içime işledi, üstünde düşünüp duruyorum hâlâ.

MELEK – Yine de, o dönemleri düşünürsek, mesela 1915... Ne kargaşalar, ne acılar yaşanmış. Büyük bir altüstlük var. Ermenilerle hem dost olunmuş, hem savaşılmış. Ama halk, birlikte yan yana yaşamış. Milliyetçilik denilen virüs bu oranda yayılmadığı için, bütün yaşananlara rağmen insanlar arasındaki ilişkiler, dostluklar iyi kötü sürebiliyor. Osmanlı'nın birarada yaşama kültürünün etkisi bu belki. Endülüs Emevi devletinden sonra üç semavi dinin birarada yaşadığı yapı Osmanlı İmparatorluğu. Osmanlı elitleri gerçek anlamda kozmopolit. Bugün çok moda olan medeniyetler çatışması gibi bir kavram yok, çünkü bu insanlar zaten bütün bu uygarlıkların hepsiyle iç içe, hepsinden birşeyler almışlar.

Kolej'in tiyatrocu kızları

OYA – Derin mevzulara daldık, toparlayalım. Senin okuduğun yıllardaki Kolej'i anlatsana biraz. Sizin okuldan, senin döneminden epeyce ünlü kadın çıktı bildiğim kadarıyla. Sınıfınız nasıldı?

MELEK – Ben Kolej'e 1957 yılında girdim. O zaman bizim okulun adı Arnavutköy Kız Koleji. Bizim sınıf tiyatrocular sınıfıydı. Kolej'in asi sınıflarından biriydi. Robert Kolej Tiyatro Kulübü birçok tanınmış tiyatrocu yetiştirmiş, prestijli bir kulüptü.

OYA – Senden çok daha önce Genco Erkal, Çiğdem Selışık, Ergun Köknar, sonradan Genç Oyuncular'a dönüşecek bütün o tiyatrocu kadro da Kolej'dendi.

MELEK – Evet, Robert Kolej Tiyatro Kulübü gerçekten de Türk tiyatrosuna çok sayıda kişi yetiştirmiştir. Bunda Anglosakson kültüründe tiyatronun oynadığı önemli rolün de etkisi olmuştur kanımca. Tiyatro Kulübü çok geniş bir yelpazede oyunlar sergilerdi. Anton Çehov'un yanı sıra o günlerde adı yeni duyulan sıra dışı yazarların, mesele Jean Genet'nin oyunları da sahnelenirdi. Hatta Genet'nin *Hizmetçiler* oyununda Pınar Kür, Mürvet Somuncuoğlu ve ben oynamıştık. Benim olduğum dönemde Ali Taygun, Nedim Göknil, Tarık Okyay, Mustafa Gürsel, Ahmet Çavuşoğlu, Hamit Fişek, şu anda hatırlamadığım daha pek çok isim vardı.

Bizim sınıftan da çok tiyatrocu çıktı. Meral Özdemiroğlu (Taygun), Nevra Şırvan (Serezli), Meral Onuktav (Çetinkaya), bir de Mürvet Somuncuoğlu, ilk hatırladıklarım. Mürvet Somuncuoğlu her konuda çok yetenekli bir kızdı, çok yakın arkadaştık. Babası Menderes'in Londra'da kaza yapan uçağında ölmüştü. İkimiz sonradan tiyatrodan koptuk, Mürvet ABD'ye yerleşti, dilbilimci oldu. Tiyatronun yanı sıra; akademik alanda da iktisat tarihçisi Huricihan İslamoğlu, Marmara Üniveritesi Güzel Sanatlar Fakültesi Dekanı Nazan Otar (Erkmen), Psikolog Güler Okman (Fişek), Doğuş Üniversitesi Fen Edebiyat Dekanı Dilek Aksüğür (Doltaş), sanatçı Suzi Hug, Apel Galerisi'nin sahibi Nuran Baktır (Terzioğlu) da bizim sınıftandı.

OYA – Ne isimler!... Hamit Fişek'e takıldı aklım. O da mı tiyatro yapmıştı? Ben Hamit'i yıllar sonra, 1970'de Ankara'da Hacettepe Üniversitesi'ndeyken tanıdım. Aynı koridordaydık. Oda yoktu da, onun için hücre gibi küçücük bir bölüm ayrılmıştı. Amerika'da psikoloji doktorası yapmış, doğru Hacettepe'ye gelmişti. İçimin çok ısındığı, çok hoş, medeni cesaret sahibi bir arkadaşımızdı. Nereden nereye... Daha sonra anlatacağım. 12 Mart'ın karanlık günlerinde, yakalanmamak için terk ettiğim evimden bazı lüzumlu eşyalarımın, kitaplarımın alınması gerektiğini söylediğimde, bir tek Hamit hiç duraksamadan, ben gider alırım eşyalarını, demişti. Gerçekten de iki bavul eşya, kitap çıkarmıştı evden. Mangalda kül bırakmayanlar, çekinmişlerdi benim eve gitmeye. Böyle şeyleri hiç unutmuyor insan.

MELEK – Evet, böyle şeyler unutulmaz. Hamit Fişek Boğaziçi Üniversitesi'nde profesör şimdi.

OYA – Mezuniyetin ne zaman senin Kolej'den?

MELEK – Ben okuldan 1965'te mezun oldum. Orada okumak ayrıcalıktı gerçekten, Bir kere orası sadece İstanbul'un ve Boğaz'ın değil, dünyanın en güzel yerlerinden biridir bence: şimdiki adıyla Robert Kolej. Amerikalı misyonerler Osmanlı topraklarına geldiklerinde hem İstanbul hem de Anadolu'nun en güzel yerlerinde okullar açmışlar. Binaların mimarisi, konumu, her şey çok iyi düşünülmüş ve tasarlanmış. Arazi çok güzel ağaçlandırılmış, iklime uygun bir bitki örtüsü yaratılmış. Bizler; Türkiye'nin, hatta

İstanbul'un gerçeklerinden kopuk bu cennette dokuz yıl okuduk, çocukluktan genç kızlığa geçtik. Arnavutköy Kız Koleji'nde gayrimüslimlerin yanı sıra Cumhuriyet Türkiyesi'nin yüzünü Batı'ya çevirmiş ailelerinin kızları da vardı. Fakat bizim sınıf, öyle sanıldığı gibi, en zenginlerin çocuklarının okuduğu bir sınıf değildi. Ağırlıklı olarak orta, orta üst katmanlardan geliyorduk. Bizden öncekiler içinde büyük burjuva ailelerin, en zenginlerin kızları daha fazlaymış.

Biz okulda Amerikan eğitimi alıyorduk. Ama o zamanki Amerika imajı şimdikinden çok farklıydı. Amerika, yeni dünya hayalini yansıtan bir ülkeydi. Herkesin beş parasız gidip milyarder olabileceği fırsatlar ülkesi. O zamanlar ırk ayrımını ve Kızılderililere yapılanları bilmiyorduk ki. Çocukluğumuz Kızılderili filmleri izlemekle geçti; beyaz adamla kafası rengârenk tüylerle bezeli adamların bize masal gibi gelen savaşları, "Vahşi Batı". O yıllarda Amerikan sineması çok güçlü. Biz kendimizi o filmlerin cesur, özgür kahramanlarıyla özdeşleştirerek büyümüşüz. Öte yandan bize verilen eğitim, "sen bireysin" üzerine kuruluydu. Anglosakson eğitimi insana birey olma fikrini küçük yaştan verir, sana kendi adına karar vermen gerektiğini aşılar. Sen kendi kararını kendin vereceksin. Öyle tepeden inme kararlar, hazır reçeteler yok. Soru soracaksın, soru sorma, hocayla tartışma özgürlüğün vardır. Kolej'in disiplinsiz bir okul olarak tanınması bundandır.

OYA – Evet, öyle tanınırdı. Ben Kolej'e işte bu yüzden gönderilmemiştim; orada disiplin zayıf, bu zaten serkeş, Kolej'de beter olur; bunu olsa olsa rahibeler yola sokar, diye düşünmüşlerdi. Ama olmadı, o mazbut yol neyse, ona bir türlü giremedim. Peki Melek, baban da Anglosakson kültüründen miydi, eğitim olarak yani?

MELEK – Babam Galatasaraylıydı. Amcalarım da Galatasaray ve Alman Lisesi mezunuydular. Annem daha önce de söylediğim gibi Arnavutköy Kız Koleji'nde okumuştu ama onda da Fransız etkisi ağır basardı. Ağabeyim Osman önce High School, sonra Robert Kolej'de okudu. Bizim kuşakta Anglosakson eğitimi ağırlıktaydı. Kolej'de aldığım eğitim kişiliğimin oluşmasında büyük pay sahibidir. Sonraki yaşamımda bu eğitimden güç aldım, kendime güvenmekte, ben her şeyin altından kalkarım duygusu edinmemde payı büyüktür.

OYA – İki farklı aile, iki farklı eğitim anlayışı... Bize okulda verilen eğitim, boyun eğme, sürünün parçası olma, vazife ahlakıydı. Kolej için anlattıklarının tam aksiydi. Tabii benim zamanımın, yani 50-60 yıl öncesinin Notre Dame de Sionu'ndan söz ediyorum. Şimdi dünya ile birlikte okul da değişmiş, bambaşka olmuş. Bana ilginç gelen: sonraki yaşamlarımızda, farklı yollardan da olsa aynı başkaldırıyı yaşamış olmamız, aynı kendine güven ve "direnebilirim" duygusuna sahip olmamız. Galiba boyun eğiş kültürü tepkiyi de birlikte getirebiliyor. Ben boyun eğmeyi erdem olarak sunan o kültüre isyan ettim.

Bizim zamanımızda Dame de Sion'un tarihinden gelen anlayış, "Az piyano, az lisan, hariciyeci koca" anlayışıydı. Diplomat erkeklere, eğitimli salon kadınları yetiştirmek... Bu anlayış, ilk kez benim okuduğum yıllarda değişmeye başladı. Yine de eğitimli kadın iyi anne, iyi karı olur görüşü hâkimdi. Benden de ne iyi salon kadını olurdu ama haa! Yıllar sonra, 12 Eylül darbesinden kaçmış yurtdışında yaşarken Aydın annemi kızdırmak için "Eee Kaynanam, hep hariciyeci damat isterdin, bak damat hariciyeci oldu, üstelik de merkeze alınmıyor, hep hariçte," derdi, annem ifrit olurdu.

Bunları söylerken biraz abarttığımı, okulun hakkını yediğimi fark ettim şimdi. Oldukça sağlam bir edebiyat-felsefe eğitimi verilirdi. Fen bölümü yoktu bizim zamanımızda. Ama hani karteziyen denilen sağlam bir mantık ve sistematik düşünce vardır, eğitim bunun üzerine kuruluydu. Sonraları, örneğin ortak bir çalışmada, bir toplantıda, bir tartışmada, benden çok daha parlak zekâlı, çok daha bilgili birilerinin konuyu dağıttıklarını, kendilerini iyi ifade edemediklerini, bilgilerini kullanamadıklarını veya ağır iş çıkardıklarını görünce, bize öğretilmiş olan sistematik düşünme yöntemi veya alışkanlığının önemini fark ettim. Hastalık düzeyine varan iş disiplinini de okuldan aldım. Ama itiraf etmek gerekirse, karteziyen mantık formel düşünceye yatkındır, fantezilerin yaratıcılığını törpüler, pozitivizme açıktır. Ben kendimde uçuk ve parlak düşünce eksikliği görürüm hep. Bu da aldığım eğitimden geliyor belki.

Neyse canım, şimdi biraz da işin tatlı yanına, aşk meşk meselelerine gelelim. Yani ikimiz de cami avlusundan çıkmadık.

İlk aşklar, ilk sevdalar

MELEK – O konular... yani....

OYA – Canım hepsini anlatalım, mahremiyeti ortaya dökelim demiyoruz. Ne kendimize ne de bir zamanlar bizim için o kadar önemli olan insanlara saygısızlık yapacak değiliz. Herkesin mahremi vardır; ne kadar apaçık konuşuyoruz desek de, birbirimize de anlatmayacağımız, hiç konuşmayacağımız, konuşsak da yazmayacağımız ilişkiler, olaylar, insanlar var tabii. Yaşayanları pek katmayalım işin içine, en azından adlarını vermeyelim, ama mesela çocukluk, ilkgençlik aşklarımız. Nasıl yaşadık bunları? Ailede nasıl karşılanırdı, ne kadar paylaşılırdı? Şimdi bakıyorum da, gençler annelerine, babalarına, komşu teyzelerine aşklarını, mecaralarını minevvel minahir açık açık anlatıyorlar. Benim kendi oğluma, "Bana ne bunlardan yahu, bu senin özel hayatın," dediğim olmuştur. Bilmem yanılıyor muyum ama sanki kırk elli yıl öncesinin gençlik aşkları, duyarlılıkları farklıydı gibi geliyor bana. Bir de bizim ailelerimiz, hele de analarımız hiç hoşgörülü, açık değillerdi cinsellikle ilgili meselelerde.

MELEK – Evet, bizim aile de çok kapalıydı bu konuda. Uluorta konuşulmazdı özel şeyler, hele de cinsellik. Ben ilkokulda, Işık Lisesi'ndeyken bir Yahudi oğlanı beğenirdim. Onu çok iyi hatırlıyorum, gözleri yeşildi. Benim yeşil göz merakım vardır gençliğimden beri. Sonra Kolej'e gelince, ben tiyatro yapmak istiyordum ya; ama bizimki kız koleji, Robert Kolej de erkek okulu, ikisi ayrı. Tiyatro kulübünde kız-erkek karışıktı. Dolayısıyla tiyatroda oynayan kızlar: Nevra, ben, Mürvet, oyun provaları için Robert Kolej'e giderdik. O zaman Robert Kolej'de, eskiler bilir, işletenin adıyla Kâzım diye anılan bir kantin vardı. Henüz Robert'de kız öğrenci yoktu. Kızlar, Robert Kolej'in yüksek okul statüsü kazanmasından sonra geldi. Bizler onca oğlanın içine üç tiyatrocu kız olarak girmiştik. Tabii büyük ilgi, sükse.

OYA – Üstelik de üç güzel kız. Vay vay vay....

MELEK – Yani nasıl anlatayım; on beş on altı yaşlarındayım o zamanlar. Doğruyu söylemek gerekirse; ben beğenilirim, beni erkekler beğenir, ben beğenilen bir kızım anlamında bir şımarıklığım vardı. Ay, hiç de farkında değilim; ay, ben de herkes gibiyim, demiyordum.

OYA – Ama şekerim farkında olunmayacak gibi de değildin ki sen!

MELEK – Yani, güzellik değil de, öyle kendime göre bir havam vardı işte. O havanın da farkındaydım.

OYA – Peki o sırada Kolej'deyken sevgililerin oldu mu?

MELEK – Tabii canım, o zamana göre çeşitli maceralarım oldu. Fakat annem bu konuda çok sert, baskılar yapıyor. Okuldan çıkış saatiyle eve geliş arasında beş dakika geçtiği vakit, hemen "neredeydin" sorusu.

OYA – Ay, bu kadar benzerlik olur. Yani Katolik eğitiminden gelme de olsa, Cumhuriyetçi öğretmen de olsa, anneler hiç değişmiyorlar demek ki!

MELEK – Evet, işte ben böyle geç kalamam, şunu yapamam, bunu yapamam; ayıptır.

OYA – Bizde de aynı böyleydi. Bazen, annemin de beğendiği, mazbut saydığı ailelerin kızlarını örnek gösterirdim: Bak anne, o gece çıkabiliyor arkadaşlarıyla, arkadaşında kalabiliyor, bana neden izin vermiyorsun, derdim. Annemden aldığım cevap: İyi iyi de, bize gelmez, olurdu. Nedense özgürlük adına hiçbir şey bize gelmezdi. Bir de tabii "elâlem ne der!" lafı vardı.

MELEK – Ben annemin sıkıyönetimini aşmak için bir yol buldum. Başladım, tiyatroda provaya kalıyorum diye geç gelmeye.

OYA – İyi bari, tiyatroya ses çıkarmıyorlar. Ben de çok istemiştim, ama annemi aşamamıştım.

MELEK – Tabii benim de annem felaket karşıydı bu tiyatro işine ama babam desteklerdi. Düşünüyorum da bugün bile ben babam kadar özgürlükçü bir erkeğe rastlamadım. Bir erkek olarak anneme, bütün kadınlara, hem de kızına davranışı... Anneme, bırak kızı, ben kızıma güvenirim, kötü bir şey yapmaz, derdi. Annem ise, benim aklımın beş karış havada olduğunu söyler, karşı çıkardı.

OYA – Bizde de tam aynı şey vardı. Babam, "Ben kızımı ordu içine bırakırım, kendi yolunu bulur," derdi, annem kavgalar pahasına itiraz ederdi. Babam öldükten sonra çok zorlandım annemle ben.

MELEK – Bu, biraz da anne kız ilişkisinin zorluğu. Ben böyle genç yaşta ortalara çıkıp, biraz da güzel olup havalanınca, erkeklerin dikkatini çekmem ve bunun farkında olmam annemi acayip şekilde rahatsız ediyordu. Kıskançlık diyemiyorum ama hiç hoşlanmıyordu bundan. Bana ağır laflar ederdi bu yüzden. Hani vardır ya kötü yola düşmüş kız, onun gibi.

OYA – Bu da tamamen aynı. Eve beş dakika geç kaldım diye, bir oğlanla görülmüşüm diye annemin bana ettiği sözleri hatırlıyorum da, sanki randevuevinde basılmışım gibi.

MELEK – Kısaca, ilkgençlik yıllarında erkek arkadaş konusunda büyük özgürlüğüm olmadı. En büyük şansım ağabeyimin varlığıydı. Aramız üç buçuk yaştır. Osman'la ilişkim hep çok iyiydi. İttifaklar kurardık onunla. Onun erkek arkadaşları da bize gelir, kızlı erkekli partiler düzenlerdik evde. Bizimkiler buna ses çıkarmazlardı, hatta böyle evde kendi ardamızda eğlenmemizi teşvik de ederlerdi.

OYA – Daha sonra senin siyasal fikirlerinin gelişmesinde etkisi oldu mu ağabeyinin?

MELEK – Farklı yollara gittik. Osman farklıydı, benim gibi gözükara değildi, o her zaman daha sakin, daha dingin bir çocuktu; ama ben yaramazdım. Şimdi kendi oğlum olduktan sonra düşünüyorum da, çok zor bir çocukmuşum. İşte o tiyatroculuk maceraları sırasında, Robert Kolej'in o zamanlar yeni açılmış mühendislik bölümünde okuyan kendimden üç dört yaş büyük bir gence tutulmuştum: Arif Dirlik. Bu Arif o zaman için, yani 62-63 yıllarından söz ediyorum, sıra dışı sayılan sol fikirlere sahipti. Şimdi Amerika'da önemli bir Çin uzmanı olmuş, kitapları Türkiye'de de basılıyor. Arif öyle yakışıklı falan değildi ama karizmatik bir tipti. Kimseleri de beğenmezdi. Arif'le bir toplantıda tanışmıştık, tiyatroyla ilgili bir toplantıydı herhalde. Son derece ilginç, zeki biriydi. Mersinliydi. Benimkinden çok farklı bir aileden geliyordu. Çok çocuklu bir ailenin oğluydu. Arif'le iki yıl, nasıl adlandırmalı, küçük çaplı bir flört yaşadık. Tabii o zamanlar şimdiki gibi değildi flörtler, ilişkiler.

Sen hatırlarsın, Bebek'te bir Nazmi vardı o zamanlar.

OYA – Hatırlamaz olur muyum! Bahçesinde erik ağaçları vardı, baharda erik çiçekleri tabaklarımıza, kadehlerimize düşerdi, mutlu olurduk. Nasıl hatırlamam. Sanırım ben senden de önce, bazen arkadaşlarla, sosyolojideki öğrencilerle, bazen sevgililerimle, mesela Muzaffer'le (Sencer) Nazmi'de yemek yer, şarap içerdik. Önünden sahil yolu geçerdi, yolun altı da deniz... Sonra yerine lüks Bebek apartmanlarından biri yapıldı. İlk gördüğümde gençliğimden bir parça koparılmış gibi gelmişti bana, neredeyse ağlamıştım.

MELEK – Evet, gençliğimizin unutulmaz anılarından: Bebek'teki Nazmi... Sahibi Nazmi Bey ve efsanevi garson Fevzi. Coca Cola'nın içine votka koyup içmeyi bizler Fevzi'den öğrendik. Hesap çoğu kez ödenmez, Nazmi Bey'in masasında duran bir deftere herkesin adına kayıt düşülürdü. Sonradan ay başlarında ya da harçlık alındığında hesap kapatılır, bazı durumlarda Nazmi Bey'le pazarlıklar yürütülürdü. Bu durumlarda garson Fevzi her zaman bizden yana olurdu. Nazmi hayatımızın en renkli parçalarındandı. Ben de on yedi, en fazla on sekiz yaşlarındaydım, Arif'le Nazmi'de oturmalar, içki içmeler başlamıştı.

OYA – Aynı yıllar işte. Birbirimizi tanımadan yan yana masalarda oturmuşluğumuz bile vardır belki...

MELEK – Ya işte, o güzelim Nazmi apartman oldu. Hâlâ önünden geçerken yüreğim sızlar. Benim meşhur bir hikâyem vardır, bak anlatayım.

Arada tabii ki okuldan kaçılıyor, annemin sıkıyönetim uygulamaları kâr etmiyor, o sıkıştırdıkça ben daha da azıyorum. Bir öğleden sonra ama kış günü... Biz o zamanlar votka içerdik, votka modası vardı. Yine içildi, erken bir saatti ama içiliyordu. O sırada işte büyük bir tartışma çıktı. Bir iddialaşma başladı. Şimdi şuradan kendini denize atar mısın? Evet atarım, atamazsın, atarım... Dedim ya, kış günüydü, üstümde paltomla Nazmi'den çıktım, karşıya geçtim ve paltoyu çıkarıp kendimi suya attım. Yüzdüm, çıktım ve döndüm. Sırma'nın (Evcan) evi yakındı, gittim Sırma' nın evinde üstümü değiştirdim, saçımı kuruttum. O zamanki Bebek'in şimdiki Bebek'le alakası yok. Herkes birbirini tanıyor. Daha ben eve gitmeden haberi çoktan gitmiş anneme, senin kız kendini denize atmış diye...

OYA – Benzer bir maceram var. Ama ben çok küçüktüm, üç dört yaşındaydım. O zaman Merzifon'daydık, Merzifon'da Amerikalı misyonerlerden kalmış Merzifon Amerikan Koleji'nin binaları vardı. Askeriye el koymuş, orduevi, lojman, komutanlık binası olarak kullanılıyordu. Bahçede bir havuz vardı, bugün bile gözümün önünde; olsun olsun da yarım metre derinliğinde, içinde kırmızı balıklar, suda gümüş gibi parıldayan koyu yeşil yapraklı, turuncu çiçekli bitkiler olan küçük bir havuz. Çocuklarla iddialaşmaya başladım: Ben yüzme bilirim, dedim, yüzemezsin dediler. Bakın görün, dedim; kendimi başaşağı havuza attım. Sonrasında hatırladığım ya da kendime geldiğimde başımda konuşulurken duyduğum şu: Başım ıslak, belime kadar ıslağım ama bacaklarım kuru, çünkü ben balıklama atlamışım ve bacaklarım da dışarıda kalmış. Annemden çok azar işitmiştim. Arada epeyce zaman ve yaş farkı var ama yapı aynı: Atlayamazsın mı dediniz, görün bakın! Galiba Yengeç burcu benzerliği bütün bunlar.

MELEK – Ben de çok şiddetli tepkiyle, azarla karşılaşmıştım evde. Üstelik üç dört yaşında değilim, koca kızım. Arif'e dönecek olursak; o Amerika'ya gitti. Bir süre mektuplaştık,; ama tabii ben çok gencim, o da çok genç.

OYA – Arif Robert Kolej'dendi, dedin. Peki, hatırlamak için soruyorum. O yıllarda Robert'te ilk mühendislik bölümleri açılmıştı, yüksek öğrenim başlamıştı. Mesela benim Levent'ten mahalle arkadaşım İnci Üsküdarlı ile ünlü matematikçimiz Cahit Arf'ın kızı Fatma Arf mühendisliğin ilk kız öğrencileriydi yanılmıyorsam.

MELEK – Evet, Fatma Arf, Arif ile aynı yıllarda mühendislikteydi. Sonra bir gün Amerika'dan Arif'ten bir mektup geldi. Ben ciddi bir karar verdim, mühendis olmayacağım, tarih okuyacağım, diyordu. Ben o sırada çok gençtim, bu kararın ne anlama geldiğini anlayacak olgunlukta değildim. Aramızda dört beş yaş fark vardı ama Arif kafaca çok gelişkindi. Sonra yavaş yavaş koptuk, yazışmaz olduk. Yıllar sonra, ABD'de olan Huricihan'dan (İslamoğlu) Arif'in dünya çapında bir Çin uzmanı olduğunu duydum. Şimdi düşününce, o dönemin koşullarında çok şey bilen, akıllı, kafası dolu biri olduğunu anlıyorum.

Arif'ten söz açmışken hikâyenin devamını da anlatayım bari. Biz seninle bu çalışmaya başladığımızda, 2009 yılının baharında yaptığımız konuşmaların bant kayıtlarını alıp Paris'e gittim. Orada daha sakin bir ortamda daha rahat çalışabiliyorum. Bir gece Arif'le ilgili bu bölümü deşifre edip yazdım ve gece geç saatte, uyumadan önce, Arif'i bulmalıyım, acaba ona nasıl ulaşabilirim gibi düşünceler geçti aklımdan. Yattım, uyudum. Ertesi sabah internette mesajlarıma bakarken birden mesaj kutumda, Face Book adresimde Arif Dirlik'ten bir mesaj gördüm, inanamadım; ilk düşüncem birisi beni işletiyor oldu. Sonra düşündüm, bu çalışmayı yaptığımı, Arif'ten söz ettiğimi ikimizden başka bilen tek bir kul yok. Senin de beni işletmek gibi bir derdin olamayacağına göre mesaj gerçekten Arif'ten geliyordu. Mesajı açtım, Hong Kong'dan yollanmıştı. Bu kısa mesajda, yıllar sonra izimi bulduğunda benim hâlâ dünyayı daha yaşanır kılmak için mücadele ediyor olmamdan duyduğu mutluluğu dile getiriyordu. Ben de ona yazdığım yanıtta bu ilginç rastlantıyı anlattım. O günden beri yazışıyoruz.

OYA – Hayatta ne garip rastlantılar oluyor. İnsanlarda bir önsezi mi var, nedir! Sen anlatırken ben de çocukluk, ilkgençlik aşklarımı hatırladım şimdi. Sıkı dur; ben ilk aşk duygusunu beş yaşındayken yaşadım. Bir yedeksubay doktor vardı babamın alayında, bak adını bile hatırlıyorum: İrfan. Ben o yaşlarda çok sık hastalanırdım, bademciklerim şişer, ateşim otuz dokuza, kırka çıkardı. İrfan Bey de sık sık beni muayene etmeye, bademciklerime o iğrenç tentürdiyotlu karışımı sürmeye eve gelirdi. Şu işe bak! Ben aklımda isim tutamam, yakında kendi adımı bile unutacağım neredeyse ama doktorun adını unutmamışım. Nasıl bir duygu yoğunluğu, adamın geleceği zamanı nasıl iple çekmek, en acıtıcı iğneleri, öğürtüler veren bademcik "atuşmanı"nı da yapsa razıyım. Tuhaf belki ama daha sonra gerçekten âşık olduğumda içimdeki duygu aynen o duyguydu. Sonra bunun gibi kendi içimde yaşadığım birkaç vaka daha var. Mesela Levent'te, on on iki yaşlarındayken hepimizin uzaktan uzağa bir sevgilisi vardı. Sabahtan akşama bisikletlerle dolanırken onların önüne çıkmaya, göz göze gelmeye çabalardık. Oğlanların haberi bile yoktu belki ama o ne yoğun duygu, ne büyük özlem! Galiba çocukluktan çıkarken ilk büyük aşkım annemlerin yakın çevresinden birinin oğluydu. Benden bir iki yaş büyüktü, çocukluk arkadaşımdı. Çocukluktan sonra gençliğimizde aramızda bir ilişki doğdu, daha çok benden geldi yakınlaşma talebi; sanırım benim tutkulu yönelişim onu da etkiledi. Kısa bir süre birlikte olduk; ama o aklı başında, hayatını ve kariyerini hesaplı kitaplı belirleyen biriydi. Onun yol haritasına uymuyordum. Üstelik öyle güzel müzel değildim, zengin de değildim. Çocukcağız daha çok genç, seçmelerinde özgür olmak istiyor, kariyer hesaplarını yapmış, ben ise roman moman yazıp skandal yaratıyorum. Ne yapsın! Benden kurtulmanın yolunu kaçmakta buldu. Bilirsin, biz kadınlar için kaçan balık büyük olur. İzini Paris'te biraz sürdüm, sonra yüreğim parça parça peşini bıraktım. Epeyce güç atlattığım bu aşk hüsranından sonra aşktan kolay kolay ölünmediğini öğrendim. Çivi çiviyi söker düsturuyla epeyce havalandım sonrasında. Biraz da ekilmişlik psikolojisiyle "ben size gösteririm, kafama koyduğumu elde ederim" havaları. Aslında özgüvenimi onarabilmek, koruyabilmek için giriştiğim bir çaba.

MELEK – Haklısın, aşktan ölünmüyor ama aşksız da yaşanmıyor. Bizim kuşak romantik aşka, tutkuya, aşk acılarına inanırdı. Aşkın imkânsız olması, acıtması daha da makbuldü. Aragon'un mısralarındaki gibi "Mutlu aşk yoktur". Ben de aşkı ve mutluluğu birarada düşünemedim hiç. İmkânsız aşklar her zaman daha cazip geldi, düz aşkın anlamı yoktu. Benim bir Bolivyalım vardı. Lise yıllarında, Arif'ten sonra Bolivyalı bir oğlan buldum. Babası ILO'da (Uluslararası Çalışma Örgütü) çalışıyordu. Bir partide tanışmıştık; adı Rodrigo'ydu, güzel gitar çalıyordu. Dansa kalktık ve daha ilk anda aramızda moda tabirle bir elektriklenme oldu. Tam bir Latin Amerikalı'ydı; ateşli, tutkulu. Ben şaşırmıştım, daha önce böyle bir şey yaşamamıştım. Rodrigo bana Bolivya'daki yoksul köylüleri, komünist hareketi anlatmaya başladı. Anlayacağın, karşıma çıkan her erkekten sol ideolojik eğitim alıyorum. Artık bilmiyorum ben mi onları buluyordum, onlar mı beni buluyordu. Bir süre sonra Rodrigo benimle sevişmek istediğini, bunun çok normal bir şey olduğunu söylemeye başladı. Ben o noktada durdum, o kadar da değil... Ayrıldık, o da kendine yeni bir sevgili buldu. Bizim zamanımızda kızlar öpüşür, koklaşır ama iş daha ötesine gelince, orada dururlardı. Ben, annemin baskıları yüzünden olsa gerek, bu aşamayı zor ve tuhaf biçimde yaşadım.

OYA – Baskı bende ters tepti. Annemin özellikle cinsel konulardaki tutuculuğuna karşı geliştirdiğim tepki yüzünden belki de, kızlık meselesi, bir erkekle yatmak falan benim için tabu konular değil, aşmam gereken konular oldu. Asıl korkanlar, cinsel ilişkiyi sonuna kadar götürmekten çekinenler, birlikte olduğum genç erkeklerdi çoğunlukla. Öyle, "baktım baktı bakıştık, güldüm güldü gülüştük" türünden flörtlerden söz etmiyorum. Karşımdakinden gerçekten hoşlandığım, sevdiğim ilişkilerde cinselliği de sonuna kadar yaşamayı tutarlılık ve cesaret olarak görüyordum. Ama hatırlıyorum, okul arkadaşlarım da senin söylediğin gibi öpüşme, koklaşma, dokunma ötesine geçilmesine izin vermezlerdi. Galiba herkeste, bende de asıl büyük korku hamile kalmaktı. O zaman şimdiki gibi doğum kontrol hapları, korunma yöntemleri yok, hamile kalırsan yandın. Benden epeyce büyük bir mahalle arkadaşım vardı. Başına böyle bir iş geldi, kendi kendine düşük yapayım derken az kaldı kan kaybından ölüyordu.

Ben cinsel özgürlük meselesi üzerinde, Paris'e gittiğimde, orada bizim Türk çocuklarla birlikte olan İsveçli, Finlandiyalı, Kuzey ülkelerinden genç kadınlarla karşılaştığımda düşünmeye başladım. Bir Finlandiyalı kız vardı mesela, sevişme konusundaki yorumu "C'est hygiènique"ti; yani "Sağlığa yararlıdır". Kadının cinsel özgürlüğünden yana olmakla birlikte, tensel aşkın bu kadar basite indirgenmesini kabullenemiyordum, hâlâ da kabullenmem. Ama, dediğim gibi Türkiye'deki çevremin tutuculuk çemberinden sıyrılınca, hele da Paris havasına girince bu konularda iyice rahatladım.

Gençliğimizin Parisi

MELEK – İkimizin de bir Parisi var galiba gençliğinde. Çekip giden sevgilinin izini Paris'te sürdüm dedin. Nasıl oldu Paris'e gidişin?

OYA – Biz Dame de Sionluların en büyük hayali Fransa'yı, hele de Paris'i görmekti o yıllarda. Yurtdışına gitmek şimdiki gibi kolay değil o zamanlar. Pasaport almak, yurtdışına çıkabilmek için gerekli üç beş kuruş döviz edinmek deveye hendek atlatmaktan daha zor. Bana da gazeteden yardım etmişlerdi hatırladığım kadarıyla. Daha önce konuşmuştuk ya, *Hürriyet*'te romanım basılınca bana telif vermişlerdi, bilet param vardı. Teyzemin kızı Emel Abla doktora yapan kocasıyla birlikte Paris'teydi o sıralarda. Annem kıyameti kopardı, sinir krizleri geçirdi, nasıl gidersin, ben nasıl yalnız kalırım, ya gidip de dönmezsen diye. Ama bu defa kararlıydım pabuç bırakmamaya. Hani kendimce yazar mazar da olmuşum ya! Âşık olduğum oğlanın da Paris'te olduğunu onun yakın bir arkadaşından öğrenmiştim. Bir de o günlerde, Fransa'nın önemli bir yayınevinden romanımla ilgilendiklerini bildiren bir yazı gelmişti. Hayal kurmaya başlamıştım. Belki bir imkân olur, üniversiteyi orada okuyabilirim, diye düşünüyordum.

MELEK – Dur, dur şimdi, sırayla... Fransa'daki yayınevi ilişkisi nasıl oldu, ne sonuç verdi?

OYA – Benim roman, *Hürriyet*'te Türkiye'nin Françoise Saganı diye, bol tanıtımla yayımlanınca, Fransa'daki bazı gazetelerde de haberi çıkmış. Bir Fransız yayınevi de ilgilenmiş. Beni gazete yoluyla buldular galiba. Ben de Paris'e geleceğimi, geldiğimde kendileriyle temas kuracağımı bildirdim. Sonradan düşündükçe hâlâ huzursuzluk duyduğum bir konudur bu.

MELEK – Ne var bunda huzursuzluk duyacak! Ne güzel işte!

OYA – Dur, dinle. Paris'e gidince hemen yayınevini aradım. Artık editörü müydü, sahibi miydi, hiç hatırlamıyorum, bana telefonda o zamanlar Paris'in en seçkin, en lüks mahallelerinden olan 16. Arrondissement'daki dairesinde randevu verdi. Adrese gittim; yüzyıl başından kalma muhteşem bir apartman. Ben böyle aristokrat, lüks, zengin yerlerde hâlâ zorlanırım, ezilirim. Hata yapıp gülünç olmaktan korkarım. Hele de o zamanlar... Asansörü bulmakta, çalıştırmakta zorlandığımı, üniformalı bir kapıcının gelip yol gösterdiğini, utandığımı, kızardığımı hatırlıyorum. Kapıyı yüreğim pır pır ederek çaldım; filmlerdeki gibi beyaz eldivenli bir uşak açtı. Neyse ki o zamanlar Fransızcam epeyce iyiydi. Yanımda yeni yazdığım, henüz yayımlanmamış *Allah Çocukları Unuttu* romanının daktilo çıkışlarını mı getirmiştim ya da yine *Hürriyet*'te yayımlanan o ilk romanın sarı deftere el yazılı müsveddelerini mi, gerçekten hatırlamıyorum. Ama neresinden bakarsan bak durumum komik ve gayri ciddi. Ben adama konuyu Fransızca anlatmaya çalışıyorum, o bir çeviri olsaydı belki düşünebileceklerini söylüyor. Daha profesyonel bir iş beklediği besbelli. Çay servisi geldi gümüş takımlarla; küçük pastalar geldi. Hatırlıyorum, çileklileri çok canım çekmişti ama uzanıp alamamıştım. Yani dünya çapında yazar olma, iyi para kazanıp Paris'te okuma hayalleri daha o evde, aristokrat tavırlı, iriyarı, yakışıklı o amcanın karşısında eridi gitti. Yukarıdan bakan, kendinden emin, boylu poslu Avrupalı aristokrat tipi bana hâlâ ürküntü verir. Hele o günlerde böyle üst sınıflardan Fransızlarda, şimdilerde neyse ki burunları sürtülüp biraz yitirdikleri bir küstahlık, bir "arogans" vardı ki, sorma. Yeni kuşaklar çok sempatik, çok daha bizden gibi geliyor bana.

MELEK – Mümkün olsaydı ne okumak istiyordun sen Paris'te?

OYA – Tiyatro-sinema okumak istiyordum. Benim derdim senaryo yazarı, oyun yazarı olmaktı. Paris'te sinematekte Ingmar Bergman'ın *Yaban Çilekleri* filmini görünce çarpıldım gerçekten de. O zamana kadar daha çok Hollywood filmlerini biliyorum. Sinemanın bambaşka bir şey, bir sanat olduğunu Paris sinemateğinde gördüğüm filmlerle kavradım. Sinema okuma tutkum biraz daha perçinlendi. Paris'teki Institut Cinématographique o yıllarda çok ünlüydü. Bütün hayalim oraya devam edebilmek. Ama olmadı; param yok, burs imkânı bulamadım, yol gösteren de yoktu. Teyze kızımla kocası da öğrenci bursuyla meteliğe kurşun atıyorlar, annem mektup mektup üstüne yazıp ben yalnız yaşayamam, çabuk dön, diye feryatlar ediyor. Anlayacağın Paris'te kalma hayalleri suya düştü. Peşine düştüğüm büyük aşkımla da buluşamadım, Fransa'dan ayrılıp bilmem nereye gittiğini söyledi arkadaşları. Ben de arayıp sormaktan vazgeçtim. Bizim de bir gururumuz var, değil mi? Sırası değil belki ama söylemeden geçmeyeyim: Sonraları, tutkulu ve derin bir aşkta gururun, utancın, suçluluk ve günah duygularının yeri olmadığını öğrendim. Bu yüzden aşk uğruna katlanılan durumlar ya da işlenen günahlar konusunda hep çok genişimdir. Aldatanı da aldatılanı da çok iyi anlarım, suçlamak gelmez içimden. Her iki durumu da yaşadım çünkü.

Kısaca Paris hüsran oldu ama orada geçirdiğim dönem, hayatımın sonraki gidişatını çok etkiledi.

MELEK – O yıllarda nasıl bir atmosferi vardı Paris'in?

OYA – Yıl 1959-60; egzistansiyalizm hâlâ ortalığı kasıp kavuruyor. Siyah dar kazağı ve daracık siyah pantolonlarıyla Juliette Greco'ya Quartier Latin'de izbe bir caz lokalinde rastlayabiliyorsunuz. Cezayir Kurtuluş Savaşı'nın en sert yaşandığı yıllar, sokaklarda gösteriler, patlayan küçük çaplı molotof kokteylleri, Mareşal De Gaulle çaresiz siviller tarafından yeniden göreve çağrılmış. Paris henüz kimliğini yitirmemiş, Saint-Germaineler, Saint-Micheller, oralardaki kafeler bugünkü gibi turistikleşmemiş. Sartre'ı, bir kafede, daha çok Café de Flore'da Simone de Beauvoir'la birlikte oturmuş konuşurken ya da gazetesini okurken görebiliyorsunuz. Seine Nehri boyunca sıralanan *bouquinist*'lerde gerçekten kelepir eski kitapları metal parayla alabiliyorsunuz.

Paramız çok azdı. Aylık öğrenci bursu, daha ayın ortasına gelmeden suyunu çekerdi. Emel Ablam zaman zaman bir "haute couture" butikte konfeksiyon işlerine yardım ediyordu. Bu benim çok işime yaradı. Butikten getirdiği kumaş artıklarından ya da Dreyfüs diye bilinen, metreyle, kiloyla yok pahasına kumaş satan han gibi bir dükkândan aldığımız parça kumaşlardan, butikteki bütün modelleri benim için tatbik etti. Öyle bir gardırop edindim ki, İstanbul'a döndüğümde tam Pariziyen havalardaydım. Çok yolsuz kaldığımızda, kocası Orhan Ağabey Halle'de birkaç saatliğine hamallık yaparak üç beş kuruş kazanır, ben de birkaç franga sırtımda reklam panosu taşırdım. Ama bu reklam işi için iriyarı olanları tercih ederlerdi, bana fazla iş çıkmazdı. O zamanlar Fransa'nın parası Eski Frank'tı. Hatırlıyorum, kâğıt paralar çok hafifti, cepten cüzdandan kolay düşürülürdü. *Kiosk* denen, gazete sigara, abur cubur satan kulübelerin hemen önünde yerde para arardım, çoğunlukla da bulurdum. Bir şekilde karın doyurmayı becerirdik. Mesela kaldığımız evin çok yakınında Louis Le Grand Lisesi vardı. O lisenin öğretmenlerinden bazıları bizimkilerin iyi dostuydu. Onlar kanalıyla kantin fişlerinden edindik mi, bir franka mükellef bir öğle yemeği yiyebilirdik. Hem de şaraplı, düşünebiliyor musun! Beni en çok bu şaşırtmıştı; lise kantininde her masanın üstündeki sürahilerde şarap olurdu, bizdeki su gibi. Acaba sadece öğretmenlerin yemek yediği bölümde mi şarap vardı, hatırlamıyorum. Tabii çok hafif, çok sıradan bir şarap; ama yine de şarap işte. Üstelik yanımızda getirdiğimiz şişelere ve kaplara yemekle şarap doldurup gizlice çıkarır, akşam yemeğini de garantilerdik. Elimize para geçtiğinde hemen harcanırdı. Ya ucuz bir sinemaya gidilir ya eski Halle'de soğan çorbası içilir ve mutlaka öğrenci kahvelerinden birine uğranırdı. Türkiyeli öğrenciler arasında maddi konularda dayanışma vardı. Parası olan ötekileri meteliksiz bırakmaz, ay sonlarında komünal yaşama geçilirdi. Tam bir rüya şehirdi Paris, okulda nasıl hayal etmişsem öyle.

Paris'te teyze kızımla kocasının çevresi Türkiyeli doktora öğrencilerinden, yazar çizerlerden, ressamlardan, sanatçılardan oluşuyordu. Hepsi benden en az on yaş büyüktü. O zamanlar Fransa'da, hele de Paris'in entelektüel kesimlerinde sol rüzgârlar esiyordu. Biraz bohemlikle karışmış, egzistansiyalizm sosuna bulanmış bir sol hava. Onların arasındayım ben de. 19 yaşındayım, ağızlarının içine bakıyorum. Sosyalizm tartışıyorlar, ilk kez enternasyonalizm sözünü duyuyorum. Biri Türk, biri Yunanlı bir çift vardı; kızın ailesi Yunanistan'daki iç savaştan sonra sürgüne çıkmak zorunda kalmış komünistlerden. Hiç unutmuyorum, Kıbrıs konusu da gündeme gelirdi tartışmalarda. Demek bu Kıbrıs sorunu o zaman da ateşliymiş. Yunanlı kız Türk sevgilisine, Kıbrıs'ı sana veriyorum canım, benim olsa on iki adayı da verirdim, derdi. Çok hoşuma giderdi bu benim.

İşte sosyalizm lafları, egzistansiyalizmin gereği sandığımız bohem yaşam, Marksizm tartışmaları, Fransızlar, Türkler, Yunanlılar, Ermeniler, eğitim için devlet tarafından gönderilmiş tek tük Çinliler, böyle bir ortam... İyi de, ben baktım Paris'te tutunamayacağım, hele de üniversiteye devam olanağım hiç yok. Hem ekonomik durumum kelek, hem de annem döneyim diye devamlı baskı yapıyor. Demek ki sandığım kadar cesur ve bağımsız değilmişim; döndüm. Fransa'ya gitmeden önce, her ihtimale karşı İstanbul'da birkaç üniversiteye başvurmuş, önkaydımı yaptırmıştım. Bizim zamanımızda merkezî sınav yoktu daha. Ben İstanbul Tıp'a, Güzel Sanatlar Akademisi heykel bölümüne, bir de Gazetecilik Enstitüsü'ne başvurmuştum. Tümünü de kazandım. Ama görüyor musun nasıl bir dağınıklık? Tıpla heykelin, heykelle gazeteciliğin ne ilgisi var Allah aşkına!

MELEK – Aaa... Tıbbiye mi yani? Doktor mu olacaktın?

OYA – Çok istemiştim, annem itiraz etti, haklıydı da bir bakıma. İhtisasla birlikte tıp eğitimi dokuz yıl. Çabucak bir baltaya sap olacağın bir şey oku, dedi. Galiba benim de gözüm korktu biraz, hele kadavra kesme işini düşündükçe büsbütün ürktüm. Asıl okumak istediğim tiyatro-sinema bölümü benim zamanımda İstanbul'da yoktu. Sanat Tarihi Bölümü'nde Haldun Taner bir ders açmıştı, o kadar. Sonra Fransa'dayken sol laflara biraz aşina olunca, ben işte bu konuları okumalıyım, dedim. Siyasete eğilimim vardı anlaşılan. Bizim evde, babamın çevresinde çocukluğumdan beri siyaset konuşulurdu. Paris'ten 1960 Ocak sonunda dönünce, bu sosyalizm denen şeye en yakın bölüm nedir diye baktım: sosyoloji. Gittim sosyolojiye kaydımı yaptırdım. Şubat yarıyılında İstanbul Üniversitesi Edebiyat Fakültesi Sosyoloji Bölümü'ne girdim. Paris'te okumak, Fransa'da yaşamak hayallerime de böylece nokta koydum.

Şimdi sen anlat Paris dönemini. Herhalde benden epeyce sonra olmalı.

MELEK – 1965'te liseyi bitirmiştim. 18-19 yaşlarındayım. Mezun olduktan sonra bir yıl ne yapacağımı tam bilemedim, aylak dolandım. Üniversite giriş sınavları o dönemde yeni başlamıştı. Aile baktı ki ben başıboş kalırsam pek hayırlı olmayacak. Hani kızı bırakırsan ya davulcuya varır ya zurnacıya durumu var, öyle bir profil çiziyorum. Aile, bu bizim başımıza dert açacak diye düşünüyor, biraz da haklı olarak.

Zeynep de (Oral) o sırada Paris'te. Onun ailesiyle bizimkiler iyi tanışırlardı. Zeynep babasını genç yaşta bir kalp krizi sonucu kaybedince kendini çok kötü hissetti. Paris'e dönüp eğitimine devam etmek istemedi. Birlikte gitmemize razı olur belki diye beni de onun yanına kattılar, babam bizi Paris'e götürdü. Böylece 68 Baharı'nın içten içe hazırlandığı 1966-67'de kendimi Paris'te buldum. Zeynep bir yandan gazetecilik okulunda okuyor, bir yandan da Sorbonne'da "Tiyatro Araştırmaları" Bölümü'ne devam ediyordu. Eğitimini ciddiye almıştı, gazeteci olmaya kararlıydı.

OYA – Zeynep baştan gazeteciliğe karar vermişti yani.

MELEK – Zeynep ne istediğini gayet iyi bilirdi, benim gibi maceracı değildi; ama çok iyi anlaşırdık. Böylece Paris'te Zeynep'in kiracı olduğu, Hıfzı Topuz ve eşinin Ile St. Louis'deki evinin en üst katındaki "chambre de bonne"a, yani hizmetçi odasına yerleştim Hizmetçi odası ama bulunduğu yer, yani Ile St. Louis, belki sen de hatırlarsın, Paris'en mutena yerlerinden biri. Seine Nehri üzerindeki küçük bir adada kurulmuş, tanınmış ve zengin insanların oturduğu bir semt. Hatırlıyorum, bizden iki ev sonra Pompidou'nun konutu vardı. Evden çıkınca St. Germain'e gidebilmek için nehrin üzerinden geçtiğimiz köprünün diğer ucunda Paris'in en ünlü lokantalarından Tour d'Argent'ı ve kapının önünde bekleyen üniformalı kapıcıyı hep anımsarım.

OYA – Ile St. Louis hatırlanmaz mı? Gerçekten de Paris'in en mutena yeridir, hâlâ da öyle. Geçenlerde benim *Kayıp Söz*'ü Fransızca basan Phebus Yayınevi'nin sahibesi, orada, Seine Nehri'ne bakan muhteşem dairesinde, kitabın çıkışını kutlamak için edebiyat çevrelerine bir yemek verdi. Bu vesileyle o bölgedeki bir konutun içini ve pencerelerinden Paris manzarasını ilk defa gördüm. O manzaraya nazır hizmetçi odalarına kurban olayım!

MELEK – Paris'te bu hizmetçi odaları öğrenciler arasında meşhurdur; artık öğrenci odası olmuş neredeyse. Ben değişik zamanlarda değişik hizmetçi odalarında çok kaldım. Buralarda tuvalet ve duş yoktur. Tuvaleti diğer odalarda kalanlarla paylaşırsınız; duş için, evinde banyosu bulunan zengin arkadaş avına çıkmanız ya da umumi duşları kullanmanız gerekir. Odada sadece bir lavabo bulunur.

Zeynep'le dar ve uzun bir odada kalıyoruz. Isıtma yok, elektrik sobası gibi bir alet var sadece. Ben çatı penceresinin altındaki, sedirden bozma daracık bir yerde yatıyorum. Uyurken yatakta dönmek diye bir imkân yok, nasıl yatarsan öyle kalkıyorsun. Zaten oda soğuk, meğer çatı penceresinin bir kenarı kırıkmış. Ben genellikle üstümdeki giysilerle yatardım, sonra Zeynep palto malto, ne varsa üstüme örterdi. Benim her yerde, her koşulda uyumak gibi bir huyum vardır. Daha sonraki yıllarda bana çok yardımcı oldu bu özelliğim. Zeynep gececiydi. Geceleri uyumaz çalışır, kitap okur ve çok heyecanlandığı bir şey olursa beni uyandırırdı. Bana yatağın darlığından daha zor gelen şey Zeynep'in bu gece heyecanlarını paylaşmaktı. "Ya evet, çok güzel," gibi sözcüklerle geçiştirmek yetmez, daha aktif bir katılım beklerdi. Ama bütün bunlara rağmen, şartlar hiç umurumuzda değildi.

Fransızca kursuna başladım. Tiyatro okumak istiyorum ya, tiyatro kurslarına kaydımı yaptırdım. O dönemde Paris siyasal hareketliliğin çok yükseldiği günler yaşıyor. 66-67 yıllarındayız, adım adım 68 Baharı'na doğru gidiliyor, 68'in bütün ön hazırlıkları yapılıyor. 67 yılında Yunanistan'da askerî darbe olmuştu, Paris ülkelerindeki faşizmden kaçan Yunanlı mültecilerle dolmuştu. Özetle; benim gözüm esas olarak Paris'in bu kaynayan ortamında açıldı.

OYA – 68 atmosferinde açıldı yani!

MELEK – Evet, bir anlamda öyle, 68'in hemen öncesinde.

OYA – Sen kendini, teorik-kitabi bir ortamda değil, oradaki eylemci, isyancı sol hareketin içinde bulmuşsun. Bu ilginç, belki daha sonraki duruşunu da açıklıyor bir ölçüde.

MELEK – O yıllarda Fransa'daki gençlik hareketi bizimkinden çok farklıydı. Bir kere, çok sayıda kadın vardı harekette. Daha sonra 68 Paris olaylarında da, gösterilere katılanların çoğu neredeyse kadındı. Kadın erkek eşitliği, kadınların özgürlüğü, cinsel özgürlük gibi konularda benim gözüm Paris'te açıldı. 1968 öncesinde de Katolik Fransa'nın burjuva ahlak değerlerini sorgulayan, sarsan bir yanı vardı gençlik hareketinin. Paris'te, Paris Türk Talebe Birliği'nin dergisini çıkartan Türk öğrencilerle ilişki kurdum. Sol eğilimli bir yayındı, ben hemen o derginin ekibine girdim. Dergi yüzünden mi, başka bir konu muydu tam hatırlamıyorum ama bir ara oradaki Türk yetkililerle başım derde girdi. Zeynep (Oral) bu işlere fazla katılmıyor, ciddi ciddi okullarına devam ediyor, derslerine çalışıyordu. Ben ise, hızlı bir politizasyon sürecine girmiştim. Söyledim ya, bende militanlığa yatkınlık, öyle bir ruh hali hep varmış zahir.

OYA – Peki böyle bir hava içinde de olsa, işin eylem yanını teorik bilgiyle tamamlıyor muydun? Mesela Marksizm okumaları falan...

MELEK – Yok öyle bir şey, hiç yok. Tamamen eyleme yönelik. Kafa tın tın. Ben edebiyat ve tiyatroya eğilimli olduğum için tek ilgi duyduğum, bildiğim alan oydu, hâlâ da öyle sayılabilir. İngiliz ve İrlanda tiyatrosunu ve edebiyatını iyi bilirdim. Fransızcayı o sıralarda yeni yeni öğreniyordum.

Sosyalizm sosyolojide öğrenilir mi?

OYA – İlim bilim açısından benim durumum da pek farklı değildi aslında. Paris'te bulunduğum çevrede duyup da hoşuma giden, "işte budur" dediğim sosyalizmi sosyoloji okuyarak öğrenebileceğimi düşündüğümden, Paris dönüşü ayağımın tozuyla sosyoloji bölümüne atmıştım kapağı.

MELEK – Senin doktoranın reddi, rektörlüğün işgali hikâyeleri hep sosyoloji bölümündeyken oldu değil mi? Bir de yanlış hatırlamıyorsam, orada Muzaffer'le (Sencer) tanışıp sonra evlenmiştiniz. İkiniz de aynı bölümde asistandınız ben filolojiye geldiğimde.

OYA – Evet. Sosyoloji-Felsefe Bölümü İstanbul Üniversitesi'nin Laleli'deki Fen-Edebiyat Fakültesi binasının ikinci katındaydı. Merdivenle çıkılan geniş bir mekâna açılan büyücek bir amfi, iki tarafında öğretim elemanlarının odaları, derslikler, bölüm kitaplığı olan uzun bir koridor. Koridorun sonunda Psikoloji Bölümü vardı. Koridorun tam başında, iki basamak merdivenin hemen yanında da küçücük çay ocağı... Bizim koridor, hele de çay ocağının önündeki geniş basamaklar çok popülerdi. Çünkü her zaman hareketliydi, politizeydi. Dersler dışındaki zamanımızı koridorun girişindeki geniş, yayvan basamaklara yayılıp gevezelik ederek, tartışarak geçirirdik. Kantine falan fazla gitmezdik, bir tost bir ayran alır veya çay ocağından bazen kendimiz demlediğimiz çayla doyururduk karnımızı. Orada oturup yukarı kattaki bölümlere, Filolojilere, Tarih, Türkoloji, vb. bölümlere çıkıp inen öğrencileri dikizler, yorumlar yapar, laf atardık. Ben bölümü bitirip asistan olduktan sonra da takılmayı sürdürdüm koridora.

Bölüme şubat döneminde başladığım için, ilk günlerde yabancı sayıldım. Neyse ki Dame de Sion'daki sınıfımdan iki arkadaşım; Bahar'la (Salman) Mualla (Harun) psikolojiye girmişlerdi, onlar da bizim oraya takılıyorlardı.

Daha gelir gelmez bölümden bir delikanlı ilgimi çekti. Afili yürüyen, pek kimseye yüz vermeyen, enikonu yakışıklı, gizemli havalı, tuhaf bir çocuk. O sıralarda genç kızların bayıldığı Alain Delon'a benzeyen bir tip. Biraz hoşbeşten sonra çocuğun klasik edebiyatı, felsefeyi, hele de eski yeni şairleri hatmettiğini fark edip şaşırdım. Ben de iddialıydım edebiyatta. Fransız okulunda bize sıkı edebiyat ve felsefe okuturlardı. Ayrıca meraklı olduğumdan, derslerin çoğunu da roman okumakla geçirirdim. Bu oğlan, doğrusu ya, benden iyiydi. Ama kasıntı mı kasıntı, hatta biraz da küstah. Yapay diyebileceğim, teatral bir hali var. Sonradan onu tanıdıkça, bu tavrın bir korunma mekanizması olduğunu anladım. Mualla ile, bu kasıntıyı tavlarım ben, diye iddiaya girdim. Yapamazsın, kimseye yüz vermiyor, galiba dışarıda bir sevgilisi varmış, dediler. Denerim, dedim ve iddiayı ben kazandım. Yakışıklı kasıntı Muzaffer'di.

Bunu biraz da şundan anlatıyorum: Muzaffer'le ilk defa 28 Nisan'da beraber olmuştuk. Hatırlarsın belki; 27 Mayıs askerî darbesine, o zamanki deyimle "ihtilal"e doğru gelişen öğrenci olayları 28 Nisan'da başlamıştı. Demokrat Parti'nin muhalefeti susturmak için giriştiği baskılar yoğunlaşırken, İnönü'nün başkanlığındaki CHP de bir darbe ortamı yaratmak için ordunun, gençliğin, zinde kuvvetlerin içinde çalışmaya hız vermişti. Ortalık çok gergindi, üniversite kıpır kıpırdı. İşte biz tam o gün, sokaklarda atlı polisler gençleri kovalarken, dersler yapılmaz olmuşken, ortalık böyle toz dumanken Muzaffer'le ara sokaklardan kaçıp kendimizi Etiler'e attık. O zamanlar Etiler şimdiki gibi kalabalık değil, sadece Etiler yapı kooperatifinin villa tipi evleri var, çoğu da daha inşaat halinde. Yolları bile daha doğru düzgün yapılmamış. Fıstık çamlarının arasından Boğaz'a bakan muhteşem manzaralı yamaçlar ve inin cinin top oynadığı uzanıp giden kırlık alanlar...

MELEK – Yani Muzaffer'le durumlar hemen başlamıştı ha? Hem de milletin ayaklandığı gün...

27 Mayıs'ı heyecanla karşılamıştık

OYA – Evet; ne ayıp ama öyle işte. Düşün ki CHP'nin güdümündeki öğrenci gençlik, öğrenci yurtlarında, fakültelerde, derneklerde, sokakta günlerdir, hatta aylardır Demokrat Parti iktidarını askerî darbe ile düşürmek için örgütleniyor. Sonradan öğrendiğimiz kadarıyla CHP gençlik kollarında 26-27 Nisan'da çok geniş bir bildiri dağıtma, slogan söyleme, yer yer protestolar, gösteriler planlanmış. 28 Nisan'da, yani bizim aşk meşk peşinde olduğumuz gün, Hukuk Fakültesi'nde Prof. Bülent Nuri Esen'in, "Anayasa ihlal edildiği için" ders vermeyi reddetmesi üzerine öğrenciler bahçeye çıkarak protesto gösterilerine başlıyorlar. Polis havaya ateş açıyor, İstanbul Üniversitesi Rektörü Prof. Sıddık Sami Onar öğrencileri korumaya çalışırken polis tarafından itilip kakılıyor, yere düşüp yaralanıyor. Ortalık ayakta ve biz Çamlık'ta dolaşıyoruz. Ben siyasete, sosyalizme merak sarmışsam da henüz olup bitenin pek farkında değilim, zaten yeni dönmüşüm Türkiye'ye. Muzaffer'e gelince, o zaten hiçbir zaman eylemci olmadı, işin teorisindeydi hep, neyse... O sıralarda Muzaffer'in liseden edebiyat hocası olan bir hanım, kendinden en az 20 yaş küçük öğrencisine âşık. Tamamen platonik ama belli ki saplantılı bir aşk. Ünlü bir edebiyat eleştirmeninin karısıydı, sonradan Muzaffer'e yazdığı şiir gibi bir aşk mektubunu okumuştum. İşte o gün biz Muzaffer'le Etiler Çamlık'ta, tenhada el ele yürümeye, ürkekçe öpüşmeye gitmişiz, birden yirmi otuz metre ötede, karşıdaki tepeciğin üstünde o hanımı gördüm. Demek ki emin olmak istemiş, bizi izlemiş, peşimizden gelmiş. Şimdi düşünüyorum da, bu tutku denilen, aşk denilen duygu neler yaptırıyor insana. O zaman da içim burkulmuştu, kendimi suçlu hissetmiştim, sanki başkasına ait bir şeyi çalmışım gibi. Üzülmüştüm onun haline.

Neyse ki hemen ertesi gün, olayların doruk noktası olan 29 Nisan'da jeton düştü, kendimizi sokakta, olayların içinde bulduk. Atlı polislerin önünden kaçtığımı, kaçarken yere düştüğümü hatırlıyorum; ama o kadar işte. Mesela o gece Üniversite'nin merkez binasının bahçesinde geceleyenler arasında değildim. Demek ki hazır değilmişim ya da henüz tam farkında değilmişim olanların.

MELEK – Peki ne düşünüyorsun gelişmeler karşısında, hangi taraftasın?

OYA – Demokrat Parti'ye karşıyız tabii; arkadaşların da, evin, eşin dostun havası da böyle. Sonra 27 Mayıs oldu, sabahın köründe radyodan bir davudi ses; Alparslan Türkeş'in sesiymiş, sonra öğrendik. Her zamanki terane: Memleketi içine düştüğü kardeş kavgasından kurtarmak üzere ordu yönetime el koymuştur. NATO'ya bağlıyız, CENTO'ya bağlıyız... 27 Mayıs'ı bayram havasıyla, davul dümbelekle karşıladık. Cuntanın başına geçen Cemal Gürsel'in babamın en yakın arkadaşlarından olması da cabası, Akşehir'de mi, Balıkesir'de mi, neredeyse kucağında büyümüşüm bebekken. 1952'ydi galiba İzmir'de ziyaretlerine gitmiştik. Ama babam 1956'da öldükten sonra bir daha görüşmedik Aga Cemal'le. Cemal Gürsel'in ordudaki, arkadaş arasındaki lakabı "Aga" imiş. Bizim evde de hep böyle anılırdı. Evet; ailecek ve çevrecek 27 Mayısçıyız.

MELEK – Sizin Levent Mahallesi'ndekiler, konu komşu da mı öyle?

OYA – Bildiğim kadarıyla çevrede bir tek karşı komşumuz Üsküdarlı ailesi Demokrat Parti'ye yakındı. Onlar 27 Mayıs'a karşılardı ama yazık, seslerini çıkaramıyorlardı. Selahattin Bey Amca yedek parçacıydı ve DP döneminde işlerini epeyce düzeltmişti. 27 Mayıs'tan sonra tevkifatlar oluyor, DP'liler içeri alınıyor, işyerleri basılıp hesapları inceleniyordu. Selahattin Amca zaten kuruntulu bir adamdı, hastalanıp yatağa düştüğünü hatırlıyorum. Kimileri hasta taklidi yaptığını söylerdi. Buna rağmen sokağımızın havası hiç değişmedi, komşular birbirimize daha da kilitlendik. Şimdi olduğu gibi siyasal ayrışmalar insan ilişkilerini kökünden dinamitlememişti. En azından bizim sokakta yaşamadık böyle bir şey. Şunu da hatırlıyorum: Yassıada mahkemeleri başladığında, özellikle de darağaçları kurulduğunda, benim çevremde, oh olsun diyen olmadı. İsteyenler akın akın Yassıada'daki mahkemeleri, orada yargılanan "düşükler"i, o zamanki deyimle "sakıt"ları görmeye götürülürdü; bir çeşit Yassıada turizmi yani. Annem, emekli subay karısı olan arkadaşlarının da ısrarıyla bir ara heveslense de, "içim götürmez" deyip vazgeçti. Ama "ihtilal"den ve "2. Cumhuriyet"ten herkes pek memnundu bizim çevrede. Nedense bu askerî darbelere "ihtilal" denirdi. Hâlâ da öyle diyenler var.

MELEK – 2. Cumhuriyet de ne demek o sıralarda?

OYA – Bu, sonradan liberal kesimlere, Özalcılara yakıştırılan "İkinci Cumhuriyetçilik" değil. 27 Mayıs'tan sonra bir süre resmî söylemde yeni rejimin adı 2. Cumhuriyet olarak geçti. Ankara'da hava kuvvetlerinin gösterilerinde uçaklar gökyüzüne 2. Cumhuriyet yazdılar. *Hayat Mecmuası*'nın o günlerdeki sayılarında fotoğrafı da vardır.

MELEK – Ben o sırada ortaokuldayım henüz. Bizim aile DP aleyhtarı ve koyu CHP'li. Evde bütün bunlar çok konuşuluyor, ondan dolayı ben müthiş militanım. Bu militanlık eğilimi bende o zamanlardan başlamış anlaşılan. Mesela okulda bizim sınıfta da babaları Demokrat Partili birkaç kız vardı. Hepsi de yakın arkadaşlarım. O günlerin İstanbul Valisi Kemal Aygün'ün kızı vardı; hayat boyu dost kaldığım Huricihan, Münif İslamoğlu'nun kızıydı; yine yakın bir arkadaşım, o da Refik Koraltan'ın sanıyorum akrabasıydı. Ben sınıfta uluorta onlara sataşıp çok kötü bir şey söylemiştim. Sonraları çok üzüldüm, vicdanım sızladı hep; "Bunların asıldıkları günü göreceğiz," dedim. Bunu bana ne söyletti, hangi dürtü, hâlâ bilmiyorum. Düşünsene, 14-15 yaşındayım. Tamam, ailem karşı Demokrat Parti'ye ama böyle abuk sabuk konuşan da yok. Bu abukluk bana nereden geldi bilmiyorum. Bu söylediklerim kötü bir hava yarattı okulda. Sanırım kızlardan biri ama emin değilim, beni okul yönetimine şikâyet etti. Müdüriyetten çağırdılar.

OYA – 27 Mayıs olmuş artık...

MELEK – Evet, tabii. Beni Amerikalı müdür odasına çağırdı, sen böyle bir şey söyledin mi, dedi. Evet, söyledim, dedim. Söylediğimi inkâr edecek bir havam hiç yok, öyle olması gerektiğine inanıyorum, gibi laflar ediyorum kadına. Ben böyle tepeden konuşmaya başlayınca kadının birden sinirlendiğini hatırlıyorum. Fikirlerini kendine sakla, burası okul, bir daha böyle uluorta konuşamazsın, dedi; yani iyi bir zılgıt geçti. Ben afra tafrayla eve gelip kendime yapılan bu büyük haksızlığı anlattım.

27 Mayıs sabahını da çok iyi hatırlıyorum. Sabaha karşı saat üç civarıydı, telefon çaldı. Galiba benim odam telefona yakındı ki, telefonu ben açtım. Doktor olan amcam telefonda, çabuk babanı uyandır, askerî darbe oldu, dedi. Ben çok heyecanlandım. Tam olarak ne olmuş anlamıyorum ama evdekileri uyandırdım, herkes ayağa kalktı, radyo açıldı. Biz o zaman Bebek'te oturuyoruz. Anne tarafım, yani iki dayımla altlı üstlü aynı apartmandayız. Dayımlar bize geldi; sabahın köründe bizim evde büyük bir kutlama havası esiyor, radyoda marşlar çalınıyor, bildiriler okunuyor, yani evde bir bayram havası var. Ben belki de bu havanın etkisiyle okulda demin anlattığım kötü sözleri söyledim. Kızların biri ağlamıştı o gün. Daha sonra Yassıada mahkemeleri ve idamlar olduğunda, kendimi çok kötü hissettim.

OYA – Daha çocuksun, aile ortamı o yaşlarda etkiler insanı.

MELEK – Evet ama, asılacakları günü göreceğiz, demek korkunç bir laf. Bu olay üzerine annem, üstüne vazife olmayan şeylere karışma, fazla konuşma, dedi. Çok net hatırlamıyorum ama sanırım müdür annemi de çağırmıştı okula.

OYA – Peki sınıfın atmosferi nasıldı? Onu hatırlıyor musun?

MELEK – Evet, hatırlıyorum. Bizim sınıfta daha çok Bebek'te oturan ailelerin kızları vardı. Bebek o zamanlar küçük, sakin bir yer. Herkes birbirini tanıyor. Bugünkü Bebek'le uzaktan yakından ilişkisi olmayan; daha önce de konuştuğumuz Nazmi ve sahilde Güneş Restoran dışında lokanta bulunmayan; sonraki yıllarda ünlenen Bebek Gazinosu'nda Zeki Müren gibi dönemin önemli ses sanatçılarının sahneye çıktıkları, bizim de sandalla gidip onları dinlediğimiz, sahilden denize girdiğimiz bir Bebek.

OYA – Tabii, 1950'lerde bizler de Levent'ten karanfil ve çilek tarlaları arasından yürüyerek Bebek'e iner, oradan denize girerdik. Ama Bebek her zaman seçkinlerin, gelenekli ailelerin oturdukları bir semtti.

MELEK – Bizim ekipteki kızların hepsi CHP'liydi. Şimdi Tosun Terzioğlu'nun eşi olan Nuran, Sırma Ersanlı (Evcan), Nazan Otar (Erkmen)... Herkeste, bütün ailelerde bir kutlama havası, "oh, oh, kurtulduk!" sevinci vardı 27 Mayıs'ta.

OYA – Görüyorsun işte, toplumsal psikoloji nasıl bir şey, kitleler nasıl dolduruluyor; karşıt, hatta düşman cepheler nasıl kuruluyor! Hepimiz, kurtulduk psikolojisindeydik ama sanırım neden kurtulduğumuzu bile bilmiyorduk. Hürriyet, her zamanki gibi sihirli bir sözcüktü, ama hangi hürriyet, ne yapmak için desen, bilenler vardı herhalde ama ben bilmiyordum.

O günlerin atmosferini, özellikle de üniversite çevresindeki kendi grubumun havasını 1963'te yazdığım *Savaş Çağı Umut Çağı* romanında anlatmışım. Yayınevim çok ısrar etti, roman bu günlerde 47 yıl sonra yeniden basıldı, Yeni basım için zorunlu olarak gözden geçirirken büyük bir hayretle hâlâ ne kadar güncel olduğunu fark ettim. Romanın anlatıcısı olan genç kız –ki o büyük ölçüde benim– o günlerdeki heyecanını, korkularını, 27 Mayıs'ta darbeden sonra DP'li arkadaşlarının artık kendilerini iktidarda gören CHP'li gençler tarafından nasıl tartaklandığını, nasıl bir terör estirildiğini anlatıyor. Kahramanımız 27 Mayısçı ama içi götürmüyor şiddeti. Darağaçlarının kurulduğu bir ülkede yarınlara güven duymuyor.

Neredeyse elli yıl önce yazdıklarımı okurken, o günleri yeniden hatırladım. Bugünküne benzer bir cepheleşme vardı. CHP, 27 Mayıs müdahalesinin arkasındaki temel güçtü. Menderes'in "kara cüppeliler" dediği profesörler, öğretim üyeleri, yani üniversite camiası darbenin destekçisiydi. İstanbul Üniversitesi kantininde, çoğu CHP'li olan öğrenciler Halk Mahkemeleri kurmuşlar Demokrat Partili, milliyetçi, sağcı öğrencileri yargılıyorlar, halk adına mahkûm ediyorlardı. Ceza; dayak veya aşağılama olarak infaz ediliyordu. O mahkemelerinin başkanlarından ya da yargıçlarından bazıları şimdi Ergenekon davalarının avukatı. CHP gençlik kollarının en bilinen adlarından bazıları da bugün aynı çizgideler. Bir sürekliliği de var yani bu darbe yandaşlığının.

MELEK – Ben işin bu yanlarını bilmiyorum tabii. Ama o günlerde, öğrencileri toplayıp götürmüşler, dev kıyma makinelerinde kıyıp yok etmişler gibi söylentiler dolaşırdı. Bu kadar da olmaz, diye düşünülse bile içten içe inanılır, korku ve nefret büyürdü. Sonra Yassıada mahkemelerinde Menderes'in fotoğraflarını hatırlıyorum. Galiba radyodan da yayınlanırdı mahkemeler.

OYA – Sen ortaokuldasın o sırada. Senin için henüz biraz erken. Aramızdaki yaş farkını düşünürsek, ben 1960'ta 27 Mayıs sonrasında toplumsal-siyasal hareketliliğin doruğa çıktığı bir ortamda buldum kendimi. Sosyolojide sosyalizm öğrenilebilir sanacak kadar geri bir bilinç düzeyindeyken birdenbire sıçrayıp işlerin tam ortasına düştüm. Bizim Sosyoloji Bölümü'nde Prof. Cahit Tanyol vardı, kafası epeyce karışıktı, o zamana göre solcu sayılırdı, kendine özgü görüşleri vardı; mesela 1924 Anayasası'nın en ileri Anayasa olduğunu söylerdi. Cahit Hoca *Yön* çizgisindeydi, kadrocu-devletçi bir sol anlayışa sahipti. Onunla konuşur, tartışırdık. Asistanı olduğum Profesör Nurettin Şazi Kösemihal, Amerika'dan yeni gelmişti. Daha çok Amerikan sosyoloji ekolüne yakındı. Liberal demokrat çizgide biriydi. Zamanın yazarları, çizerleri, sanatçılarından oluşan bir çevresi vardı. Çocukları da olmadığı için eşi Bedia Hanım'la, Muzaffer'le beni çocukları gibi benimsemişlerdi. Nurettin Hoca *Yön* çizgisine yakın değildi, sosyalist de değildi ama demokrat kişiliğiyle bölümde kendimizi rahat hissetmemizi sağlıyordu.

61 Anayasası'nın getirdiği kısmi fikir özgürlüğü ortamında sol sözcüğü, hatta yavaş yavaş sosyalizm kavramı tabu olmaktan çıktı, telaffuz edilmeye başlandı. Henüz kitap olarak basılamasa da birbirimize gizlice verdiğimiz defterlerden Nâzım'ın şiirlerini daha rahat okumaya, ezberlemeye başladık. Bazı fikirler söylenir, açıkça yazılır çizilir hale geldi; sosyalist literatürün en masum, en zararsız sayılan metinleri usul usul, havayı kollaya kollaya Türkçe yayımlanmaya başlandı. O sıralarda muhteşem sesi yeni yeni duyulan gencecik Tülay German'ın *Burçak Tarlası*, *Kaleden İniyorum* gibi unutulmaz şarkıları, o şarkılara eşlik eden sol aydınlar, Anadolu'nun geri kalmışlığı, halkın ezilmişliği... Popülizmin doruklarındayız. İşçiyi, köylüyü, yoksulluğu, ezilmişliği keşfediyoruz, bileniyoruz. Ruhi Su yasaklı değilse de sakıncalı ama arkadaş evlerindeki özel gecelerde söylüyor. CHP'nin altı okundaki halkçılıktan farklı; işçinin, köylünün ezilmişliğini, daha güzel bir dünya özlemini ya da başkaldırıyı dile getiren türkülerle keşfedilen halk... Biz gençler, dalgalara kapılmış biryerlere doğru gidiyoruz. 1961 Anayasası temmuzda referanduma sunuldu. Demokrat Parti kapatılmıştı, liderleri idamla yargılanıyordu, ki birkaç ay sonra da idam edileceklerdi. Ama DP'nin yerine Adalet Partisi hemen kurulmuştu ve karşı propaganda yasaklarını göze alıp "Hayır'da hayır vardır" kampanyası yürütüyordu. Menderes'in, kırat üzerinde Anadolu'nun çeşitli yerlerinde görüldüğü efsanesi, "demokrat" sözcüğünü "demir kırat" diye tercüme eden halk arasında yaygındı. AP'nin amblemi de zaten bir ayağını havaya kaldırmış kırattı. Anayasa referandumunda oy kullanamamıştım. O sırada seçme seçilme yaşı yirmi birdi galiba, ama kullanabilsem evet oyu verirdim mutlaka. Yeni anayasanın tüm maddelerini ya da en azından ruhunu bildiğim için değil, "bizimkiler"in anayasası olduğu için ve özgürlük getireceğine inandığım için.

MELEK – Evet, yeni anayasayı, anayasa tartışmalarını ben de hatırlıyorum. Profesör Ragıp Sarıca Anayasa Komisyonu'ndaydı. Ragıp Sarıca büyük amcamın ve babamın Galatasaray'dan çok yakın arkadaşıydı, Hukuk Fakültesi'nde profesördü o sıralarda. Benim kulak dolgunluğum, daha çok babamın çevresinden, Ragıp Amca ve diğerlerinden oldu.

Sosyalizmle tanışma... "Biz bu yollara nasıl düştük?"

OYA – Anayasa tartışmaları, referandum, Kurucu Meclis derken, 1962'de seçim kararı da alındı. CHP'nin seçimi kazanması için 27 Mayıs darbesi, Demokrat Parti'nin kapatılması, idam sehpalarının kurulması, infazlar, hiçbiri yetmedi. O günlerde, CHP iktidarı bekleyen Demokrat Parti karşıtlarının hayal kırıklığını hatırlıyorum. "Bilinçsiz halk"a, şimdiki terimlerle söylersek "karnını kaşıyan adamlar"a çok kızıyorlardı. Ama Türkiye daha önce yaşanmamış canlı bir siyasal tartışma ortamına girmişti. Şimdi düşünüyorum da, solda bugüne kadar varlığını koruyan iki yol, iki farklı çizgi daha o günden ortaya çıkmıştı. Doğan Avcıoğlu'nun yönetimindeki *Yön* dergisi çizgisi ile Türkiye İşçi Partisi (TİP) çizgisi. Bugüne tercüme edersek; bir yanda devletçi, orducu, asker sivil bürokrat öncülüğünde ve vesayetinde tepeden devrim önerenler, ki buna sonraları ulusal-demokratik devrim dendi; öte yanda işçi ve emekçi sınıflar öncülüğünde demokratik yoldan iktidar amaçlayanlar, yani sonraları sosyalist devrimciler denenler. Daha sonra, senin de bildiğin, içinde yaşadığın gibi her biri kendi içinde de fraksiyonlara ayrılacak, sol yüzlerce parçaya bölünüp dağılacaktı...

MELEK – Senin durumun nedir? Ne taraftasın?

OYA – Ben, Muzaffer, daha birkaç arkadaş önce profesörümüz olan Cahit Tanyol'a kulak verdik. Cahit Hoca, *Yön*'cüydü. *Yön*'ün sol aydınlar deklarasyonu niteliğindeki yüzlerce imzalı çıkış bildirisinde imzası vardı; kendisine bakarsan bildiriyi hazırlayanlar arasındaydı da. Aslında kimlerin imzası yoktu ki *Yön* dergisinin çıkış bildirisinde!

MELEK – İlk sayısı ne zaman çıkmıştı *Yön*'ün?

OYA – Aralık 1961. Kurucuları da Doğan Avcıoğlu, Cemal Reşit Eyüpoğlu, Mümtaz Soysal'dı. 27 Mayıs sonrasında sol aydınların çıkardığı ilk dergidir. Tam bir misyon dergisidir. Doğan Avcıoğlu hem derginin hem de dergide sözcüsünü bulan devletçi Kemalist ideolojinin dirijanıydı. *Yön*'ün sürekli yazarları arasında İlhan Selçuk'u, İlhami Soysal'ı, Cahit Tanyol'u, Attilâ İlhan'ı, Çetin

Altan'ı, İdris Küçükömer'i, Sadun Aren'i hatırlıyorum. Bir süre sonra, TİP çizgisi belirginleşip de parti aydınlara açıldığında Sadun Hoca gibi aslında *Yön* çizgisiyle tam mutabık olmayanlar ayrıldılar.

Biz önceleri, Doğan Avcıoğlu'nun, *Yön*'cülerin konferanslarına, toplantılarına katıldık, Cahit Hoca'nın etrafında toplaştık; sonra nasıl oldu, hangi etkileşimlerle tam bilmiyorum, "yok, burası değil, TİP" dedik. Hele de o günlerdeki düşük bilinç ve bilgi düzeyiyle bu tercihler nasıl oluşuyor, dinamikleri nedir, açıklaması güç. Benim *Yön*'de ifadesini bulan "asker sivil bürokrasinin fiilî öncülüğünde yukarıdan devrim" çizgisinden uzaklaşmamda belki babamın devletçiliğe, otoriterliğe, vesayetçiliğe karşı görüşleri, belki hareketin önde görünenlerinin "ağır top" havaları, kendimi onların arasında gereksiz, işlevsiz hissedeceğim duygusu etken olmuştur. Bir de 1962-63'te Doğan Avcıoğlu ekibi, sonraları da MDD'cilik, yani Milli Demokratik Devrim çizgisi daha çok Ankara'da ağırlıktaydı, İstanbul'un havası farklıydı. Gençay'ın (Prof. Dr. Gençay Gürsoy) etkisi de oldu sanırım.

Gençay aramızda sosyalizme en çabuk, en erken uyananlardandır. Benden sadece bir yaş büyüktü; ama daha Kars'ta lisedeyken, oradaki bir öğretmenden, eski sosyalistlerden, babasının çevresinden kulak dolgunluğu olmuş, İstanbul'a tıpta okumaya gelirken cebinde bazı eski komünistlerin adresleriyle gelmiş, onlarla tanışmış. O günlerde Gençay Sosyoloji koridoruna takılırdı. Daha sonra evleneceği Fatoş (Fatma Arda) psikolojideydi, mezun olunca da Prof. Sabri Esat Siyavuşgil'in asistanı oldu. Muzaffer, Gençay, Fatoş, ben, Esat (Prof. Esat Eşkazan) küçük bir gruptuk.

En bilinçlimiz Gençay'dı. Tanıştığı, sayıp sevdiği eski sosyalistlerin etkisiyle daha 1962'de TİP'e üye olmuştu. Bizi de o etkiledi sanırım. Esat aramızda en heyecanlı olandı. "Abisi, abisi, örgütlenmek lazım, TİP'e katılmak lazım!" der dururdu. O da sanırım 1965 seçimlerinden hemen önce TİP'li oldu. Esat, Muzaffer'le benim yakın arkadaşımızdı. Muzaffer'le ortak yanları da vardı; ikisi de bakkal çocuğuydu; biri Kocamustafapaşa'da, öteki Edirnekapı'da büyümüştü. Yapıları, kişilikleri çok farklı da olsa birbirlerine yakındılar. Esat, Muzaffer'i eleştirir, onun TİP'e girmekte ayak sürümesiyle dalga geçerdi. Ama sosyalist mücadeleden, sonra da arkadaş çevremizden en erken o koptu. Mesleğinde (tıpçıydı) ilerledi, önemli bir epilepsi uzmanı oldu. Yakın zamana kadar hâlâ Cerrahpaşa'daydı, artık izini kaybettim. Özetle 1960'ların başlarında hepimiz sosyalist solun çekim alanına girmiştik.

MELEK – Muzaffer'le o günlerde mi evlendiniz?

OYA – Yok, beraberdik ama 1964'te, ikimiz de mezun olduktan sonra evlendik, hemen arkamızdan da Fatoş ile Gençay evlendiler. Sık sık beraber olur, bazen meyhanelere gider, gündüzleri şimdi yerinde ne olduğunu bile bilmediğim, o zamanın gençlerinin, aydınlarının, yazar çizerlerinin mekânlarından olan Baylan Pastanesi'nde buluşur, çoğunlukla da evlerde toplanırdık.

Bak şimdi hatırladım. Asmalımescit civarında bohem sayılan birkaç entel meyhane vardı. Nil ve Refik en ünlüleriydi. Şimdilerde çok ünlenen Yakup'un sahibi, Refik'in akrabasıdır. O daha sonra ayrılıp kendi yerini açtı. Biz Refik'e giderdik en çok. Refik artık çok yaşlanmış ama kafası hâlâ yerindeydi son gördüğümde, beni hâlâ hatırlıyordu mesela. İşte orada, en arkada, müdavimlerin, eski tüfeklerin yuvarlak geniş bir masası vardı. Boşsa oraya çökerdik ya da kendi masamızdan sohbetlerine, zaman zaman kavgaya dönüşen tartışmalarına kulak kabartırdık. Gençay'ı, Fatoş'u, psikolojiden "Tavşancı" dediğimiz Turhan'ı, yine psikolojiden Figen'i (Umur), Esat'ı, felsefe asistanı Önay Sözen'i, zaman zaman bize katılan kuzinim Yıldız'ı (Prof. Yıldız Sey) da hatırlıyorum Refik'ten. Yani keyif, şiir, edebiyat, içki, aşk sosyalizmle, devrimcilikle birarada yürürdü. Bizim hemen arkamızdan gelen kuşakta bu durum değişti sanırım. Böyle şeyler küçük burjuva yozlaşması sayılmaya, sadece siyasette değil hayat karşısında da sekter tavırlar rağbet bulmaya, keşişlik devrimci tavır sanılmaya başlandı.

MELEK – Peki sen ne zaman katıldın TİP'e?

OYA – 27 Mayıs sonrasında, daha 1961'den itibaren arayış içindeydim. "Ülkeyi kurtaracak" bir siyasal hareketin parçası olmaya can atıyorum. Hatta o sıralarda Ekrem Alican'ın Yeni Türkiye Partisi (YTP) kurulmuş. Bizim koridorda Felsefe Bölümü'ne gidip gelen bizlerden epeyce yaşlı bir arkadaş vardı. Eski Hikmet Kıvılcımcılardanmış. Bir gün elinde bu partinin üye formlarıyla geldi, beni de üye yaptı. Üyelik formunu doldurdum ama bir daha ne ben sordum ne de o. Yani siyasal bir arayış içindeyim, kulağım sola, sosyalizme açık ama pek de farkında değilim olup bitenlerin. TİP'e 1965'te seçimlerin hemen öncesinde üye oldum. Muzaffer üye olmadı; hep niyetlenir, sonra savsaklardı. Politizeydi, sempatizandı ama kendini kollayan bir yanı vardı. Üniversitede bilimsel çalışma yapmanın militanlıktan daha önemli ve yararlı olduğunu düşünüyordu. Bir de yapı olarak eylem adamı değildi; mitinglerden, gösterilerden hoşlanmazdı. Örgütlü bir yapıda, başkalarıyla eşit ilişkiler içinde çalışmayı sevmez, uyum gösteremezdi; "one man show"u tercih ederdi. O yıllarda TİP'e üye olmak bazı şeyleri, mesela en azından üniversitede engellerle karşılaşmayı göze almak demekti.

MELEK – Peki Oya, düşünüyorum da ben ne de olsa küçüğüm o dönemde; sadece ailede, evde konuşulanları biliyorum. Aile çevresinde Mehmet Ali Aybar, Ragıp Sarıca'nın çok yakın dostu. Aybarlar Bebek'te otururlardı, Mehmet Ali Bey'in eşi Siret Hanım da babamın ve amcalarımın yakın arkadaşıydı. Aybar, büyük amcamın Galatasaray'dan sınıf arkadaşı. Osman'la ben Ragıp Sarıca'yı çok severdik, çünkü bize Paris'teki öğrencilik yıllarını çok güzel anlatırdı. Fransız edebiyatını ve kültürünü iyi bilirdi. Çok şey öğrendik biz ondan. İkinci Dünya Savaşı sırasında Sarıca ve Aybar birlikte bisikletle Paris'ten Marsilya'ya gidiyorlar. Fransa, Alman işgali altında. Yanlarında Muvaffak Bey de var sanırım, Hümeyra'nın babası... Fransa'yı Tour de France'a katılmış gibi baştan aşağıya bisikletle kat ediyorlar, başlarına gelmedik kalmıyor. Biz bütün bunları ağzımız açık dinliyoruz tabii. Aybar bir aile dostuydu bizim için. "Mehmet Ali parti kuruyor, sol parti kuruluyor" laflarını duyuyorum. Benim için sol parti, sosyalist parti meselesi aileden dolayı Aybar'la özdeşleşiyor. TİP kurulup da bir süre sonra Aybar başına geçtiğinde lisedeydim ben. 1965 seçimlerinde parlamentoya on beş TİP milletvekilinin girdiğini, mesela Çetin Altan'ı hatırlıyorum.

1965 benim liseden mezun olduğum yıl. Liseden mezun oluyorum ama şöyle bir şey var: Arnavutköy Kız Koleji, şimdiki Robert Kolej konumu itibarıyla da Arnavutköy tepelerinde, hani derler ya, fildişi kule gibi bir yer. Toplumun gündelik gerçeğinin dışında, yarı hayal dünyası gibi, gerçekten çok güzel bir yer. Türkiye gerçeklerinden kopuk yaşayan çocuklarız orada, okulda yani. Mezun olunca bizim sınıftaki iyi öğrenciler, hemen herkes, ABD'de üniversitelere başvurdu. Ben zaten hayta ve kötü öğrenci olduğum için öyle ABD'ye gidecek durumum yok, istemiyorum da.

OYA – Sen kötü öğrenci miydin?

MELEK – Ancak idare ediyordum. Fen derslerim kötüydü. İngilizcem ve yazı çizi işlerim kuvvetliydi, öyle dengelerdim. Sınıfta kalmazdım, bir kere fizikten ikmale kaldım. Daha önce de anlattım ya, tiyatroya meraklıydım ve okulun tiyatro kulübündeydim. Dolayısıyla ben liseyi bitirdiğimde tiyatro okumaya kararlıyım ama annem bu olaya hiç sıcak bakmıyor. Bizler o dönemde olayların farkındayız ama dışındayız. Ben sosyalizm ve sol laflarını ilk kez daha önce sözünü ettiğim Arif'ten duydum. Duydum ama duyduklarımı bir yere oturtacak bilgim yok.TİP'in kurulduğunu biliyorum ama çok da yakın değilim. Osman daha ilgiliydi, daha çok okurdu. Aramızda bunlar konuşuluyordu ama biz esas olarak "Kolejli"ydik.

OYA – Zaten 1960'ların başlarında, sen daha küçüksün.

MELEK – Evet; Arif'ten, Bolivyalı Rodrigo'dan, oradan buradan duymuşum birşeyler, kulağım dolgun; ama Paris maceramı anlatırken söylediğim gibi, toplumsal-siyasal uyanış 66-67 Parisi'nde başladı benim için.

OYA – Dünya solundaki gelişmelerden haberin var mıydı o zamanlar? Mesela özellikle de Fransız 68'inin her türlü baskıya, muhafazakârlığa karşı; sadece kapitalist topluma değil aynı zamanda Stalinizme, Fransız Komünist Partisi'nin ortodoks otoriter çizgisine, komünist partilerin katılaşmış hiyerarşik yapılarına, statükoculuğa karşı çıkan, kısaca devrimde devrim amaçlayan bir özgürleşme hareketi olduğunun bilincinde miydin o günlerde?

MELEK – Paris'te, daha sonra 68 olayları sırasında atılan sloganları doğuran nedenleri fark etmeye başlamıştım. 1789 Devrimi, ardından 1848 olayları ve 1871 Paris Komünü ile devrimler ve ayaklanmalar kentiydi Paris. Paris Kömünü, işçi sınıfının ve yoksulların öncülüğünde bir halk hareketi, devlete ve klişeye karşı bir başkaldırıydı. Böyle bir geçmişi vardı kentin. Kaldırım taşlarını söküp barikatlar kurma geleneğinden geliyordu. Sol içinde çok tartışılan "devrim" ve "evrim" kavramlarından "devrim" her zaman Fransa ile anılır, bilirsin. 1917 Bolşevik Devrimi de Paris Kömünü deneyiminden yararlanmıştır, denir. İşte ben Paris'te tiyatro yerine bütün bunları öğreniyordum.

O günlerin sloganları ilginçtir. Fransız Devrimi'nin ünlü "Egalité, Liberté, Fraternité" (Eşitlik, Özgürlük, Kardeşlik) sloganı

Eşitlik, Özgürlük, Cinsellik olarak değiştirilmişti. Unutmadığım diğer bir slogan da, "Gerçekçi olun, imkânsızı isteyin, arzularınızı gerçekleştirin"dir. Paris 68'inin, kadın erkek eşitliğini, cinsel özgürlüğü savunan ve burjuva ahlakını sorgulayan yanı çok öndeydi, bunun farkındaydım. Ama talepler sadece bundan ibaret değildi. 68 baharına doğru giden günlerin Parisi, devrimci ruh taşıyordu, ben asıl bundan etkilendim.

OYA – 68'in son günlerinde, Doğu (Perinçek) ile buluşmak için sizin eve geldiğimde sen artık kesin dönmüş müydün Türkiye'ye, yoksa Paris'te miydi bir ayağın?

MELEK – Evet, dönmüştüm, 67'de döndüm.

OYA – Paris'ten niye döndün? Benim gibi para sıkıntısı değildi herhalde seni dönüşe zorlayan.

MELEK – Ailenin ekonomik durumu eskisi kadar parlak değildi artık; ama geçinecek kadar bir para yolluyorlardı. Esas neden şu oldu: Ben orada politize olmaya başlayınca, tiyatro da neymiş havasına girdim; bu havalara girince, devrim olacaksa bunun Türkiye'de olması lazım, benim görevim oradadır, benim yerim orasıdır düşüncesi sardı beni. Geldim, burada üniversite sınavına katıldım, birkaç bölüm kazandım ve İngiliz Dili ve Edebiyatı Bölümü'ne kaydımı yaptırdım.

OYA – Yani sen 68'de İngiliz Dili ve Edebiyatı Bölümü'ndesin.

MELEK – Evet; Mina Hanım (Urgan) profesör ve Shakespeare dersi veriyor, Vahit Turan kürsü başkanı, Berna ve Tatyana Moran var, Cevat Çapan, Murat Belge ve Nural Yasin var asistan. Böyle bir bölüme düştüm. Nur Deriş (Otoman), Celâl Üster, Taciser Ulaş (daha sonra Murat Belge'nin ikinci eşi olacak) sınıf arkadaşıyız. Parlak bir sınıftı, iyi öğrenciler vardı. Benim İngilizcem iyiydi, uzun yıllar yazı yazarken İngilizce yazdım, Türkçeye sonradan geçtim. Amerikan edebiyatını da biliyorum, zaten tek iyi öğrendiğim ve bildiğim şey her zaman edebiyat olmuştur. Onun için filolojide iyi bir öğrenci oldum.

OYA – Hatırlıyorum, Edebiyat Fakültesi binasında filolojiler yukarı kattaydı, bizim sosyoloji koridoru sizden iki kat aşağıdaydı. Senin o bölümde okuduğun sırada ben asistandım; ama odamda sıkılınca çocuklarla birlikte koridora takılırdım, Sosyoloji-Felsefe koridorunun iki basamak giriş merdivenlerine oturur, bir yandan siyasal eylem konuşur, bir yandan mavra yapardık öğrencilerle. Gelen geçenlere, yukarıdan inen senin gibi çıtı pıtı kızlara bizim çoğu taşra kökenli halk çocukları, "Filoloji kızları, Hollywood yıldızları" diye laf atarlardı.

MELEK – Aaa, demek böyle bir şey vardı!

OYA – Tabii canım, sınıfsal farklılık. Bizim bölümde ağırlıklı olarak orta ve alt orta sınıftan öğrenciler olurdu, Anadolu'dan gelen çocuklar, memur çocukları, işçi ya da küçük esnaf çocukları... Senin İstanbul Üniversitesi'ne girdiğin yıl, ben dört yıldır sosyoloji bölümünde Profesör Nurettin Şazi Kösemihal'in asistanıydım. Hoca'nın kişiliğinden, demokratik kimliğinden, bir de beni ve Muzaffer'i biraz da çocuğu gibi benimsemesinden kaynaklanan bir özgürlüğümüz vardı bölümde. Biz, kendi istediğimiz dersleri onun sorumluluğu altında verirdik, ne anlattığımıza karışmazdı. Mesela ben Sosyal Düşünce Tarihi diye bir ders veriyordum, Sosyoloji Tarihi veriyordum. Muzaffer, Sosyolojiye Giriş dersiyle sosyal bilimlerde araştırma yöntemleri veriyordu hatırladığım kadarıyla. Öğrencilerle arkadaş gibiydik. Zaten aramızda da birkaç yaş fark vardı. Onlardan bazıları sonradan en iyi arkadaşlarım, siyasal yaşamda yoldaşlarım oldu, bazılarıyla da yolum sert biçimde ayrıldı. Birlikte, boylu boyunca girdik sol siyasete, o zamanki deyimle sosyalist devrim mücadelesine.

Hatırlıyorum, 1966-67'de üniversitenin bazı bölümlerinde gece dersleri açılmıştı. Okullardaki çift tedrisat gibi yani. Gece öğrencileri gündüz çalışan veya militanlık yapan, çoğu işçi ya da küçük esnaf çocuğu, çoğu erkek öğrencilerdi. Onlar, Marksizm, sosyalizm, liberalizm gibi konulara ağırlık verdiğim Düşünce Tarihi derslerini daha yoğun ilgiyle izlerlerdi. Kitaplar okurduk, tartışırdık, birlikte öğrenirdik desem yeridir. Bambaşka bir hava vardı bizim Sosyoloji Bölümü'nde. Daha ben öğrenciyken de Sosyoloji-Felsefe koridorunun havası "sol"du. Filolojiler de öyleydi sanırım. Buna karşılık Türkoloji, Tarih, hatta Coğrafya gibi bölümlerde hem öğretim üyeleri hem de öğrencilerin genel havası; Türkçülükten, Turancılıktan başlayıp Komünizmle Mücadele

Dernekleri çizgisine kadar giden sağ yelpazeye yayılırdı.

Ama neresinden bakarsan bak, üniversitenin, hele de bizim Sosyoloji-Felsefe koridorunun havası bugünkü üniversitelerle kıyaslanamayacak kadar farklıydı. Şimdi bazen öğrenci kulüplerinin çağrısıyla üniversitelere gidince, oradaki hava çok sıkıcı geliyor bana. Öğretim üyesi-öğrenci arasında Çin Seddi var sanki; ders verip çıkılıyor. Gençliğin dinamizmi yok olmuş, ilgiler değişmiş, toplumsaldan özele kaymış. Yanılabilirim, dıştan gözlemler bunlar; ama 1980'in toplumda yarattığı tahribat onarılamamış gibi geliyor bana.

Sen o yıllarda İstanbul Üniversitesi'nde olduğuna göre, 68 öğrenci hareketlerine karışmışsındır.

MELEK – Paris'ten döndükten sonra, anlattığım gibi İngiliz Edebiyatı Bölümü'ne girdim. Bizde öğrenci hareketi başladığında, oradaydım. Bizim bölümde, kolejlerden, özel okullardan gelmiş, orta ve üst sınıflardan öğrenciler çoğunluktaydı. Ama fakülte kantinine gittiğimizde farklı bir çevreyle karşılaşıyorduk. Anadolu'dan gelen öğrenciler yoksul halk çocuklarıydı. 68 sürecinde onlar daha aktifti. Sen de hatırlarsın, FKF (Fikir Kulüpleri Federasyonu) solcu gençliğin örgütü olarak ilk kurulduğu zaman, öğrencilerin taleplerini öne çıkartıyordu. Üniversitelerin, eğitimin demokratikleşmesi, öğrencilerin yönetime katılma hakkı, dernek kurma özgürlüğü, başlıca taleplerdi. 68 olayları başladığında, bizim bölümde Nur Deriş, Celâl Üster, ben sözcü olduk.

Hiç unutmam, o günlerde Nur, Celâl ve ben sözcü olarak profesörümüz Mina Urgan'ın Moda'daki evine gittik. Öğrencilerin taleplerini desteklemesini sağlamaya çalışıyorduk. Ben o zamanlar Mina Hanım'ı daha tanımıyordum. Mina Hanım bizi çok iyi karşıladı, dileklerimizi dinledi. Biraz da şaşırmış bir hali vardı. Sonraları dost olduğumuzda o ilk karşılaşmayı bana hep anımsatırdı. Bizden hem etkilendiğini hem de biraz korktuğunu söylerdi.

OYA – Sizin bölümdeki öğretim üyeleri tutucu değildi, hatta öğrenci taleplerine en yakın olanlar onlardı diyebilirim. Profesörler, doçentler de iyiydi ama asistanlar, mesela Murat Belge FKF'li öğrencilerle yakın temas içindeydi. Veysilerle (Sarısözen), diğer öğrenci liderleriyle ortak toplantılar yaptığımızı hatırlıyorum. Haklısın, öğrenci eylemleri, "sağ-sol yok, boykot var" diyerek genel öğrenci talepleri çerçevesinde başlamıştı. "Şen ola boykot, şen ola" diye halaylar çekilirdi. Gazetelerde, "Bakalım bu şenliğin sonu nasıl gelecek!" diye yazılar çıktığını hatırlıyorum. Ancak, işin çehresi kısa zamanda değişti.

MELEK – 68 öğrenci olayları Paris'te de üniversitelerde reform talepleriyle başlamıştı. Paris'teki öğrenciler; o yıllarda Fransa'da sayıları hızla artan üniversitelerde eğitim kalitesi, yurtlar ve barınma sorunları, öğrencilerin yönetime katılmaları gibi isteklerle ortaya çıktılar. 1967'de Besançon'da bir tekstil fabrikasında, sonra başka işyerlerinde işçilerin yönetime katılmaları, hatta fabrikalarda yönetimi ele geçirmeleri gibi ilginç deneyler yaşanmıştı. Fransa'da öğrenci hareketi işçi deneyimlerinden etkilendi, işçiler de öğrencilere arka çıktılar. Fransa'nın ayaklanmalarla dolu siyasi tarihinin deneyimleri de devreye girince Paris sokakları ele geçirildi, her çeşit iktidar kendini tehdit altında hissetti.

Bizde de öğrenci hareketleri hızla siyasallaştı; ancak Fransa'dakinden farklı olarak bizde antiemperyalist ve milliyetçi damar öne çıktı. Üniversite reformu talebiyle başlayan hareket, 6. Filo'nun bahriye erlerini denize dökmeye, işbirlikçi sermayeye karşı eylemlere dönüşünce işlerin rengi değişti.

68 Mayısı'nda Fransa'da, Almanya'da, Avrupa'da gençler devrim istiyorlardı. Biz de devrim istiyorduk; ama devrimden anladığımız farklıydı. Devrimde devrim değil, antiemperyalist ulusal devrimdi amaç. Mevcut "işbirlikçi burjuva iktidarı"nı düşürmek, yerine emekçilerin sosyalist iktidarını getirmek.

OYA – Kırkıncı yılında 68 yeniden konuşulup tartışılmaya başlandı. Son günlerde üniversitelerde öğrencilerin protesto eylemlerinin yoğunlaşmasıyla da yine gündemde. Bunca yıl sonra düşününce, bizim 68'le dünya gençliğinin 68'inin ortak yanının mevcut düzene başkaldırı olduğunu görüyorum. Ancak Batı gençliği sağ veya sol her türlü statükoyu yıkmak için; burjuva partileri ve kurumları kadar, statükodan beslenen bütün yapıları sarsmak için ayaklanırken, bizler başka bir noktadaydık.

Türkiye 68'i, senin de söylediğin gibi siyasal devrim amaçlıyordu. Gereğinde, –ki başka olanak görünmüyordu– antiemperyalist olduğu vehmedilen ordunun, zinde güçler denilen askersivil aydın zümrenin ve gençliğin öncülük edeceği bir devrim de olabilirdi bu. Has 68'lilerin bugün de süren çizgisinin kökleri o günlerdedir.

MELEK – Bence genelleştirilemez, her grup aynı değildi; ama özünde haklısın. Avrupa 68 hareketinin farklı bir ruhu vardı. Demin de söylediğim gibi kökleri tarihte olan başka bir isyan geleneğine bağlanıyordu.

OYA – Genelleştirilemez, doğru. İşçi sınıfı öncülüğünde sosyalist devrim diyen bizler de, Çin Devrimi'ne öykünen, köylü devrimciliği peşindeki sizler de, Doğan Avcıoğlu'nun *Yön/Devrim* çizgisine karşıydık. Ordu destekli bir iktidar değişimi düşünmüyorduk; ama yasal engeller yüzünden programlarımıza açıkça yazamasak da, sözünü pek etmesek de "proletarya diktatörlüğü"ne itirazımız yoktu. Çoğumuz, devrimin ve sosyalizmin yüce çıkarları için, proletarya diktatörlüğünü "tabii ki hoş olmayan ama zorunlu bir aşama" olarak görmüyor muyduk?

MELEK – O günlerin havasında kolay reddedilebilecek kavramlar değildi bunlar. Burjuva diktatörlüğü varsa, burjuvazinin gücünü kırmak için proletarya diktatörlüğü de zorunlu olacaktı.

OYA – Bu diktatörlük meselesinde benim kafam artık çok net. Seninkinin de öyle olduğunu biliyorum. En iyi, en özgürlükçü amaçlara varmak için de olsa diktatörlüğün her biçimine karşıyım. Özgürlükler kısıtlanarak adalete, özgürlüğe varılmıyor. Her neyse; yine araya yüksek fikirlerimizi soktuk.

Peki Melekçiğim, Paris'ten döndükten sonra İngiliz Dili ve Edebiyatı Bölümü'nde okuyorsun; bir ucundan 68 öğrenci olaylarına karışıyorsun, bunun dışında neler yapıyorsun, yaşam nasıl sürüyor?

İstanbul'da bohem hayat

MELEK – Paris'ten döndükten sonra, solla tanışmam kadar önemli ve benim üzerimde derin etkileri olan bir çevreyle daha tanıştım. Aziz Çalışlar girdi yaşamıma. Aziz, Arnavutköy'de eski bir yalıda anneannesi ile oturuyordu. Edebiyata, yazıya çiziye meraklı, çok yönlü, inanılmaz zarif bir İstanbul çocuğuydu. Romantik ve duyguluydu.

OYA – Aziz Çalışlar'ı ben de tanırdım. Ne kadar hoş bir insandı gerçekten. Yetenekli, bilgili, aydın... Üstelik ne kadar genç öldü kanserden.

MELEK – Evet, genç yaşta kaybettik onu. Acısını hep içimde taşırım. Aziz'le çok uzun, sabahlara kadar süren konuşmalarımız olurdu. Ama daha önemlisi, Aziz'in çevresiydi. İkinci Yeni şairleri: Edip Cansever, Turgut Uyar, Metin Eloğlu, hikâyeci Tomris Uyar, Nahide Hanım gibi zamanının sanatçı ve aydınları, daha başkaları... Tomris Uyar bizim okulda, benden birkaç sınıf büyüktü. Sıra dışı, kolejli kız tiplemesine hiç uymayan, değişik bir kişilikti. Ben ona çok hayrandım okuldayken. Genç nesilden, o dönemde Akademi'de öğrenci olan ressam Utku Varlık ve Alaattin Aksoy da Aziz'le yakın arkadaştı. Bütün bu insanlarla ve daha başkalarıyla Aziz vasıtasıyla tanıştım.

Nahide Hanım'ın evinde rakı sofralarına konuk oldum. Edip Cansever'le rakı içtim, onun şiirlerini kendi sesiyle dinledim. Yaşamımı çok zenginleştiren bu insanların hepsi olağanüstü birikimleri olan, Türkiye'nin kültür yaşamını derinden etkileyen kişilerdi.

OYA – Her sanatçı, edebiyatçı kuşağının kendine özgü bir havası vardır. Ama, senin anlattığın insanlar gerçekten de farklıydı. Bohem denilince bizde çoğunlukla, kendini dağıtmış, içkici, umursamaz, nerede sabah orada akşam, keyif ehli insanların yaşamı anlaşılır. Sözünü ettiğin insanlar, evet içerlerdi ama toplumsalı, insanı, yaşamı dert edinmiş duyarlı kişilerdi. Hani, içmeyip de ne yapsınlar, nasıl dayansınlar diyebileceğimiz türden insanlar. Hepsi sıra dışıydı, dünyanın haline, insanın kaderine, çevrenin tutuculuğuna isyan ediyorlardı. Ben Edip Cansever'i iyi tanıdım. 1966'da, 67'de bizim Levent'teki eve gelirdi, orada toplanırdık. Şiirler okunurdu. Şairler şiirlerini iyi okuyamazlar genellikle; ama Edip çok güzel, çok etkileyici okurdu.

MELEK – Güzel okurdu gerçekten.

OYA – Lafı ağzından kaptım ama şu hikâyeyi anlatmak istiyorum: Biz o sırada Levent'teki küçük evden taşınmışız; hemen yanı başında, Nispetiye Caddesi'ne yakın bir apartmanda oturuyoruz: Levent'te yan komşumuz olan, akrabadan yakın Kutat ailesi, onların amcaları, halaları, hala kızları, bir de annem ve Muzaffer'le ben... Yabancı yok, tam bir aile apartmanı. Kapılarımızın üzerinde anahtar durur, akşam yemekleri ya da pazar kahvaltıları hep birlikte yapılır, oyunlar oynanır, temsiller verilirdi. Hepimiz gençtik, her birimiz bir başka havadaydık. Televizyon dizisine konu olacak kadar canlı, renkli, hareketli bir apartmandı.

Bir gece Edip Cansever bizde, Ruhi Su da vardı galiba; kalabalığız, türküler söyleniyor, şiirler okunuyor, biraz da içmişiz. Derken bizim kapı, üstündeki anahtarla açıldı; elinde Çerkes mızıkasıyla, Çerkes düğün havaları çalarak evin kızlarından biri belirdi kapıda. Yukarıdan inen merdivenlerden, ellerinde mumlarla, yerlere kadar dantel gelinliklerle iki Çerkes gelini dans ede ede iniyorlar. Arkalarından bir paşa ile süslü bir at geliyor. Tabii atla paşa yağlıboya resim; ama merdivenleri karartmışlar, mumların ışığında gerçek figürler gibi görünüyorlar.

O anda Edip'in halini hiç unutamam. Yerinden fırladı, kapıya hamle etti, bir yandan da "Süelel azizim, süelel, ben neredeyim?" diye söyleniyor. Bilirsin "r"leri telaffuz edemezdi pek. Tabii o kafayla, atı da paşayı da gerçek zannediyor. Meğer bizim apartman ahalisinin canları sıkılmış, hadi bir oyun sahneleyelim demişler. bizde âlem olduğunu duyunca, gösteri yapmaya gelmişler. Ama Edip o geceyi hiç unutmadı. "Sizin süelel ev" deyip durdu yıllarca. Sanırım o geceye göndermeler yapan bir şiir de yazmıştı.

MELEK – Aziz'in evinde de uzun sofralar kurulur, sohbetlere doyum olmazdı. Beyoğlu'nun arka sokaklarını, meyveli, beyaz şaraplı, madensulu "bol"ler içilen pavyonları, İstanbul meyhanelerini, bohem yaşamı ben Aziz sayesinde bu insanlarla keşfettim.

Sonra bir gün, sanırım sonbahardı, bu ekibi ben Çubuklu'ya bizim yalıya götürdüm. Yalıda bekçiden başka kimse yoktu. Yanımızda getirdiğimiz rakı ve mezelerle yalının üst katındaki Boğaz manzaralı salonda kocaman bir sofra kurduk, öğlen rakısı içiyoruz. O günü hiç unutmadım. Boğaz önümüzde uzanıyor, yüksek tavanlı yalının duvarlarında denizden yansıyan ışıklar oynaşıyor, Edip Cansever şiir okuyor, birileri alaturka şarkı söylüyor; hayal gibi...

OYA – İnsanın yaşamında hiç unutmadığı günler, anlar oluyor böyle. Bir sürü önemli şeyi unutuyorsun da o anı unutamıyorsun. Edip'i, Aziz'i bir kez daha analım: "Süelel, azizim süelel"... Hayat bazen gerçekten sürreel, gerçeküstü oluyor ve o anları en güzel şairler anlatıyor.

II

Devrim ve sosyalizm yolunda

Bölünmüş solda yolumuzu arıyoruz

MELEK – Konuşurken bir ara, "Boylu boyunca girdik sol siyasete," dedin. Sol siyasetin neresindesin? Ayrışmalar, fraksiyonlar, kavgalar başlamamış mıydı o sıralarda.

OYA – 1965'te hepimiz Türkiye İşçi Partisi saflarındaydık. TİP'e muhalif olan solculardan, eski sosyalistlerden tut da Deniz Gezmiş'lerden, Sinan Cemgil'lerden Doğu Perinçek'e kadar bildiğin, tanıdığın herkes TİP içinde veya çevresindeydi. Doğan Avcıoğlu, *Yön*'cüler farklıydı bak! Ama o çevreler bile 65 seçimlerinde TİP'i desteklemişlerdi. TİP'lilere saldırı olduğunda, ki sık sık olurdu böyle olaylar, bütün sol saldırıya uğrayanlardan yana saf tutardı. Şu günlerde DTP'ye, BDP'ye, yani Kürt siyasal hareketine yönelen saldırılar, parti binalarını yıkıp yakmalar, mitinglere Allahu Ekber diye saldırmalar, bugün ne yaşanıyorsa aynısı, o günlerde TİP'e ve TİP'lilere yönelik olarak yaşanırdı.

Benim parti kaydım hatırladığım kadarıyla önce Fatih ilçesindeydi, sonra Eminönü ilçesine naklettim galiba. Sosyoloji'de okuyan veya o koridora takılan gençlerin çoğunun kaydı da oradaydı. Daha sonra, öne çıkan adın Veysi Sarısözen olduğu bu ekip, Partizan hareketini oluşturdu. Partizan grubunun çekirdek kadrosundan kimileri 72'den sonra yurtdışına çıktı ve merkezi Leipzig'de olan illegal TKP'ye (Türkiye Komünist Partisi) katılarak taze ve "yerli" kan sağladı. Partinin 1973 atılımını gerçekleştirmesinde de rol oynadılar.

Bizler, İstanbul Üniversitesi'ndeki TİP üyesi veya sempatizanı akademisyenler Eminönü ilçesinde partililere eğitim verirdik. O zaman doçent olan Sencer Divitçioğlu'nun, Hukuk'ta asistan Murat Sarıca'nın, Muzaffer'in, Doçent İdris Küçükömer'in, galiba Murat Belge'nin, daha birilerinin de orada parti eğitimi yaptıklarını hatırlıyorum. Bugünden bakıldığında inanılmayacak kadar canlı, hareketli bir üniversite hayatı ve canlı bir sol tartışma ortamı vardı. Asya tipi üretim tarzından tutun da Türkiye'nin toplumsal yapısına, feodalite ve kırsal yapı araştırmalarına kadar çeşitli konular... Bu tartışma ve araştırmalar tabii ki devrimin doğru yolunu bulabilmek içindi; ama bir yanıyla da ideolojik mücadelede kendi grubumuzun tezlerine güç kazandırmak için de yapılırdı. Sol akademisyenler ve öğrenciler üzerinde baskı ve engellemeler olsa da, üniversite o sırada çok daha demokratik ve çok sesliydi diyebilirim. Öğrenci hareketi de güçlü ve canlıydı.

MELEK – O sırada Osman (Ulagay) İktisat Fakültesi'nde asistandı. Onun sayesinde ben de İdris Küçükömer ve Sencer Divitçioğlu'nu tanıdım. Her ikisi de çok parlak, ışıltılı aydınlardı. Onların o gün ortaya attığı düşünceler, bugün yapılan tarışmalara ışık tutuyor. Ben TİP'e hiç üye olmadım; ama sonradan dinlediklerimden, okuduklarımdan hatırladığım, parti içinde ideolojik ayrılığın daha 1964'te başladığı.

OYA – 1964'te İzmir kongresinde, parti yönetiminin ve bütün organlarının en az yarısının işçilerden oluşmasını öngören tüzüğün 53. maddesi ciddi tartışmalara yol açmıştı. Bu maddenin sendikacıların ağırlığını getireceği, sosyalizm yerine uvriyerizme (işçicilik) yol açacağı, aydınların saf dışı bırakılacağı endişelerini dile getiren aydın kesimden 53. maddeye ciddi muhalefet gelmiş, hatta bir bölümü partiden ayrılmış ya da atılmıştı. 1966 Malatya kongresinde daha derin ayrılıklar su yüzüne çıktı. TİP'e, geçmişte hüküm giydikleri için, yasal engeller yüzünden üye olamayan ama partiyi destekleyen, çevresinde yer alan Mihri Belli gibi muhalif eski tüfekler partiden koptular ya da koparıldılar. İdeolojik etkenler kadar, eskilerin birbirleriyle olan kapanmamış hesapları, eski düşmanlıklar, güvensizlikler de rol oynadı bu kopuşta. Malatya kongresinden sonra MDD (Milli Demokratik Devrim) hattı belirginleşmeye başladı. Bu hattakilerin bir bölümü parti dışına düşerken parti içinde kalanlar da sonraki yıllarda partiden uzaklaşıp kendi çevrelerini, kendi fraksiyonlarını oluşturdular. Malatya kongresinde Behice Hanım'ın (Behice Boran) Mihri Belli ve çevresine karşı sarf ettiği "Cehennemin yolları iyi niyetle döşenmiştir" sözü hep hatırımdadır.

MELEK – 1965 seçimleri hem solun güçlenmesine yardımcı oldu hem de ayrışmaları, bölünmeleri hızlandırdı galiba.

OYA – Evet, tam da dediğin gibi. TİP'in on beş milletvekili ve bir senatörle (Fatma Hikmet İşmen) Meclis'e girdiği 1965 seçimleri Türkiye solu için bir dönüm noktasıdır. Seçimlerin öncesindeki propaganda konuşmalarında özellikle Aybar'ın davudi bir sesle "ırgatlar, marabalar, işçiler" seslenişi sadece bizlere değil, kitlelere ulaştı, etkili oldu, bugünkü deyişle "ezberi bozdu". Geçerken söyleyeyim, CHP'de Ecevit muhalefetinin şekillenmesi ve İnönü'nün kerhen de olsa "ortanın solu" sloganını benimsemesi TİP'in siyasi ve ideolojik etkisiyledir. Rüzgâr soldan esiyordu ve emekçi kitlelere, işçiye, köylüye kadar da ulaşıyordu sol esinti. Tabii ki sağ partiler daha güçlü, sağ oylar da her zaman fazlaydı; ama esinti ve yönelim sola doğruydu. Egemen sınıflar ve arkalarını dayadıkları iç ve dış güç odakları da farkındaydılar gidişatın. Nitekim birkaç yıl sonra 12 Mart olacaktı.

TİP deneyimini kötü harcadık

Sonraları, yeni sosyalist/sol parti arayışlarına girdiğimizde, yeni deneyimleri yaşadığımızda ve bugünden bakıp başarıları, başarısızlıkları, zaferleri, yenilgileri değerlendirdiğimde, TİP deneyimini kötü harcadığımızı düşündüm. Bunun objektif nedenleri yanında sübjektif, duygusal yanları olduğunu şimdi daha iyi anlıyorum. 1965 seçimlerine gidildiği günlerde ve seçimler sonrasında solda tam bir umut patlaması yaşandı. Düşün; o güne kadar dar aydın çevrelerle sınırlı kalmış olan sol, daha da ötesi sosyalist düşünce kendini ifade ediyor; eşitlik, adalet, hak, hukuk talepleri fabrikalardan, tarlalardan yükseliyordu. Söke köylerinde, Doğu'da, İznik çevresinde, daha kim bilir nerelerde, köylerinden yüzde doksan oranında TİP'e oy çıkan efsane muhtarlar vardır. İznik Gölü'nün üstündeki Müşküle Köyü'ne bugün bile gitseniz, "Ben Muhtar Fevzi'nin ihtiyar heyetindeydim bir zamanlar" diye övünen 80'ini çoktan aşmış yaşlılara rastlarsınız. Âşık İhsani'nin gümbür gümbür sesiyle, "Korkuyorlar, korkacaklar, korksunlar / Geliyoruz, geleceğiz, yakındır / Şura doğu, şura batı demeden / Güvercinler salacağız yakındır" türküsünü hatırlayınca, şimdi bile duygulanıyorum.

Belki beklentiler yüksek olduğu için, belki parti yönetimi özellikle genç kadroların heyecanına ayak uyduramadığı, pasif tutum aldığı için bir süre sonra parti içinden mırıldanmalar başladı; 1966 sonlarından itibaren de çalkantılar arttı. Devrime giden yola girildiğine inanılıyordu: "Devrim, hemen şimdi!" Koşulları olgunlaşmış mı, devrimci durum var mı, 1960 sonları Türkiyesi 1917 Rusyası'na benziyor mu ya da Latin Amerika'nın tarihsel-toplumsal yapısıyla bizimkinin alakası var mı? Bunları söylemeye, sorular sormaya çalışanlar reformist, revizyonist, oportünist sayılıyordu. Özellikle, çoğu da yanlış çeviri kurbanı Stalin veya Lenin metinlerinden, onların polemiklerinden alıntılarla devrimcilik yarışına girilmişti. Herkes Kautsky'nin "dönek" olduğunu biliyordu da *Dönek Kautsky*'yi kaçımız okumuştuk? Okuyanlarımız, Lenin'in o polemik metninde aslında devrim, emperyalizm, reformizm gibi hayati sorunların tartışıldığını, Lenin'in parlak zekâsının siyasal devrime kilitlenmiş volontarizmini nasıl örttüğünü ne kadar fark etmişti? Fark etse bile dile getirmesi mümkün müydü? Marx'ın, Lenin'in metinleri Allah kelamı gibiydi. Sorgulasan, eleştirsen kâfir olursun! Hoş, kırk yıl sonra da böyle düşünenler var ya, o da başka mesele.

Kısaca, 67, 68'den itibaren tek yol devrimdi ve devrim için her yol mubahtı. Gençliğin bir bölümü Latin Amerika örneklerinden de ilham alıp dağlara çıkmaya, şehirleri kırlardan kuşatmaya heveslenmişti. Bir yanda Deniz'ler, öte yanda Sinan'lar (Cemgil); hepsi kahraman çocuklar, kabına sığamayan inanmış gençler; pasifist buldukları, parlamentarizmle eleştirdikleri TİP'ten kopmaya başlamışlardı. Senin de dediğin gibi, 1967'den sonra sosyalist solda her kafadan bir ses çıkıyordu. Benim gibi biraz eli kalem tutanlar, hangi taraftaysak, ona ideolojik temel (ya da kılıf) hazırlayacak yazılar, kitapçıklar yazıyor, araştırmalar yapıyorduk. Ben mesela, doktora konusu olarak Türkiye'de işçi sınıfının doğuşunu seçmiştim. Türkiye işçi sınıfının köklerinin tarihe uzandığını, devrimde öncü olabilecek bir olgunluğa eriştiğini ispata çalışıyorum; işçi sınıfı öncülüğünde sosyalist devrim stratejisine bilimsel-teorik temel hazırlıyorum. Yine o günlerde küçük, broşürümsü bir şey yazmışım: *Türkiye'nin Toplumsal Yapısı* galiba başlığı, şimdi unuttum. Orada da, Asya tipi üretim tarzına karşı feodalite tezini savunuyorum. Çünkü bir yandan da Türkiye'ye özgü sosyalizm arayışı olarak nitelenebilecek Aybarcılıkla, daha sonra Boran-Aren çizgisinde ifadesini bulacak klasik sosyalist devrim görüşü, açıktan olmasa da alttan alta çatışmaya başlamış. Bu çatışma 68'de Sovyet Ordusu'nun Çekoslovakya'ya girişi ve Çekoslovakya'nın işgali ile su yüzüne çıktı ve TİP içinde yeni bir bölünme oldu. Aybar açıkça işgalin karşısında yer aldı. "Güler yüzlü sosyalizm", Ayşe'nin, Fatma'nın, Ahmet'in Mehmet'in sosyalizmi sözleriyle, özgürlükçü bir sosyalizmi savunmaya başladı.

MELEK – Evet, bunu ben de gayet iyi hatırlıyorum.

OYA – Partideki ikinci güçlü kişilik olan Behice Hanım da işgali savunmadı aslında; ama kol kırılır yen içinde kalır anlayışıyla, açıkça bayrak da açmadı. Sovyetler Birliği sosyalist sistemin önderi ve büyük ağabey ya; işgale karşı da olsak, yanlış da bulsak bir sürü "ama" ile haklı göstermeye, kendimizi de iknaya çalışıyorduk. O dönemin koşullarında kolay değildi karşı çıkmak. Sosyalizmin ve devrimin yüce çıkarları uğruna, hareketi zaafa uğratacak girişimlere karşı diktatörce yöntemlerin, müdahalelerin kötü de olsa gerekli olduğu düşünülürdü. Aybar ile Aren-Boran ayrışmasında Aybar'a değil Boran çizgisine daha yakın olmuştum. Şimdiki kafamla değerlendirdiğimde, hele de sosyalizm tarihin sınavından geçip hak ve özgürlükler meselesinde sınıfta kalınca, aslında Aybar'ın haklı olduğunu düşünüyorum. TİP deneyimini kötü harcadık derken bütün bunları kastediyorum işte. Maksimalist (aşırı) devrimciliğe, devrim ille de Bolşevik Devrimi modeline uygun olacak ya da Latin Amerika modeliyle, silahlı gerilla savaşıyla kazanılacak diye işin özünü kaybetmeseydik; devrimi, devrimciliği kendimiz için değil, gerçekten dünyayı ve ülkeyi değiştirmek için isteseydik belki de farklı olabilirdi. Yine de bütün bunları kırk yıl sonra söylüyorum, o zamanlar tabii ki bu akıllarda değildim.

MELEK – TİP'teki ayrışma 68'de belirginleşti senin anlattığın, benim de bildiğim kadarıyla. Daha önce 66'da 67'de MDD çizgisi TİP'ten kopmuştu. *Aydınlık* dergisi çıkmaya başlamıştı. Sonra dergi çevreleri de *Beyaz Aydınlık-Kırmızı Aydınlık* diye ayrıştı.

OYA – Evet, iki ayrı *Aydınlık* çıktı ortaya. Dediğin gibi TİP'teki ayrışma 66-67'de belirmişti ama keskinleşmesi ve Aybarcılığın parti dışına düşmesi 68 Aralık sonundaki olağanüstü kongrede oldu. Hani, doktoramın reddi ve rektörlüğün işgalinden sonra Murat'la birlikte kongreye yetişmek için gece otobüsüyle Ankara'ya gittiğimizi anlattığım kongrede. Sen MDD'cilerin *Aydınlık* dergisi bölünmesinde Doğu Perinçek'in *Beyaz Aydınlık* kanadındaydın değil mi? *Proleter Devrimci Aydınlık*'ta yani... Sizler bizim "hasm-ı bîaman"ımızdınız (amansız düşmanımız).

Biz işçi sınıfı öncülüğünü, iktidara kitlelerle birlikte demokratik yoldan yürümeyi, sosyalist devrimin demokratik devrimin görevlerini de üstleneceğini savunuyorduk. Sizlere göre parlamentarist ve pasifisttik. Devrimciliğin silahlı mücadele ile eşanlamlı sayılması da o yıllardan başlar.

Parti içinde gürültü patırtı yaygınlaştığında, özgürlükçü sosyalizm, güler yüzlü sosyalizm, yani Sovyetler'den bağımsız Türkiye sosyalizmi çizgisi ile Aren-Boran çizgisi arasında kalmış olan benim gibiler, 1968'de bir "Üçüncü Yol" oluşturmaya heveslendik. İstanbul'da Ocak 1967'de yayımlanmaya başlayan, Doğan ve İnci Özgüden'in *Ant* dergisi çevresinde kümelendik. *Ant* dergisi Parti organı değildi. Yaşar Kemal, Fethi Naci, Doğan Özgüden, yani daha 1964'te parti dışına düşmüş, parti yönetimiyle sorunları olan üç sosyalistin çıkardığı bağımsız bir dergiydi ama genel olarak TİP çizgisindeydi. O zamana göre, hem biçim hem içerik kalitesiyle diğer örgüt yayınlarına fark atıyordu. Üçüncü Yolculardan İdris Küçükömer'i, Murat Belge'yi, Nurkalp Devrim'i, Murat Sarıca'yı, gençlerden Veysi Sarısözen'i, Nabi Yağcı'yı hatırlıyorum. Doğan Özgüden de vardı galiba, en azından yakındı bizlere. İstanbul ağırlıklı akademisyenlerden oluşan bir hareketti, örgütle bağları yoktu, şansı da yoktu tabii. Toplantıları daha çok bizim Levent'teki evde yapardık.

Sol hareketin ciddi bölünme sürecine girdiği, herkesin de kafasının biraz karışık olduğu günlerdi. Halimizi iyi anlatan, hiç unutmadığım bir anımı aktarayım sana. O kış çok soğuk geçmişti, sürekli kar yağıyordu, yollar sokaklar kar içindeydi, buz tutmuştu. Hukuk Fakültesi'nden Murat Sarıca, aramızda TİP yönetimine en yakın, parti bağları en sıkı olanlardan biriydi. Toplantıya başlamak için onun gelmesini bekliyorduk. Nihayet kapı çalındı, iri cüssesi, her zamanki iyimserlik aşılayan güleç yüzü ile Murat Sarıca paltosundaki, kasketindeki karları silkeleyerek içeri girdi. Daha paltosunu bile çıkarmadan ilk sözü, arkadaşlar, ben de kaydım, oldu. Aman ne oldu, buzda mı kaydın, düştün mü, diye telaşlandık. Yok, yok, öyle kaymak değil, siyaseten kaydım; toplantıya size haber vermek için geldim, bilesiniz istedim, demez mi. Haber bizim küçük grubumuz açısından çok kötü; ama başladık gülmeye, durum o kadar komikti yani. Murat Sarıca ne yana kaymıştı, şimdi hiç hatırlamıyorum. Epeyce yalpaladığı, fraksiyonlar arasında kararsız kaldığı için adı Altıncı Murat'a çıkmıştı zaten. Sanırım, ben de kaydım, dediğinde Aybarcı olmuştu yeniden. Söyleyişi o kadar sevimliydi ki, kızamadık bile.

O günlerde, öyle bir gecede, iki toplantı arasında bir kanattan ötekine kaymalar oluyordu işte. Neyse, biz Üçüncü Yolcular kongre öncesinde bir de ortak imzalı yazı yayımlamıştık. Doğru şeyler söylüyorduk belki ama siyasette ve hayatta karşılığı yoktu söylediklerimizin. Hele de sıkı örgüt bağlarımız olmadığını, kürsü siyaseti ve muhalefeti yaptığımızı düşünürsek... Bütün üçüncü yollar gibi bizim iyi niyetli ama basiretsiz teşebbüsümüz de başarısız oldu, etkisiz kaldı.

Aybar'ın "güler yüzlü sosyalizm" olarak adlandırdığı, bizim ise sapma olarak gördüğümüz Türkiye'ye özgü sosyalizm çizgisi, bizleri kesmemişti; yeterince "devrimci", daha doğrusu ortodoks değildi. Bu tür düşünceler Sovyetler Birliği Komünist Partisi'nin (SBKP) başını çektiği enternasyonalist harekete saldırı gibi geliyordu bize. Şimdi ne düşündüğümü soracak olursan, Aybar, o sıralardaki özgürlükçü sosyalizm arayışında daha doğru yoldaydı sanırım. Ama o da despottu, parti içi demokrasiye aldırmazdı, hotzotçuydu, kibirliydi. Yani teoride özgürlükçü sosyalizm, pratikte Leninist, hatta Stalinist parti liderliği. Bu da onun çelişkisiydi.

MELEK – Evet, ben de çok net hatırlıyorum. Çok ilginç; geçen gün gençliğimde tuttuğum notlar geçti elime. Ben de kendime göre bu mesele üzerine bayağı not tutmuşum o zamanlar. Aybar'ın Çekoslovakya'nın işgaline karşı çıkışı üzerine... Ben o zaman Aybar'ı destekliyorum. Çekoslovakya'nın Sovyet Ordusu tarafından işgalini sosyalizmle bağdaştıramıyorum. Benim o sıralar senin gibi bir donanımım yok, senin gibi işin teorik yanını filan bilecek durumda değilim. Ama "sol" benim için hep özgürlükle iç içe bir kavramdı. Belki de Aybar'ın aile dostumuz olmasının da etkisiyle, bir yığın şeyin biraraya gelmesi bana sorular sordurmuş işte.

OYA – Haklıymış soruların. Sol benim için hep özgürlüklerle iç içeydi, dedin ya; aklıma Aybar'ın "Özgürlük sosyalizmde mündemiçtir" sözü geldi. "Mündemiç" lafını o zaman öğrenmiştik. "İçerir" demekmiş.

MELEK – Peki Oya, 1960'ların ortalarında, TİP'e girdiğin sırada senin teorik birikimin nasıl? Sosyoloji okuduğun için sen zaten belli başlı sosyoloji tezlerini biliyorsun. Marksizm üzerine de okudun mu ayrıca, kendini eğittin mı?

OYA – Şimdi açıkça söylemek gerekirse, 1966'ya kadar sanıldığından çok daha zayıftı Marksizm bilgim. Marksizmi ders verirken öğrendim. Sosyal Düşünce Tarihi dersi veriyordum; bana verilen programın sınırlarını aşıp Adam Smith'den sonra Marksizmi anlatmaya başladım. Kaynağımı sorarsan, temel kaynak İktisat Fakültesi'nden Profesör Fındıkoğlu'nun kitabı. Fındıkoğlu sağcı, antikomünist biri, bunu biliyorum; Marx'ın hayatı, vb. gibi bilgileri oradan alıyorum ama ayıklıyorum. Bir de el altından edindiğim Fransızca birkaç temel kaynak var. 60'ların başlarında Marx ve Marksizm üzerine kitaplar bırak kitapçıları, kütüphaneleri bir yana, üniversitelerin seminer kitaplıklarından bile kaldırılmıştı. Nâzım Hikmet'in şiirlerini, 60'ların başlarında, 1963-64'e kadar birbirimizin defterlerinden el yazısıyla kopya ederek okurduk. Sonra yavaş yavaş başladı çeviriler. Marksist literatür ve teori olarak bakarsan, 67'den sonra Türkiye sosyalist hareketi içindeki bölünmeler ve teorik tartışmalar Marksizmi daha derin öğrenme ihtiyacını doğurdu. Hepimizin Türkiye'nin tarihsel toplumsal yapısına eğilmemiz, toplumsal yapı araştırmalarına girişmemiz de aynı ihtiyacın ürünüydü.

Konuyu dağıtma pahasına anlatmak istiyorum. Muzaffer ve ben daha 1963-64'ten itibaren Osmanlı döneminde ve Cumhuriyet sonrasında Türkiye'de toprak mülkiyeti, köylülük, tarım kesiminde üretim biçimleri araştırmalarına başlamıştık. Sonra ben işçi sınıfına yöneldim. Bu arada İsmail Beşikçi Erzurum Üniversitesi'nde sosyoloji asistanı, Ankara Siyasal'da sosyolojide ve diğer bölümlerde başka sosyalbilimciler var. Birbirimizden haberdarız, ortak araştırmalar yapmak ya da kendi yaptığımız araştırmaları tartışmak için biraraya gelmeye çabalıyoruz. Düşünsene, mesela İsmail ta Erzurum'dan kalkıp geliyor ya da Muzaffer'le ben Ankara'ya gidip orada orta yolda buluşuyoruz. Beşikçi'nin "Doğu Anadolu'nun Düzeni" araştırması, ki onun doktora konusuydu aynı zamanda, bölge için bir ilk, bizi çok heyecanlandırıyor. Başına da yıllarca hapishanelerde kalacak kadar dert açtı zaten.

1964 yazında Teknik Üniversite Mimarlık'tan asistan arkadaşlarımız, birkaç da son sınıf öğrencisi (şimdi hepsi profesör ve hâlâ çeşitli üniversitelerde ders veriyorlar) Yıldız Sey, Atilla Yücel, Nigân Doğru, Sosyoloji'den Muzaffer'le ben, birkaç öğrenci daha, üniversitelerimizden sağladığımız çok küçük imkânlarla Hatay'a karşılaştırmalı köy araştırmaları yapmaya gittik. Türkiye'nin tek Ermeni köyü olan Vakıflı Köyü'nü, iki Türk ve Arap Alevi köyü, iki de Türkmen köyü seçmiştik araştırma alanı olarak. Bir tek Vakıflı'yı yayımlayabildik. Vakıflı Köyü'ne, bir daha 43 yıl sonra gittim. Hrant'ın ölümünden sonra orada bir toplantı yapmıştık. Araştırma sırasında kundakta olan bebek Vakıflı muhtarı olmuştu. "Belki altımı da değiştirmişsinizdir," dedi de çok güldük.

Böyle alan araştırmaları yapmak, ülkemizi tanımak istiyoruz. Ben Ege bölgesinde, özellikle de Söke'de ağalık üzerine, topraksız köylüler üzerine araştırma yapmak için tümüyle kendi olanaklarımla bölgeye gidiyorum. Demek istediğim, şimdiki gibi projeler falan yok, kendi olanaklarımızla, büyük güçlüklerle Türkiye'nin toplumsal yapısını araştırmaya, öğrenmeye çalışıyoruz. İlim, bilim aşkı tamam da benim esas amacım "somut durumun somut tahlili"nden hareket edebilmek, doğru devrim stratejisini bulabilmek için toplumsal yapıyı ortaya çıkarmak.

İşte bu araştırmaları değerlendirirken Marksist yöntem ve bakış açısına ihtiyacım oluyordu. Marksizmin klasiklerini, Marksist düşünür ve araştırmacıların eserlerini okuma ve anlama sürecim; sosyalist pratiğin, sol içi tartışmaların dayattığı bir gereklilikten doğdu diyebilirim. 60'ların ortalarından sonra çoğu kötü çeviri de olsa Türkçe kaynaklara ve yabancı dillerden kaynaklara ulaşma imkânımız da oldu. 70'lere gelindiğinde bunları epeyce hatmetmiştim.

1969'da Ankara'da Hacettepe Üniversitesi'ne asistan olarak girdiğimde, burada çoğu TİP Çankaya ilçesi üyesi olan, parti merkeziyle bağları gevşemiş, arayış içindeki küçük bir grupla tanıştım. O dönemde her hareketin içinde böyle "yuvarlar", yani küçük çevreler vardı. Bizim "Sosyalist devrim için teori-pratik" grubumuz, var olan kargaşa ortamını aşmanın yolunun hem Marksizmi çok iyi özümsemiş olmaktan hem de dünyadaki bütün devrimci pratikleri iyi bilmekten geçtiğine inanmıştı. Yani o günlerin ana akımlarına ve modasına hiç uygun olmayan çok akademik bir yaklaşım. Hayatta hiç bu kadar çalıştığımı hatırlamıyorum. Hem Hacettepe'de sosyoloji asistanıyım, hem de uykusuz günler geceler boyunca Marksizm ve devrim araştırıyoruz. Afrika'daki devrimci hareketler bana düşmüştü, Tanzanya'dan Nijerya'ya bir sürü ülkenin toplumsal-siyasal yapılarını öğrenmiştim. Bir arayış süreciydi. Üstelik sosyalist solun paramparça olduğu, kimsenin teoriyle falan ilgilenmediği, TİP'in en militan kadrolarının Güney Amerika gerilla hareketlerine özendiği, köylü devrimciliğinin teorileştirildiği, dağlara çıkılmaya başlandığı bir dönemdi. Bizim küçük grubumuz devrimin doğru yolunu bulamadan 12 Mart geldi zaten.

MELEK – Sen o sırada Ankara'da mısın artık?

OYA – İstanbul Üniversitesi'ndeki doktora reddi maceramdan sonra, Deniz Gezmiş'in önayak olduğu rektörlük işgalinin ardından, atılmamak için istifa etmiştim ya. Kısa bir süre New York'a Muzaffer'in yanına gittim, birkaç ay kaldıktan sonra, yaz başında döndüm. İş arıyorum. O sırada Hacettepe Üniversitesi çiçeği burnunda, iddialı bir üniversite. Oraya başvurdum. Bir sınav açtılar; iki aday vardı; ben ve Yılmaz Esmer (şimdi Bahçeşehir Üniversitesi Rektörü). Yılmaz Yale'den gelmiş, Hacettepe'ye daha uygun, üstelik benim gibi sabıkalı da değil. Ama ikimizi birden aldılar. Rektör İhsan Doğramacı, bakın biz ne kadar demokratız, Oya Baydar'ı bile kabul ettik, havalarında. 1969 Eylülü'nde Hacettepe'ye sosyoloji asistanı olarak girdim, Ankara'da Paris Caddesi'nde küçük bir daire tuttum, Ankara günlerim başladı. O dönemi sonra anlatırım. Peki 1968'de ve sonrasında sen neler yapıyorsun?

MELEK – Ben 68'de filolojideyim, üniversitede işgali, boykot falan oldu mu katılıyorum. O yılın baharında evlendim. İlk eşim Boğaziçi Üniversitesi Ekonomi Bölümü'nde öğretim üyesiydi. İyi bir iktisatçıydı, Amerika'da Cornell Üniversitesi'nde okumuştu. Evlendiğimde yirmi iki yaşındaydım.

OYA – Çok gençsin. Nereden çıktı bu evlilik? Tam üniversiteye başlamışsın, harekete girmişsin ufak ufak. Üstelik daha yirmi iki yaşındasın.

MELEK – Sen de bilirsin işte; galiba aile baskısından kurtulmak, bağımsızlık kazanmak isteği de etkili oluyor bu ilk evliliklerde, rüştünü ispat etmek gibi bir şey. O günlerde sosyalist olmuşum ya ben artık, evde sabah akşam kafa ütülüyorum. Adamcağız iktisatçı olarak benden çok daha bilgili bu konularda. Marksist değildi ama Marx'ı iyi biliyordu. Çok da iyi bir hoca olduğu söylenirdi. Benimkisi cahilliğin verdiği cesaret. Plehanov okuyorum ve sabah akşam asap bozucu bir kadın olarak kafa ütülüyorum.

OYA – Olayların içindeydim dedin; ayrışmalar, fraksiyonlar, kanatlar... Sen *Beyaz Aydınlık*'çısın, tamam da, oraya nasıl geldin? Yani hangi ilişkiler, hangi etkilerle?

Saflaşmalar sertleşiyor

MELEK – Ben Edebiyat Fakültesi Fikir Kulübü'ne girmişim. O günlerde FKF de (Fikir Kulüpleri Federasyonu) kaynıyor, eskiden TİP gençliğinin hâkim olduğu örgüte soldaki bütün ayrışmalar yansıyor. Ben MDD çizgisine yakın ekipteyim. Bu arada birkaç şey birarada oluyor. Sırma vasıtasıyla Doğu Perinçek'le tanışıyorum. Sırma, benim Kolej'den sınıf arkadaşım, ağabeyim Osman'ın da ilk eşi. Onlar çok genç evlenip Ankara'ya taşınmışlardı. Osman askerliğini Ankara'da yapıyor, Sırma da Ankara Hukuk'ta okuyordu. Orada Doğu ile tanışıyor işte. Osman'la ilişkileri pek iyi gitmiyordu o sıralarda. Ayrıldılar ve Sırma Doğu ile evlendi.

Bir de o dönemden tanıdığım Herkül Millas var, Osman'ın çok yakın arkadaşı. Herkül'ü hatırlarsın.

OYA – Hatırlarım tabii, İstanbul'da TİP Bilim Kurulu'nda beraberdik. Sonra, yıllar yıllar sonra biz Almanya'da sürgünde yaşarken Zülal (Kılıç), Alaattin (Kılıç), Gönül (Dinçer) Yunanistan'a tatile gittiğimizde görüştük. Karısı Evi ile bizi gezdirdiler, misafir ettiler. Evi, Gönül'ün Robert Kolej'den yakın arkadaşıymış. Onlar artık Yunanistan'da, Atina'da yaşıyorlar, Herkül orada üniversitede, akademisyen oldu. İstanbul'da Işık Üniversitesi'nde de misafir profesör olarak ara ara ders veriyor, bir de *Zaman* gazetesinde yazılar yazıyor.

MELEK – Evet, işte o günlerde benim çevremde Osman'ın arkadaşları olarak Herkül, Demir Özlü, Kürt Neco derlerdi: Necmettin var.

OYA – Necmettin Büyükkaya... O sevilen, sayılan bir Kürt devrimcisiydi. Diyarbakır Cezaevi'nde, 1984'te işkenceyle öldürüldü. Öğrencilik yıllarında Aydın'la (Engin) bir süre aynı evde mi, aynı yurtta mı kalmışlar, dostlukları vardı. Birlikte Aydın'ın memleketi Ödemiş'e gitmişler. Aralarında hep şakalaşırlarmış Kürdistan kurulduğunda nereleri vereceğiz size, diye. Necmettin şurayı da alalım, burayı da alalım dedikçe, Aydın "yok, o kadar olmaz'" dermiş ama bir sürü yeri de verirmiş! Ege'ye gittiklerinde Necmettin Ödemiş'i beğeniyor, "Burayı ver işte," diyor. Diyarbakır Hapishanesi'nde işkenceyle öldürüldüğü haberi geldiğinde Aydın'ın hıçkıra hıçkıra ağladığını hatırlıyorum, bir de annesinin ölüm haberi geldiğinde ağlamıştı böyle. O günlerde Berlin'de çıkan TKP'nin göçmen gazetesi *Türkiye Postası*'na çok duygulu bir yazı yazmıştı. "Ödemiş'i de al, bütün Türkiye'yi vereyim sana, yeter ki geri gel," diyerek. Necmettin'in kızı doktor olmuş, Aydın'ı aradı birkaç kere. Geçen gün gazetede, Diyarbakır Hapishanesi'nde babasını görmeye gittiği bir görüş günü yaşadığı tüyler ürpertici olayları anlatıyordu. Okumaya bile dayanamadım.

MELEK – Evet, Kürt Neco... Bunlar askerliklerini er olarak yapmışlardı. Üçü de solcu, üstelik biri Kürt, biri Rum asıllı. Yedeksubay yapılmadılar bu yüzden. Senin de hatırladığın gibi Herkül o sıralarda TİP'liydi, Vecdi Ağabey ve Sevinç Abla'yla (Vecdi ve Sevinç Özgüner) çok yakındı. Ben Vecdi Ağabey ve Sevinç Abla'yla Herkül vasıtasıyla tanıştım. Her ikisi de beni çok etkilemiştir. Onlar Aybar-Boran çizgisine karşı MDD'ci çizgiye yakındılar. Onlardan da etkilendim.

Senin sözünü ettiğin sol hareket içindeki tartışmalar ve ayrışmalar gençlik grupları içinde de yansımasını buldu ve saflaşmalar başladı. Aynı dönemlerde Çin Devrimi gündeme geldi, Çin'de muazzam olaylar oluyor, Kültür Devrimi başlamış. Sovyet çizgisine karşı Çin alternatifi çıkmış, uluslararası düzeyde Sovyetler ve Çin, yani Brejnev çizgisi ve ÇKP çatışıyor. Bizim kuşağın unutamayacağı "revizyonist" sözcüğü artık herkesin ağzında. Sovyet çizgisi revizyonist, Çin ise devrimci. Bugün bu ayrışmanın, bu çatışmanın ne kadar yapay, sorunların özünden ne kadar uzak olduğunu düşünüyorum.

Türk Solu dergisini hatırlarsın. Bürosu, Cağaloğlu'nda Nuruosmaniye'ye saparken hemen sağ köşedeki binadaydı.

OYA – *Türk Solu*'nun çıkışını iyi hatırlıyorum, Kasım 1967'dir. Bizim açımızdan rakip müessesenin dergisiydi. İlk sayısında "Neden Çıkıyoruz?" diye bir yazı, bir de "O" harfinin içine "Türk" yazılmış, sayfanın neredeyse yarısını kaplayan amblem gibi bir şey vardı. "Emperyalizme ve işbirlikçilerine karşı devrimci dayanışma ulusal güçbirliği" cümlesini de hatırlıyorum. Sen dergi çıkmaya başladıktan bir süre sonra katılmış olmalısın.

MELEK – Evet, ben gittiğimde Bora Gözen ve Şevki Akşit'ti dergi sorumluları, ben de onların yanında çalışmaya başladım. Sahibi Şerif Tekben, yazıişleri müdürü Vahap Erdoğdu idi ama onları fazla görmedim. Yine bu dönemde Doğu (Perinçek), *İşçi-Köylü* gazetesini çıkarmak için hazırlık yapıyordu. *Aydınlık* dergisi ise Ankara'da çıkmaktaydı.

OYA – Bir dakika... Hatırlamaya çalışalım: 1967'de, 68'de TİP karışmış, MDD ayrışması olmuş, muhalifler kendi yayınlarını, dergilerini çıkarma peşindeler. *Yön* vardı, bir de TİP'in *Sosyal Adalet* dergisi vardı. Dergi patlaması 1967'de oldu. Önce ocak ayında Doğan Özgüden'in *Ant* dergisi çıktı, sonbaharda *Türk Solu* geldi, sonra da *İşçi-Köylü*. Mihri Belli liderliğindeki MDD'ci kanadın aylık dergisi *Aydınlık*'ı unutmayalım. Hani kısa sürede *Beyaz Aydınlık-Kırmızı Aydınlık* diye bölünecek olan yayın. Daha sonra onlarca, hele de 70'ten sonra yüzlerce benzer dergi çıkacaktı. Her yerde böyle midir bilmem ama Türkiye solunda üç kişi biraraya gelip bir hücre kursa legal ya da illegal bir yayınları mutlaka olurdu.

MELEK – *Aydınlık* dergisi, dediğin gibi 1970'te iki *Aydınlık* doğurdu: Biri *Proleter Devrimci Aydınlık*; PDA diye de anılan bu çevrenin dergisine *Beyaz Aydınlık* denirdi. Diğeri Mihri Belli etrafında kümelenen MDD'cilerin *Aydınlık Sosyalist Dergi*'si, yani *Kırmızı Aydınlık*. Ben, *Beyaz Aydınlık* kanadındaydım ama bu daha sonra. 1968'de henüz bu ayrımlar olmadan önce İstanbul'da *Türk Solu*'nda çalışıyorum. Yazı çiziden anlıyorum, daktilom iyi, çeviri yapıyorum, bu nedenle *Türk Solu*'nun mutfağında işe yarıyorum. Derginin çıkarılması sürecinde yayıncılık öğreniyorum. Eski tüfeklerden Şevki Akşit'le de orada tanıştım, çok renkli bir kişilikti. Nuran Abla'yla ikisi, gerçekten çok neşeli ve değişik insanlardı. O zamanlar devrimcilik, solculuk asık suratlılık, sertlik, nemrutluk ve aşırı ciddi olma haliyle özdeşleşirdi ya hani, bunun tam tersi.

OYA – Devrimci ciddiyet sanılan bu tavrı ben de çok iyi bilirim. Hele de aydın kesimden geliyorsan, yaşam biçiminden kültürel tercihlerine kadar her şey aykırı gelir, eleştiri oklarına hedef olursun. Mesela ilçe binasının kapısından içeri girdiğinde normal bir şekilde, güle oynaya, merhaba arkadaşlar, deyip şakalaştın mı yadırganırsın. Beni de çok iterdi bu tavırlar. Sınıf çatışması örgütlerin içinde yaşanırdı neredeyse. O zaman da, senin benim gibiler, işçi kesimi dışından gelenler, aydınlar, devrimciliklerini ve sıkı partili olduklarını ispat zorunda hissederlerdi kendilerini. Sanırım bu konuda, bizden sonrakiler daha da beter oldular. Ortam sertleştikçe, devrimin eli kulağında yanılgısı derinleştikçe, militanlaşmayla birlikte askerî disiplin ve duruş sardı hareketi.

MELEK – Böyle bir hava olduğu için, biz de devamlı daha asık suratlı, daha ciddi görünmeye çalışırdık. Ama Şevki Ağabey odaya girdiği anda gülmeye başlardık, devamlı komik şeyler olurdu. Bir gün gelir, çocukları yuvada unutmuş; bir gün gelir, bir ayağındaki ayakkabı ile diğeri farklı; sabah öyle giymiş çıkmış. Şevki Ağabey'de, sosyalist olmanın yanı sıra müthiş bir hayat sevgisi, yaşama sevinci vardı. Halktan gelen bir insandı, insanın içine kasvet duygusu vermezdi. Nuran'la (eşiyle) birlikte çok hoş, esprili, hatta komik bir çiftti. Bora da (Bora Gözen) çok sakin bir insandı, hep öyle oldu; sakin ve yumuşak. Birlikte çalışırken insana yardımcı olan, destek olan biri. Ama benim daha o zamanlar hissettiğim bir şey vardı: Kadınlar ikinci plandaydı. Sen kadınsın, biraz arkada dur derlermiş gibi sanki. Sevinç Abla kendini kabul ettirmiş, ağırlığı olan bir kadındı, benim için bir rol modeliydi. Ama kendi genç ekibimiz arasında kadınlar hep ikincil işlerde, ayak işlerinde kullanılırdı. Kadın halinle fikir üretemezsin zihniyetinin farkındaydım, bu da bende tepki oluşturuyordu. Kolej ortamında bu tür bir ayrımcılık yaşamamıştım. Ailemde kadınlara baskı ve ayrımcılık yoktu. Bu durumu aşmalıyım ama nasıl, diye düşünüyordum.

OYA – Ben de kadın olarak pek ezilmedim bulunduğum örgütsel ortamlarda, kendimi fazla gayret sarf etmeden kabul ettirmiştim.

Hani işte akademisyeniz, ilim bilim sahibi sanılıyoruz, iyi kötü kitaplarım var ya! Yine de, düşününce, egemen olan erkeklerdi.

Peki, anladığım kadarıyla sen bir yandan dergide çalışıyorsun, bir yandan üniversiteye devam ediyorsun, bir de evlisin o günlerde.

MELEK – Evet, evliyim, üniversitede okumaya da devam ediyorum. Ek sertifikam felsefeydi, dolayısıyla sizin koridora iniyordum. Felsefeye her zaman merak duydum. Nermi Uygur'dan Wittgenstein dinlediğimi çok iyi hatırlarım. İngiliz Edebiyatı'nda ise İrlanda tiyatrosu ve İrlandalı yazarlar üzerine çalışıyordum. Cevat Çapan hocamdı, çok severdim Cevat'ı, bana İrlanda edebiyatı sevgisi de ondan geçti sanırım.

Okumaya devam ediyorum ama öte yanda olaylar almış başını gidiyor. Sabah erken evden çıkıp okula, oradan *Türk Solu* dergisine, oradan Alibeyköy'deki *İşçi-Köylü* bürosuna koşturuyorum. İstanbul'un içinde dört dönüyorum. Tam o sıralarda, Mihri Belli çevresinden, yani MDD'cilerden (Milli Demokratik Devrim) sonradan Maocu olarak adlandırılacak kanat çıktı. Ama unutmayalım ki Maocu hareket bize özgü değil, uluslararası bir akımdı. Çin hayranlığı, Kültür Devrimi, bunlar bütün dünya sol hareketlerinde büyük bir etki yaratmıştı. 1968-69 yıllarında Maocu düşünce dünya solunda fırtına gibi esiyordu. Artık SBKP (Sovyetler Birliği Komünist Partisi) ağır bir eleştiri dalgasıyla karşı karşıyaydı, Maocu kanatlar tarafından "revizyonist burjuvalar" olarak damgalanmışlardı.

OYA – Ve sen yavaştan yavaştan Maocu çizgiye mi kayıyorsun?

MELEK – Şöyle oldu: Daha önce anlattığım gibi Sırma, Doğu ile evlendi ve hemen bir çocuğu oldu: Zeynep. Onlar Ankara'da oturuyor, ben İstanbul'dayım. İşte o sırada FKF'nin (Fikir Kulüpleri Federasyonu) genel kurulu İstanbul'da yapıldı, Çemberlitaş'ta bir salonda. O gün Veysi Sarısözen'in başını çektiği TİP ekibiyle Doğu'nun da içinde olduğu MDD'ciler arasında büyük bir kavga çıktı. Sosyalist hareket içinde benim hatırladığım ilk büyük kavga budur. Ben kız olarak kendimden başka İlkay'ı (Demir) hatırlıyorum, bir de Jülide (Aral) vardı sanırım. İlkay'la ben Kolej'den tanışıyoruz. İlkay benden bir sınıf küçüktü Kolej'de. 1968'de tıpta okuyordu. Jülide Psikoloji'deydi, aynı zamanda PTT telefon santralında memureydi. İlk üniversite işgallerinde çok fazla kız yoktu. Jülide, İlkay ve ben politik olarak ayrı fraksiyonlarda olduk sonradan; ama bu bizim dostluğumuzu, dayanışmamızı etkilemedi. Zaten birçok eylemde de birlikte olurduk. O sözünü ettiğim büyük FKF kavgasında ben de bir masanın üstüne çıkıp elime aldığım bir iskemleyi birilerine fırlattığımı hatırlıyorum. Kavga çıktı, kenara çekileyim dediğim yok anlayacağın. O kavgadan sonra Doğu'nun gözüne girdim galiba, yırtıcı bir militan olarak.

Peki sen ne yapıyorsun o sıralarda, kavgada hangi cephede saf tutuyorsun?

OYA – Ben bütün bu süreç boyunca hep senin karşındaki cephede oldum. Sonradan muhalefet içinde yer alsam da, hep TİP çizgisindeydim. Mesela senin şimdi hatırlattığın FKF'deki ayrışma ve ayrılmada MDD'ci çizgiye hiç yakınlık duymadığım gibi, "nerede hareket orada bereket" diye özetlediğimiz, maceracı olarak nitelediğimiz, sonradan da gerçekten silahlı mücadele anlayışına ve pratiğine varan çizgilerin hep karşısındaydım. MDD'cilik ve Maoculuk bizim için sağ sapmaydı, sosyalizme ihanetti. "Milli" olan "enternasyonalizm"le çatışırdı ve biz sosyalist devrimciler enternasyonalisttik. Zaten Sovyetler Birliği'ne ve SBKP'ye karşı tavır bizim cenahta kâfirlik sayılırdı.

Fırtınalı bir aşk hikâyesi

Ayrışmanın keskinleştiği, kanlı kavgaların cereyan ettiği günlerde ben Türkiye dışındaydım. Anlatmıştım; İstanbul Üniversitesi'nden istifa ettikten sonra, 1969'un Ocak ayı başında New York'a Muzaffer'in yanına gittim. New York şehir olarak beni çok etkiledi, çok sevdim. Sonraları Moskova için de aynı duyguları duymuştum. Bunlar kendi atmosferleri olan, sizi saran muhteşem şehirlerdir.

İlk gittiğim gün, öyle bir kar fırtınası vardı ki uçak New York havaalanına uzun süre inemedi. Havada bir saatten fazla dolaştık, galiba önce başka bir havaalanına inmeyi denedi pilot. New York karlar içindeydi, Muzaffer'in kaldığı otele zar zor gelebildik. 143. Cadde'de bir Yahudi otelinin 14. katında stüdyo tipi küçücük bir daire. Aslında 13. kattı ama 13 rakamı uğursuz sayıldığından asansörde atlanmış, 14. kat olmuştu. Ertesi sabah sokağa çıkamadık. Kar, otelin kapısını üstüne kadar kapamıştı. Otelde çalışanlarla müşteriler karları birlikte küreyip sokağa çıkabilecek kadar bir tünel açtılar. Hemen dışarı fırladım ve karşımda bembeyaz karların ortasında yükselen Empire State Building'in gri beyaz siluetini görünce heyecanlandım. New York'la tanışmam böyle sürreel bir manzarayla oldu.

New York dönemi özel yaşamım açısından fırtınalı bir dönemdi. Muzaffer'le ilişkimiz psikolojik bunalım filmlerindeki gibiydi. Hem birbirimizden kopamıyorduk, hem de birbirimize dayanamıyorduk. Çok içiyorduk, kendimizi ve birbirimizi tahrip ediyorduk. Kaldığımız küçük dairenin hava boşluğuna açılan tek penceresi vardı. Sürekli ışık yakardık. Otele sinmiş olan yanmış yağ, tütün, küf karışımı koku da cabası. Belki de kendimizden ve birbirimizden kurtulmak için, hiç ara vermeden sürekli film oynatan semt sinemasına gider, üst üste üç dört film seyrederdik. Bütün o dönem boyunca Muzaffer'in üniversiteye pek fazla gittiğini hatırlamıyorum. Zaten İngilizcesi zayıftı ve sanırım uyumsuzluğu, sıkıntısı biraz da bu yüzdendi.

Ben kendimi gün boyu sokaklara atardım. Central Park'ın ya da Hudson Nehri'nin etrafındaki yeşil alanların sincaplarıyla arkadaşlık kurmuştum. Kucağıma gelir, avucumdan fındık yerlerdi. Kırk yıl öncesinin New Yorku'nu, müzelerini, kitapçılarını, mağazalarını, Çin Mahallesi'nin esrarlı, tuhaf dükkânlarını, Harlem'in tekinsiz sokaklarını adım adım bilirim. O günleri düşündüğümde bir çılgınlık nöbeti gibi geliyor bana. Birimiz cinayet işleyeceğiz neredeyse, hani vardır ya "Hâkim bey, seviyordum, öldürdüm" cinayetleri, işte o haldeyiz. Baktık olmayacak, benim dönmemin daha iyi olacağına karar verdik. Ben uçağa binene kadar ağlaya ağlaya, birbirimize sımsıkı sarılarak, sanki kopamayarak ayrıldık. Ben son dakikaya kadar onun, gitme kal, demesini bekliyorum, ama söylemiyor. O benim, kalıyorum, gitmeyeceğim, dememi bekliyor ama söylemiyorum. İkili bir çılgınlık işte. 69'un 1 Mayıs günü İstanbul'a döndüm. Sonra o da dayanamadı, yaz başında bursu falan reddedip döndü. Evi zaten kapamamıştık, bir daha deneyelim dedik ama olmadı, yürümedi. Şimdi düşününce, o günlerde birleşmeye çabaladığımızı sanırken, aslında birbirimizden kopmaya, ayrılmaya çalıştığımızı anlıyorum.

Ben Ankara'da Hacettepe Üniversitesi'ne girmeyi kafama

koymuştum. Akademik hayatı severdim; araştırma yapmak, ders vermek, akademik ortamda tartışmak, üretmek tam bana göreydi. 12 Mart öncesinde, bütün o kargaşaya rağmen sosyal bilimler alanında daha önce de anlattığım canlı ve üretken bir ortam vardı, yeniden o ortamın parçası olmak istiyordum.

Muzaffer'le henüz resmen boşanmamıştık. Bir süre sonra duygusal olarak sakinleşiriz, Muzaffer de Hacettepe'ye naklededebilir diye düşünmüştük.

MELEK – Nasıl bir ilişki bu böyle!

OYA – Anlatması güç. Bu sevgi sevda bahislerinin kuralı yasası olmuyor. Bir kere, tanıştığımızda çok gençtik; ikimiz de yirmi yaşındaydık. Çok farklı çevrelerdendik. Kocamustafapaşa'da bir bakkalın oğluydu. Babası kimseyle ilişkisi olmayan, çocuklarıyla bir kez bile oturup konuşmamış, karısına hitap etmeyen, evde alt kattaki odasında tek başına yaşayan, gerçekten psikolojik sorunları olan biriydi. Annesi ufacık, çok iyi yürekli, ezik bir kadındı. Okur yazarlığı yoktu ama iki oğlu mutlaka okusun istemiş, bu yüzden de çocukları okutmaya niyeti olmayan kocasından dayaklar yemişti. Böyle bir ortamda Muzaffer de, ağabeyi Muammer de kurtuluşu kitaplarda bulmuşlar, büyük imkânsızlıklar içinde okumak için her şeyi yapmışlardı.

Muzaffer gerçekten de tanıdığım en yetenekli insanlardan biriydi. Ama çok uyumsuzdu, bir toplulukta nasıl davranacağını bilemezdi; ya çok üstten bakar, ukalalıklar yapar, tepki çeker ya da kavga çıkarırdı. Ortamını buldu mu da konuşur, şiirler okur, ortama hâkim olurdu. İlişkilerinde, hele de kadınlarla olanda, gerçek üstü bir atmosfer yaratma yeteneği vardı. Çok içer, sarhoş olur, ama o sarhoşluğu bile bir kişilik özelliğine çevirmeyi bilirdi. Daha önce anlatmıştım, lisedeki kendinden çok büyük edebiyat öğretmeni bile tutulmuştu bu çocuğa. Geçirdiği çocukluk, aile ortamı, babanın baskıları ve belki de genetiği büyük tahribatlar yapmıştı üzerinde.

MELEK – Yakışıklıydı da galiba.

OYA – Evet, yakışıklıydı. O zamanlar Alain Delon çok meşhurdu, Türkiye'nin Alain Delonu derlerdi bazen. Böyle yakışıklı bir adamla birlikte olmaktan hoşlanırdım. Zaten anlattım ya, kimseye yüz vermiyor dedikleri için iddia üzerine tavlamıştım onu; ilişkinin sürmesi diye bir düşüncem yoktu ama sonra olan oldu. Dört yıllık birliktelikten sonra annemin ve bütün aile ve eş dost çevresinin çok şiddetli muhalefetine rağmen evlendik. Annem yataklara düştü. Kızını hariciyecilere, diplomatlara hazırlamışken kız bakkalın oğlu ile, bir asistan maaşından başka tek bir çöpü olmayan biriyle evlendi diye. Benim çevremden gördüğü bu türden tepkiler de yaralamıştı Muzaffer'i, ilişkimizin yıpranmasında bu aşağılanmış olma duygusunun da payı vardı sanırım.

MELEK – Sonra Yakut'la evlenmedi mi o?

OYA – Evet, ben New York'tan dönüşte Hacettepe'de iş bulup Ankara'ya taşındım, giderken de Muzaffer'i çok sevdiğim bir okul arkadaşım olan Yakut'a (Irmak) emanet ettim. Yakut İktisat'ta asistandı, ben Sosyoloji Bölümü'nden ayrıldıktan sonra benden boşalan kadroya Yakut gelmişti. Bunu sağlayabilmek için çok çaba sarf etmiştim, Nurettin Hoca'yı ikna etmiştim. Yakut aslında istatistikçiydi, Sosyal Bilimlerde İstatistik Yöntemler konulu ders için de bulunmaz bir elemandı; yurtdışında, galiba İsviçre'de okumuştu. Yıllarca hiç görüşmemiştik. Bir gün Sinematek'te Eisenstein'ın *Korkunç İvan*'ını seyretmeye gitmiştik Muzaffer'le, orada rastlaştık. Bize iktisat doçenti olan eşini tanıştırdı; birbirimizden pek hoşlandık, arayı uzatmamaya, sık sık görüşmeye karar verdik.

MELEK – Biliyorum; sen hiç hatırlamıyorsun ama ben seni ve Muzaffer Sencer'i, ilk defa Yakutların evinde görmüştüm. 1966 ya da 1967 olmalı. Ben oraya Asaf Savaş'la gelmiştim. Galiba o sırada İktisat'ta asistandı Asaf Savaş. Başkaları da vardı; Gülten ve Haydar Kazgan, daha birileri. Hatırlıyorum; siyasal durumla, solun haliyle ilgili birşeyler tartışılıyordu. Bir ara, sen ne diyorsun, gibisinden bana dönüldü. Ben sustum herhalde ki sen, "Kızı zorlamayın, onun konuşmasına gerek yok, o kadar hoş, o kadar güzel ki," dedin. Biraz alındığımı, kendimi aptal sarışın yerine konmuş hissettiğimi hatırlıyorum.

OYA – Hay Allah! Benim güzele, yakışıklıya zaafım vardır. O sözü de seni küçümsemek için değil, aksine övmek için söylemişimdir. Bir sürü gereksiz konuşma yerine güzelliğin, zarafetin daha önemli olduğuna şimdi bile inanıyorum aslında. Neyse, işte ben 69 sonbaharında İstanbul'daki evden ayrıldım, Ankara'ya taşındım. Ama evi dağıtmadık, bir süre sonra yeniden beraber olacağımızı düşünüyorduk. Dedim ya, bir türlü kopamıyorduk birbirimizden. Ben yokken Yakut'la Muzaffer arasında bir yakınlaşma doğmuş. O sırada Yakut'un eşi de bir yıllığına Amerika'da. Bilirsin, güç dönemde yalnızlık insanları birbirine iter.

Yakut'un bir kızı vardı, bereket bizim çocuğumuz yoktu. Bu gibi durumlarda çocuk öder bedeli, acı çeker. Yakut'un babası ara rejimlerin değişmez başbakan adayı Sadi Irmak; bu türden ilişkileri kabullenebilecek gibi değil. Çeşitli olaylar çıkıyor, bir keresinde Sadi Irmak Muzaffer'i elinde bıçakla kovalamış sokakta diye anlatırlardı. Bir de Muzaffer'in karakter yapısı işin içine girince, neresinden baksan güç bir ilişki.

Ben olayı, 1970 Şubatı'nda sömestr tatilinde İstanbul'a gelince fark ettim. Muzaffer beni bekliyordu. Yazışmış, telefonlaşmıştık. Eve geldim kimse yok; etrafa sordum, kimse bilmiyor nerede olduğunu. Muzaffer'in annesinin evine gittim, kadıncağızın tuhaf bir hali var ama o da bilmiyor. Yakut'u arıyorum, evde kimse yok, hiçbir şekilde ulaşamıyorum. Başına bir şey gelmiştir diye merak ediyorum ama içten içe de birşeyler seziyorum. Böyledir zaten, insan sezer ama sezdiklerini bilincine çıkarmak istemez bu gibi vakalarda. Sonunda kimden, nasıl, şimdi hiç hatırlamıyorum, onların evindeki yardımcıdan belki de, küçük kızı ve bakıcısını da alarak Yakut'la Bodrum'a gideceklerini öğrendim. Çok etkilenmiş olmalıyım ki, arada film kopuyor, beyaz kâğıt... Hafıza, hatırlanması acı verecek, insanın kaldıramayacağı kadar ağır gelecek olayları kayıttan siliyor. Nasıl oldu gerçekten bilmiyorum ama Yakut'un kullandığı arabayla, önde Muzaffer, arkada çocuk, bakıcı ve ben, Söke'den, Bafa Gölü'nden geçerek, böyle hep birlikte Bodrum yollarına vurduğumuzu, yol boyu cep konyağı içtiğimizi hatırlıyorum.

Bodrum'da rutubetli ve insanın iliklerini donduran bir hava vardı. Kaldığımız pansiyonun avlusunda çiğdemler ve kır laleleri açmıştı. Pansiyonun üç odasına dağılmıştık. Ben davetsiz misafir, oyunu bozan kişi durumundayım. Orada bulunmamın yanlış olduğunu biliyorum, kendime küfrediyorum. Küçük kız hasta; bakıcısı şaşkın, biz üçlü bir çılgınlık yaşıyoruz. Oyunun rejisörü Muzaffer, sanırım bundan da marazi bir zevk alıyor. İki gece kaldım orada. Bembeyaz çiçek açmış mandalina bahçelerini, ehliyeti olmayan Muzaffer'in arabayı uçuruma sürdüğünü, son anda tekerleklerin yarısı boşluktayken durdurabildiğini, arabadaki küçük kızın ağladığını, benim de kendimi arabadan dışarı atıp kaldığımız pansiyona bile uğramadan otobüsle İzmir'e, oradan da uçakla Ankara'ya döndüğümü hatırlıyorum hayal meyal.

MELEK – Çok yıpratıcı bir ilişki olmalı. Kendini nasıl toparlayabildin sonra? Yakut'un kocasının durumu nedir bu arada?

OYA – Benim kendimi toparlamam epeyce güç oldu; sonra bir süre daha lastik gibi uzadı bizim ilişkimiz. 12 Mart kurtardı beni. Yakut'un kocasına gelince; o bu ilişkiyi kabullenemedi. Bu yakınlaşmayı, ne alakası varsa benden bildi. Oysa ben de mağdurum; kocam beni bırakıp yakın arkadaşımla aşk yaşıyor diye zil takıp oynamıyorum herhalde. 1970 kışını çok ağır geçirdim. Hayatımda ilk kez hiç inanmadığım bir iş yaptım, psikiyatra gittim. Konuştuk falan, adamcağız en sonunda "Size bir faydam dokunabileceğini sanmıyorum. Ben ne söyleyeceksem, bilinçaltınızı deşmeye çalışıp neleri bilince çıkarmanıza yardımcı olacaksam siz onları zaten biliyorsunuz," dedi, sonra da kendimi toplamama epeyce yardımcı olan bir şey söyledi: "Kendinizi neden bu kadar hırpalatıyorsunuz?" Epeyce ağır iki ilaç verdi. Hatırlıyorum; Hacettepe Üniversitesi o zaman Ankara'nın içinde, aşağıya Sıhhiye'ye yürüyerek inerdim çoğunlukla. İlaçların etkisiyle, tepeden aşağı inerken yolumu şaşırdığım, yönümü kaybettiğim olmuştu. Eğer bu ilaçlarla kendime geleceksem olmaz olsun, deyip bıraktım.

O günlerde Ankara Kalesi ve Etnografya Müzesi kurtarıcım oldu. Oraya sığınır; heykelleri, güneş kurslarını, Hitit geyiklerini saatlerce seyrederdim. O dumanlı kafayla saçma sapan işler de yapardım bazen; anlık gereksiz ilişkiler, başımı alıp oraya buraya gitmeler... Buzbağ şarabı, bol limon ve buzla içtiğim Tekel kanyağı, evimin penceresinden görünen hüzünlü günbatımı, Hitit motifleri, mermer heykeller, kaleye tırmanan yollar kaldı belleğimde o dönemden. Yani benim için de hiç kolay değildi. Ama böyle duygusal ilişkiler yüzünden insanlara kızıp onları lanetleyemem ben. Aşkın kendi mantığı, kendi ahlakı, kendi haklılığı vardır. Tabii ki terk edilmek insanı çok derinlerden yaralar, hatta değiştirir, bir yanınız ölür; yine de ortalığı kırıp geçirmemeli insan, yaralarını kedi gibi yalaya yalaya iyileştirmeye çalışmalı, diye düşünürüm. Yakut'un eşi ise haklı olarak kolay kabullenemedi olayı. Bir keresinde ben üniversitedeki odamda çalışırken, hiç habersiz geldi, öfkeli, sitemkâr konuşmaya, hatta bağırmaya başladı. Burada bağırma, çıkalım dışarıda bir yerde oturalım, birlikte yemeğe gidelim, rahatça konuşalım diyorum, hiç oralı değil. Benim yemeğe gitme teklifimi bile ahlaksız bir teklif olarak kavrıyor. Rezil olacağız. Kendimi koridora dar attığımı, sonra da çok çok kötü olduğumu hatırlıyorum.

Zamanın acıları dindirecek, küllendirecek en iyi ilaç olduğunu o sıralarda öğrendim. Birkaç yıl sonra herkes sakinleşmiş, yeni düzenler kurmuştu. Muzaffer bir süre gelip gitti Ankara'ya, sonra gelişleri seyrekleşti. Boşanmak için bir avukat arkadaşıma vekâlet verdim. Resmen ayrılmamız kolay oldu. Bu anlattıklarım, 70 kışı ve baharı. Bir yandan bunları yaşıyorum, bir yandan yeni bir grubun içindeyim, ortalık hareketli, devrim ve sosyalizm mücadelesi bütün hızıyla sürüyor...

Sen ne yapıyorsun o günlerde?

6. Filo'yu protestodan Kanlı Pazar'a

MELEK – 69'da, 70'te ben *Türk Solu*'nda ve *İşçi-Köylü*'de çalışıyorum, hareketin içindeydim. Hatırlarsın; kavgalı, çatışmalı bir dönemdi. Hem sosyalist hareketin kendi içinde hem de ülke çapında kavgalar, bölünmeler vardı.

OYA – Tabii, hatırlamaz olur muyum! Sağ-sol mücadelesi denirdi ama aslında sola yönelen devlet destekli sağ terör vardı. Önce tekil olaylar gibi başlamıştı, sonra özellikle Anadolu'da sol hareketin yükseldiği bölgelerde ve Doğu'da mitinglere, işçi eylemlerine, TİP'in toplantılarına kitlesel saldırılar başladı. Pek çok ilde Komünizmle Mücadele Dernekleri örgütlenmişti. Nurcular'dan İmam Hatip Okulları Mezunları Derneği'ne, İlim Yayma Cemiyeti'nden Ülkü Ocakları'na, hepsi Komünizmle Mücadele Dernekleri bünyesinde yer alıyordu. En matrağı da bu Komünizmle Mücadele Dernekleri uzun süre kamu yararına çalışan dernek statüsüne sahipti. "Moskova'ya, Moskova'ya" çığlıkları TİP'in ve diğer sol örgütlerin toplantılarını basanların dilinden düşmezdi. MHP, komando kamplarında kendi gençlerine askerî eğitim vermeye başlamıştı, bir süre sonra ortaya salacaktı. Bir de toplu namazlar vardı. Hani, bilmem nerede bilmem hangi camiye bomba kondu, solcular Kuran'ı yaktı diye haberler uçurulur, hatta sağın gazetelerinde yayımlanır, ardından "Din elden gidiyor" sloganlarıyla solculara, solcu derneklere, toplantılara saldırırlardı. Şimdi unuttuk bunları; ama gerçekten de çok ağır, zaman zaman da kanlı bir saldırı altındaydı sol hareket. MHP çizgisi, yani antikomünist, Türkçü milliyetçi faşizan sağ ile çeşitli tarikat, cemaat ve örgütlerden İslamcı gruplar o dönemde iç içeydiler ve solculara yönelik saldırılarda, eylemlerde "Komünizm geliyor, din elden gidiyor" paydasında birleşirlerdi. Daha da önemlisi, dönemin siyasal iktidarlarının koruma kollamasına sahipti bu saldırganlık.

MELEK – Sen o zamanlar sağcıların sola, özellikle de TİP'lilere yönelen meşhur tekerlemesini hatırlar mısın? Hani "TİP, TİP, tipsizler / Bir avuç ipsizler / Amerika gitsin Rusya mı gelsin / Allahsıııız komünistler / Yuuuuuuu....."

Sonradan daha da beter hale geldi. Ben Kanlı Pazar'ı hatırlıyorum mesela.

OYA – Şubat 1969'dur, değil mi Kanlı Pazar? Ben o sırada New York'taydım, içinde yaşamadım ama dışarıdan izledim.

MELEK – Ben tam ortasında yaşadım canım... Olaylar şöyle gelişti: Kanlı Pazar'dan bir on gün kadar önce, 6. Filo İstanbul'a gelmiş, Dolmabahçe açıklarına demirlemişti. O yıllarda bu 6. Filo sık sık gelirdi Türkiye'ye. Her seferinde de protesto gösterileri olurdu. 1968 Temmuzu'nda mesela çok büyük olaylar çıkmış, binlerce kişi ABD'li bahriyelileri Dolmabahçe'den denize dökmüş, polis protestoculara müdahale için gençlerin toplandığı İTÜ yurtlarına girmiş, Vedat Demircioğlu ikinci katın penceresinden aşağı atılmış, birkaç gün sonra ölmüştü. 1969 Şubatı'nda 6. Filo yine geldi, yine aynı olaylar. ABD'li bahriye erleri İstiklal Caddesi'nde, kadınlarla, sarhoş bir durumda gezerken, gençlerin başını çektiği giderek büyüyen bir kalabalık tarafından Dolmabahçe'ye doğru kovalandılar. Bu arada Gümüşsuyu'ndaki İTÜ'den çıkan öğrenciler de kalabalığa karıştı, ABD'li askerler yine Dolmabahçe'den denize atıldı. Mademki denizci, nasıl olsa yüzecek!

OYA – O dönemdeki solun ruhunu, "Kahrolsun Amerikan Emperyalizmi" türünden sloganlar yansıtır. Antiemperyalizm, ABD karşıtlığı solun tüm kesimlerini birleştiren ana eksendi. Emperyalizme karşı verilecek mücadelenin biçimi ise tartışmalıydı. TİP içindeki huzursuzlukların, ayrışmaların, MDD ayrışmasının en önemli nedenlerinden biridir bu. Gençlik ve MDD'ci kanat keskin devrimci, caydırıcı yöntemlerden yanaydı. Hatırladığım kadarıyla ABD'li denizcilerin suya atılması, kovalanması, hırpalanması devrimci yöntem sayılırdı. Buna karşılık TİP Genel Başkanı Aybar, Amerikalılara arkasını dönmek gibi pasif direnişler önerirdi ki, bu hem alay konusu olur, hem de TİP'in gençlik kesiminde zayıflamasına, kan kaybına yol açardı. Bir de ODTÜ'de ABD Elçisi Komer'in arabasının yakılışı olayı vardır 69'da. Hatırlar mısın, yer yerinden oynamıştı.

Devrimcilerle pasifist revizyonist sayılanlar eylemlerinin türüne göre ayrışırlardı. Mesela, benim daha yakın olduğum TİP'liler, FKF'liler zor durumdaydılar. Partinin koyduğu sınırların onları devrimci öğrenci kitlesinden soyutlayacağını, amiyane tabirle "devrimci yiğitlik"lerine krem sürüleceğini seziyorlardı ama yine de parti merkezi doğrultusunda davranmaya çalışıyor, ağırbaşlılığı yeğliyorlardı. 68'de Vedat Demircioğlu'nun ölümüyle sonuçlanan olaylarda, çok iyi hatırlıyorum, bu ayrışma çok sert yaşandı, kopmalar oldu. Açık söylemem gerekirse, ben de provokasyon sayıyordum bu türden eylemleri. Şimdi, yıllar sonra, onca provokasyon yaşayıp şerbetlendikten sonra, TİP'in olayları ve gelişmeleri iyi yönetemediğini, gerçekten de pasif davrandığını düşünüyorum. Her neyse...

MELEK – Evet işte, devrimciler Amerikan 6. Filosu'nun bahriye erlerini denize döktüler. Bu olay gazetelere manşet oldu. Hükümet müttefik askerlere yapılanlara sert tepki gösterdi. Olayı izleyen günlerde gerginlik tırmandı; bizler ise kazandığımız mevzileri terk etmek niyetinde değildik. Pazar günü için, değişik kesimlerden pek çok sol örgütün katılacağı büyük bir yürüyüş ve Taksim'de miting kararı alındı. Yürüyüş Beyazıt Meydanı'ndan başladı, Sirkeci ve Eminönü kat edilerek Galata Köprüsü'nden geçildi. Dolmabahçe'den Taksim'e doğru çıktık. Kalabalık bir kortejiz; bir ucumuz Dolmabahçe'deyken diğerleri Tophane'de. Ben ortalarda biryerlerdeyim. Biz İTÜ'nün önlerine geldiğimizde kortejde bir dalgalanma oldu ve durduk. Kimse ne olduğunu tam anlayamıyor. Tekrar yürümeye başladık, Gümüşsuyu Askerî Hastanesi'nin önünde sesler duyduk. Allahuekber, Allahuekber...

tekbir sesleri. Yürümeye devam ettik, şimdiki Varan otobüs terminaline doğru yaklaştığımızda birden bizim arkadaşların yokuş aşağı, bize doğru koşmaya başladıklarını gördük. Tam o anda bir bomba patladı. Polis devreye girmiş ve ses bombası atmıştı. Arkadaşlar aşağıya doğru koşuyor, biz yukarı doğru yürümeye çalışıyoruz, ortalık karıştı. Yukarıdan aşağıya koşanlar bize, kaçın diyorlar. Tam o sırada arkadaşların arkasından, ellerindeki tahta sopaların ucuna çatal şeklinde demirler takmış çoğu sakallı ve takkeli bir kalabalığın gelmekte olduğunu fark ettik. Komünistlere ölüm ve tekbir sesleri arasında sopalı ve bıçaklı bir kalabalık üzerimize geliyordu. Benim olduğum noktada sağda, halen de orada olan Hayriye Apartmanı vardı. Murat Sarıca yanı başımdaydı. Bilirsin cüsseli, kalıplı bir adamdır, apartmanın kapıcısına kapıyı açtırdı ve hepimiz oraya sığındık, kapıyı da kapattık. Kapıcı korkuyor, bizi atmaya çalışıyor ama dinleyen kim; can derdine düşmüşüz. Kapı demir ve sağlam bir kapı ama ferforjenin arasındaki camdan içerisi görünüyor. Azgın saldırganlar ellerindeki o demir çatallarla kapının camlarını kırmaya çalışıyorlar. Kapıcı dairesinin arka tarafa, AKM'nin bahçesine doğru açılan bir kapısı daha varmış. Galiba Sevinç Abla'ydı, birileri kan içinde yaralı bir arkadaşı bu kapıdan içeri sokmayı başarmıştı. Diyeceksin ki bütün bunlar olurken polis ne yapıyor? Her zaman olduğu gibi saldırganları engelleyecek yerde, onlara destek oluyordu. Kapıyı kırıp içeri girseler, o demirli sopalarla saldırsalar ölebilirdik bile, gözleri öyle dönmüştü. Biz orada öylece beklerken, Taksim'de üç kişi öldürülmüş zaten. Azgın kalabalık, kan akıtmış olmanın verdiği rahatlama mı, korku mu artık bilmem, o ruh hali içinde dağılmaya başlamıştı. Biz de bir süre bekledik, kalabalığın dağıldığına emin olduktan sonra arka kapıdan çıktık. Korkmadım desem yalan olur. İlk kez böyle bir azgın kalabalıkla karşılaşıyordum. Ölümle burun buruna gelmenin ne demek olduğunu orada anladım.

Orhan'la (Orhan Taylan) evlendikten sonra, zaman zaman geçmiş olayları konuşurduk. O gün Orhan kortejin daha önlerinde olduğu için bizden önce Taksim Meydanı'na girmiş, orada ellerinde bıçaklarla üzerlerine gelen azgın kalabalığın içine düşmüş. Saldırganlardan biri maymun gibi Orhan'ın sırtına tünemiş ve sırtına bir bıçak darbesi indirmeyi başarmış. Tam o sırada Orhan'ı tanıyan Ortaköylü TİP üyesi bir Roman, elindeki sopayı saldırgana indirerek Orhan'ı kurtarmış. O anda ne olduğunu tam anlayamayan Orhan, gömleğinin kan içinde olduğunu, bıçağın sırtını sıyırdığını akşam fark etmiş. Kanlı Pazar'da üç kişi bıçak darbeleriyle yaşamlarını yitirdiler.

Sanıyorum o gün yaşanan olaylar rahmetli Kuzgun Acar ve Engin Ayça tarafından filme çekilmiş, yaşananlar belgelenmişti.

OYA – Seninle böyle konuşurken, hafıza tazelemek için eski gazetelere, dergilere bakıyorum bazen. İnsan unutuyor gerçekten; sola karşı ne kadar güçlü ve organize bir saldırı varmış. Sürekli bir antikomünist propaganda: Komünistler iktidara gelirse karılarınızı alacaklar, kasketi kapıya astı mı adam eve girip karınla kızınla yatacak, hepsi Allahsız; elinde ne varsa, tarlana, evine, malına el koyacaklar, vatanı Moskof'a satacaklar, daha neler neler, hepsi de bu ilkellikte. Bir de eski yayınlara bakınca açıkça görülen; bu saldırıların arkasındaki Komünizmle Mücadele Dernekleri, Ülkü Ocakları gibi milliyetçi, mukaddesatçı, Türkçü kuruluşların ve onların militanlarının çok açık şekilde devlet ve kolluk güçleri tarafından korunduğu, kollandığı, teşvik edildiği...

Peki dönelim yine senin hikâyene; 1969'da İstanbul'dasın ve sizin yayınlarda çalışıyorsun.

MELEK – Evet, *Türk Solu*, sonra *İşçi-Köylü* gazetesi de çıkıyor. Bu yayınların mutfağında çalışıyorum. O sıralarda İbrahim Kaypakkaya geldi gazetenin ofisine. İbrahim, Muzaffer Oruçoğlu, Ali Taşyapan; bunların hepsi Çapa Yüksek Öğretmen Okulu'nda okuyorlar; aktif, militan öğrenciler. Çapa Fikir Kulübü'nü kurmuşlar, İbrahim de başkanları.

Aralarında en renkli kişilik Muzaffer Oruçoğlu'ydu. Muzaffer devamlı kara gözlük takardı. Ağzını yayarak "burcuvaaazi" deyişi hep aklımdadır. Muzaffer uzun yıllar hapiste yattıktan sonra yurtdışına gitti ve hem ressam hem de yazar olarak yeteneğini, yaratıcılığını ortaya koyabildi. Paris'te bir kez buluşacaktık ama olmadı, belki ben de zorlamadım buluşmayı. Arada büyük acılar yaşanmışsa eski günlere dönmek kolay olmuyor.

İbrahim ise çok farklı bir kişilikti. Ben zengin kızıyım, burjuvaziden geliyorum; diğer arkadaşların çoğu da şehirli ailelerin orta, orta üst sınıflarındandı. İbrahim, Çorumlu bir Alevi ailenin çocuğuydu. Yoksuldu, farklı sınıfsal tabandan, farklı bir kültürdendi. Çok zekiydi; hem zeki, hem duyarlı. Parlak gözleri vardı: her an her şeyi anlamak ve gözlemlemek üzere... Halkın ezilmişliğini gerçekten etinde kemiğinde duyan, çok çalışkan, kendi kendini eğitmiş, karizması olan birisiydi. Benim için her zaman özel bir insan oldu, daha sonra yaşadıklarımız bu düşüncemi değiştirmedi. Onun 1973'ün başında Diyarbakır'daki sorguda işkenceyle öldürülmesi, içimde derin bir yara olarak kaldı.

Ben bu ekiple *İşçi-Köylü* gazetesi nedeniyle tanışıp yakınlaştım. Gazetenin İstanbul'un çeşitli yerlerinde büroları vardı. Bunlar çoğunlukla işçilerin yoğun olarak yaşadıkları semtlerdeydi. Oralarda birlikte çalıştık. Bir ara Kartal'daki *İşçi-Köylü* bürosunda çalıştım. Tayinle olurdu bu işler; Doğu karar verir, sen şimdi git orada çalış, der, gidersin. Benimkisi çılgın bir durum; Bebek'ten kalkıp Kartal'a gidiyorum hemen her gün. O sıralarda bir de British Council'da akşamları İngilizce dersi veriyorum. Akşam saat 19 veya 20'den sonra iki, bazen de dört saat derse giriyorum. Kocamın parasıyla yaşıyoruz, ben de hiç değilse cep harçlığımı çıkaracak bir para kazanmalıyım, diye düşünüyorum.

Hal böyleyken Adel Kalem fabrikasında ve Grundig fabrikasında, sen de hatırlarsın, o meşhur grevler başladı. Biz grevlere gidiyoruz, grevdeki kadınlarla dayanışma içinde olmak, onlara eğitim vermek için. Benim Kartal'da olmam biraz da bu Adel Kalem fabrikasındaki grev nedeniyleydi. Sonra oradaki kadın işçilerle dostluk kurunca onların evlerinde kalmaya başladım. Bazı geceler eve dönmeyip orada kalıyordum. Kartal'da gecekondu semtlerinde kalmaya başlayınca kendimi çok farklı bir hayatın içinde buldum. Mesela o zamanlar, bütün tutucu ahlak kodlarını biz sosyalistler yıkıyoruz, özgürleştiriyoruz sanırdık. İşçilerle birlikte yaşamaya başlayınca, baktım ki öyle bir durum yok. Gecekondu semtlerinde ve daha sonra yaşayacağım Filistin kamplarında insanlar hayatla iç içedirler. Herkes diğerinin ne yaptığını bilir, kapılar kapanmaz. Yalnız kalmak diye bir kavram zaten yoktur, müthiş bir hareketlilik, canlılık. Üstelik bu kolektif yaşam çok eğlencelidir. İnsanlar tavuk gibi erkenden yatmazlar, toplu halde birşeyler yaparlar. Şimdi televizyon seyrediliyor, o zamanlar televizyon olmadığı için çay içip sohbet edilirdi. Çin'deki Kültür Devrimi benim pek işime geldi anlayacağın; bu hoşlandığım yaşam biçimine uygundu. Varsıllıkla mutlu olunacağına hiçbir zaman inanmadım. Para birçok şeyin kapısını açar ama mutluluğun anahtarı değildir. Yanlış anlama, yoksulluğu savunmuyorum ama insanlar paraya ne kadar az bağımlı olurlarsa küçük şeylerle mutlu olmayı da o kadar iyi bilirler.

OYA – O zamanlar senin sözünü ettiğin gecekondu semtleri çok farklıydı, hayat cıvıl cıvıl kaynardı oralarda. Çoğunlukla işçiler otururdu gecekondularda. Grevlerle, fabrika işgalleriyle kıpır kıpır olan işçi-fabrika ortamının canlılığı oralara da yansırdı. Bugünkü muhafazakârlık yoktu, haklısın. Ortaklaşa yaşam güçlüydü. Sana dönecek olursak, sen Bebek'le gecekondu semtleri arasında yüzüp duruyorsun; çelişkiye bak!

MELEK – Evet, öyle. Bebek'te Ehram Yokuşu'nda, daha önce Cevat Çapan'ın oturduğu evde oturuyorduk. Çok güzel bir evdi. Benim alt katımda da İpek Aksüğür ve Allen Duben oturuyorlardı. İpek o zamanlar sosyoloji doktorası yapmak için gelmiş, sonradan sosyolojiden vazgeçmiş, Rahmetli Kuzgun Acar'dan emay yapmayı öğreniyordu.

Bu arada Marx'ı, Engels'i yarım yamalak okumuş bizler; Zhou Enlai, Lin Biao dedin mi, ne yazıp söyledilerse ezbere biliyoruz. Bir de bizim fakülte ekibi olarak, Nur (Deriş), Celâl (Üster), ben, Sırma'nın küçük kardeşi Büşra Ersanlı, hepimiz *Aydınlık*'çı olmuşuz ve birlikteyiz yine. O günlerde Nur'la Celâl evlendiler. Dostluğumuz daha da güçlenerek sürüyor. *Aydınlık* çevresinde, Doğu'nun insiyatifi ile kurulmuş çeviri komitesindeyiz. ÇKP kaynaklı, çok önemli sayılan metinler var, bu metinleri bizler çeviriyoruz. Eskilerden de Halim Ağabey var: Halim Spatar; o da bu komitede. Çeviri komitesinin toplantıları benim Bebek'teki evde yapılıyor. Toplantılara bazen İbrahim Kaypakkaya da geliyor. Nail Satlıgan var, Garbis Altınoğlu var, Boğaziçi Üniversitesi'nde öğrenci, onlar da katılıyorlar çalışmalara.

OYA – Bir dakika, Garbis Altınoğlu şu sandık cinayetine karışan mıydı? Hani o güzel Kolejli kız, Banu'ydu adı değil mi, sandık içinde cesedi taşırken yakalanmıştı.

MELEK – Evet, Garbis ve yine Robert Kolej'de okuyan Zeynel Altındağ, daha sonra bizim partiden (TİİKP) ayrılıp bağımsız örgütlerini kuracaklar ve sandık cinayeti olayı yaşanacak. Onlara Birinci Tasfiyeciler denirdi. Buna birazdan değineceğim.

Anlattığım gibi bir sürü yayın geliyor çeviri komitesine. Çin'den gelen ince kâğıda basılı bir dergi vardı: *Peking Review*, biz işte bunları Türkçeye çeviriyoruz.

OYA – Evet, hatırlıyorum, o dergileri görmüşlüğüm var. Sizler o yayınları çevirip ezberlerken bizler, "Şu iğrenç şeylere bak, şu saçmalıklara bak," diyoruz aramızda.

Çaru Mazumdar'la tanışma

MELEK – Derken bir gün, nereden çıktı, kim getirdi hatırlamıyorum; yeni bir yazı geldi. Hindistan'dan, Çaru Mazumdar adlı bir köylü liderinin yazısıydı. Mazumdar, Hindistan'daki Naxalbari köylü hareketinin liderlerinden. Naxalbari, Batı Bengal'in Darjeeling eyaletinde küçük bir yerleşim. Mazumdar, 1918 doğumlu, varlıklı bir toprak sahibi aileden geliyor. Ailenin varlıklı olmasına karşın, babası da yoksul halkın özgürleşmesi için mücadele etmiş bir aydın. Mazumdar, Gandi gibi zayıf, gözlüklü bir entelektüel. Okulu bırakıp Darjeeling'de çay üreticileriyle çalışmaya başlıyor. 1940 yıllarında Telengana bölgesinde köylülerin başlattığı silahlı ayaklanmalara katılıyor. 1949 Çin Devrimi'nden sonra Mao'nun büyük bir hayranı olarak HKP'de (Hindistan Komünist Partisi), ÇKP (Çin Komünist Partisi) yanlısı bir kanadın içinde yer alıyor. Daha sonra Kanu Sanyal, Jangal Santhal ve Çaru Mazumdar HKP'den kopacak olan ÇKP yanlısı bir hareketin kurucuları olarak "Toprak işleyenlerindir" sloganıyla Naxalbari'de köylü ayaklanmaları başlatıyorlar. 1967 yılının Mart ayında Kanu Sanyal'ın başını çektiği bir eylemde yoksul köylüler büyük toprak sahiplerinin topraklarını işgal ediyor. Daha sonra Naxalitler olarak bilinen bu grup, hâlâ da güçlü bir hareket olarak Hindistan'ın ormanlık bölgelerinde varlığını sürdürüyor.

Çaru Mazumdar, 1965-68 yılları arasında kendi görüşlerini anlattığı bir dizi yazı yayımlıyor. Bunlar "ünlü 8 madde" olarak bilinir. İşte bizim çeviri komitesine gelen yazılar bunlardan bazıları.

Görüntü olarak son derece ince ve zarif bir adam olan Mazumdar'ın kaleminden kan damlıyor. "Sınıf düşmanını nerede görürsen imha edeceksin" bunların en hafifi. Mazumdar'ın 8 maddesini şimdi tam hatırlamıyorum ama anahatlarıyla şunları anımsıyorum: Hindistan devleti yıkılması gereken bir burjuva devletidir. Sovyetler Birliği halktan kopuk bir revizyonist çetedir. Hâlâ

Sovyetler'e bağlı olan Hindistan Komünist Partisi de emekçilerden kopuk, revizyonist bir partidir. Yarı feodal, yarı sömürge bir toplum olan Hindistan uzun süreli bir köylü savaşı ile demokratik bir düzene geçebilir. Seçimlerle iktidara gelmek legalist ve revizyonist bir görüştür. Burjuva devletini devirmek için tek yol silahlı mücadeledir. Mao'nun kentlerin kırlardan kuşatılması teorisi geçerlidir ve savunulmalıdır. Ayrıca, "İktidar namlunun ucundadır" sloganı da Mazumdar ve ekibi tarafından ortaya atılmıştır.

Mazumdar, doğru yanlış, Hindistan'ın koşullarından hareket ediyor, Hindistan için yazıyor. Türkiye ile hiçbir benzerliği, hiçbir ilişkisi yok. Ama uyar mı uymaz mı, aldıran kim!

OYA – Tam köylü devrimciliğinin, silahlı mücadele ve şiddetin yükselip teorileştirildiği dönemler. Bir yandan da Fukoculuk, Güney Amerika gerilla hareketleri. Franz Fanon'u da unutmayalım. Fanon, çok daha incelmiş bir adam, köylü devrimciliğinin Avrupalı sözcüsü. Cezayir kökenliydi değil mi? Son zamanlarda yeniden okudum *Dünyanın Lanetlileri*'ni. Orada da büyük bir şiddet var.

MELEK – Fanon kolonyalizme karşı yazıyor, Mazumdar ise köylüleri harekete geçiren bir küçük burjuva aydını. Bu yazılar gelince Halim Ağabey'in (Halim Spatar) aklı pek yatmadı bu işe. Yazılarda ayrıntılı tanımlamalar yapılıyordu; sınıf düşmanını nasıl öldüreceksin, nasıl boğazlayacaksın gibilerden. Bir tür katliam nasıl yapılır rehberi gibi. Harekette güç kazanmış olan İbrahim ve ona yakın duranlar köylü ayaklanması peşinde oldukları için bu yazılar çevrildi ve yaygınlaştırıldı.

Çaru Mazumdar bizim çevrede sanıldığından da etkili oldu. Bavul cinayeti, vb. gibi kanlı hikâyelerde bu etkinin de payı vardır. Hareket içinde birçok arkadaş Mazumdar'a öykündüler. Kanımca, kendileri de küçük burjuva kökenli olan arkadaşların burjuva devletine karşı duydukları nefret kendi sınıfsal konumlarıyla pek uyuşmuyordu. Bir kölenin ezilmişliği ya da Hindistan'da kast sisteminin en altında yer alan "Dokunulmazlar" gibi bir ezilmişlik söz konusu değildi. Bu nefretin yaratılması gerekiyordu. Sınıf düşmanı en korkunç yaratık, canavar ilan edildi. sonra da kendileriye aynı fikirde olmayanları sınıf düşmanı saydılar. Sınıf düşmanını imha etmek gerektiğinden, en yakın arkadaşın da olsa, sınıf düşmanıysa imha edilebilir, noktasına gelindi.

OYA – Türkiye'de de yaşanmadı mı bu örgüt içi infazlar? Hâlâ yaşanmıyor mu bazı örgütlerde? Son örneklerini Dev-Sol'da, PKK'de gördük. Öyle bakarsan, MHP lideri Türkeş'e atfedilen, aslında onun da bir başka faşist ideologdan aldığı "Davadan döneni vurun" sloganı aynı psikolojinin sağdaki yansımasıdır bence. Peki o zamanlar Doğu Perinçek destekliyor mu bu Çaru Mazumdar çizgisini? Bu çizgi ÇKP çizgisiyle çelişmiyor mu?

MELEK – Pek çelişmiyor, çünkü kırlardan şehirleri kuşatma stratejisi içinde var bütün bunlar. Ayrıca ÇKP içinde de ayrılıklar vardı; Lin Biao daha sekter, daha sert bir cizgi izliyordu, Zhou Enlai daha yumuşaktı.

Naxalbari Hindistan'da güçlü bir hareket, Marksist bir kökene sahip, Çaru Mazumdar bu hareketin içindeki liderlerden biri. Hani biliyorsun, ünlü Hintli yazar Arundhati Ray Irak dünya mahkemesi için 2005'te Türkiye'ye geldi ya; akşam yemekte yanımda oturuyor, ben kadına Naxalbari hareketi ve Çaru Mazumdar'ı anlatmaya başlayınca bayağı şaşırmıştı. Gözleri faltaşı gibi açıldı. Ray, Naxalbari hareketini iyi biliyordu, romanında onlardan söz eder. Benim bu konudaki bilgime çok şaşırdı.

OYA – Peki, bunlar yanlış diyen yok mu aranızda?

MELEK – Başta Halim Ağabey, sonra bizler: Celâl, Nur, ben doğru bir şey yapmadığımızın farkındayız ama karşı çıkamıyoruz. Sekterlik, silah, şiddet devrimcilik sayılıyor; ses çıkaramıyoruz, bunlar doğru düşünceler değil diyemiyoruz.

OYA – Hangimiz diyebildik ki kendi yapılarımızın dışına çıkmadan! Hep söylüyorum: Biz solcular, sosyalistler, komünistler işkenceyi, zindanı, hatta ölümü göze alacak kadar cesurduk ama kendi örgütlerimizin, kendi yapılarımızın yanlışlarını görmekte, sorgulamakta, eleştirmekte hiç o kadar cesur olamadık. Bunun insani bir yanı var; siyasal insanın trajedisi bu bence. Kimliğini inancınla ve o inancın taşıyıcısı olduğuna inandığın cemaatle, örgütle tanımlıyorsun; aklını, vicdanını ipotek ediyorsun. Böyle olunca da sorgulamaktan kaçıyorsun, sorgulayıp da reddedecek aşamaya geldin mi, davanın selameti –mesela bizde sosyalizmin, partinin, Sovyetler Birliği'nin yara almaması– için, kol kırılır yen içinde kalır tavrına sığınıyorsun.

Neyse felefeyi bırakalım da o günlere dönelim. Haa, bir de merak ettim, bu koşuşma içinde senin evlilik nasıl yürüyor?

MELEK – Evlilik sürüyor.

OYA – Peki kocan huzursuz değil mi, ses çıkarmıyor mu? Senin yaptıklarına saygısı var belki de. O günlerde birçok aydının psikolojisi böyleydi. Yani kendileri bu kavganın, mücadelenin içinde olmasalar da, olanlara saygı duyarlardı. Küçük burjuva pasifisti olarak görünmekten korkarlardı.

MELEK – Evet, ben de böyle bir etki yaratmış olabilirim. Geldiğim aile ortamını, sosyal ortamı bırakıp kendimi tümüyle "devrime adamam" onu da etkiliyordu sanırım. Hem kocamın hem de alt katta oturan İpek ve Allen'ın kafalarını ütülüyorum sürekli olarak. Bir gün İpek bağırdı: "Eee, kes artık! Hem gel Bebek'te otur, elinde şarap kadehi bize sürekli nutuk at, hem de işçi mahallerinde tur at... Sıktın artık; git hangi gecekondu mahallesinde oturacaksan otur, yap orada kültür devrimini, bizi de rahat bırak!" dedi.

Ben bu havalardayken işte, 15-16 Haziran olayları patlak verdi.

15-16 Haziran'daki umut

OYA – 15-16 Haziran'da ben Ankara'daydım. Sen neredesin, İstanbul'da mısın?

MELEK – İstanbul'dayım ve olayların içindeyim. O günlerde grevlere gidiyoruz, işçi semtlerinde, işyerlerinde işçilerle birlikteyiz.

OYA – 15-16 Haziran, 70'lerin işçi hareketinde milattır. Biz sosyalist devrimci kanatta yer alanlar, işçi sınıfının MDD'cilere, Maoculara haddini bildirdiğine, bir gol attığına inanıyorduk. Artık işçi sınıfı öncülüğünün tartışılamayacağını düşünüyorduk. İşçiler rüştlerini ispat ederek siyasal bir tepki veriyorlardı ilk kez. Hatırlarsan, 1970 Haziran ayında, çalışma yasaları ve sendikalaşmayla ilgili 274 ve 275 sayılı yasalarda çalışanlar aleyhine değişiklikler yapan, hakları geri alan bir tasarı Adalet Partisi ve CHP'nin işbirliği ile Meclis'e getirilmişti. Sendikalaşma ve sendika değiştirme özgürlüklerini kısıtlayan bu yasa tasarıları 13 Haziran günü mecliste tartışılmaya başlandı. 14 Haziran'da İstanbul'da DİSK, TİP ve Dev Genç'in de katıldığı bir toplantı yapılmış, aynı gün Sungurlar ve Demirdöküm'de işçiler şalterleri indirmişlerdi. Ardından 15-16 Haziran geldi.

MELEK – Çok büyük bir olaydı; hem katılımcı kitle, hem de atılan sloganlar açısından. Aslına bakarsan 15-16 Haziran olayları Paris 68'inde olduğu gibi, işçi sınıfının düdük çalıp devreye girmesidir. MDD ekibi, asker-sivil aydın kol kola derken ne olduğunu şaşırdı, burjuva parlamenter sisteme yakın duran TİP kanadı da işçilerin kararlılığı karşısında şaşırdı. Bizler daha önce öğrenci yürüyüşleri yapmışız; ama bu yürüyüşlerde, gösterilerde hep belli bir kesim, daha çok öğrenciler olurdu. 15-16 Haziran başkaydı. İşçiler çoğunluktaydı, her kesimden, her sınıftan insan vardı. Katılım askerin müdahalesine, tanklara rağmen çok büyüktü.

15 Haziran günü İstanbul'da işçiler dört ana koldan yürüyüşe geçtiler. Anadolu yakasında Ankara Asfaltı'nda (bugünkü E-5) toplanan işçiler Kadıköy'e doğru; Avrupa yakasında Eyüp-Cendere üzerinden bir kol, Çekmece-Topkapı tarafından bir kol ve Levent-Boğaz'dan gelen diğer bir kol Taksim'de buluşmak üzere yürüdüler. Ellerinde "İşçiyiz güçlüyüz", "Yaşasın işçi sınıfı", "Zincirlerimizden başka kaybedecek bir şeyimiz yok" yazılı pankartlarla yürüyen işçilere bizler de katıldık. O sırada başbakan olan Süleyman Demirel aleyhinde sloganlar attığımızı da hatırlıyorum.

İlk gün polisle büyük bir çatışma olmadı. 16 Haziran sabah erkenden yine toplandık. Ben Topkapı'dan gelen grubun içinde yürüyordum. İşin tuhafı o dönemde bizim İbrahim Ethem Ulagay İlaç Fabrikası, Kimya-İş Sendikası'nın çok güçlü olduğu ve örgütlendiği bir işyeri. Bir Nuran Abla vardı bizim fabrikada, Kimya-İş temsilcisiydi. Düşünsene, fabrika sahibinin kızıyla sendika temsilcisi, aynı eylemde birlikte yürüyor... Yürüyerek Galata Köprüsü'ne geldiğimizde karşımıza tanklar çıktı. Köprüden geçmemiz engellendi. "İşçi-asker el ele" sloganları eşliğinde işçiler inanılmaz bir çeviklikle tankların üstüne tırmandılar. Askerler şaşkın şaşkın bakıyorlar, ne yapacaklarını bilemiyorlardı. Galata Köprüsü'nü aşamayınca Unkapanı Köprüsü'ne geldik, burada da barikat vardı ve köprüyü geçemiyorduk. Burada işler biraz sertleşti, polis müdahale etti, çatışmalar çıktı. Bizler de şaşkındık. Halk hareketi denir ya, öyle bir şeydi. Çok heyecan vericiydi; sağımızda, solumuzda işçiler vardı. Biz zaten birbirimizi kaybettik. Günün sonunda kim nerede, ne oldu bilmiyorduk. Benim belleğimde kalan şey tanklar ve tankların üstüne çıkanlar. O an belleğimde hâlâ çok net, çünkü ilk defa askerle karşılaşmışız. Daha önce karşımıza polis çıkardı, polisle çatışmaya girmeye alışıktık. İlk defa tanklar çıktı, askerle karşı karşıya kaldık, garip bir duyguydu.

OYA – 15-16 Haziran'daki işçi hareketinin farklılığı işçilerin sendikal hakları geriye götüren, kısıtlayan yasa değişikliklerine karşı ayaklanmış olmalarıydı. DİSK'li işçiler daha bilinçliydiler; ama Türk-İş ve bağımsız sendikaların işçileri de sayıca hiç aşağı kalmıyorlardı. DİSK, Demirel hükümetinin sendikal hakları törpülemesine karşı mücadele ediyordu; ama hareket sadece DİSK sendikalarıyla sınırlı kalmadı. Sınıfsal bir direnişti ve dolaylı olarak da siyasal boyut kazanıyordu. Hemen ardından İstanbul'da ve işçilerin yoğun olduğu sanayi kentlerinde sıkıyönetim ilan edildi. Asker de böylece devreye girdi. Dediğin gibi o zamana kadar polislere alışmıştık, düşman onlardı. Polise "Fruko" derdik, beyaz kaskları vardı, Fruko şişelerine benzerlerdi de ondan.

MELEK – Evet, Frukolar... Copu, kalkanı da olsa, polis senin gibi bir insandı, alt tarafı Fruko'ydu işte. Ama tank çok farklı, başka bir güç. Ve işte orada işçiler, gençler, o koskoca tanklardan ürkmek yerine tankların üstüne çıktılar. MDD kanadının en bilinen, en yaygın "Ordu-gençlik el ele, milli cephede" veya daha yaygın olan "İşçi-köylü el ele" sloganları yerine "Asker-işçi el ele" sloganları atıldı. Burada artık başka bir şey var, diye hissettim. Olayın gecesinde bizim hareketten ve Kolej'den arkadaşım olan bir kızın evinde toplandık. Bizim gibi ortamlardan gelip kendini sol hareket içine atmış olanlar için 15-16 Haziran bir şok gibiydi; şok ya da uyanış... Burada başka bir olay var, biz bu olayın neresindeyiz, sorusu doğdu kafamızda. Belki de ilk kez olayların artık doğrudan iktidarı hedef aldığını, gençlik hareketinin sınırlarını zorladığını fark ettik.

OYA – Biz o günlerde Ankara'dayız ve olayların dışında kaldığımız için kurdeşen döküyoruz. Düşün; Türkiye tarihinin en büyük işçi hareketi gerçekleşiyor ve biz işçi sınıfı öncülüğü diye yeri göğü inletenler, orada değiliz. 1970'in siyasal atmosferinde, 15-16 Haziran olaylarını ideolojik hattımızın doğrulanması olarak, işçi sınıfı öncülüğünde gerçekleşecek sosyalist devrime doğru bir adım olarak gördük.

MELEK – 15-16 Haziran olaylarından sonra çıkan *İşçi-Köylü* gazetesinde de, büyük ayaklanma gibisinden sözler var; ama tabii ki kırlardan şehirleri kuşatma tezini doğrulayan bir olay değildi 15-16 Haziran. Dediğin gibi, sizin işçi sınıfı öncülüğünde sosyalist devrim tezinizi güçlendiren bir hareketti. Bu arada, sen hep "biz" diyorsun, biz dediğin kimler?

12 Mart'a doğru Ankara günleri

OYA – Dönemin sol siyasal atmosferini biraz olsun yansıtabilmek için o "biz"i anlatmam gerek. Solun sürekli bölünüp ayrıştığı, çeşit çeşit fraksiyonların, örgütlerin ortaya çıktığı, TİP'teki bölünmelerin sürüp gittiği günler.

Ben Ankara'ya, Hacettepe'ye 69 sonbaharında geldim. Sosyoloji ve sosyal çalışma bölümlerindeki öğretim üyeleri, asistanlar, hepimiz aynı koridor üzerindeki karşılıklı odaları paylaşıyoruz. Bizim bölüm başkanı o sırada doçent olan Bozkurt Güvenç. Herhangi bir siyasal çizginin adamı değil, o zamanki kafamıza göre "Ne sağcıdır ne solcu, fotbolcudur futbolcu". Mimarlık okumuşken antropolojiye meyletmiş, ABD'de antropoloji doktorası yapmış, insanı ve kültürü anlamaya çalışan, liberal kafalı demokrat bir kişi. Oradakileri epeyce irkilten maceralarım, siyasi kimliğim falan yüzünden koridorumuzun sakinleri başta bana epeyce mesafeliyken Bozkurt Bey'le kısa zamanda yakınlaşıp o beni bir çeşit manevi himayesine alınca, sanki legalite kazandım, bir gevşeme oldu. Bir süre sonra koridordakilerle arkadaşlık, hatta dostluklar kurduk. Kimler yoktu ki bizim koridorda: Emre Kongar, Paris'te doktora yapıp taze gelmiş Ahmet Taner Kışlalı, benden birkaç ay sonra kadroya dahil olan yine Paris'te TİP üzerine doktora yapmış Artun Ünsal, bizlerden yaşça büyük Doğan Ergun, Köy Enstitüsü çıkışlı Ali Rıza Balaman, koridora hepimizden sonra katılan, Amerika'dan doktoralı psikolog Hamit Fişek, sosyal çalışmacı Birsen Gökçe, en yakın arkadaşım, sırdaşım olacak sosyal çalışmacı Elkin Besin, çiçeği burnunda asistan Ünal Nalbantoğlu, onunla aynı odayı paylaşan Sevil Atauz en fazla aklımda kalmış olanlar. Bu saydığım adların Doğan Bey ve Ali Rıza hariç hepsi sonraki yıllarda akademik kariyerde yükselip çeşitli üniversitelerde profesör oldular.

Hepsiyle, siyaset dışı iyi ilişkilerim var. Yani çalışma ortamından bir şikâyetim yok. Ama devrimci siyaset açısından boşluktayım. Ankara çevrelerine bu açıdan tümüyle yabancıyım. İşte o günlerde Hacettepe'de jeoloji mühendisliği bölümünde asistan Yalçın Yusufoğlu beni buldu. İsmen tanıyoruz birbirimizi. Yalçın, Murat'ın (Belge) çok iyi arkadaşı. Bana, parti içinde yeni bir odak yaratmak gerektiğini, bu amaçla birkaç arkadaşın biraraya geldiklerini, başlangıçta işin teorik yanıyla ilgilenileceğini, dünya devrimci pratiğini inceleyip Türkiye'deki devrim tartışmalarına ışık tutmak için çalışmalar yapmayı amaçladıklarını söyledi, grupta yer almamı önerdi.

Daha önce anlatmıştım, özel hayatımın darmadağın olduğu, evliliğimin çıkmaza girdiği bunalımlı bir dönemimdi. Kendimi boşlukta hissediyordum. Bir eşikte gibiydim. Bunun da etkisi olmuştur Yalçın'ın gruba katılma teklifini kabul etmemde. Grupta Yalçın Yusufoğlu, ODTÜ'den Çağatay Anadol, Orhan Silier, ODTÜ'de öğretim üyesi olan Oya Köymen, bir ara Maocu harekete takılmış ama kafasında pek çok soru olan, sizin gruptan ayrıldığı halde tartışmalı toplantılarda hâlâ kızıl kitabı sallayıp "Her şey burada yazılı," diyen Ahmet Kaçmaz, eski karısı Sema, Çağatay'la yeni evli Ayşen Anadol (Besen) ve gençler vardı: Doğan Tarkan'ı, Nalan'ı (Sakızlı), kardeşi Refhan'ı, Mehmet Aközer'i, Orhan Koçak'ı, Reşat Kadayıfçılar'ı, sonradan Reşat'la evlenen Müzeyyen'i, Şafak'ı, Meral'i, Fen Lisesi'nden Barış Pirhasan'ı, sonradan Bodrum çizimleriyle ünlenen Mehmet Sönmez'i, o zamanki karısı Semra'yı iyi hatırlıyorum; başka gençler de vardı. Adlardan da çıkaracağın gibi, parlak bir kadroydu. Sonraları, Hacettepe'den benim bazı öğrencilerim de gelip gitmeye başladılar; sosyal çalışmadan İsmail Bayer bunlardan biriydi mesela. Yıllar sonra, onu Çalışma Genel Müdürü olarak bulduğumda ne kadar çok şaşırmıştım. *Sendikacılık Ansiklopedisi*'ni hazırlarken inanılmaz yardımları olmuştu. Bakanlığın gerçekten de örümcek bağlamış, fareler tarafından kemirilmiş sendika arşivini açmıştı bana. Bir süre sonra, o sırada Sinan Cemgil'le evlenmiş olan,

Sinan'ı büyük aşkla seven ama ideolojik çizgisini benimsemeyen, bağımsızlığını koruyan Şirin (Cemgil) de katıldı aramıza.

Herkes TİP kökenliydi. Gruptaki henüz fen lisesi öğrencisi olan gencecik çocuklar ve ben hariç, TİP'in Ankara ve asıl Çankaya ilçe örgütünden geliyorlardı. Bu Ankara grubunun dışında, İstanbul'dan Murat Belge dergi çıkarma sürecinde ara ara Ankara'ya gelip dergi toplantılarına katılıyordu. Haa, unutmadan: İsmet Özel de grubumuzun şair kanadında; Ataol Behramoğlu ve İsmet, Yalçın'ın arkadaşları. Bu arada aklıma geldi. Fikir Kulüpleri Federasyonu'ndan söz etmiştik ya, FKF'nin gerçekten çok güzel bir marşı vardı: "Ha deyip sırtımızı halklara dayamışız / Halklar en önde diye girmişiz bu halaya / Bugünü kuran bilek, yarına atan nabız / Kavga özgürlük için, yığınlar için kavga..." diye giderdi. İşte bu marşın sözleri İsmet'indi. O yılların sesleri gürül gürül yükselen iki devrimci şairiydi Ataol ve İsmet. Ve gerçekten de şairdiler. Ataol'un *Bir Gün Mutlaka* şiir kitabındaki, İsmet'in *Evet İsyan* kitabındaki şiirler, Ahmed Arif'inkilerle birlikte dilimizden düşmezdi. Şu işe bak! İsmet Özel'in şimdi geldiği noktaya bak! Bu işleri bırakmayı, sosyalizmden vazgeçmeyi, başka bir hat seçmeyi, yeni inançlar edinmeyi, dindar olmayı, İslami kanatta yer almayı, hepsini anlayabiliyorum. Ama İsmet Özel'in gazetelere yansıyan sözlerini, söyleşilerini okuyorum da bazen, orada yansıyan insan ve yaşam sevgisizliğini, hatta nefretini, kadın aşağılamasını, boyun eğişi, şoven milliyetçiliği, topluma ve kendi özel tarihine küfrü kavramakta zorlanıyorum.

Böyle bir "biz"dik işte. Bu grubun oluşmasının, daha sonra TSİP'e dönüşmesinin baş mimarı ya da dinamosu Yalçın Yusufoğlu'ydu. Bütün ilişkileri karda yürüyüp izini belli etmeden ağ gibi ören, o müthiş ayrıntıcı kafası ve fil belleğiyle bütün ayrıntıları hesaplamaya çalışan Yalçın'dı. Kafasında kırk tilki vardı ama bazen kırkının kuyruğu birbirine dolaşırdı. Sizin Doğu gibi, Mihri Belli gibi, sonraki gençlik liderleri gibi her an ortalarda görünmez, öne çıkmaz, meydan nutukları atmaz, lider pozuna girmezdi. Ben bile farkında değildim o zamanlar, yapıyı onun kurduğunu sonradan anladım.

MELEK – Dergi mi çıkarıyorsunuz?

OYA – Evet, dergi hazırlıyoruz. Ama asıl sosyalist devrim çizgisinde bir alternatif yaratmayı, TİP içinde kalabildiğimizce kalıp partiyi "doğru devrimci çizgi"ye çekmeyi, olamadı yeni bir yapı kurmayı amaçlıyoruz. Teorik yayını olmayan, sağlam teorik temele dayanmayan bir sosyalist mihrakın –ki o günlerde Hikmet Kıvılcımlı hareketinin de etkisiyle "yuvar" sözcüğünü benimsemiştik– başarı sağlayamayacağına inanıyoruz. Zaten çalışmalarımız ağırlıklı olarak teorik yanımızı güçlendirmeye yönelikti. Ama gençlerden oluşan bir aktivist grubumuz da vardı. Onların başını Doğan Tarkan çekiyordu.

Kızılay'da Sümer Sokak'ta bir zemin kattaydık önce. Dairenin kirasını asistan maaşlarımızdan, biraz paralı arkadaşların katkılarından topladığımız üç beş kuruşla ödüyorduk. Gençler ODTÜ, Siyasal ve fen lisesi ağırlıklıydılar. Günler geceler boyunca çılgın gibi çalışıyoruz. Ben derslere gözlerim uykusuzluktan kan çanağı gibi giriyorum. Aslında pek ders de yapılamıyor ya! Diğer üniversiteler gibi Hacettepe'de de bir gün boykot, bir gün işgal, bazen üniversiteler tatil ediliyor; ortalık ayakta.

Asistanım ama öğrenci forumlarında, boykot şenliklerinde, amfilerde nutuk atıp duruyorum. Demokratik eğitimden başlıyoruz, emperyalizmden, sömürüden çıkıyoruz. Her yan sloganlarla, devrimci marşlarla inliyor. Üniversite gençliği çeşitli fraksiyonlara ayrılmış; müthiş bir slogan savaşı var. En çok hatırladığım: "Ho-Ho-Ho Şi Mihn! Daha fazla Vietnam, Ernesto'ya bin selam!" Bu bizim sloganımız değil, MDD'cilerin, köylü savaşından yana olanların, yani büyük ölçüde sizin takımların sloganı. Ama bütün dünya devrimlerini kucaklıyoruz, bütün dünyadan sorumluyuz ya; onların seslerinin "işçi sınıfı devrimcileri"nden fazla çıkmasına canımız sıkılsa da sineye çekiyoruz. Küçük yuvarımızda sosyalist devrimler üzerine araştırma yaparken ne Afrikası kalıyor ne Güney Amerikası. Özellikle Sovyetler'in az gelişmiş ya da bağımlı sömürge ülkeler için önerdiği kapitalist olmayan yolu, sınıf ittifaklarını falan araştırıyoruz.

Bir yandan da Anadolu Yayınlarıyla Dayanışma Derneği (AYDD) gibi bir yapı kurmuşuz, Anadolu'ya yayılan bir iletişim ağı peşindeyiz. "Aydede" derdik biz aramızda. Bunun sorumlusu gençlerdi, başlarında da Doğan Tarkan vardı. Gece gündüz demeden çalışıp hazırlığını yaptığımız dergi daha çıkmadan, Doğan Tarkan'ın başını çektiği gençler, biz pasifist moruklara sert muhalefet ederek ayrıldılar. Geçmiş gün; muhalefetin nedenini kesinlikle unutmuşum ama herhalde yeterince devrimci olmadığımızı düşünüyorlardı. O günlerde silahtan, illegaliteden, halk ayaklanmasından söz etmedin mi solda yüzüne bakan olmazdı. Yani bizim yuvarcığımız da bölündü. Ama teorik çalışmalara, dergi hazırlıklarına devam...

Derginin adını *Sosyalist Parti İçin Teori-Pratik Birliği* koyduk. Dergimizin adından da anlaşılabileceği gibi, amaç bir sosyalist parti. İlk sayısı Ocak 1971'de çıktı. Tamamen kendi olanaklarımızla, İstanbul'dakilerin yardımıyla epeyce de dağıttık. Dergi dört sayı çıkabildi ancak, mayıs sayısını hazırladık ama 12 Mart oldu, yayımlayamadık. Ciddi bir dergiydi, emek ürünü araştırmalarla doluydu. Her sayısını bir konuya ayırmıştık: işçi sınıfı, köylülük, vb. Her yazıyı satır satır okuyup eleştirir, tartışır, defalarca yazmaktan yüksünmezdik.

Hiç unutmuyorum. İlk sayının başyazısı "Devrim nedir?"di. Murat Belge'ye verilmişti konu. Benim Ankara'da Paris Caddesi'ndeki evde toplanmıştık. Şu kötü hafızamla hatırlıyorum; Murat masanın başına oturmuş hazırladığı yazıyı okumaya çalışıyor. O sıralarda İngiltere'den yeni dönmüş, Yeni Sol çizgisini tanımış, Althusser'i, Balibar'ı öğrenmiş. Murat, Marksizme, özellikle de Sovyet komünizmine ve sosyalist sisteme, hepimizin arasında en geniş perspektiften ve dogmatizmden uzak bakabilendi. Murat'ın 80 sonrası çizgisi, diyebilirim ki bir sorgulama ve iç tartışma olarak daha 70'te başlamıştı. Neyse, işte masanın etrafına dizilmişiz, çocukcağız yazısının ilk cümlesini okumaya başlıyor: "Devrim, bir üretim biçiminden başka bir üretim biçimine...." diye. Bırakan mı var bitirsin! Hadiii, hep bir ağızdan eleştiriye başlıyoruz. Düzeltmeler yapılıyor, yine başlıyor Murat: "Devrim bir üretim biçiminden bir üst biçime...." hadi yine aynı şey... Onuncu defa mıydı, daha fazla mıydı, bir türlü istediğimiz cümleyi bulamıyoruz; Murat'ın yazdığını da, kendi önerilerimizi de beğenmiyoruz, bir sonraki cümleye geçemiyoruz. Aldı hepimizi bir gülme; kendi halimize gülüyoruz. Düşün bir, çıtayı nasıl yükseğe koymuşuz, nasıl ince eleyip sık dokuyoruz. 12 Mart sonrasında, bu defa da her birimizin evlerinde birikmiş o dergileri nasıl imha edeceğimizi şaşırdık. Mayıs ortasında, haziran başlarında Ankara'da çok evin bacasından yakılan kitapların, dergilerin dumanları tütüyordu.

O günlerde, devrime doğru yürüyoruz havası sol kesimde, herkeste vardı. Her örgüt, her fraksiyon kendince yorumladığı bir devrimin yolunda görüyordu kendini. O günlerden belleğimde kalanlar arasında sağ yumruk-sol yumruk tartışmaları vardır mesela. Bolşevik Devrimi'nden bu yana, bütün afişlerde, bütün işçi gösteri ve ayaklanmalarında dirsekten hafifçe bükülerek havaya kalkmış sağ kol ve sağ yumruk görülür. Bizler; TİP geleneğinden gelen, kendilerini enternasyonalist solda konumlandırmış olan ve işçi sınıfı öncülüğünü vurgulayan prosovyet çizgidekiler, sağ yumruğun doğru olduğunu savunurduk. Buna karşılık çeşitli kanatlarıyla MDD'ciler, Dev-Gençliler, gençlik hareketinin önemli kesimleri sol yumrukçuydu. Sizler, Doğu Perinçek'çiler de sağ yumruçuydunuz yanlış hatırlamıyorsam. Yani bu simgesel jest bile ciddi bir tartışma konusu olabiliyordu.

Herkes kıpır kıpırdı. Deniz Gezmiş'ler Ankara'da ODTÜ'yü mesken tutmuşlar, eylemleri oradan yönetiyorlardı. Sinan'lar (Cemgil) dağa çıkmaya hazırlanıyorlardı. Ordu içinde birtakım cuntaların "ihtilal"e hazırlandığı da üfürülüyordu orada burada. Doğan Avcıoğlu'nun *Devrim* gazetesi açıkça devrim, yani darbe çağrısı yapıyordu.

Söylemiştim galiba, ABD Büyükelçiliği'nin tam arkasındaki Paris Caddesi'nde oturuyordum. O ev de ayrı bir âlem. Her çeşit toplantı orada yapılıyor. Sadece bizim dergi toplantıları, kendi yuvarımızın toplantıları değil; o yıllarda Ankara'nın çeşitli üniversitelerinde sol eğilimli, demokrat ama benim gibi militan olmayan, gerçekten bilim yapmak isteyen "aklı başında" sosyalbilimciler de var, onlarla bir Toplumsal Araştırmalar Derneği veya Sosyal Bilimciler Derneği kurmaya çabalıyoruz. Bunun ilk birkaç toplantısı da benim evde yapılmıştı. ODTÜ'den Nejat Erder'i, Atilla Sönmez'i, siyasaldan Cevat Geray'ı, Korkut Boratav'ı, Hacettepe'den Ahmet Taner'i, Bozkurt Güvenç'i hatırlıyorum o toplantılarda. Deniz Baykal da gelmişti bir defasında ama fazla takılmadı bize. Bu arada ben iyice militanlaştım, sosyal bilimler derneği falan kesmemeye başladı, öte yandan sözünü ettiğim sosyalbilimciler, akademisyenler de amaçlarını aşan bir yapı içinde olmak istemediler sanırım. Daha sonra böyle bir dernek kurulmuş, galiba hâlâ da sürdürüyor varlığını.

Ben o sırada Muzaffer'den ayrıyım, Ankara'da yalnız yaşıyorum, dul kadın yani; bir de adım militana çıkmış... Bir de duydum ki, o toplantılara gelen kelli felli öğretim üyelerinin karıları durumdan huzursuzlarmış, hele de birinin eşi bunu sorun yapmış. Oysa ben o sıralar hâlâ Muzaffer meselesiyle tam hesaplaşamamışım. Kimsenin kocasına bakacak halim yok anlayacağın; ama etrafta böyle bir hava doğmuş. Çok yakın bir arkadaşım, aynı zamanda İstanbul Sosyoloji'den öğrencim, yıllar boyunca yoldaşım olan Ertan Uyar, bir gece benim namusumu kontrol için taa İstanbul'dan gelip habersiz olarak eve damlamaz mı! Bu küçük olay bile, sol çevrelerimizin ne kadar ortodoks, ne kadar ahlak polisi olduklarının kanıtı gibi gelir bana hep.

Ertan'ı yıllar sonra, 12 Eylül sonrası Almanya'da mülteci olarak yaşarken kaybettik. Sonradan o olayı birlikte hatırlayıp çok gülmüştük. Her şeyin dedikodu olduğuna, benim devrimci bir hayat sürdüğüme inanmış mıydın, diye sormuştum ona. Pek de ikna olmamıştım Hoca, evin duvarlarına Nâzım'ın aşk şiirlerini yazmıştın boyalı kalemlerle, demişti. Şiirlerden birini hatırlıyorum: "*Seviyorum seni ekmeği tuza banıp yer gibi / Geceleyin ateşler içinde uyanıp, ağzımı musluğa dayayıp su içer gibi / Ağır posta paketini neyin nesi belirsiz / telaşlı, kuşkulu, sevinçli açar gibi / Seviyorum seni denizi uçakla ilk defa geçer gibi....*" diye devam eden, Nâzım'ın en sevdiğim şiirlerinden biri, Ertancığımın devrimci ahlak mahkemesinde, hakkımda aleyhte delil sayılmıştı.

MELEK – Bir yandan devrimcilik, bir yandan da *femme-fatale* (meşum kadın) rolündesin yani.

OYA – *Fatal*'liğim falan yok. Ne tip var ne heves. Gençtim tabii, 29-30 yaşlarındaydım ama boy yok, pos yok, güzellik yok; bir tuhaf hava var belki, o kadar. Bir de çevrenin yadırgadığı bir davranış özgürlüğü. Mesela benim alt katımda Artun otururdu (Prof. Artun Ünsal). O da çılgının tekiydi zaten. Bir gece aklımıza eserdi: Perişan bir Anadolu otobüsüne atlar, gittiği yere kadar gider, sonra otostop yapıp kamyonların şoför mahalline kurulur, ver elini Ihlara Vadisi, peri bacaları ya da Abant, Yedigöller... Bir gün kalır, dönerdik. Bir başka gün şarabımızı, peynirimizi, karpuzumuzu alır, öğrencilerin işgalindeki Hacettepe Üniversitesi'ne kapıyı tutmuş nöbetçi öğrencilerin eşliğinde girer, karpuzları kesip beraber yerdik. Tam devrimci bohemlik ya da devrimci romantizm günleri. Artun TİP üzerine Paris'te yaptığı doktorayı bitirmiş gelmişti. Sosyal Çalışma-Sosyoloji koridorunda odalarımız yan yanaydı. Artun'un oda arkadaşı Ahmet Taner Kışlalı'ydı, Fransız karısı Nicole'le yeni evlenmiş, Yasemin yeni doğmuştu. Ben de Fransızca konuştuğumdan ailecek görüşmeye başlamış, iyi dost olmuştuk. Emre Kongar da karşımızdaki odadaydı. Hepimiz asistandık, çok sık birlikte olur, yer içer konuşurduk. Sonra benim devrimci faaliyetler yoğunlaştıkça, yani 1970 ortalarından itibaren ben daha az vakit ayırmaya başladım üniversite arkadaşlarıma. Buna karşılık bizim Sosyalist Parti İçin Teori-Pratik Birliği grubundakilerle daha fazla yakınlaştım. Mesela Oya Köymen'le grubumuzun çekirdek kadrosunun iki kadını olarak hâlâ aynı yoğunlukta süren, çok badirelerden geçmiş bir arkadaşlık kurduk. Bazen grubun diğer üyelerini atlatır, çalışmalara boş verir, okul kırmış çocuklar gibi Oya'nın kaplumbağa Volkswagen'ına atlar Seyranbağları'ndaki, Yukarı Ayrancı'daki bahçeli gazinolardan birine giderdik. Şarap içer dertleşirdik, aşktan ve devrimden konuşurduk.

MELEK – Sen o günleri *Elveda Alyoşa*'daki bir hikâyede, yanılmıyorsam tam da kitaba adını vermiş olan hikâyede anlatırsın.

OYA – Evet, özellikle *Elveda Alyoşa*'da. Şimdi içimde tuhaf bir hüzünle özlüyorum o günleri. Benim Paris Sokağı'ndaki ev böyle bir evdi işte. Doğal olarak da kuşku yaratıyordu. O günlerde Deniz Gezmiş de Ankara'da saklanıyor, üç kez evi basıp Deniz Gezmiş'i aradılar. Herhalde benim doktoranın reddini protesto için yapılan rektörlük işgalinde elebaşı olarak Deniz'in adı geçtiği için aramızda örgütsel bağ var sanıyorlar. Ama evi ararken bana dokunmuyorlardı. Henüz 12 Mart olmamış, işlerin nereye varacağı belli değil, ordu içinde de Denizleri koruyanlar, kullananlar var. Bir seferinde halının altına bakarlarken, Deniz Gezmiş'i ben bir kez gördüm hayatta, ama o dalyan gibi delikanlıdır, boylu posludur, halının altına sığmaz, dediğimi ve arama timinin başındaki subay tarafından ağır şekilde azarlandığımı hatırlıyorum. Sonra Denizlerin eylemlere başladıkları dönemde işler ciddileşti. O günlerin simgelerinden biri Oya'nın (Köymen) kaplumbağa Vosvos'udur benim için. O küçücük arabaya, biri 90 kiloluk yedi kişi sığardık. Ben en ufak tefekleri olduğumdan önde, vites kolunun üstünde otururdum. Oya'nın vites değiştirmesi gerektiğinde popomu kaldırırdım. Hiç unutmuyorum, bir gece onun Bahçelievler'deki evinde toplanmıştık dergi redaksiyonu olarak. İş bitince, gecenin geç bir saatinde Oya herkesi evlerine bıraktı arabasıyla, en son beni bırakacak. Tam evin önünde ineceğim ki takır takır silah atılmaya, arabanın üstünden, yanından kurşunlar geçmeye başladı. Şimdi anlatınca abartılı gibi geliyor, ama o günlerde olağandı. Tabii ki ben inip eve giremedim. Gazladık, yeniden Oya'ya döndük, sabaha kadar konyak içip şamfıstık yiyerek konuştuk durduk. Böyle bir atmosferde yaşıyorduk işte 12 Mart'a doğru doludizgin giderken.

Çin Devrimi'nin peşinde

MELEK – Seni dinlerken, aynı dönemi ne kadar farklı yaşamışız diye düşünüyorum. Biz o sıralarda yine *İşçi-Köylü* gazetesinde Çaru Mazumdar çizgisinde devam ediyoruz. Bizim bütün okumalarımız, yazıp çizdiklerimiz tamamen Kültür Devrimi üzerine. Hatırlarsan, Mao Zedung düşüncesi ve Mao'nun küçük kırmızı kitabı çıkmıştı o sıralarda. Bu kitabın basılması ve yaygınlaştırılması en önemli faaliyetti, bu bizim kutsal kitabımızdı. Kültür Devrimi, bugün de düşündüğüm zaman, teorik olarak doğru bir noktadan hareket ediyordu. Ancak sonradan, eleştirdikleri indirgemeciliği en uç noktalara kadar taşıyanlar da onlar oldu. Mao, toplumsal değişimlerde kültürün önemli bir rol oynadığını, "alt yapı üst yapıyı belirler" gibi bir saptamanın aşırı indirgemeci olduğunu, devrimin sadece üretim biçimlerinde yapılacak değişikliklerle değil, toplumsal ve siyasi yapılanmaların yenilenmesi ile mümkün olacağını söylüyordu. Mao'nın küçük kırmızı kitapta anlattığı 10 temel çelişki vardı.

OYA – Neydi onlar hatırlıyor musun?

MELEK – Hatırlıyorum galiba. Çin toplumunun temel çelişkileri, yani birbirleriyle zıtlaşan ve uzlaşmayan öğeler: ağır sanayi ile küçük sanayi, tarım ve sanayi, sahiller ve iç bölgeler, ekonomi ile güvenlik, üretim birimleri ile üretim, merkez ve çevre, Han ırkı ile diğer azınlıklar, partili ve partili olmayanlar, devrim ve karşı devrim, Çin ve diğer ülkeler. Aklımda kalanlar bunlar.

Ben Çin Devrimi'ni ıcık cıcık okudum o günlerde: Çin Devrimi, uzun yürüyüş, Japonlara karşı savaş, Komüntang ordularının yenilmesi ve devrim. Biz de birer Çin Devrimi uzmanı olduk. ÇKP içinde fikir ayrılıkları var; Lin Biao sertlik yanlısı, Zhou Enlai daha ılımlı, vb. Bunların Türkiye ile ne alakası var dersen, hiçbir alakası yok! Bu da tuhaf bir kopukluk doğuruyor. Bir yandan işçiler arasında çalışıyoruz, bu fikirleri onlara anlatıyoruz ama anlattıklarımız Türkiye'nin gerçeklerinden kopuk.

Ben *Türk Solu*'nda çalışmaya devam ediyorum. O sırada *Türk Solu* Cağoloğlu'ndaki binadan çıktı, iki kez yer değiştirdikten sonra Beyazıt'ta üniversitenin karşısındaki bir binaya taşındı. *Türk Solu* ve *İşçi-Köylü* beraberdik o ofiste. Üst katımızda Devrimci

Doğu Kültür Ocakları vardı. İlk kez Kürtleri, Kürt gerçeğini orada tanımaya başladım. Kürtlerle ilk tanışmam o dönemde oldu. Bora DDKO'daki arkadaşlarla yakın ilişki içindeydi, sanırım aralarında örgütsel bir dayanışma da vardı. Bizim hareket o sıralarda daha sıkı örgütlenmeye başlamıştı. Parti vardı ama illegaldi. Gizlilik, biliyorsun sol hareket için büyük önem taşır. İllegaliteyi asla ihlal etmeyeceksin. Direniş örgütlerinin tarihleri bile gizlilik nedeniyle yazılamamıştır. Belgeler imha edilmiş, kişisel mektuplar bile saklanmamıştır. Ben bu gizlilik olayına hep çok önem verdim ve çok dikkatli davrandım. Gizlilik ilk günlerden itibaren bizim harekette de vardı. Kimse diğerinin ne yaptığını tam olarak bilmezdi. Bizler alt kadrolar olarak bir yapının olduğunu hisseder ama neyin ne olduğunu bilmezdik. Giderek gizlilik daha da arttı. Gizliliğin kendine özgü bir çekiciliği de vardı tabii.

OYA – Benim bildiğim, sizin hareket Söke ve çevresinde örgütlüydü. Daha TİP içindeyken de gençler oralarda çok çalışmışlardı. Bafa Gölü çevresi TİP'in kalesi gibiydi. 1965 seçimlerinde miydi? Serçin'di galiba, bir köyden TİP'e yüzde 92 oy çıkmıştı. 1968'den sonra TİP gerilerken Maocu hareket güçlendi oralarda

MELEK – Evet, daha önceden de vardı. Tütün mitinglerini hatırlarsın Ege'deki. Su meselesi, büyük toprak sahiplerinin kaynaklara, sulara hâkim olup küçük köylünün tarlalarını bahçelerini sulamasını engellemelerine karşı direnişler de olmuştu. O bölgeden öğrencilerle, işçilerle, tütün üreticileriyle yakın ilişkiler kurulmuştu. Kırlardan şehirleri kuşatma teorisine bağlı olarak özellikle *İşçi-Köylü* gazetesi çevresindeki kadrolar büyük şehirlerden çıkıp Anadolu'da köylerde ve kasabalarda yaşamaya başladılar. İbrahim Kaypakkaya ve ekibi özellikle İstanbul dışında çalışıyordu. Kürt Alevi bölgelerinde, Ege'de de çok çalışıldı.

Yerel önderlerle bağlar vardı. *İşçi-Köylü*, beğen beğenme kendi türünde biri ilktir Türkiye'de. Doğu bu yayıncılık işlerini iyi kıvırdığı için, gazete yoluyla bütün Türkiye'de bir ilişkiler ağı kurulmuştu; hem de o günün olanaklarıyla. Düşün ki bugünkü olanakların hiçbiri yok, daktiloyla yazı yazıyoruz, tipo matbaada gazete diziliyor ve basılıyor. Ama o günün koşullarına göre ciddi bir çalışmaydı. Gazetenin en çok satıldığı veya ilgi gördüğü yerlere bakarak Türkiye'nin neresinde bize daha yoğun destek var, anlayabiliyorduk.

Bütün bunlar olurken özel hayatıma dönersek; ben bütün bu faaliyetler arasında okula gidiyorum ve evliyim. Kocam artık biraz şaşkın, benimle ne yapacağını da bilemiyor. Çok iyi niyetli bir insan olduğu için o da ayak uydurmaya çalışıyor. Ev hayatımız bir âlem, ben sabah erken çıkıyorum, akşamları yorgun bir şekilde eve dönüyorum. Yemeği falan çoğu kez kocam yapıyor, yazları da arada bir babaannemin Çubuklu'daki yalısına gidiyoruz. O günlerde, herhalde birşeyler olacağını da hissetmişim ki Mao'nun kırmızı kitaplarından ve *İşçi-Köylü* gazetelerinden yüklüce bir bölümünü evden arabaya yükleyip yalıdaki arka odalardan birinin yüklüğüne istifledim. Stoklar halinde yığdık. Herhalde günün birinde kullanılacak, diye düşünüyorum. Çubuklu'da kim ne bilecek, neyi nereden arayacak diyorum ama iş öyle olmuyor. Daha sonra beni aramaya başladıklarında Çubuklu'daki yalıya sivil polisler gelmiş. Benim evde yaptığım yığınaktan haberi olmayan babaannem sivil polisleri gayet iyi karşılamış, kahve ikram etmiş, buyrun yalıyı gezin demiş. Adamlar babaannemin elini öpüp, yalıyı kısaca turlayıp çekip gitmişler. Eski kuşakların bilgeliği bir başkaydı.

OYA – Biz de 12 Mart'tan sonra, elimizdeki dergileri ne yapacağımızı, nereye saklayacağımızı şaşırmıştık. İstanbul'a gönderdiklerimiz benim annemin evinde, apartmanın çatısında gizliydi. Bir bölümünü de duvarlara gömülü yerli dolapların arkasına saklamıştım. Yıllar sonra, 1992'de sürgünden döndüğümde annemin evini toparlatmaya çalışırken, gömme dolaplar sökülünce arkasına saklanmış dergiler ortalığa yayıldı. İşçiler, ustalar tuhaf tuhaf baktılar. Ay kim koymuş bunları, kimin acaba falan desem de kâr etmedi. Sanırım hiç güvenmediler bana.

İşte böyle kaçıp saklanarak, kitapları dergileri saklayarak ama eylemlerden, mitinglerden, üniversite olaylarından hiç geri kalmadan 12 Mart'a doğru yol alıyorduk.

12 Mart balyozu

MELEK – 12 Mart günü muhtıra okunduğunda neredeydin sen?

OYA – 12 Mart günü, Hacettepe'de, üniversitedeydim. Odamdaki masanın üstünü, çekmecelerimi topluyordum. Saat iki sularında, hiç vaki değilken bizim gruptan Çağatay Anadol ile Orhan Silier geldiler, "Radyoda generallerin muhtırası okundu, hemen bankaya gidip senin paraları çekeceğiz," dediler. Hikâye şu: İlk doktora maceram başarısızlıkla sonuçlanınca Hacettepe'de yeniden doktoraya başlamıştım. Bu defa "Türkiye'de Kırsal Kesimde Bir Tipoloji Denemesi" gibi suya sabuna dokunmayan bir tez. Türkiye kırsalında binlerce köyle ilgili verilerden, alan çalışmalarından, kendi yaptığım araştırmalardan yararlanarak derlediğim, istatistik yöntemlerle yorumladığım bir çalışmaydı. Çalışmanın bir bölümünü, TRT'nin birkaç dalda açtığı ödüllü yarışmaya göndermiştim ve sosyal araştırma dalında TRT ödüllerinden birini kazanmıştım. Birincilik değildi galiba, şimdi ne kadar olduğunu hatırlamıyorum, o zamanın parasıyla iyi bir para ödülü vardı. Bir çeşit komünal hayat yaşadığımız grubumuzda devrimci faaliyetlerle ilgili bütçemiz ortak olduğu için, o parayı da ilerideki ihtiyaçlar, bizim tabirimizle "kötü günler" için bankaya koymuştuk. Bizimkiler çabuk aymışlar. Başımıza birşeyler geleceği belli. Ne olur ne olmaz diye parayı bankadan hemen çekmemiz gerektiğini düşünmüşler. Muhtırayı böyle öğrendim işte.

MELEK – Siz, askerî müdahaleyi bekliyorsunuz yani.

OYA – Tam ne olacağını bilmiyoruz tabii ama hatırlamaya çalış; 1970 sonbaharından başlayarak, özellikle İstanbul ve Ankara'da tam bir çatışma ortamına girilmişti. MHP'li komandolar öğrenci yurtlarında silahla hâkimiyet sağlamaya çalışıyorlar, sadece yurtlara değil üniversitelerin çeşitli fakültelerine, devrimci öğrencilerin işgal ettikleri bölümlere polisin desteğinde baskınlar düzenliyorlardı. Bu saldırılarda ölen Dev-Gençliler oldu. Karşılıklı silahlanma hızlandı. Ocak 1971'de olayların önüne geçmek için üniversiteler ve yüksek okullar kapatıldı. Bu sırada olayların ağırlık merkezi Ankara'ya kaymış gibiydi. ODTÜ devrimcilerin üssü halindeydi. Ardı ardına birkaç banka soygunu, Denizlerin dört Amerikalıyı kaçırma eylemi, nihayet mart başında, kaçırılan Amerikalıları aramak için ODTÜ'ye askerin girmesi, bir düşman kalesi zaptediliyormuşçasına yurtlara ateş açılması, öğrencilerin "teslim alınması", stadyuma toplanıp askerî araçlarla götürülmeleri... Tam bir kaos ve gençlerin öne sürüldüğü bir iç savaş.

Aylardır askerlerin Demirel hükümetini düşüreceği konuşuluyordu. Ama herkes "sol" darbe bekliyordu. *Yön*'den sonra *Devrim* gazetesini çıkaran Doğan Avcıoğlu'nun askerlerle, generallerle ilişkisi biliniyordu. Mihri Belli'nin takımı, MDD'cilerin önemli bölümü iktidarın darbeyle alınmasından sonra milli demokratik hükümetin kurulacağı ve sol iktidar altında reformların hızla yapılacağı beklentisi içindeydiler. Denizler, THKO'cular (Türkiye Halk Kurtuluş Ordusu), darbe ortamını olgunlaştırmak için *Devrim* gazetesiyle de bağlantılı olarak çeşitli eylemler yapıyorlardı. Asker-sivil aydın ittifakıyla orduya dayanılarak sol darbe yapılacak, Demirel hükümeti alaşağı edilecekti. Darbenin liderinin Hava Kuvvetleri Komutanı Muhsin Batur olacağı konuşuluyordu, bir de General Madanoğlu cuntasından söz ediliyordu. Dönemin yaygın sloganı "Ordu-gençlik el ele" idi.

12 Mart muhtırası verildiğinde, beklenen 8-9 Mart müdahalesi olduğu sanıldı. "Hah, işte nihayet oldu" diye el ovuşturanlar fena yanıldıklarını bir süre sonra anlayacaklardı. 9 Mart darbe planı açığa çıkınca meseleye el konmuş, muhtıra bütün kuvvet komutanlarının ve genelkurmay başkanının imzalarıyla, yani emir komuta zinciri içinde çıkarılmıştı. Ve tabii ki sol mol değildi. Yine de ilk anda uyanamayan çok oldu. Hikmet Kıvılcımlı'nın *Sosyalist* dergisi "Ordu kılıcını attı" manşetiyle çıkmıştı, hiç unutmuyorum. İlhan Selçuk, Çetin Altan gibi zamanın etkili sol yazarları da olumlu beklentiler içindeydiler. Muhtıraya ilk anda karşı çıkan TİP Genel Başkanı Behice Boran olmuştu. O sırada CHP Genel Sekreteri olan Bülent Ecevit de, Türkiye'de Yunanistan'daki diktatörlüğe benzer bir askerî dikta kurulduğunu söyleyerek görevinden istifa etti. Bizim küçük grubumuz, ister 9 Mart'ın "sol" darbesi, isterse başka bir darbe olsun bunun solu vuracağı analizini çoktan yapmıştık, bu konuda kafamız çok açıktı. 1971 Türkiyesi'nde ordu müdahalesinin faşizme evrileceği görüşündeydik. Yanılmadık da.

İşte hemen gidip parayı bankadan çektik. O para darbeden sonra gerçekten de çok işimize yaradı. Benim 12 Mart muhtırasından haberdar oluşum böyle oldu.

MELEK – 12 Mart gününe ilişkin seninki kadar net bir anı yok bende. Hâlâ Bebek'teki evde oturuyoruz. Alt katta İpek ve Allen var. O sırada ev sahibi hem bizi hem de onları evden atmaya çalışıyor. Çok gelen giden var, gelenlerin de tipleri bozuk ev sahibine göre; bize mahkemeden tahliye kararı yollamış. Tam o günlerdi işte. Muhtıra haberi bizim çevrede de iyi karşılanmadı, tedbir alalım dendi. Doğu ve ekibin merkez kadrosu Ankara'daydı. Benim eve Ankara'dan sürekli telefon geliyordu. Bir gece yarısı, –biliyorsun o zamanlar şehir dışı telefonları santral bağlardı– bir santral memuresi ama Jülide değil başka birisi, beni, lütfen konuşmayın, telefonlarınız dinleniyor, diye uyardı. Muhtemelen telefon daha önceden de dinleniyordu ama işte o gece 12 Mart kafama dank etti.

OYA – Olaylar, çatışmalar, provokatif eylemler Muhtıra'dan sonra da durmadı. 26 Nisan'da sıkıyönetim ilan edildi. Ben o günlerde Yalçın Yusufoğlu ile birlikte İstanbul'daydım. Küçük grubumuzun İstanbul bağlantılarını kurmak için çabalıyorduk. Malum ya, işçi sınıfı demek İstanbul demektir. Biz de İstanbul'da işçi içinde, sendikalarda çalışan birileriyle ilişki kurma peşindeydik ne zamandır. Hangi yolla, kimlerin önerisiyle hatırlamıyorum, Aydın Engin'i bulmuş, 12 Mart'tan önce birkaç kere görüşmüş, hatta ben ve yanılmıyorsam bizim gruptan Orhan Silier, işçi eğitimlerine bile başlamıştık. Mesela Zeytinburnu'nda kahve gibi bir yerde, Tekstil Sendikası'nın Cağaloğlu'ndaki eski yerinde işçi eğitimi yaptığımı hatırlıyorum. Demek ki 12 Mart'tan hemen sonra bırakmamışız bu işin peşini ki, Yalçın'la İstanbul'a yine aynı amaçla gelmiştik.

MELEK – Aydın Engin'i, işçi içine "sızma" çabalarınızdan önce tanıyor muydun?

OYA – Tanımıyordum. Aydın Engin benim için 1967-68 arasında İstanbul'u kasıp kavuran; aylarca, yıllarca kapalı gişe oynayan *Devr-i Süleyman* oyununun yazarı, Halk Oyuncuları tiyatro grubunun da ortağı ve yöneticisi. Daha fazla tanımıyorum. Bunların Aksaray'daki tiyatrolarını, en popüler olduğu, bir bilet bulmak için milletin günler öncesinden kuyruğa girdiği günlerde, sağcılar yaktı; bina, dekorlar, her şey kül oldu. Bunun üzerine tiyatro 1969'da Ankara'ya taşınmış, 1970'te Ankara'dalar. Ankara'da Halk Oyuncuları'nın *Pir Sultan Abdal* oyununa gittiğimi hatırlıyorum.

O günlerde politik tiyatro akımı var. Solcu tiyatrolar da TİP ve MDD'ciler arasında parsellenmiş. MDD çizgisindeki Vasıf Öngören, TİP'li Aydın Engin ve Umur Bugay'ı protesto ederek Mustafa Alabora, Halil Ergün, Erdoğan Karaduman'la birlikte Halk

Oyuncuları'ndan ayrılıp Ankara Birlik Sahnesi'ni kuruyor. Onlar *Asiye Nasıl Kurtulur*'u sahneliyorlardı 12 Mart'a doğru giden günlerde. Tiyatro dolup dolup boşalıyordu. Aydın o günlerde "tiyatro yoluyla kitleleri uyandırmak" yerine doğrudan işçi sınıfı içinde çalışmaya karar veriyor. Zaten tiyatro yapmak zorlaşmış, tatsızlıklar, bölünmeler de olmuş, tadı kalmamış bu işin. İstanbul'a dönüyor. Onun huyu böyledir. Birden çok radikal, beklenmedik bir karar verir, bıçak gibi keser, şaşırır kalırsınız. İstanbul'a gelince Gençlik Tyatrosu'ndan, üniversite çevrelerinden tanıdığı Osman Arolat'ı buluyor. Osman Gazetecilik Enstitüsü'nden zaten. *Ant* dergisinden, başka yayınlardan dergicilik, gazetecilik deneyimi var. Birlikte sendika dergileri çıkarmaya başlıyorlar.

Biz İstanbul'a gelip onu bulduğumuz sırada Aydın, Kemal Bisalman'ın yeni çıkan haftalık *Yeni Ortam* dergisinin yazıişleri müdürüydü. Aslında Osman derginin yazıişleri müdürü olacakken, Osman'ın aranmaya başlaması üzerine işi devralıyor; sendika dergileri çıkarmayı da benim sosyolojiden öğrencim, iyi arkadaşım olan Ertan (Uyar) ile birlikte sürdürüyorlar. DİSK'e bağlı Lastik İş ve bağımsız Tekstil sendikalarında dergi çıkartmaktan işçi eğitimine kadar her işi yapıyorlardı biz Aydın'ı tanıdığımız günlerde. Biz de işte onun kanalıyla sendika eğitimlerine girmeye çalışıyorduk. İşçilere doğru bilinç vereceğiz ya! Tabii ki bizimki en doğrusu... İşte hareketimizin İstanbul ayağını pekiştirmek için Yalçın'la İstanbul'a gelmişiz tam o günlerde.

MELEK – Ben de şunu hatırlıyorum: Sıkıyönetim ilan edilmiş ya da tam öncesi, ben hâlâ eski evimdeyim. DDKO'dan tanıdığım Ahmet Kızıler –biz ona ağabey derdik, bizden büyüktü, çok sevdiğim ve saydığım birisiydi–, yakın olduğum ilk Kürttür. Ahmet Ağabey beni aradı, seninle buluşmamız lazım, dedi. Ortaköy'de şimdi yanan okulun oralarda bir yerde randevulaştık. O bir arabada geliyor, ben başka bir arabadayım. Çok dikkatli olmamız gerektiğinin farkındayız. Biz Ahmet Ağabey'le gece buluştuk. Arabalardan indik, o bana büyücek bir zarf teslim etti, içinde sanırım çeşitli belgeler var. Bunları çok iyi sakla, sende duracak, sonra senden alacağım, dedi. Ben zarfı aldım; hem onurlandım bana güvendiği için hem de korkuyorum, ya saklayamazsam diye. Zarfla birlikte eve geldim. Girişin bir üst katında oturuyoruz, benim balkonumdan alt katın çıkmasının damına atlanabiliyor. Sabaha karşı saat üç civarında, etrafı gözetleyip herkesin uyuduğuna ikna olunca, zarfın içindeki evrakı naylonlara sarıp dama çıktım; üç dört paketi kiremitlerin altına gizledim. Kendime göre bir kerterizim var tabii. Çok güvenli bir yer bulduğumu düşünüp rahatlıyorum.

OYA – Sıkıyönetim ilanından sonra, herkes biraz telaşlanmaya başlamıştı. Biz de yayınları, dergileri, sakıncalı kitaplarımızı oraya buraya saklamak için az çabalamadık! Diken üstünde olunan günlerdi. Bizim gruptan Yalçın Yusufoğlu hemen arazi oldu, Çağatay da hemen Ankara'dan ayrıldı hatırladığım kadarıyla. Ben Ankara'da kaldım, üniversitedeki işime, derslere devam ediyorum ama evden çıktım, teyze kızımın evine taşındım. Onlar siyasetle, sağla solla ilgisi olmayan bir aile. Şimdi düşünüyorum da, ben biraz sizde kalacağım, deyince sevinerek kabul ettiler, bize bir zarar gelir mi diye düşünmediler hiç. Belki de tehlikenin farkında değillerdi.

İşte o günlerde, 17 Mayıs'ta İstanbul'da İsrail Başkonsolosu Elrom kaçırıldı. Ve balyoz tepemize indi. Tarihin cilvesine bak! 12 Mart Muhtırası'nı sol darbe diye destekleyenler başta olmak üzere hepimizi darma duman eden, içerilere tıkan operasyonun adı Balyoz Harekâtı'ydı.

18 Mayıs'tan başlayarak Türkiye'de tam bir terör hâkim oldu. Zehir zemberek sıkıyönetim bildirileri radyolardan okunuyor, teslim olmaları istenenlerin listeleri yayınlanıyor, "Sayın muhbir vatandaş"lardan, gördükleri tüm şüpheli kişileri, listede adı okunanların saklandıkları yerleri sıkıyönetime ihbar etmeleri isteniyordu. Kimler yoktu ki arananlar listesinde! Kısa süre önce Siyasal Bilgiler Dekanı olmuş Mümtaz Soysal'ın başta geldiği profesörler, üniversite mensupları, TRT'ciler, tanınmış yazarlar, aydınlar ve tabii öğrenci liderleri. 19 Mayıs'tan itibaren gençlik liderlerini, sol hareketin önde gelen kişilerini, TÖS (Türkiye Öğretmenler Sendikası) yöneticilerini, kısaca ellerin geçirdikleri herkesi gözaltına almaya başladılar; askerî kışlalara, alelacele hazırlanmış askerî tutukevlerine sevk ettiler.

İyi kötü kamuflaj önlemleri almış bekliyoruz artık, herkes bekliyor. 19 Mayıs'tan sonra, hâlâ tutuklanmamış veya adı arananlar listelerinde görülmeyenlerde bir eksiklenme başladı ki sorma. Şimdi düşününce komik geliyor ama o günlerde, ben niye daha tutuklanmadım, neden aranmıyorum, bende bir bozukluk mu var, şimdi hakkımda ne düşünecekler, gibisinden bir ruh hali vardı pek çoğumuzda.

Ben hep Ankara'yı anlatıyorum, İstanbul nasıldı? Sen, Elrom'un kaçırılmasından sonraki sertleşme döneminde nerelerdeydin?

MELEK – Bizim hareketin baştan beri illegal bir çekirdeği vardı zaten. Merkez Ankara'daydı. İstanbul'da dergilerde, Bora ile İbrahim vardı benim daha çok gördüğüm. Ben henüz illegal yapıda değildim, legalde çalışıyordum, talimatları Bora'dan alıyordum. İlk başta deşifre olmadım, okula devam ettim, geriye çekildim. O sırada evden de atıldık ve yine Bebek'te başka bir eve taşındık. Taşınırken tahmin edeceğin gibi kiremitlerin arasına gizlenen paketleri bulmak zorundaydım. Neyse, hepsini buldum, Ahmet Ağabey onları benden geri aldı.

OYA – İçinde ne olduğuna hiç bakmadın mı?

MELEK – Hiç bakmadım. Ben her zaman mümkün olduğunca az şey bilmek istedim, işkencede konuşmamak kimsenin garanti edebileceği bir şey değil, diye düşündüm. Bilmemek en iyisiydi. Balyoz Harekâtı'ndan sonra işlerin rengi değişmeye başladı. İlkay'ın (Demir) ve Jülide'nin (Aral) tutuklanmaları beni çok etkiledi. İçeride ağır işkence altında oldukları haberleri geliyordu. Sıra bana da gelecek, diye düşünmeye başladım.

OYA – Elrom'un kaçırılıp öldürülmesi Mahir (Çayan) liderliğindeki THKP-C'nin (Türkiye Halk Kurtuluş Partisi-Cephesi) işiydi. İlkay ile Jülide de THKP-C'liydiler. Çok ağır işkence gördüler gerçekten de. 12 Eylül'den sonra, 80'lerin ortalarında İlkay ve Necmi (Demir) ile Brüksel'de onların evinde buluşmuştuk. Hepimiz siyasi mülteciyiz, herkes kendi geçmişini sorguluyor; ama İlkay ve Necmi ile Elrom olayını hiç konuşmadık, bundan kaçındık belki de. Elrom'un kaçırılması ve öldürülmesi, amaç ne olursa olsun sonuçları bakımından tam bir provokasyondu. Solu bütünüyle sindirmek, yok etmek için Balyozcuların bekledikleri fırsattı.

MELEK – Ama unutma ki o dönemde Filistin kurtuluş hareketi var; uçak kaçırmalar, adam kaçırmalar başlamış, Almanya'da Bader-Meinhoff, İtalya'da Kızıl Tugaylar var, yani böyle önemli kişileri kaçırma gibi yöntemler girmiş devrimci harekete.

OYA – Girmiş girmesine de, sonuçları da ortada. O dönemde Mahirlerin içine polisin sızdığı haberleri dolaşmıştı. Elrom olayında, daha sonra Filistin'de ajan diye öldürülecek olan İlyas Aydın'ın rolü olduğu hep söylendi. O günlerin garip olaylarından biri de bavul cinayeti miydi, sandık cinayeti miydi, o gencecik güzel Kolejli kızın karıştığı iştir.

MELEK – Banu, bizim çeviri grubuna sonradan dahil olmuştu. Amerika'dan geliyordu, güzel sarışın bir kızdı. Bizler onu pek de ciddiye almamıştık. Benim evde yapılan çeviri toplantılarına katılırdı. Adil Ovalıoğlu ile bizim evde tanışmışlardı belki. O kadarını hatırlamıyorum. Adil Ovalıoğlu ile Garbis Altınoğlu grubu, *PDA*'nın çizgisini sağcı ve teslimiyetçi olmakla eleştirip TİİKP'den (Türkiye İhtilalci İşçi Köylü Partisi), yani bizim örgütten ayrılmışlardı. Onlara Birinci Tasfiyeciler dendi. Ama kısa süre sonra kendi içlerinde sorunlar çıktı. Adil Ovalıoğlu'nu örgüt yıkıcılığı yaptığı gerekçesiyle infaz etmeye karar vermişler. Öldürmüş, sonra da cesedi parçalayıp bir bavula koymuşlar. Banu o büyük bavulu nakletmeye çalışırken yakalanmıştı. Bu olay sandık cinayeti olarak bilinir işte. Ben bu olayı gazetelerden öğrendim ve büyük şok geçirdim. Banu gibi bir kızın nasıl bu tür işler yapabildiğini halen çözebilmiş değilim. Sol tarihin karanlık olaylarından biridir. Kendi adıma Çaru Mazumdar'ın yazılarını çevirmiş olduğum için sorumluluk duydum. İşlerin bu noktaya gelebileceğini hiç düşünmemiştim.

OYA – Düşünsene, çok genç bir kız. Bir burjuva ailenin kızı. Örgüt üyesi oluyor, örgüt "devrimci amaçlarla!" liderlerinden birini öldürüyor. Cesedi parçalayıp bir sandığa koyuyorlar. O kızcağız da bu sandığı taşıyor örgüt görevi olarak. Bütün bunlar tam bir çılgınlık değil miydi? Bu işler sol adına, örgüt adına, devrim için yapılıyor. Sizin tarafta, o zamanlar nasıl algılanıyordu bütün bunlar? Bizler bu işlere provokasyon gözüyle baktık hep.

MELEK – Ben o dönemi hep çok karışık bir ilişkiler yumağı olarak düşündüm. CIA nerede devreye giriyor, MOSSAD nerede giriyor, MİT nerede duruyor? Özellikle Ortadoğu'da bugün bölgede yaşadığımız bu krizlerin temelleri o günlerde atıldı, bütün gizli servisler bu süreçte yer aldı. CIA, MOSSAD ve MİT işbirliği ciddi bir işbirliğidir. Bora ve diğer arkadaşların Lübnan'daki Filistin kampında öldürülmeleri ve onu izleyen süreçte ben bu işbirliğini gördüm ve yaşadım.

O yıllarda bütün dünya ayakta. Olay sadece Ortadoğu'da değil; Güney Amerika'yı hatırla, Che çıkmış; Bolivya, Şili, Arjantin, her yer kaynıyor. Bu hareketlerin çoğu silahlı hareketler. Karşımıza ordular çıkarılmış. CIA'nın stratejisi sol hareketlerin karşısında orduları kullanmaktı. ABD'nin, CIA'nın yaptığı kirli işler, belgeleriyle ortadadır. Orta Amerika ülkelerinde Panama'da 1946 yılında Soğuk Savaş'ın hemen başında kurulan School of America's CIA'nın bütün bu stratejileri planladığı merkezdi.

OYA – School of America's bana da yabancı gelmedi, anlatır mısın biraz.

MELEK – School of America's, kısa adıyla SOA, ilk başta Güney Amerika ülkeleri ordularının içinde askerî darbe yapacak askerleri eğitmek amacıyla kurulmuştu. SOA mezunları arasında Güney Amerika ülkelerindeki diktatörler ve pek çok insan hakları ihlallerine karışmış üst rütbeli subaylar vardır. Bu askerler SOA'da sadece ülkelerini dış güçlere karşı savunmayı değil, ordularını kendi halklarına karşı kullanmayı da öğreniyorlardı. 1984 yılında Panama Başkanı SOA'yı ülkesinden atınca, örgüt ABD'nin Georgia eyaletinde Fort Benning'e taşındı ve eğitim faaliyetlerine oradan devam etti. İşin ilginç yanı, 12 Eylül'de işkence yapan ve çok iyi İngilizce konuşan bir Türk subayı, belki de kendi önemini göstermek için, "Ben Panama'da eğitim gördüm, çok iyi İngilizce konuşurum" diye beyanda bulunabiliyordu

Bunları anlatmamın nedeni, ortada bir "master plan" olduğunu göstermek. Neden o dönemde dünyanın çeşitli ülkelerinde darbeler oldu? Endonezya'yı, Filipinler'i düşün. Büyük ordular kendi halklarına karşı kullanıldı. Orduları kullanmak genel bir stratejiydi ve Türkiye de bu stratejiden kendi payına düşeni aldı.

Bu süreçte İsrail Ordusu dünyanın beşinci büyük ordusu haline getirildi. 1967 Savaşı'nda İsrail'in Arap orduları karşısındaki zaferi ve yeni toprak işgalleri Filistin direniş hareketini doğurdu. Ordulara karşı silahsız mücadele nasıl verilecekti? Bu kadar büyük askerî hareketlere karşı ancak gerilla hareketleriyle karşı konulabilirdi. Militarizm böyle tırmandı. Bizler, yani silahlı mücadeleyi savunanlar, biz de militarist olduk. Silahın olduğu her yerde militarizm vardır. Adını halk ordusu koymakla iş değişmiyor.

Büyük ordular karşısında çaresiz kalan halklar için silahlı mücadeleden başka çözüm bırakılmamıştı.

Kalaşnikof bir semboldür, gerilla hareketlerinin, halk direnişlerinin sembolü: tanklara karşı Kalaşnikof. Bu genel çerçeve içinde bakmak lazım Elrom olayına ve diğer eylemlere. Bizim gibi gruplar, silahlı mücadeleyi savunanlar; THKO şehir gerillası diyor, biz kır gerillası, kırlardan şehirleri kuşatmak diyoruz; ama sonuçta hepimiz silahlı mücadeleyi öngörüyorduk. Bütün dünyada o dönemde kurulan örgütlerin adlarına bakarsan: Kızıl Tugaylar, Halk Kurtuluş Ordusu, vb. hepsi militarist çağrışımlıdır. Sizler ise çok farklı bir noktada duruyordunuz herhalde.

OYA – Sizler, deyince TİP kökenli prosovyet çizgiyi kastediyorsun sanırım. Evet, biz silahlı mücadelenin özellikle Türkiye'de geçerli yöntem olamayacağına inanmıştık; ama senin çizdiğin dünya tablosunun da tabii farkındaydık. Biraz ikircimliydik anlayacağın. Öte yandan, devrimciliğin silahla ölçüldüğü, silahlı mücadeleye karşıysan pasifist-revizyonist sayıldığın, hatta devrime ihanetle suçlandığın günlerdi. Özellikle TİP'li olan ve işçi sınıfı öncülüğünde, demokratik yoldan devrimi savunanlar kendilerinin pasifist-revizyonist sayılmasına o kadar alışmışlardı ki, bir keresinde saf ve biraz da cahilce bir TİP'li "Biz revizyonistler olarak" diye cümle bile kurmuştu övünerek. Revizyonizmi iyi bir şey sanıyordu.

Neyse işte, tam o günlerde bizim akademisyen ağırlıklı küçük grubumuz, muhtıradan sıkıyönetim ilanına kadar geçen süre içinde de daha önce sözünü ettiğim hummalı çalışmayı sürdürüyor. Bazen Atatürk Orman Çiftliği'nde, bazen başka bir piknik yerinde, elimizde Dimitrof'un kitapları, yazıları; faşizm çalışıyoruz. Faşizm geldi, adım adım koyulaşacak diye düşündüğümüzden, faşizme karşı Türkiye koşullarında mücadele nasıl olmalı sorusuna kafa yoruyoruz. Yani, o dönemde millet dağlara çıkarken, soygunlar yaparken, ABD'li asker kaçırırken, Filistin kamplarında silah eğitimi alırken bizler işin teorisiyle uğraşmaya devam ediyoruz. Yalçın gibi örgütçü arkadaşlarımız da kadroların büsbütün dağılmasını engellemeye çalışıyorlar. Ta ki Balyoz Operasyonu'na kadar...

Anlattığım gibi, sıkıyönetim ilanının hemen ardından önlem olarak evi değiştirmiştim, belli ki sıra bana da gelecek; ama hâlâ üniversiteye gidip geliyorum, derslere giriyorum. Şimdi düşününce, gerçekten kaçmadığımı, sıramı beklediğimi anlıyorum. Neden? Belki de içten içe rahatımın fazla bozulmasından, kaç göç bir yaşamdan korkuyorum da ondan. Hani o günlerin lafıyla "küçük burjuva devrimcisi"yim demek ki! Bir de solcu, sosyalist bildiğimiz bunca insan içeri alınırken dışarıda kalmak zül gibi geliyor, elle gelen düğün bayram, diyorsun.

Balyoz'dan birkaç gün sonraydı, sabahın köründe kapı çalındı. Ben teyze kızımın evindeyim demiştim ya, orada olduğumu bilen bir iki kişi var. Yine de heyecanlandım tabii. Kapıyı açtım, karşımda Oya (Köymen) duruyor. "Beni dün gece almaya geldiler, hastayım diye sıyırttım, ben yarın kendim gelirim dedim. Şimdi hukukçu amcama gidiyorum, onunla birlikte sıkıyönetime gideceğiz, sen kendini kolla," dedi ve gitti. Öylece şaşkın, kalakaldım. Oya'nın hemen alınacağını beklemiyordum.

Sonradan öğrendiğim kadarıyla olay şöyle: Oya o gün biraz hasta, evde yatıyor. Saat gece 11'de Oya'nın Bahçelievler'deki evine başlarında bir albayla iki kişi geliyor. Bütün kitapları, kâğıtları, dosyaları indiriyorlar, evi talan ediyorlar. Tam o sırada Orhan Silier, elinde bir konserve çorbayla, hasta arkadaşına ziyarete gelmiş, hiçbir şeyden haberi yok. Kitaplar çuvallara doldurulurken, Orhan oturuyor tek tek bütün kitapları yazıp tutanak hazırlıyor. Oya'nın üstünde sabahlık var. Albay, "Giyinin, ifadenizi almak için gidiyoruz," diyor. Oya, "Nereye kaçabilirim, zaten gece yasağı başladı, hastayım da, ifadeye yarın gelsem olmaz mı?" deyince, "Tamam, 8.30'da Yıldırım Bölge'de olun," deyip evden ayrılıyor. Ertesi sabah Oya önce gelip bana haber veriyor, sonra amcasını alıyor, birlikte Yıldırım Bölge'ye gidiyorlar. "Sadece kitaplarla ilgili ifademin alınacağını sandığımdan üzerimde şık bir tayyör, ayağımda uzun topuklu ayakkabılar vardı. Yanımda başka bir şey getirmemiştim. Oraya gidince gözaltına alındığımı söylediler. Amcama Vosvos'un ve evin anahtarlarını verdim, bana giyecek birşeyler getirmesini rica ettim," diye anlatmıştı kendisi sonradan.

MELEK – Oya Köymen ne kadar kaldı gözaltında? Yıldırım Bölge'de birlikte kaldınız mı siz?

OYA – Hayır, birlikte kalmadık. O, galiba dokuz on gün sonra gözaltından tahliye oldu. Suçlayacakları hiçbir şey yoktu, evde bulunan Sovyet Progress Yayınevi'nin kitaplarının yasaklı olmadığı da belgelendi. İlginç bir ayrıntı, gözaltındayken oradaki polis kızlar "Oya Baydar gelecek" diye konuşuyorlarmış. Demek önceden biliniyor bu toplama listeleri.

Bendeki aymazlığa ya da aldırmazlığa bak, ortadan yok olmayı hâlâ düşünemiyorum ya da göze alamıyorum. Üniversiteye devam... Birkaç gün sonra, mayısın son günüydü; muhtıra gelince üniversitedeki işgaller, boykotlar bitmiş, dersler yeniden başlamıştı. Epeyce kalabalık bir sınıfta, kürsüde ders anlatıyordum. Dersin ortasında kapı açıldı, önde Fakülte Dekanı Osman Okyar, arkada birkaç sivil ve birkaç üniformalı sınıfa daldılar. Birlikte gelmemi söylediler. Benim odaya gittik. Duvarlardaki resimlerin, ders çizelgelerinin, afişlerin arkası; odayı paylaştığım, bu işlerin tamamen dışında olan, ABD'den yeni gelmiş yaşlıca bir asistanın çekmeceleri falan dahil her yer arandı. Kitaplarıma, ders notlarına, ne buldularsa her şeye el koydular. Beni götürürlerken kimse odasından çıkmadı ya da ben o telaş içinde kimseleri görmedim. En çok da Dekan'ın sanki kanlı katil yakalıyorlarmış gibi, operasyon boyunca o sivillerle askerlere yol göstermesine, yardım etmesine şaşmıştım. Dersin ortasına kadar gelmek, dersi yarıda kesmek yerine, hiç değilse odama dönmemi bekleyebilir ya da beni kendi odasına çağırabilir, sahip çıkabilirdi. Nasıl adamlar bunlar, diye düşünürüm hâlâ!

Eve gelişimizi çok iyi hatırlıyorum; bir sürü silahlı asker, bir cip, bir de galiba GMC, yani gürültü patırtı oluyor. Ama apartmandaki diğer dairelerden kimse kapısını açmadı, ne oluyor diye bakmadı. Beni yakalamaya bir bölük asker gelmiş. Başlarında üsteğmen mi, yüzbaşı mı, rütbeli biri vardı. Bu arada evin her yeri aranıyor. Bütün kitaplar indirildi, çuvallara dolduruldu, tek bir kitap bile bırakmadılar. Kâğıt, karton, gazete, dergi, afiş, basılı yazılı ne varsa her şeyi çuvallara doldurup benimle birlikte arabaya yüklediler. Tutanak falan yok, ben de tecrübesizim o zamanlar, tutanak konusunda ısrarcı olmadım. Zaten saatler sürerdi aldıkları her şeyi tutanağa geçirmek. Biraz kalırsın, valizini hazırla, dediler. Paçaları tiftilmiş bej rengi çadır bezinden eski bir ev pantolonum vardı, onu giydim. Bir iki kat çamaşır, bir paket aspirin, diş fırçası, sabun, bir havlu, bir de hiç unutmuyorum, dolaptaki iki limonu aldım. Hani, ıssız adaya yanınızda ne götürürsünüz gibi bir soru vardır. Benim cevabım limondur.

Sinan Cemgil'in, Kadir Manga'nın, Alpaslan Özdoğan'ın Nurhak'ta öldürüldüklerini ertesi gün gözaltındayken öğrendim: 31 Mayıs'tı.

MELEK – Evet, Kürecik'te. Nurhak'ta... Oraları sen bana sor. Bu anlattıklarından beş altı ay sonra Kürecik'teydim ben.

OYA – Deme yahu! Ne alaka?

MELEK – Tabii ki alaka... Biz sizin gibi pasifist revizyonist değiliz ki! Yerimiz köyler, dağlar. Mao'nun dediği gibi halkın içinde suda balık gibi olacağız ya... Sen devam et, benim hikâye epeyce uzun. Tutuklanınca ilk nereye götürdüler seni?

Yıldırım Bölge'den işkenceye

OYA – Önce, hakkımdaki tutuklama kararını vicahiye çevirecek, yani yüzüme karşı okuyacak askerî mahkemeye. Orada ilk kelepçelenme deneyimimi yaşadım. Hatırlıyorum, artık çok sakindim. Olacak olan olmuştu. Biraz gözlemci gibi bakıyordum olaya. Hâkim tutuklama kararını yüzüme karşı okudu, gıyabi kararı vicahiye çevirdi yani. Daha başkaları da vardı tutuklanan. Hiçbirini tanımıyordum. Götürüleceğimiz yerlere nakletmek için bizi kelepçeyle birbirimize bağladılar. Hiç unutmuyorum, beni orta yaşlı bir İç Anadolu köylüsüne kelepçelemişlerdi ve o anda, adamın kelepçeye ne kadar alışık olduğunu fark etmiştim. Bense elimi kolumu nasıl tutacağımı, kelepçeye nasıl uzatacağımı bilemiyordum. İnanmayacaksın ama bir yandan da eğleniyordum. Çok değişik bir deneyimdi. Öte yandan da "mademki bu yola çıktın, bu tercihi yaptın, kelepçe de var, zindan da" duygusu...

Oradan Yıldırım Bölge diye ünlenen kışlanın içinde hazırlanmış gözaltı koğuşuna getirildim. Üç genç kadın polis vardı. O kadın polisler, hele de en genç ikisi, ilk başta bize vatan haini komünist karılar olarak bakarlarken, bizleri tanıdıkça, yakınlaştıkça dost oldular, yardım ettiler, mektuplarımızı gizlice taşıdılar. İstediğimiz kitapları getirdiler. Hatta birine sömürüyü, emperyalizmi, neden orada olduğumuzu anlattığımızı hatırlıyorum. Bir iki yıl sonra meslekten atıldığını duyduk o güzel polis kızın. Galiba onun da başını yakmıştık.

Gözaltı koğuşunda gencecik kızlar vardı; çoğu Orta Anadolu'dan, öğretmen okullarından çiçeği burnunda yeni öğretmenler ya da öğretmen okulu öğrencileri. Bunlar birbirlerine devrim güzellemeleriyle dolu romantik mektuplar yazmışlar; Abdullah diye, devrimci ve herhalde örgütlü bir öğretmenle tanışıklıkları, mektup yoluyla ilişkileri var. Sonra Abdullah Öğretmen mektuplarla yakalanınca, kızların hepsini toplayıp Yıldırım Bölge'ye tıkmışlar. Akıllı, fedakâr, inançlı, ne güzel çocuklardı. Sonradan Yıldırım Bölge Kadınlar Koğuşu'nda birlikte yattık. Onlara Abdullah Örgütü derdik. "Önce Allah, sonra Abdullah" diye matrak bir slogan da üretmiştik.

Gözaltına alındığımın ertesi sabahı, koğuşun penceresinden kışlanın avlusunda koşuşturan askerleri, girip çıkan cipleri, askerî araçları seyrederken, siyah bir araba geldi. Polis kızların telaşlandıklarını, aralarında fiskos ettiklerini fark ettim. Hadi gidiyorsun, dediler. İki sivil beni gözaltı koğuşunun kapısından teslim aldı, siyah Buick arabanın arkasına başıma bastırarak oturttular, ikisi iki yanıma geçti ve aynı anda gözlerimi siyah bir bantla bağladılar. "Tamam," dedim kendi kendime, "iş şimdi ciddileşiyor, işkenceli sorguya götürülüyorum, macera yeni başlıyor."

Bir yere kadar hep gözlerim bağlı olarak o arabayla gittik. Bantın altından görmeye çalışıyorum ama nafile; seslere kulak veriyorum, nerede olduğumuzu tahmine çalışıyorum. Sanırım nereye gittiğimiz anlaşılmasın diye dolandırıp durdular. Bir saat kadar sonra o arabadan indirildim, gözlerim hep bağlı olarak üstü açık bir askerî araca atıldım. Bir kışla ya da bir merkezde olduğumu çevreden duyduğum seslerden, "komutanım, şu bu" diye tekmillerden anlıyorum. Bir cip değil bu, epeyce kalabalığız ama görmüyorum. Tabii ki konuşamıyoruz birbirimizle. Bir ara ben niyetlendim, dipçiği yedim. Kalabalığız, sıkış tepiş oturuyoruz, kısık kısık seslerden kadın erkek karışık olduğumuzu anlıyorum. Bizi o araca balık istifi bindirirlerken de indirirlerken de, artık askerler mi subaylar mı bilemem "Ordu-gençlik el ele, asker-sivil el ele..." diye solun kullandığı sloganları söyleyerek bizlerle dalga geçiyorlar. Üstelik ben, "Ordu-gençlik el ele, milli cephede" gibi sloganları reddeden bir ideolojik hattan geliyorum, yani iyice abuk bir durum var benim açımdan. Uzun bir yolculuk yaptık, sonradan Muhabere Okulu olduğu söylenen neresi olduğunu bilmediğim bir yere götürüldük, itile kakıla araçtan indirildik. Yine iki tarafımda iki kişi kollarımdan tutuyor. "Merdiven var, merdiven bitti, düz yürü!" gibi komutlar verdiklerini hatırlıyorum. Avaz avaz feryatlar duyulan çok soğuk; rutubetli bir koridoru geçtik. O feryatlar gerçek miydi, işkenceye getirilenleri korkutmak için teyp kaydı mıydı, bilmiyorum. Bir odaya girdik, kapıyı kapattılar ve gözlerimi açtılar.

Oda işkence odası olarak düzenlenmişti. Hiç penceresi yoktu. Yer betondu, çok rutubetliydi. Bir küçük masa, üzerinde bir eski daktilo. Duvarlarda kerpetenden Filistin askısına, elektrik kablolarına, manyetolara kadar çeşitli işkence aletleri.

MELEK – Bu da enteresan çünkü daha sonraları işkencelerde gözler her zaman kapalıymış. 12 Eylül'de kimse işkencecileri görmedi.

OYA – 12 Mart bir provaydı. Henüz acemiydiler ya da çok pervasızdılar. O işkence odası da yeni hazırlanmıştı muhtemelen. Ankara'da işkenceli sorguya tabi tutulanların ilklerindenmişim. Daha sonra çok vahşi işkenceler olduğunu biliyorum. İstanbul'da da Ziverbey Köşkü ünlenmişti, hatırlarsan. 12 Eylül'de Diyarbakır'ı falan düşününce, ben kendi başıma gelenleri anlatmaktan utanıyorum. O işkencelerin yanında, bana yapılan okşamak gibi kalır.

MELEK – Korkmuyor musun?

OYA – Nasıl korkmazsın? Korkmanın ötesinde bir şey: Katılıyorsun. Bir sürü kitap, roman okumuşsun işkencenin anlatıldığı. Sansaryan Han'da komünist diye tutukladıklarına, tam karşı cephedeki Turancılara yapılan işkenceleri, tabutlukları, tırnak sökmeleri, eskilerin hikâyelerinden biliyorsun ve getirildiğin odanın duvarları işkence aletleriyle dolu; şaka değil yani. Ben ayaktayım, gün boyunca hep ayakta dikili kaldım zaten. Karşımdaki masada çok zayıf, yaşlı, hastalıklı görünümlü bir sivil memur amca. Asıl sorgucular, yani işkenceciler dinlenmek için ara ara odadan çıktıkça, kızım söyle bildiklerini, kendine acı, diye yalvarıyor bana. İyi polis kötü polis mizanseni değil, gerçekten içi acıyor adamcağızın. Anlatayım da, anlatacak bir şeyim yok ki!

MELEK – Kaç kişi sorguluyor seni?

OYA – İki kişi. Biri askerdi, diğeri, daha vahşi olanı sivil giyimliydi. Odaya ara ara giren yarbay üniformalı biri vardı, konuşmuyordu ama denetliyordu ve sanırım dışarıda talimat veriyordu ötekilere. Sorgu başlarken, üniformalı olan "Aaa... biz de seni bir mal sanmıştık, Karamürsel sepeti gibi karıymışsın," dedi. Karamürsel sepeti küçük olur ya. Bunlar ise karşılarında ızbandut gibi bir "komünist kadın" bekliyorlar anlaşılan. Bu sözü duyunca bir kafam attı benim, ne korku kaldı ne bir şey. O öyle demese, belki korkacak, psikolojik olarak çözülecektim; ama öyle deyince bende bir domuzluk, bir diklenme başladı. Terbiyeli olun, gibi bir şey söylediğimi hatırlıyorum ve işte o zaman ilk tokadı yedim. Bu kötü muamele bana çok iyi geldi. Zaten benim anlatacak bir şeyim yok, hakkımdaki bütün bilgiler ellerinde; ama insan çözülürse olmayan şeyleri bile itiraf edebilir, başkalarını suçlayan ifadelere zorla imza atabilir. Örneklerini çok gördük... O baştaki sözler ve tokat beni dirençli kıldı. İnan bana, onca saat, onca kötülük, çişim bile gelmedi. Sonunda otur dediklerinde de oturmadım, bu yüzden de bir tekmeyle yere yatırıldım ama kalkıp yine, "Ben böyle iyiyim ayakta," dedim. Beni en çok ürküten elektrik verilmesiydi, neyse, onu yapmadılar; ama dayak, tokat, tehdit, yere atıp tekmeleme, başını duvara çarpma, işkence feryatları dinletip daha kötüsünü yaparız demeler, bunların hepsi oldu. Bilirsin, gördüğü işkenceyi anlatmak insana ağır gelir nedense. Sanki kendin suçluymuşsun gibi. Aşağılanmış olmaktan, buna karşı duramamaktan gelen bir utanç duygusu belki de. Hele bir de konuşmuşsan, arkadaşlarını ele vermişsen kim bilir nasıl olur insan, nasıl ezilir!

MELEK – Cinsel taciz var mıydı?

OYA – Hayır, bana yapılmadı, tutuklu kaldığım sürece çevremdekilere yapıldığını da duymadım doğrusu. Sonraları olmuş ama. Bu iş sabah başladı, akşama kadar sürdü. Ben epeyce ucuz kurtulmuştum.

MELEK – Peki sana su veya yiyecek bir şey veriyorlar mı?

OYA – Yok hayır, bir şey isteyecek halin de olmuyor zaten. Ben orada kaldığım sürece hep çakıl taşlarını yalayan sakin, mavi bir deniz düşündüm. Ayvalık'a doğru giderken Küçükkuyu civarında öyle bir sahil vardır. Daha doğrusu "vardı" demem gerekiyor, şimdi oralar sitelerle, çirkin evlerle, motellerle kaplanmış, ne deniz görülüyor ne bir şey. Bir de, neden buradayım sorusu kafamda o kadar netti ki. Bu da çok rahatlatıyor insanı. Yani rastlantı değil başına gelenler. Bir davaya inanmışsın, yolunu kendin, özgür iradenle seçmişsin. Neden orada olduğunu, neden düşman bellendiğinin bilincindesin.

Zaten bildikleri, hiçbiri gizli saklı olmayan bir sürü şeyi daktilocu yaşlı amca sayfa sayfa yazdıktan sonra, olay onlara göre bitti. Yeniden gözümü bağlayıp araca bindirdiler ve yine bir aktarma ile Yıldırım Bölge'ye götürdüler. İnsanın halleri ile ilgili bir ayrıntı: İşkenceden sonra cipin arkasında oturuyorum, işkenceci yarbay şoförün yanında, önde. Bir ara arkaya döndü, gayet yumuşak bir sesle, ayakların üşüdü mü, bir şey istiyor musun, diye sordu. İşkence odası çok soğuktu, rutubetliydi, yerler taştı, belki de kendi ayakları üşümüştü işkenceye katıldığı sıralarda. Hiçbir şeye ihtiyacım yok, dedim küfreder gibi, bir yandan da bu ilginin amacının ne olduğunu düşünüyordum. Ama yok, başka bir amacı yoktu. Adam görevini yerine getirmiş, işini bitirmiş, yeniden insan olmuştu.

Koğuşa dönünce kendimi yatağa attım, başıma gelenleri anlatmak istemiyordum, çünkü kızlar korkacaklar. Onlar çok gençtiler, çocuktular neredeyse. Ertesi sabah, kapana kıstırılmış bir fare gibi hissettim kendimi. Nasıl bir korku, yine o siyah araba gelecek, yine işkenceye götürecekler diye. Sonraları o korkumdam utandım ama bir yanıyla da çok insani buldum. Korku sadece fiziksel acıdan veya aşağılanmaktan değil; bana bunlar, belki de daha kötüleri yapılırsa belki dayanamam; başka insanları, arkadaşlarımı suçlayacak bir şey söylerim, diye korkuyorsun. Neyse, gelmediler.

Sonra savcının karşısına çıkardılar, 12 Mart döneminin en faşist kafaya sahip, belki de örgütlü eleman, mutlaka özel harekâtla ilişkili savcılarından Baki Tuğ. Adamın yazdığı iddianamelerde, mesela bizim TÖS iddianamesinde, Kurt Karaca takma adlı Ülkücü bir ideoloğun kitaplarından satır satır, noktası virgülü değiştirilmeden alınmış bölümler vardı. O kitapları bulmuş, sanki işe yarayacakmış gibi mahkemede savcının taraflılığını göstermek, iddialarını çürütmek için kullanmıştık. Gerçekten iddianame kelimesi kelimesine aktarılmıştı o kitaplardan.

Bu Baki Tuğ denilen adam Denizlerin davasında da savcıydı, idam kararında imzası vardır. Şu Türkiye'nin hallerine bak! 1991'de Demirel'in Doğru Yol Partisi'nden Ankara milletvekili seçildi, Çiller kabinesinde de devlet bakanı oldu. Geçenlerde, Denizlerin idamı konusunda kendisine soru sorulduğunda, hiç pişman olmadığını, vicdanının çok rahat olduğunu, bugün olsa yine aynı kararı vereceğini söylüyordu utanmadan. Şimdi anlatırken bile öfkeleniyorum.

İşte bu adam, sanki işkence olayından haberi yokmuş, sanki o sevk etmemiş işkenceye gibi, gayet kibar şekilde beni sorguluyor. Sonra tutuklama istemiyle mahkemeye sevk edecek. "Ben işkence gördüm, beni gözlerimi bağlayıp bilmediğim bir yere götürdüler, işkencede subaylar da vardı, ifademi işkence altında aldılar, bunları zapta geçirmeniz lazım," diyorum sürekli, adam hiç duymamış gibi yapıyor. Mahkemeye çıkarıldım ve tutukluluğumun devamına karar verildi. Tutuklandığımı anlayınca içime bir ferahlık yayıldı ki sorma, çünkü o sıralarda bir kez tutuklandıktan sonra yeniden alıp işkenceye götüremiyorlardı henüz. Bir süre sonra bu uygulama da başladı. Tutuklu koğuşlarından insanları alıp götürüyor, haşat olmuş halde yine koğuşa atıyorlardı.

MELEK – Tutuklama gerekçesi ne o sırada?

OYA – Gerekçe yok, görülen lüzum, o kadar. Tutuklanınca önce Mamak'a sevk edildim, birkaç gün Mamak'ta kaldıktan sonra Yıldırım Bölge Kadınlar Koğuşu hazır olunca, Mamak'taki bütün kadın tutukluları Yıldırım Bölge'ye naklettiler. Yıldırım Bölge'de kaldığım sürece, aylarca, neden tutuklandığımı bilmiyordum. Avukatlarım da bilmiyordu. Hepsi de benim gibi tutuklanmış olan gözaltında tanıdığım öğretmen kızlar, ister misin abla, seni de bizim Abdullah örgütüne soksunlar, diyerek benimle dalga geçiyorlardı. Sonradan beni TÖS (Türkiye Öğretmenler Sendikası) davasına dahil ettiler. Bizim öğretmen kızlar, yani Abdullah öngütü de TÖS davasına monte edilince, dedikleri çıktı. Ben bizim dergi çevresinden, Ankara grubumuzdan dolayı tutuklandığımı sanırken TÖS davasında yargılandım. Benim gibi MİT listelerinde solcu, kömünist, vb. diye adı olanları önce tutukluyor, sonra münasip bir dava bulup ona dahil ediyorlardı anlaşılan.

MELEK – Yıldırım Bölge Kadınlar Koğuşu'nu Sevgi Soysal yazmıştı. Sen de anlatabilir misin biraz?

OYA – Anlatırım. Sevgi'nin kitabını yeniden okuyunca, insan belleğinin ne kadar seçici olduğunu, neleri hatırlayıp neleri unuttuğumuzu düşündüm. Sevgi'nin hatırladığı bazı olayları, insanları ben unutmuşum; ama Sevgi de benim için en önemli olan kişilerden, olaylardan hiç söz etmiyor kitabında. Tabii bunda orada kaldığımız dönemlerin farklılığının da rolü var.

MELEK – Sen ne kadar kaldın orada?

OYA – Pek uzun sayılmaz. Haziran başı girdim, aralıkta, yılbaşından birkaç gün önce çıktım.

MELEK – 1971 sonbaharında ikimiz de Ankara'dayız demek ki. O günlerde ben de partinin illegale geçme buyruğuna uymuş, Ankara'ya gelmiştim. Bilmediğim bir evde kalıyordum ve gelecek için verilecek görevi bekliyordum.

OYA – Sen bilmediğin bir evde, bilmediğin bir geleceğe doğru yola çıkıyorsun. Ben Yıldırım Bölge'de, akşam şehrin üstüne yavaş yavaş inerken ranzamın üstüne tüneyip mazgal demirli küçücük pencereden Kazıkiçi bostanlarına açılan, dikenli tellerle çevrili avluyu, Ankara Kalesi'ni, laciverde dönüşen gökyüzünü ve bazen de kalenin ardından doğan ayı seyrediyorum. Hapishanede, devrimci tutsak romantizmi.

Yıldırım Bölge Kadınlar Koğuşu

Yıldırım Bölge Kadınlar Koğuşu ile iki yüz metre kadar ilerideki erkekler koğuşu, asker koğuşlarından bozma iğreti tutukevleriydi. Askerî garnizonun tam ortasında, askerlerin talim yaptığı, bir alay askerin ve subayın gündelik askerlik yaşamını sürdürdüğü geniş bir mekân, içinde çeşitli binalar. Bizim koğuşlar sıkıyönetimden sonra alelacele hapishane koğuşuna dönüştürülmüştü. Biz oraya getirildiğimizde içi kuru ot, kıtık, çakıl, molozla doldurulmuş yataklar ve battaniyelerimiz sıfır kilometredeydi. Bu da iyi tabii; insan molozları, taşları otları vücuduna uydurarak görece rahat bir yatış pozisyonu elde edebiliyordu; en önemlisi de, yataklar, battaniyeler kokmuyordu.

Bizim koğuş, bölgenin sınırında bir binaydı. Önümüzde uzanan Kazıkiçi bostanlarından, bağ bahçeden birkaç sıra dikenli telle ayrılmıştı.

Dikenli tellerle bahçeler arasındaki geniş toprak yolda acemi askerler talim yaparlardı. Hele de biz kadınlar havalandırmaya çıkmışsak, bir yandan belden yukarları çıplak, uygun adım koşarken bir yandan da "tombul memeli kızlar" diye talim türküsü söylerlerdi. Ciddi bir güvenlik veya firarı engelleyebilecek önlem yoktu. Nitekim erkekler koğuşundan iki kez kaçanlar oldu. Münir Aktolga kaçtığında, iyi bir adam olan, bu gencecik kızların ya da yaşını başını almış Behice Hanım gibi insanların buralara tıkılmasından hoşlanmadığını belli eden, bizlere iyi davranan hapishane müdürü yarbay görevden alındı. Ardından da tutuklulara baskı, kısıtlama, kötü muamele arttı.

Havalandırmaya çıktığımızda, bizim kızlar beni bir battaniyenin içine koyarlar, battaniyeyi iki ucundan tutup tam dikenli tellerin yanında sallamaya başlarlardı. O zaman bir telaş, bir telaş; düdükler çalınır, silahlı askercikler koşar, emirler yağdırılır, duvarın yanından uzaklaştırılıp içeri tıkılırdık. Sonradan öğrendik ki, battaniyeyi sallaya sallaya beni tellerin dışına atmalarından ve kaçmamdan korkarlarmış. İşte böyle eğlenirdik. Ben ufak tefek olduğum, bir de haklarımızı aramak için hapishane yönetimine gereğinde sert çıktığım için, adımı "Kükreyen Fare" koymuşlardı.

Vaktimizi kitap okuyarak, küçük eğitim programları düzenleyerek, sohbet ederek, bir de Sevgi'nin anılarında uzun uzun yazdığı örgü örme faaliyetiyle geçirirdik. Ben örgü örmeyi çok severim, düz örgü örerken bir yandan da okuyabilirim. Örgü örmek sakinleştirici bir iştir. Sonunda da ortaya yararlı bir ürün çıkar. Tabii ki koğuşta şiş yasak; ama bu işin çaresini bulduk, polis kızları da "şiş örgütü"ne dahil ettik. Onlar da sardırdılar bu işe. Koğuşa gizlice örgü şişi sokmaya, ısmarladığımız yünleri getirmeye, şişleri saklayabilelim diye koğuş aramalarını önceden haber vermeye başladılar. Bir süre, Behice Hanım bile örgüye kaptırdı kendini ama bu konuda pek becerikli değildi. Şiş örgütünün lideri bendim; bir polislere bir kızlara koşturuyordum örgülerin doğru düzgün örülmesi için.

Bizim koğuşun iki yanında sıra sıra ranzalar, en dipte iki tuvalet, ortada da dar uzun bir masa ve etrafında sandalyeler vardı. O masada yemek yer, oturur konuşur, topluca kitap okur ya da eğitim yapardık. Tuvaletlerden birinin taharet musluğuna bağladığımız ince bir hortum, sıcak yaz aylarında duş yerine geçerdi.

Duş deyince, bazen haftada, bazen on beş günde bir götürüldüğümüz asker hamamından söz etmeliyim. Havlumuzu, sabunumuzu, yıkanma malzememizi hazırlar, tek sıra olurduk. İki yanımıza dizilmiş Memetçiklerin arasından geçerek, askerî garnizonun ortasındaki, kubbeli, kurnalı hamama girerdik. Beş dakika vakit verirlerdi yıkanmak için. Kurna sayısı yetmediğinden her kurnanın başında en az iki kişi olurduk. O kadar kısa zamanda sıcak suyla yıkanabilmek, hele de saçlarımızı yıkayabilmek için hiç vakit kaybetmemek gerekiyor. Çırılçıplak kalmazsanız yolu yok bunun. Behice Hanım, bir de Gazi Eğitim'de müdire iken, alıp alıp biryerlere götürülen öğrencilerinin ne olduğunu sorduğu için kaşla göz arasında tutuklanıp Yıldırım Bölge'ye atılan, hiçbir şeyle ilgisi olmayan elli yaşlarında Naciye Öğretmen, bir türlü soyunamıyorlar. "Hocalarım, hemen soyunun, kimsenin baktığı yok, yoksa yıkanamayacaksınız!" diye bağırdım bir keresinde ve o anda, başımı arkaya doğru eğmiş saçlarımı çalkalamaya çalışırken kubbedeki yuvarlak camların birinde iki göz gördüm. Bağırsam ortalık karışacak, yıkanamayacağız; benim tek derdim sıcak suyla yıkanabilmek, gözetleniyormuşuz, çıplakmışım, hiç umurum değil. Anadan üryan halde dikiz edilirken, şöyle elimle git, git işareti yaptım; kubbe camındaki gözler kayboldu. Asıl matrağı, elimizde hamam torbalarımızla, yine iki yanlı dizilmiş askerlerin arasında hamamdan çıkarken, temiz yüzlü bir askercik yanıma yanaşıp, "Bakan eden bir namussuz oldu mu abla?" diye sormaz mı. "Olur böyle namussuz, şerefsizler kardeşim; senin bacın, anan, avradın da düşebilirdi buraya," dedim. Yüzde yüz eminim ki dikizleyen oydu.

İlk aylarda hava oldukça gevşekti; hapishane müdürü, polis kızlar sık sık gelir bizlerle sohbet ederlerdi. Mektup, pusula taşırlardı, erkekler koğuşundan gelen mektupları iletirlerdi. Görüşmecilerimizin getirdikleri yiyecekleri, el işi malzemesini, kitapları, kolonya, ilaç gibi koğuşa girmesi yasak malzemeyi bize ulaştırırlardı. İçeride komün kurduğumuz için, gelen her şey ortaktı. Bunun matrak bir hikâyesi de var. Oya Köymen'in bana getirdiği meyvelerin içine, özellikle de şeftalilere enjeksiyonla votka sıkmışlar. Bunu bana limonlu suyla yazılmış pusulayla ilettiler. Şimde sen o da ne diyeceksin! Bolşevik Devrimi'yle ilgili bunca roman, bunca kitap okumuşuz. İllegalite öğrenmişiz. Dolmakaleme mürekkep yerine limon suyu doldurur, beyaz kâğıda notunu, gizli bilgileri bu kalemle yazarsın. Kuruyunca üzerine sakıncasız bir mektup döşenirsin. Işığa ya da hafif ısıya tutuldu mu, limonla yazılmış satırlar görünür hale gelir, böylece haberleşirsin. Hatırlıyorum, mesela Yalçın sayfalar dolusu bu türden mektuplar yollardı, ben de dışarıda ne olup bittiğini, kimlerin ne yaptığını öğrenirdim. Neyse işte, böyle limon mürekkepli bir pusulayla şeftalilerin votka dolu olduğunu öğrendim. Gel gör ki o görüş gününde dünya kadar şeftali gelmiş herkese ve tabii hepsi karışmış. Talihsizliğe bak, bana bir tane bile votkalı şeftali düşmedi; bizim kızlar, yahu bunların tadı bir tuhaf, bozulmuş mu ne olmuş diye yiyip duruyorlar. Alışık olmadıkları için yiyenlerin mideleri bulandı, biri de ishal oldu.

Ağustostan sonra işler birden sıkılaştı. Koğuş basıp aramalar mı istersin, havalandırmayı yasaklamak mı istersin! Kötü muamele, hakaret, yasak üstüne yasak; artık dışarıdan bir şey getirilemiyor, polislerimiz de değişmişti galiba. Behice Hanım, (Behice Boran) bu gibi durumlarda dimdik durur, koğuşa kol kanat gerer, fırtına geçtikten sonra da bıkkınlaşır, "Aman ne halleri varsa görsünler," diye iç çekerdi. Bir de onun, "Aldırmayın, Osmanlı yasağı üç gün sürer," diyerek bizleri sakinleştirmesini hatırlarım. Gerçekten de bir süre sonra gevşerdi ortam, sonra yeniden başlardı. Ama, sonraki uygulamaları, mesela 12 Eylül'ü düşünürsek, Yıldırım Bölge yatılı okul sayılır.

Koğuş mevcudumuz, ben oradayken otuz ile kırk arasında değişiyordu. Sadece siyasiler değil sıkıyönetim yasaklarını ihlal etmekten ya da bambaşka bir nedenle getirilenler de bizim koğuşa konur, bunların çoğu çabuk tahliye olurdu. Yehova Şahitlerini hatırlıyorum mesela. Onları da toplantı halinde basıp getirmişlerdi.

Bizim koğuşun tam karşısında, paralelinde ikinci bir koğuş vardı. Orası gözaltı koğuşuydu. Bizim koğuşa getirmeyi sakıncalı buldukları tutukluları da oraya koyarlardı. Sevgi de anlatır kitabında: TRT'ci Esin Talu'yu biz komünistlerin yanına koymamak için gözaltı koğuşunda tutuyorlardı. Esin Abla, Murat Çelikkan'ın annesi, eşi de eski Hürriyet Partisi Milletvekili Ali İhsan Çelikkan. Biz onun geleceğini Şişman Polis'ten öğrendik. "Kızlar, derlenin toplanın. Bir millevekili bayanı hanımefendi gelecek!" diye telaşla girdi koğuşa. "Ne yapalım milletvekili bayanıysa, burada parti başkanı var," dedim ben. "Belki Nazmiye Hanım'ı getirmişlerdir," dedi Behice Boran. Sevgi durur mu! "Ben de koskoca dekan karısıyım, Naciye Hanım da koca bir okulun müdiresi," dedi. Şişman Polis söylediğine bin pişman, söylene söylene çekip gitti. Ne bilelim getirilecek olanın Esin Abla olduğunu. Hiç akla gelmez, çünkü o TRT'de sağcı bilinenlerden, Adalet Partisi'ne yakın sayılıyor. Meğer Emil Galip'in başında olduğu TRT dış haberlerde Emil Galip'in yardımcısı olduğu için, biraz da yanlışlıkla getirilmiş.

Esin Abla, o zamanki kafamıza göre sağcıydı; ama aslında tutarlı bir demokrat ve cesur, kişilikli bir kadındı. Bizim kim olduğunu bilmeden verdiğimiz tepkiler üzerine korktular, onu gözaltına koğuşuna koydular. Bunun üzerine, gözaltı koğuşu tarafına bakan ranzaların üzerine çıkıp parmaklıklı pencerelerden müthiş bir işaretleşme, giderek sohbet başladı. Esin, Sevgi'nin iş arkadaşı, benim de aile dostum. Sevgi bağırıyor pencereden: "Esin! Kendini nasıl da gizledin, komünist olduğunu bilmiyorduk." Esin Abla'dan cevap geliyor: "Sensin komünist, buraya Emil hıyarı yüzünden düştüm!" İşin en matrağı, gözaltı koğuşunda iki konsomatris kadın var. Biri, sıkıyönetim görevlisi astsubaya başka müşterisi olduğu için yüz vermemiş. "Zaten bu herifler bela, kızlara para ödemiyorlar, tehdit ediyorlar," diye anlatıyordu sonradan bizim koğuşa geldiğinde. Öteki de benzer bir nedenle atılmıştı Yıldırım Bölge'ye. Kadınlar, üzerlerinde naylon geceliklerle pencereye tırmanıyorlar, bizim koğuşu bekleyen erlere işaretler yapıyor, şıkır şıkır oynuyor, göbek atıyorlar. Sevgi pencereden bağırıyor: "Esin, Esin, huuu... Bak işte, komünist olmadın, bara düştün, solcu olsaydın bizim yanımızda olurdun." Esin Abla'dan cevap: "Ulan Allahsız komünist, oraya gelirsem dağıtırım." Arkasından da bir küfür. Böyleydi işte Esin Talu, çok hoş bir insandı. Zaten çabuk tahliye oldu.

Bazen, zor geçmiş bir günün ardından, akşam inerken sessizlik ve hüzün çökerdi koğuşa. O zaman Şirin Cemgil'in duygulu güzel sesiyle bir türkü yükselirdi; Behice Hanım, kapının hemen yanındaki ranzasından ince, dokunaklı sesiyle katılırdı ona: "Ege Denizi'nde sular kararınca", ya da "Jandarma biz sosyalistiz". Bazen de usul bir sesle şiirler okurduk; daha çok Ahmed Arif'ten. "Akşam erken iner mahpushaneye, ejderha olsan kâr etmez" veya "Hasretinden prangalar eskittim".

Alt ranzamda Sevim Onursal vardı. O sırada ben otuzumdayım, Sevim Hanım kırkını geçmiş olmalı. Deniz'le arkadaşlarına yardım-yataklıktan yatıyordu. Bu da ayrı bir macera: Sevim Onursal o günlerde ODTÜ'lü Kor Kozalak'la birlikte, arada çok yaş farkı olan, kurulu düzenin kurallarına isyan eden bir aşk. Kor'un arkadaşları olan THKO'cuları evinde sakladı diye yardım ve yataklıktan yargılanıyor Sevim Hanım. Mavi gözleri ışık saçan, hayat dolu, duygulu, cesur, güzelim bir kadındı; kafa dengiydi. Akşamüstü oldu mu meyve sularına kolonya karıştırarak imal ettiğim içkilerimizi birlikte yudumlar, kimi zaman efkârlanır, kimi zaman umutlanırdık. Geçen yıl, uzun süren bir felç ve yatalak yaşamdan sonra kaybettik onu. Cenazesinde hepimiz, bütün bir kuşak oradaydık. Hepimiz başka başka yerlere, kimi zaman düşman kamplara savrulmuş da olsak, gençlik umutlarımız, anılarımız birleştirdi bizi. Çengelköy sırtlarına bıraktık Sevim Hanım'ı. Gördüğüm, katıldığım en duygulu, en zarif cenaze töreniydi. Ne imam vardı ne dua. Herkes topladığı çiçekleri getirmişti, onun sevdiği şarkıları, türküleri söyledik. Yıldırım Bölge'ye annelerini görüşe gelen iki küçük kızı, koca kadın olmuşlardı. Orada; 68'liler, biz 12 Mart tertipleri, yaşamımızın bir bölümünü gömdük sanki. Birbirinden ayrı düşmüş, farklı yerlere, farklı cephelere savrulmuş olanlarımız, birbirimize sarılıp ağladık.

MELEK – Sevgi Soysal neden tutuklanmıştı?

OYA – İlk tutuklanmasının hikâyesi anlatılmaya değer. Bu ilk girişte kısa bir süre kaldı Yıldırım Bölge'de, iki üç hafta kadar. Sonra başka bir baheneyle yeniden tutukladılar. Sevgi'nin suçu Mümtaz Soysal'ın karısı ve TRT'ci olmaktı. Ben oradayken Elâ (Güntekin) ile beraber gözaltına alınmışlardı. Elâ benim on yaşından beri, Levent Mahallesi'nden ve okuldan arkadaşım. Sevgi'yi de o tanıştırmıştı bana Ankara'ya geldiğimde. İkisi de TRT'de çalışıyorlardı. Öğle vakti ben Hacettepe'den, Sevgi TRT'den kaçar, Bulvar Palas'ın lobisinde (şimdi Astsubay Orduevi) ahududu likörü ile kahve içerdik, aşktan ve özel yaşamlarımızın altüstlüğünden konuşurduk. Az çapkın değildi Sevgi. Mümtaz Soysal'ı kafasına koymuştu, âşıktı fena halde. Mümtaz Soysal o günlerde Ankara'nın en parlak bekâr erkeklerinden biri. Siyasal'da öğrencilerin gözdesi, karizmatik bir adam. 12 Mart'ın hemen öncesinde Siyasal Bilgiler Fakültesi dekanlığına seçilmişti. 18 Mayıs'ta balyoz inince listelerle arananların başındaydı ve ilk tutuklananlardandı. Onlar, Mümtaz tutuklandığında hapishanede evlendiler. Resmen karısı olursa, Sevgi Mümtaz'la daha kolay görüşebilecekti, ayrıca da bir sevgi ve bağlılık gösterisiydi bu.

Yaz sonuydu, bir gece koğuşun ağır demir kapısı gürültüyle açıldı, içeriye iki kadın attılar. Bu saatlerde, pavyonda astsubaya yüz vermemiş ya da yüzbaşıdan hesap isteme cüretini göstermiş kadınları getirirlerdi çoğunlukla. Onlar birkaç gece kalıp çıkarlardı.Yine öyle bir vaka sandık. İşi ciddiye almayıp kıkırdaşmaları da pekiştiriyordu bu tahminimizi. Kimdir, neden gelmişler soramıyoruz, çünkü gülme krizindeler; ikisi de katıla katıla gülüyorlar. O günlerde koğuş nöbetçisiydim, yeni gelenleri karşılamak, yatacak yer ayarlamak, ihtiyaçlarını sormak bana düşüyordu. Ranzamdan atlayıp yanlarına gittim. Ne göreyim! Sevgi ile Elâ... "Yahu sizin ne işiniz var burada!" "Kocan yüzünden, kocan yüzünden," deyip duruyorlar, gülmekten konuşamıyorlar.

MELEK – Muzaffer mi yani, onun ne alakası var?

OYA – Çılgın bir hikâye. Muzaffer Ankara'ya gelmiş, ayrılmışız falan ama bana görüşe gelmek istemiş. Ankara'da Sevgi ile Elâ'yı bulmuş. Elâ o günlerde sonradan evleneceği Mehmet Keskinoğlu ile beraber. Mehmet aktördü, o gece de Kültür Park'ta oyununun prömiyeri varmış.

Bizimkiler oyun öncesinde oradaki gazinolardan birine çökmüşler, başlamışlar içmeye. Biraz fazla içmişler sonradan Elâ'nın anlattığına göre. Kahkahalar, Sevgi ile Muzaffer arasında samimiyet, Muzaffer'in Sevgi'ye fazla yaklaşması derken, perdenin arkasından ya da sahnedeyken Mehmet bunları izliyor. O da biraz içkili belki, kafası bozuluyor; kocası hapiste olan bir kadın nasıl böyle neşeli olabilir! Oyun bitiyor, bunlar hep beraber arabaya biniyorlar, arabada bir tartışma başlıyor. Bu arada Muzaffer işlerin kötüye gittiğini fark edip ayrılıyor gruptan. Bizimkiler arabayla eve dönerlerken tartışma yine alevleniyor. İsrail Sefareti'nin önünden geçerlerken Elâ avazı çıktığı kadar "Yeter!" diye bağırıyor. Sefaretin önündeki polisler arabayı durduruyorlar. Zaten sıkıyönetim var, gece yasağı yaklaşıyor. Karakolda kimlik tespiti yapılıyor. Asıl bağıran Elâ, ama Sevgi'nin o sırada tutuklu bulunan Mümtaz Soysal'ın karısı olduğu kimlik tespitinde ortaya çıkınca, ikisini de "umuma açık yerde rezalet çıkarmak"tan tutuklayıp içeri atıyorlar.

Ben bizimkileri görünce sevinçten havalara uçtum. Üstelik matrak mı matrak haldeler. Düşün bir: Bizim gibi şanıyla şerefiyle komünistlikten, siyasal örgütten değil, rezalet çıkarmaktan gelmişler. Aslında tutuklanma nedenleri bal gibi siyasi, başkaları olsa kimse tutuklamayı aklından bile geçirmez; ama onlar hem TRT'ci hem de Mümtaz Soysal'ın yakınları... Şimdi hüzünlendim bak: Hikâyenin dört kahramanı da artık yaşamıyor. Sevgi'yi, Muzaffer'i, Mehmet'i, son olarak da bu yaz Elâ'yı kaybettik. Gidenleri hatırlayınca, kalmak bazen zor geliyor insana.

Koğuşta gencecik kızlar, bir de Behice Hanım ve Sevim Hanım'la kendimi biraz yalnız hissediyordum. Şöyle keyifli mavra yapabileceğimiz iki arkadaş gökten inen bir armağandı sanki. "Siz siyasi değil adisiniz, aynı örgütten olduğumuzu söyleyip sizi ihbar edeyim de şerefinizi kurtarın," diye eğleniyordum bütün gün. Ama benim keyfim fazla uzun sürmedi, kısa zamanda tahliye oldular. Sevgi daha sonra 1972'de yeniden tutuklandı ve yanlış hatırlamıyorsam sekiz ay kaldı içeride, sonra da Adana'da sürgüne gönderildi. O yeniden girdiğinde ben tahliye olmuştum.

MELEK – Ne zaman tahliye oldum demiştin? Beraat ettin mi o davadan?

OYA – Benim tahliyem 1972 yılbaşının hemen öncesindedir. Bir ara tahliyeydi, dava devam ediyordu. Sonunda da beş buçuk yıl mı, yedi buçuk yıl mı, hüküm giydim hiç ilgim olmayan o TÖS davasından.

Tahliye edilip de elimde küçük bohçamla kışlanın nizamiye kapısına çıktığımda, baktım Oya (Köymen) o ezeli-ebedi Volkswagen kaplumbağasıyla, yani bizim örgüt aracımızla kapıda beni bekliyor.

Arabaya atladım, üstümde eski bir pantolon var. Aralık ortalarıydı, hava dondurucuydu ama açıktı. Dışarıda olmak, insanların yollarda kaygısızca yürüdüğünü, hayatın aktığını görmek tuhaf bir duyguydu. İçeridekileri bu akıp giden yaşamdan ayıran şu kapıyla üç beş adımda geçilen bir yol mu, diye düşünüyor insan. Hem içerisi hem de dışarısı anlamsız geliyor. Bir de tahliyenin buruk bir utancı vardır. Ötekiler içeridedir, belli beliriz bir ihanet duygusu kaplar insanın içini. Neyse, Kızılay'a gidip diğer arkadaşlarla buluştuk. Bazıları artık aramızda yoktu, kaçmış, başka yerlere gitmişlerdi. Beni, şu anda adını hatırlamadığım ama o zamanın lüks lokantalarından birine götürdüler öğlen yemeğine. Lokantada tuvalete gittim ve aylardır koğuştaki tuvalete giderken yaptığım gibi pantolon paçalarımı kıvırdım, sonra da unutup sıvanmış pantolon paçalarıyla geri döndüm. Topu topu yedi sekiz ay kalmıştım içeride, o kadar az zamanda bile insan birtakım alışkanlıklar ediniyor; yıllarca, onyıllarca kalanları düşün bir... Sonra Oya Köymen'in yeni evine gittik. Adresinin bilinmemesi için ev değiştirmişti, yeni adresini sadece birkaç kişi biliyordu. Gizlilik zorunlu; çünkü 12 Mart rejimi tam gaz sürüyor; her an evin basılması ihtimali var. Ev gizli ama Oya ODTÜ'de öğretim üyesi, derslere gidiyor.

Bir karar verip iş güç bulana kadar Oya'da kaldım, zaten bizim dava sürüyor, ben ara tahliyeyle çıkmışım, Ankara'da kalıp duruşmalara gitmem gerekiyor. Arada, görüş günlerinde çocuklara gidiyorum; hapiste kalanlara. Görüştürmüyorlar ama çamaşırlarını alıp yıkıyorum, bir ihtiyaçları var mı diye soruyorum. Sen de kedi seversin, bak burası ilgilendirir seni. Hapishanede bir kedimiz vardı. Ben kedi meraklısıyımdır ya, bir gün ranzamın üstüne tünemiş dışarıya bakarken avluda minicik bir kedi gördüm. Dışarıda nöbetçi erler vardı. Aslında çoğu bizlere acırdı, ihtiyaçlarımız olduğunda kantinden tedarik eder, gizlice getirirlerdi. Bunlar komünist karılar, demişlerdi ama, onların kafalarındaki komünist imajı çok farklıydı tabii, bize pek konduramıyorlardı komünistliği. Alt tarafı küçücük kızlar, birkaç da yaşlıca kadın...Tam pencerenin altındaki ere seslendim, şu kediyi uzat bana asker kardeş, diye biraz da yalakalık yaptım. Asker, kediciği tüfeğinin namlu ucuna mendiliyle bağlayıp kimseler görmeden parmaklıklar arasından uzattı, ben de içeri çektim. Böylece kedimiz oldu.

MELEK – İçeri kedi medi alınabiliyordu demek ki! 12 Eylül'de askerî hapishanelerde hayal bile edilemezdi bu.

OYA – Hep söylerim, 12 Mart'ın başlarında askerî tutukevleri bile 12 Eylül'le kıyaslanamayacak kadar gevşekti. 12 Mart, 12 Eylül faşizminin provasıydı. O sırada vahşet ve zulüm derslerinde çok şey öğrendiler.

Evet işte, kedimiz oldu. Kediye ben bakıyorum, herkes de biraz tahammül ediyor. Kedileri bilirsin, kafalarına taktıklarını mutlaka yaparlar, bir de kediden hoşlanmayan kim varsa, gider onun eşyaları üzerinde yatarlar. Naciye Öğretmen meğer kediden korkarmış. Bizimki ise öğlen uykularını Naciye Öğretmen'in bavulunun üstünde, hatta açık kalmışsa içinde uyumayı seviyor. Ben durumdan çok huzursuzum, utanıyorum; ama kedimi atmaya da kıyamıyorum. Kızlardan bazıları da benimle ters düşmemek için katlanıyorlar duruma. Ara sıra özür diliyorum kedi sevmeyenlerden; kedilerin insanı sakinleştirdiğini, ruha iyi geldiğini anlatıyorum. Bir süre sonra herkes kediye alıştı, hem de öyle alıştılar ki, tahliye olurken kediyi vermediler. Ben de üstelemedim tabii, tek eğlencelerinden yoksun bırakmak istemedim.

Kedinin adını Felix koymuştum. Göğsü, karnı, patileri, suratı kar gibi beyaz, geri kalan her yeri simsiyah bir kediydi. Felix Kedi, Walt Disney'in Mickey Mause'tan önceki ilk kahramanlarındandır. Siyah beyaz film döneminde çizime en uygun kedi türü. Bizimki de tam o çizgi kediye benziyor. Kızların dili dönmezdi, Felikis derlerdi. Her neyse, bir gün yine Oya'nın arabasıyla Yıldırım Bölge'nin nizamiye kapısına gittik. Kızların çamaşırlarını almaya gelmişiz; sakıncasız kitap, meyve, birşeyler de getirmişiz. Kapıda bekliyoruz. Baktım çamaşırları getiriyor askercik ama keyifli keyifli sırıtıyor büyük naylon torbayı getirirken. Ben de diyorum, ne var torbada, kızlar su doldurmuş olmasınlar muziplik olsun diye, sanki kımıldıyor torba.

MELEK – Kedi geldi...

OYA – Evet, geldi. Kızlar baş edememişler. Felix'i çamaşırların içine koymuş tahliye ediyorlar. Felix'i de alıp Oya'ya döndük. Hava çok soğuk, Ankara'nın soğuğu; buz ve kar. Felix birkaç saat sonra, kapının aralık kalmasından istifade edip kaçtı. Arkasından koştum, bodrum katın penceresindeki parmaklıkların arasına sığınmıştı; koğuşta koynumda yatan hayvan şimdi yanına bile sokmuyordu beni. Ne kadar uğraştıysam da yakalayamadım, kaçtı, ortadan kayboldu. Ağlamaklı oldum, o sadece bir kedi değildi, bizim hapishane günlerimizi paylaşmış bir 12 Mart kedisiydi. Üstelik sokakları tanımayan, hapishane koğuşundan başka yer görmemiş bir kedi. Yıldırım Bölge'ye dönmüş olabileceğini düşündüm. Bilirsin, kediler ne yapıp yapıp evlerine dönmeye çalışırlar. Yıldırım Bölge, Oya'nın evinden sekiz on kilometre uzakta. Böyle bir işe kalkıştıysa, sokakları tanımayan hayvancağızın başına her şey gelebilir. Nasıl üzüldüm anlatamam. Ama kedi kedidir işte; ne yapar yapar yolunu bulur. İnanır mısın, 15 gün sonra, artık hiç umudum kalmamışken geri döndü. Kulağım o kadar kirişteydi ki, acı acı miyavlamasını ikinci kattan duydum. Bir koşu indim aşağıya, kaçıp kaybolduğu noktada buldum onu: aynı bodrum penceresinde. Tabii berbat bir haldeydi; açlıktan kadidi çıkmış, soğuktan donmuş bir halde.

MELEK – Oya'da ne kadar kaldın, neden dönmüyorsun İstanbul'a?

OYA – Ne yapacağıma karar veremediğim bir dönemdi. İş yok güç yok, koca yok, ev yok. Üstelik, "Ah başıma bunları da mı açtın," diye her gün kafamın etini yiyecek, sinir krizleri geçirecek bir anne var İstanbul'da. Tutuksuzum ama davalarım Ankara'da devam ediyor. Bir süre mahkemeye gidip geldim, sonra duruşmalardan vareste tutulma kararı çıktı. Artık Ankara'da kalmam için neden yoktu. 1972 baharında mecburen İstanbul'a döndüm. Yeni bir dönem başladı hayatımda.

Şimdi sana gelelim. Ben Yıldırım Bölge'deyken, sonra da Ankara'dan İstanbul'a göçerken, anladığım kadarıyla sen de Ankara'dasın ama orada kalmayacaksın. Falında yol görünmüş.

Kürecik taraflarında bir mezrada

MELEK – 1971 Eylülü'ne kadar, yani senin Yıldırım Bölge'de yattığın sıralarda ben İstanbul'da normal yaşamıma devam ediyorum. Pek ortalarda görünmüyorum, dikkatli davranıyoruz. Eylül ayında bir gün, Bora ile Pangaltı'daki Haylayf Pastanesi'nde buluştuk. O buluşmada Bora bana, karar verildi, "Sen artık illegale geçeceksin," dedi. Ben tam anlamadım, "Nasıl yani?" dedim. "Sana verilecek talimatlar doğrultusunda belli bir tarihte Ankara'ya gideceksin, ondan sonra ne yapacağını sana bildirecekler." Bir an donakaldığımı çok iyi hatırlıyorum. Hâlâ evliyim, kocam var, ailem var... "Kimseye bir şey söylemeyeceksin, kimse bilmeyecek," diye de tembih etti Bora.

Bu tabii çok ciddi bir durum. Birden duruyorsun; ne kadar inanmış olursan ol, yine de zor. "Nasıl yani," dedim yeniden. "Bu iş ciddi, kimse bilmeyecek," diye yineledi Bora. Bunun ne demek olduğunu çok sonraları o süreci yaşarken öğrendim. Ama o gün, orada şöyle bir durdum: Birincisi, aileme ve eşime yalan söylemek gibi geldi bu; birden ortadan yok olacağım ve nedenini kimseye söylemeyeceğim... 24 yaşındayım, çocuk değilim. "Bir düşüneyim," dedim galiba. İşin ciddiyetini fark etmiştim aslında. Düşünmek için fazla zamanım yoktu. Belki bir hafta, tam hatırlamıyorum. Bizim hareketten birçok insan hâlâ dışarıda o sırada. Bazıları zaten illegale geçmiş, diğerleri dağılmış. Ama benim yerim yurdum belliyken böyle bir durumla karşılaştım. Ne yapacağım? Benim için çok ciddi bir karardı. Sokaklarda dolaşıyorum ve zorlanıyorum bir karara varmakta. Özellikle anne ve babama karşı. Şimdi düşünüyorum da, benim çocuğum böyle bir şey yapsa herhalde mahvolurdum. Düşün; yok oluyorsun ve kimse senin nerede olduğunu bilmiyor. İkilemdeyim; bir yandan da, bu iş olacaksa böyle olacak, diye düşünüyorum. Birkaç günü böyle geçirdikten sonra kendimi bir daha tarttım ve kararımı verdim: Bu iş böyle olmalıydı.

Kocama sadece, "Ankara'ya gidiyorum," dedim, çocukcağız büyük bir iyi niyetle beni getirip Ankara trenine de koydu; ve gidiş o gidiş.

OYA – Kocanla aranızda bir sorun yok yani... Adam belki de seni gözden çıkarmış.

MELEK – O iyi bir insandı, saygılıydı bana karşı. Aileye de benim Ankara'ya gittiğim, iki üç gün sonra döneceğim söylendi. Çok kötü olduğumu hatırlıyorum o Ankara treninde; kendi kendimle ağır bir hesaplaşma yaşadığımı. Annem sonraları çok haklı olarak şöyle anlatmıştı benim bu gidişimi: Eskiden ailenin erkekleri için böyle hikâyeler anlatılırdı; adam köşedeki bakkaldan sigara almaya çıkar, 25 yıl sonra döner. Bizim kız da bir akşamüstü Ankara'ya gidiyorum diye evden çıktı, iki yıl sonra Cenevre'de bulduk.

OYA – Peki ne yaptılar bu durumda? Hele o günleri düşünürsen insan çılgına döner. Polise, sıkıyönetime gitmemişler mi?

MELEK – Yok canım, gider mi! Kadın malını tanıyor. Birşeyler seziyorlar. Yakın çevreye, Sırma'ya, kardeşi Büşra'ya sormuşlar, benim kendi irademle gittiğimi öğrenmişler.

Ankara'ya gittim ama orada çok az kaldım. Demek ki senin hapiste olduğun dönemde ben Ankara'dayım. 1971 yılının sonbaharı, Ekim ayıydı muhtemelen, Bora bana Ankara'da birtakım bağlantı adresleri vermişti. Böylece Ankara'da hiç bilmediğim bir evde buldum kendimi, hiç tanımadığım insanlarla.

OYA – Hatırlıyor musun neredeydi o ev?

MELEK – Hayır, tam olarak hatırlamıyorum. Emek taraflarındaydı sanırım. Örgüt evi gibi bir yerdi. Burada kalanların Doğulu olduklarını şivelerinden anladım. İçlerinden biri Ankara'ya yeni gelmiş, sokağa çıktı dolaşmaya. Ankara'yı hiç bilmiyor. Çıktı ve bir saat kadar sonra döndü. Büyük bir şaşkınlıkla şöyle dedi: "Abi, itin boynuna ip dolamışlar gezdiriler." O zamanlar büyükşehirlerde bile bugünkü gibi köpek gezdirenler azdı ama demek ki bizim çocuk köpek gezdiren birine rastlamış ve çok şaşırmış. Sonra bir gün, hiç tanımadığım ama şivesinden Doğulu olduğunu anladığım genç bir çocukla bir gece otobüsüne binip yola koyulduk.

Yanımda üç beş parça eşyayla bindim otobüse. Nereye gittiğimi, oğlanın kim olduğunu, hiçbir şey bilmiyorum. Zerre kadar endişe duyduğum da yok. Çocukla yol boyunca memleketin durumundan, siyasetten, devrimden konuşuyoruz. Sabaha karşı bizim oğlan şoföre birşeyler söyledi, yol kenarında bir yerde indik. Şafak sökmek üzere. İn yok cin yok bir yerdeyiz: dağ başı. Oğlan benim valizi kaptı elimden, başladık bayır aşağı yürümeye. Bayır aşağı, bir dere yatağına iner gibi indik, sonra tırmanmaya başladık ve bir süre daha yürüdükten sonra, hani Amerikan filmlerinde böyle sahneler olur, bomboş bir alanın orta yerinde iki taş ev belirdi. Ha geldik, dedi benim oğlan, evlerin birinin demir kapısının önünde durduk. Çocuk Kürtçe seslendi içeriye. Az sonra genç bir kız bize kapıyı açtı. Adı Emine'ydi, sonradan öğrendim. Hemen sarılıp öptü beni, eskiden beri tanıyormuş gibi. Şaşırdım kaldım. Neredeyim, kim bunlar?

OYA – O dönemlerin psikolojisini biliyorum. Şaşırırsın belki ama örgütün bir bildiği vardır, diye düşünürsün; kuşkulanmazsın, güvenirsin. İçinde bir kuşku, kafanda sorular belirirse, kendine kızarsın örgüte güvensizlik beslediğin için. Şimdi bizim çocuklarımız böyle şeyler yapsalar, ne olur? Düşünebiliyor musun?

MELEK – Korkunç bir şey, bugün anne olarak düşündüğüm zaman. Kız çocuğun 23-24 yaşında ve bir gün ortadan yok oluyor. Neyse, evden içeri girdik. Kocaman, hol gibi bir taş giriş, iki tarafta odalara açılan kapılar var. İlk gözüme çarpan boy boy çocuklar oldu. Çoğu oğlan bir yığın çocuk etrafımı sardı. Dizildiler karşıma. Kürtçe konuşuyorlar kendi aralarında. Emine, benden daha gençti, Türkçe de konuşuyordu. Sonra iki kadın geldi, onlardan birisi de Türkçe konuşuyordu. O da sarılıp öptü beni. Kadınlar geleneksel beyaz başörtülü. Tuhaf bir durum, onlar bana bakıyor, ben onlara.

OYA – Sıkıyönetim var o dönemde. Kimse size, ne iniyorsunuz dağ başında, siz kimsiniz diye sormuyor mu?

MELEK – O ilk seferde hiç arama olmamıştı ama daha sonraları çok aramalar atlattım. Neyse, o evde komik bir durumdayım. Jeton bende ancak düştü! Niye buraya gönderildim, burada ne yapacağım?

OYA – Peki Bora veya seni oraya gönderenler orada ne yapacağını söylemiyor mu?

MELEK – Yoo, hayır. Çok genel laflar ediliyor: Devrim olacak, Çaru Mazumdar'ın yazılarında anlatıldığı gibi köylü ayaklanması olacak. Zamanı gelince ne yapacağımı söyleyecekler. Herhalde kadınları da gerilla yapmak gibi bir projeleri var, diye düşünüyorsun.

Kadınlar, çocuklar bana, ben onlara baktık bir süre. Sonra evi gezdirdiler. Ön tarafta, içeri girdiğimiz büyük hole açılan iki büyük oda var. Arka tarafta mutfak ve bir oda daha; arkadaki oda esrarlı bir şekilde kapalı. Oraya kimse girmez, dediler. Banyo diye bir şey yok, tuvalet olarak kullanılan bir tahta baraka var evin dışında: iki tahta, ortasında bir delik. Evin arka tarafında hayvanların bulunduğu bir ahır var. Akşam odaların birinde soba yanıyor. Evde belki on dört, on beş çocuk var, her yaştan. Evin erkeği, sonra tanışıp çok seveceğim Mehmet Ali o gün evde yoktu. Mehmet Ali, Alevi bir Kürt. İki karısı ve toplam 18 çocuğu var. Bu kadınlardan biri Güli'ydi; çok akıllı, devrimci fikirler kapmış bir kadındı. Türkçe konuşuyordu. Diğeri ise Meryem, ona da Mayri derlerdi, onun aklı fazla ermezdi bu işlere. Mayri ilk kadındı, Güli onun üstüne gelmişti. İki kadının çekiştiklerini hiç görmedim, herkes birarada geçinip gidiyordu. İşin tuhafı, bu durumu ben de pek yadırgamadım.

İlk bir iki günden sonra, birbirimizle konuşmaya ve tanışmaya başlayınca durum zaten açığa çıktı. Benim geldiğim bu evde daha önce Sinan Cemgil kalmış. Sinan'ın öldürülmesinin üzerinden beş altı ay geçmişti ve o kapalı arka odada Sinan'ın eşyaları duruyordu. Sinan onların gözünde bir kahramandı. Eşyalarına asla dokunmuyorlar, kimseye vermiyorlardı. Kadınlar arada bir gizlice odaya girip eşyalara bakıp ağıt yakıyorlardı. Sinan'ın öldürülmesini anlatırken gözlerinden ip gibi yaşlar akıyor ve dünyaya bir daha böyle insanın gelmeyeceğini söylüyorlardı. Ben İstanbullu olduğum için Sinan'la hiç tanışmamıştım; ama herkes gibi ben de onun sıra dışı özellikleri olan biri olduğunu biliyordum. O evde geceler boyu Sinan'ı bana anlattılar, onu tanımış gibi oldum. Anlayacağın Sinan bir efsaneydi oralarda, Türkiye'nin Che'siydi onlar için.

OYA – Peki ama, o ev mimli bir ev sonuç olarak.

MELEK – Evet, tabii... Evin sahibi Mehmet Ali devrimci. Oğlan çocukların daha küçük olanları Türkiye solunun tanınmış önderlerinin isimlerini taşıyorlardı. Mihri, Reşat, en küçük bebek Deniz... Şimdi düşününce, o bölgelerde, o günlerde epeyce farklı bir hava olduğunu, bölge halkının bir bölümünün, özellikle Alevilerin, köylü devrimciliğine iyiden iyiye kapılmış olduklarını anlıyorum.

İnsanlar çok hoş, bana çok iyi davranıyorlar, birbirimizi çok seviyoruz. Bütün bunlar iyi ama benim kafamdaki soru yerli yerinde duruyor: Ben burada ne yapacağım? Orada bir köy hayatı yaşanıyor, benim orada kalmam onlar için doyurulacak bir boğaz daha demek, yani on dokuzuncu çocuk. Zengin değiller, çocuklar okula ellerinde kuru ekmekle gidiyorlar.

Burası iki evlik küçücük bir mezra; çevrede Alevi köyleri var, aralarda da Sünni köyler. En yakın köy, yürüyerek iki üç saat mesafede. Bu ilk günlerde, onlar benden değil ama ben onlardan çok şey öğrendim. Benim onlara devrimci nutuk çekecek halim yoktu.

OYA – O sıralarda Doğu Perinçek ile İbrahim Kaypakkaya ayrılmış mıydı?

MELEK – Hayır, İbrahim'le bölünme olmamıştı daha. Onları sırasıyla anlatacağım. Garbis Altınoğlu ve daha sonra bavul cinayetine karışacak olan ekip ayrılmıştı, onlara Birinci Tasfiyeciler dendi sonradan. Kaypakkaya grubu 1972 Şubatı'nda ayrıldı. Onlara İkinci Tasfiyeciler dendi.

Neyse işte, İbrahim bölgede, onu biliyorum ama daha görüşmemiştik. Beni Ankara'dan alıp oraya getiren, sonradan adının Hacı olduğunu öğrendiğim genç, Mehmet Ali'nin oğluymuş. Beni bıraktıktan sonra Hacı da yok oldu. Ben kadınlar ve çocuklarla kaldım. Ne yapabilirim? Köy hayatına alışmaya çalıştım. Kadınlara çamaşır yıkama, ekmek yapma gibi işlerde destek olmaya çalışıyorum, arada Emine ile sohbet edip bazen de kitap okuyarak zaman geçiriyorum. Beni en çok şaşırtan ve zorlayan, zaman kavramıyla ilişkimi yeniden, farklı biçimde kurmak oldu. Şehir çocuğuydum, her anımı bir iş peşinde koşturmakla, saatimi dakikamı hesaplayarak geçirmeye alışıktım. Oysa köyde zaman bölünmemiş uzun bir süreç olarak yaşanıyordu. Sabah erkenden, beşte veya altıda başlayan ve akşam beş ya da altıda karanlığın çökmesiyle sona eren, böylece hep tekrarlanan, bitmek bilmeyen, uzayıp giden bir zaman.

Anlayacağın, ben durumun saçmalığını kısa zamanda fark ettim; ama olaya şöyle baktım: Bu süreç benim için bir eğitimdi. Kendi bildiğim dünyanın, bana öğretilen bilgilerin ve doğruların tamamen dışında yepyeni bir dünyayla karşılaşmıştım. Mezraya geldiğimin haftasında, yan evdeki kadının doğum sancıları tutmuştu ama çocuk bir türlü doğmuyordu. Beni çağırdılar. Hani şehirden gelmişim ya, bu işlerden anladığımı düşünüyorlar. Çok korktum, ne yapacağımı bilemiyorum. Nasıl olduysa, ben yanına varınca kadıncağız doğurdu. Bu olay benim hayırlı biri olduğum kanısını güçlendirdi. İşte böyle birkaç hafta geçirdim. Olayın kendisi saçmalık elbette, ancak o günlerde devrimci olmak, Deniz'lerden, Sinan'lardan olmak saygı uyandıran bir durum. Üstelik bir kadın olarak bu yola baş koymak daha da ciddi bir saygı uyandırıyor. Bana o evde bir kahraman gibi davranıldı, el üstünde tutuldum. Bazen utanıyordum, böyle bir şeyi hak etmediğimi düşünüyordum; hoşuma da gidiyordu ama.

OYA – 1917 Bolşevik Devrimi'nin kadın yoldaşları, kahramanları da böyle romantize edilmişlerdir. O dönemlerdeki ruh halimizi hatırlayınca senin durumunu, psikolojini çok iyi kavrıyorum.

MELEK – Benim açımdan asıl yeni olan, Alevi Kürt bir ortamda bulunmaktı. Ben Aleviliği ilk o zamanlar öğrendim. Evin erkeği Mehmet Ali, bana gerçek bir baba gibi davranıyordu, koruyup kolluyordu. Uzun kış gecelerinde bana Aleviliği, Alevi dedeliğini, Kerbela olayını, Hasan ve Hüseyin'i, pek çok şeyi anlattı. Tecrübeli bir adamdı, öyle sıradan da değildi. Çok sevdim onu, çok şey öğrendim ondan.

"Bu kadını buraya getirip bana bıraktıklarına göre, o artık bana emanet," diye düşünüyordu herhalde. Bölgenin insanı olmadığım çok belli, tam anlamıyla beyaz bir şehir kızıyım, şalvar giymem bir şey değiştirmiyor. O nedenle, beni ciddi korumaya aldı, başıma tatsız bir olay gelmemesi için çok dikkatli davrandı. Orada adım Elif oldu.

OYA – Peki onlar senden kuşkulanmadılar mı? Bu kızın buralarda ne işi var, ajan majan olmasın diye düşünmediler mi hiç?

MELEK – Yok, hayır. Kuşku, güvensizlik o zamanlar çok daha azdı. Örgütteki yoldaşlara güvenilirdi. Ben ne o mezrada ne de daha sonra Filistin'de kalırken birlikte olduğum insanlardan kuşku duydum. Bana onlardan bir zarar, bir kötülük gelebileceğini hiç düşünmedim. Tam tersine beni çevreye karşı koruyan, himaye eden ailelerim oldu. Bana hep kendi kızları gibi davrandılar. Ben de onlarla kaynaştım. Onlarla birlikte, kendi aile yaşantımın çok dışında bir hayatın parçası oldum. Bugün geriye dönüp baktığımda büyük bir zenginlik olarak görüyorum bu yaşadıklarımı. Hiçbir üniversitede öğrenemeyeceğim şeyleri öğrendim, yaşama karşı donanım edindim.

Sonra bir gün nihayet İbrahim (Kaypakkaya) çıkageldi, yanında da Ali (Taşyapan) vardı: Küçük Ali. Başka bir köyden yürüyerek gelmişlerdi. İbrahim'i görünce sevindim. İbrahim'i gerçekten çok severdim, çok özel bir insandı. Zeki, duyarlı, temiz yürekli.

OYA – Ben yine sormak istiyorum. Seni oraya gönderirlerken merkez komitenizin, karar verenler kimse onların kafasında bir şey yok mu? Niçin yolluyorlar oraya seni?

MELEK – Daha sonra benim kendi çıkarımlarım oldu, anlatacağım. Benim gibi bir kadının o koşullarda oradaki insanlara ne vereceği, ne işe yarayacağı sorusunun yanıtı kanımca hiç kimsenin kafasında net değildi. Kadınlara gerilla eğitimi verilecekse, ben silah kullanmayı bilmiyorum ki başkalarına öğreteyim. Kaldığım evde iki üç silah var. Ama bunlar güvenlik nedeniyle her evde bulunan türden şeyler. Mesela bazı geceler biz kadınlar evde yalnız kalıyorduk, gece kapıya birisi geldiğinde, bir tıkırtı duyulduğunda, kadınlar hemen tüfeği alıp kapının arkasında mevzileniyorlardı. Silahı ilk kez o evde elime aldım. Ben onlara değil, onlar bana öğrettiler silah tutmayı. Emine ve evin genç çocukları ile bomboş dağlarda silah talimi yapardık. Silahı sökmeyi ve temizlemeyi orada öğrendim.

OYA – Peki sen şimdi devam et, merak ettim, anlat ne oldu İbrahim gelince? Bu arada, kaldığın o ev tam nerede demiştin?

MELEK – Malatya'nın Kürecik ilçesine bağlı bir mezradayız.

OYA – Sen hiç iniyor musun Malatya'ya veya Kürecik'e?

MELEK – Yok, hayır. O ilk dönemde ben ve kadınlar hep evdeydik. Hava iyi olunca, yürüyerek komşu mezraya giderdik. Bir ya da iki saatlik mesafede yerler. Evdekiler şehirli kızın çok yol yürümeye alışık olmasına şaşıyorlardı. Bunu Norveçli mürebbiyeme borçluyum, nasıl derim! Beş altı yaşlarındayken beni Bebek'ten Beşiktaş'a, hatta Taksim'e kadar yürütüp oradan otobüsle geri döndürürdü. Bu bakıcımı hâlâ minnetle anarım. Beni çıtkırıldım ev kızı yerine, dayanıklı bir kız olarak yetiştirdi. Bunun yararlarını sonraki yaşamımda çok gördüm.

OYA – İşe bak! Sen dadılarla mürebbiyelerle büyü, sonra da...

Devrimciliğe duygu karışınca

MELEK – İbrahim geldi, hoş beş oturuyoruz, gecikmeden konuya girdim: "İbrahim, ben burada ne yapacağım, beni buraya neden getirdiniz? Tamam, insanlar çok iyi, bana herkes çok iyi davranıyor, ben de onları çok seviyorum; ama bütün bunlar benim niçin burada olduğumu açıklamıyor," gibisinden birşeyler söyledim. "Bu iş bana pek akıl kârı gelmiyor, buralarda böyle kadın başıma dolaşmam dikkat çeker, ayrıca ben evliyim, bir kocam var," dedim.

İbrahim beni sessizce dinliyor, tepki vermiyor. Böyle sakin sakin dinledikten sonra, "Evet, haklısın, ben de bütün bunları düşündüm," dedi. "Eee... Ne düşündün?" "Senle ben evli gibi oluruz, kendimizi evli olarak tanıtırız," demez mi!

O bunu söyleyince ben çok şaşırdım. Ciddi, çok şaşırdım. Çünkü bir çözüm olarak, iyi niyetle de söylense, bana çok farklı bir teklif yapılıyor. Orada bulunmamın, orada kalmamın nedeni buymuş gibi oluyor. Çok şaşırdım, hemen tepki verdim; "Bu olamaz," dedim, "birincisi benim bir kocam var ve bu adama karşı bir sorumluluğum var, ayrıca böyle bir şeyin duyulması devrimciler adına da iyi olmaz, buradaki insanlara karşı da doğru bir şey değil."

Nereden baksan saçma bir durum. Ama İbrahim, teklifinin benim açımdan ne kadar imkânsız olduğunu kavrayamayacak kadar da duygulu ve saf. Ben böyle hiç tereddüt etmeden yekten karşı çıkınca, bozulduğunu anladım. Ona bunun neden olamayacağını çok yumuşak bir dille anlatmaya çalıştım; kızgınlık da duymamıştım zaten. Sonradan düşündüm, bu kişi İbrahim değil de başkası olsaydı, çok öfkelenirdim. Ama İbrahim'e kızamazdım, onun yüreğinde bana karşı sadece iyi duygular olduğunu biliyordum.

İbrahim aslında çok hassas bir insandı, benim tepkime çok alındığını hissettim. İşi yumuşatmak için, "Biz yine iki yoldaş ya da hareketin iki elemanı olarak neler yapacağımızı düşünelim, ben burada ne yapabilirim, ne verebilirim buradaki insanlara onu konuşalım," gibi birşeyler söyledim. Bunun üzerine İbrahim birden savunmaya geçti, sekter bir tavır takındı. O dönemlerde bizim saflarda da ahlaki değerler, devrimci değerler falan karmakarışıktı. İbrahim kabuğunu kuşandı ve karşı saldırıya geçti. Ben yine "burjuva kızı" oldum, kitlelerle ilişki kurmakta zorlandığım gibi sözler etti. Ben bu tür nutuklara alışık olduğumdan fazla tepki vermedim. Bu konuyu, yani benim orada bulunma nedenimi yeniden konuşmamız gerektiğini tekrarladım. Bunları söylüyorum ama, kiminle neyi konuşacağız, diye düşünüyorum bir yandan. Benim orada kimseyle ilişkim yok, ilişki kurma imkânım da yok.

OYA – Dağ başına biri gelecek ki konuşup derdini anlatasın.

MELEK – Bora ile konuşmak istiyordum. Bana köye gitme kararını tebliğ eden Bora'ydı, o nedenle ona sormak istiyordum. Ayrıca o zamana kadar Bora ile çok daha yakın olmuştum. Bora siyasi harekette yoldaşım olmaktan öte dostumdu, birlikte çok çalışmıştık. İbrahim'e, "Bora gelsin, birlikte konuşalım," dedim.

O gece İbrahim ve Küçük Ali bizim evde kaldılar. Ertesi gün kalktığımızda İbrahim bana, "Sen şimdi Ali ve benimle başka bir köye geleceksin, oradaki kadınlarla tanışacaksın," dedi. Kasım başıydı, havalar soğumuştu. Gideceğimiz köy, yürüyerek en az beş altı saatti, ayrıca ortalık kararınca gitmemiz planlanıyordu.

OYA – Ee... tabii gerillalık kolay iş değil.

MELEK – Yürüme konusunda kendime güvensem de aldı beni bir düşünce. Bu arada, durumu öğrenen Mehmet Ali ağırlığını koydu, "Elif gidemez, ben yollamıyorum," dedi. İbrahim'le benim aramda geçenlerden habersizdi, o sadece gece o karanlıkta saatlerce yollarda yürümeme karşı çıkıyordu. Ne de olsa yaşlı ve otorite olduğu için, onun sözü dinlendi. İbrahim'le soğuk ayrıldık.

OYA – Melek, sen o anda İbrahim'in teklifine evet deseydin ne olurdu acaba? Bazen de ne kadar tesadüflere bağlı hayatımız!

MELEK – Onu bilemem tabii. Ama o tekliften sonra oraya niçin gönderildiğim konusunda bazı kuşkular duymaya başladım.

OYA – Geçende o günleri, örgüt şeflerinin gizlilik ve devrimcilik bahaneleriyle döndürdükleri işleri konuşuyorduk Oral Çalışlar'la. Oral o sıralarda sizin takımın önde gelenlerindenmiş, İbrahim Kaypakkaya'dan önce örgütün Doğu-Güneydoğu sorumlusu oymuş galiba. Sonra, 71 Temmuzu'nda tutuklanınca yerine İbrahim Kaypakkaya getirilmiş. Oral örgütte neler olup bittiğini biliyor. Bir örgüt toplantısında, İbrahim başta olmak üzere birileri, kırsalda kadın militan yok, kırsal kesime kadın yoldaşlar göndermek gerek önerisi getirmiş. Peki kim, diye sorulunca, İbrahim Kaypakkaya, Melek demiş ve sende ısrarlı olmuş. Oral, İbrahim'in sana ilgi duyduğunu hissettirdi o günleri anlatırken. Senin anlattıklarınla da birleştirince bunun doğru olduğunu düşünüyorum.

MELEK – Bu, bence olayı da, duyguları da fazla basite indirgemek olur. İbrahim ile ben daha önce de söyledim, birbirimize yakındık. Ama bu yakınlık birçok şeyi içeriyordu. İbrahim beni hayalindeki devrimci kadın olarak görmek istiyordu. Rahat burjuva ortamını bırakıp kendini devrime adamış kadın... Devrimcilik bir yanıyla da romantizmdir, demiştim. Yineliyorum; bunlar, sıradan kadın erkek ilişkileri düzeyinde ele alınamaz, ben de hiçbir zaman öyle ele almadım.

Aradan bir süre geçti, ben yine köy hayatına devam ediyorum. Neyse, bir şekilde haber gönderdim ve sonunda Bora geldi. İbrahim'le birlikteydi galiba, yalnız olmadığını çok iyi hatırlıyorum. Bu sefer de Bora'yla kapandık odaya. Bütün olayı, duyduğum tepkiyi ona anlattım, neden burada bulunduğumu bir kez daha sordum. Bora şaşırdı bunları duyunca. Anladım ki Bora'nın İbrahim'in bana söylediklerinden haberi yok; ama aynı zamanda şunu da anladım: Onun da kafasında benim orada niçin bulunduğuma dair net bir düşünce yok. O da bilmiyor.

OYA – Peki Bora ne diyor senin anlattıklarına?

MELEK – Dinledi ve "Böyle bir şey olamaz, bunu konuşmamız gerek," dedi. Yine aynı sorun: Kiminle, nerede ve nasıl konuşulacak? İllegalite her şeyin üstünü örtmek, gerçekleri saklamak için en uygun ortamdır. Bilirsin, dünyadaki sol hareketlerin ve partilerin en büyük zaafları illegalite örtüsü altında örtbas edilmiştir.

Ankara'da, beni buralara gönderen, bu tayinleri çıkaran kimselerle konuyu konuşmak istediğimi söyledim. Bora benim bu talebimi iletecek, Ankara'ya gideceğim ve bu konu birlikte konuşulacaktı. Böyle bir karar alıp ayrıldık. Bora gelip gittikten sonra İbrahim tekrar geldi, yanında Ali de vardı. Artık hava iyice soğuk, her yer kar, herhalde aralık ayı. Tahminime göre benimle konuştuktan sonra Bora onunla da konuşmuş çünkü İbrahim bana karşı belirgin bir şekilde soğuk ve sert. Bu negatif tavır sol söylemin, devrimcilik söyleminin ardına gizleniyor hep. Bu kez nasıl olduysa, belki Mehmet Ali yoktu, hatırlamıyorum, beni yine o daha uzaktaki köye götürmek istedi. Ben de direnebilecekken sanırım onun saldırılarına karşı bir tavır alarak, belki burjuva kızı olmadığımı, korkmadığımı göstermek için gitmeyi kabul ettim.

İbrahim, Ali ve ben yola çıktık. Hava soğuk, karın içinde yürüyoruz, zifiri karanlık, filmlerdeki gibi. En az beş altı saatlik bir yol. Karda yürümek çok zordur, ayağımızda doğru dürüst çizme de yok, ayaklarım donuyor. En sonunda buz gibi bir derenin içinden geçtik, sabaha karşı bir köye vardık. Ben ıslanmışım, yarı donmuş durumdayım. Bir eve girdiğimizi hatırlıyorum, kadınlar üstümdeki ıslak giysileri çıkarttılar, beni bir yatağa yatırdılar. Ondan sonrası hiç yok, tam bir kopuş. O evde beş altı gün o kadar yüksek ateşle yatıyorum ki köylüler benim öleceğimi sanmışlar. Sonra nasılsa kendi kendime iyileştim. Gözümü açtığımda evlerinde kaldığım insancıklar çok sevindiler. Orada öleceğim diye çok korkmuşlar. Tanımadıkları bir kadın başlarına bırakılıyor ve evlerinde ölüyor: Korku filmi gibi. Bu arada İbrahim ve Ali beni o eve bırakıp gitmişler.

OYA – Bütün bunları da iyi niyet olarak görmek mümkün mü? En azından hınç alma, bilinçaltında da olsa teklifi reddeden seni hırpalama isteği yok mu?

MELEK – Var tabii. Burnumu sürtmek, cezalandırmak isteği var. Bu işlere kalkışmış ama ne de olsa burjuva kızı, görsün bakalım, tavrı. Sınıf düşmanı kavramı üzerine inşa edilen bir düşünce sisteminden ne bekleyebilirsin? Düşman, yok etme, silah ve öldürme işin içine girdiği andan itibaren insani duygular zaaf olarak görülür. Devrimci bu duyguları yenmeye, zaaflarından kurtulmaya çalışır. Totaliter yapılar ancak böyle ortaya çıkar. İnsani duygulardan ve merhametten koparak. Neyse, ben gözümü açtım ama hiçbir şey hatırlamıyorum o birkaç günle ilgili. Neredeyim, kim bunlar?

Filmlerdeki gibi

OYA – Filmlerdeki gibi.

MELEK – Aynen öyle. İnsanlar o kadar sevindiler ki benim iyileşmeme, beni sürekli besliyorlar, taze yumurtalar yedirip yeni sağılmış sütler içiriyorlar. Bütün diğer köylüler gibi bunlar da bana karşı sevgi dolu. Ben sol hareket içinde bulamadığım sevgi ve dostluğu her zaman sıradan insanlarda buldum; o nedenle de insanlara olan güvenimi hiçbir zaman yitirmedim. Örgütlere güven konusunda aynı şeyi söyleyemeyeceğim.

Neyse, ben bir iki gün içinde ayaklandım, gençlik var ne de olsa. Yine aynı soru: Burada ne olacağım? Yanlarında kaldığım aile Mehmet Ali'nin akrabasıymış, onlar Mehmet Ali'ye benim hasta olduğumu haber veriyorlar. Haber vermek de şöyle oluyor: Bu köyden birisi yürüyerek gidip durumu anlatıyor. O zamanlar bırak cep telefonunu, oralarda normal telefon bile yok. 38 yıl öncesinden söz ediyoruz.

Mehmet Ali bu haberi alır almaz Emine'yi benim yanıma yolladı, talimatı çok kesindi: Elif derhal eve dönecek. Ben de artık onun kızlarından biriydim, yerim de onun eviydi. Emine ve ben, hiç unutmuyorum, soğuk ama güneşli bir günde, o altı saatlik yolu yürüyerek eve döndük. Nedense o günün anısı hep hatırımda kaldı. Elimizde birer tahta sopa, türküler söyleyerek dağlarda yürüyoruz. O günden sonra, Kürecik'te kaldığım sürece Mehmet Ali'nin evinden ayrılmadım. Yıllar sonra, Mehmet Ali'yi ve ailemi ziyaret etmek istedim ama evlerini bırakıp Pazarcık'a göçmüşlerdi. Neyse ki sonradan onlar beni arayıp buldular, İstanbul'da buluştuk. Mehmet Ali daha sonra kanser oldu, İstanbul'a ameliyat olmaya geldiğinde hastanede yatarken bütün çocuklarını başına topladı, onların arasında ben de vardım.

OYA – Peki ama bütün bu anlattıklarının, bu maceranın siyasi olarak, yani devrimci mücadele açısından hiçbir anlamı yok.

MELEK – Yok tabii, ben kendi adıma tek kazancımın bu insanları tanımam olduğunu düşünüyorum. Geri dönüp baktığımda anlıyorum ki Mehmet Ali benim bu şekilde götürülmemden hiç hoşnut değildi ve İbrahim'e kızgındı. Beni karşısına aldı ve kesin konuştu: "Burada kaldığın sürece benden habersiz bir yere gidemezsin, senin yerin burası ve kim gelirse gelsin, seni götüremez. Ankara'ya giderken ben yanına birini katarım, öyle dönersin."

Biz yine eski hayatımıza döndük ama bu sırada bana haber geldi Ankara'ya gelsin diye. Ben yine Mehmet Ali'nin oğullarından biriyle, Hacı ya da Hüseyin hatırlamıyorum, otobüse binip Ankara'ya geldim, 72 yılının başları olmalı.

Ankara'da Şahin Alpay'ın karısı Fatma'nın evine gittim. Fatma sağduyulu ve kişilikli bir kadındı, ayrıca da cin gibiydi. Tabii beni öyle yarı köylü kılığında görünce şaşırdı. Banyo yaptım, üzerime şehirli kıyafetleri giydim. Bu arada Fatma'ya olup bitenleri kısaca anlattım. Fatma benim söylediklerime fazla şaşırmadı sanırım, çünkü o hepimizden önce herkese notunu vermişti. Sonra da Sırma'yı aradım.

OYA – Doğu illegalde değil mi o sıralarda?

MELEK – İllegal tabii, Ankara'da bir gecekonduda saklanıyor. Sırma ise çocuğunu alıp başka bir eve taşınmış. Ben Sırma'yla buluştuğumda bütün olup bitenleri anlattım, benim Kürecik'e başka nedenlerle yollandığımı düşündüğümü söyledim. Sırma dinledi, İbrahim'le Doğu'nun aralarında ideolojik bir sürtüşme olduğunu bildiğini ancak benim köye yollanmamla ilgili bir şey bilmediğini söyledi. Düşündükçe o bölgeye, o eve yollanmamın devrimci mücadele açısından hiçbir anlamı olmadığı kanısı pekişiyordu bende. O bölgeye yollanmamın arkasında başka hesaplar olabileceğini düşündükçe öfkeleniyordum. O günlerde Bora Ankara'ya geldi. Doğu ile görüşememiştim bir türlü, Bora'ya düşüncelerimi söyledim. Ortada bir ideolojik tartışma varsa neden ben buna alet edilmiştim?

Bora da şaşırdı benim söylediklerime ama biraz da kuşkuyla karşıladı anlattıklarımı. "Ne yapmalıyım?" diye düşünmeye başladım. Terk ettiğim kocama, aileme mi dönecektim? Ben yanılmışım, bütün ideallerimiz boşmuş mu diyecektim? Bu olasılığı hiç düşünmedim. Eşitlik, adalet ve özgürlük istiyordum, hem kendim hem de bütün insanlar için. Bu düşünce bende o denli güçlü yer etmiş ki bugün bu yaşımda hâlâ bunlar için sokaklarda yürüyorum. Örgüt içinde, sol hareket içinde çok sevdiğim insanlar vardı, onlardan kopmayı düşünemezdim. Diğer yandan da yapıdaki çatlakları ve olumsuzlukları çok iyi görüyordum. Bu tür bir yapılanma ile hiçbir yere gidilemezdi. Gidilemeyeceğini sonradan hepimiz yaşayarak gördük. Ne yaptım biliyor musun? Kendi isteğimle Kürecik'e geri döndüm. Orası çok daha sahici, çok daha güvenilir bir ortamdı. Oradaki insanlara daha fazla güvenebileceğimi seziyordum. Örgütten de tam kopmuş olmuyordum böylece. Bu cesur bir karardı ve daha sonra anlatacağım gibi, beni de zorladı.

OYA – Doğru düşünmüşsün. Zaten o günlerde çok baskı vardı, Ankara'da herkes biliniyordu, saklanılacak yerler belliydi ve büyük ihtimalle hepsi gözetleniyordu.

MELEK – Karakış bastırmıştı. Köyün yolunu biliyorum ya artık, bindim otobüse, doğru Mehmet Ali'nin evine. Onlarla zaten aile olmuşum: on dokuzuncu çocuk. Kış kıyamet, kar yağıyor durmadan. Yollar kapandı, Mehmet Ali yine ortada yok. Biz kadınlar, çocuklar, Emine ve ben oturuyoruz. Derken bir gece jandarma bastı evi. Benimle bir alakası yok. O dönemde kadınların da bu işlere karışabileceği düşüncesi henüz yer etmemiş devlette, ben de oradaki kadınlardan biriyim, başımda beyaz tülbentle öyle köşede duruyorum. Benden hiç kuşkulanmadılar. Böylece ben Mao Zedung düşüncesini başarıyla hayata geçirip köylülerin arasına "suda balık" gibi katılmıştım!

O sene çok kış oldu, ne yiyecek kaldı ne yakacak. Hem açız, hem üşüyoruz. Hele çocuklar, onların durumu daha da berbat. Bir gün Emine'yle ben anayola çıktık; o zamanlar ahşap elektrik direkleri vardı, öyle pek büyük olmazlardı. Nasıl yaptık bilmiyorum, belki de zaten yere düşmüş, çürümüş bir direkti ama direği eve getirdiğimizi hatırlıyorum: yakmak için. Birgün yine böyle bir kış günü, çocuklar üşüdükleri için olsa gerek, içinde hâlâ kızgın közler bulunan sobaya gaz dökerek yakmaya çalışmışlar. Biz kadınlar mufakta yemek yapıyorduk. Çocukların bağrışıyla odaya koştuk, ne görelim! Çocuklardan biri, benim sevgilim olan Reşat, feci şekilde yanmış, korkudan ve acıdan titriyor. Reşat en fazla beş yaşında o zamanlar. Kadınlar şaşkınlık içinde diş macunu sürelim diyorlar. Reşat'ın yanıkları çok ağırdı. Hemen karar verdim, ne olursa olsun hastaneye gidilecek. Yola kadar bayağı bir mesafe var, dere yatağına inilecek, tekrar çıkılacak. Çocuğu taşımak gerekiyor. Kar diz boyu. Emine'ye, hadi dedim, yürü, biz taşıyacağız. O anda saklanmakmış, karmış, hepsini unuttum. Sadece Reşat'ı kurtarmak vardı aklımda. Biz hazırlanırken Allah yardım etti, büyük oğlanlardan biri geldi, Reşat'ı sırtladı ve doğru Malatya'ya hastaneye gittiler. Anayola çıktıktan sonra kırk dakikalık falan bir yoldaydı Malatya. Reşat benim tahmin ettiğim gibi çok ağır yanmıştı. Sanırım hastanede üç kez kan verildi. Mehmet Ali olayı duymuş, hastaneye gelmişti. Reşat'ın yaşamı kurtuldu. Çok güzel bir çocuktu Reşat, kocaman gözleri, uzun kirpikleri vardı. Çok az konuşur, kocaman gözleriyle bakardı insana. Yüzünde yanık yoktu, ancak yeni bir sorun olduğunu gördüm. Bacaklarını toplayıp yattığından bacak derisi yanlış kaynamıştı. Çocuk bacağını uzatamıyordu. Ben yeniden herkesi ayağa kaldırdım ve Reşat tekrar hastaneye götürüldü, bu kez de yanlış kaynayan deriyi ameliyat ettiler. Yıllar sonra Reşat İstanbul'da beni görmeye geldi. Dokuz Eylül Üniversitesi'nde okumuş, doktor olmuş. Nasıl yakışıklı, nasıl güzel bir delikanlı. Onu öyle gördüğüm günkü mutluluğumu anlatamam. Sarıldık birbirimize. "Benim hayatımı kurtardınız Melek Abla," dediği an ağlamaya başladım.

OYA – Yaa çok müthiş bu! Hep derim ya gerçek hayat bazen romanlardan, kurgulardan daha inanılmazdır diye. Demek doktor olmuş. Konuştunuz mu o günleri?

MELEK – Konuştuk tabii. Hayal meyal hatırlıyordu yaşananları ama beni unutmamıştı. O kışı Kürecik'te geçirdim. Bora arada bir geliyordu. İbrahim de bölgede ama o son olaydan sonra Mehmet Ali'nin evine fazla gelmiyordu. Ben orada kalmaya devam ediyorum, artık eskisi gibi, ne olacak diye Bora'ya bile sormuyorum. Aslında fazla bir şey bilmek de istemiyorum. Kafamın arkasında her zaman hapis ve işkence ihtimali var. Hapse düştüğünde çok şey bilmek bir bela, bilmezsen zaten bir şey söyleyemeyeceğin için daha rahatsın. O arada işte Ankara'da bir toplantı oldu. Beni de çağırdılar, katıldım.

Soru işaretleri artarken

O toplantı benim örgütten soğumamı pekiştirdi. Örgüte aidiyet duygumu iyice yitirdim. Toplantıda Doğu'nun yanı sıra Nuri (Çolakoğlu), Halil (Berktay) ve birileri daha vardı, tam kadroyu şimdi hatırlamıyorum. Nuri benim Kolej yıllarından arkadaşım, oradaki herkesten daha yakın bana. Halil de Robert Kolej'den ama onu tanımıyordum. Ben toplantıda İbrahim olayını gündeme getirince Doğu çok kızdı. Onun kızması normaldi ama Nuri dönüp bana, "Sen de Kolejli kızsın, bu işleri neden bu kadar büyütüyorsun?" gibi bir laf edince, gerçekten çok kötü oldum. Yine "Kolejli kız" yaftası yapıştırılmıştı işte.

Çekip gittim mi? Hayır. O anda kendimi tuttum, fazla bir şey yapmadım. O gün geldiğim noktada örgütten kopsan ne yapacaksın, nereye gideceksin? Bunları düşünüyorum, büyük bir ikilem içindeyim. Ama inat da var bende; baş koyduğum yoldan geri dönmemek. Bu sırada Bora'dan İbrahim'le Doğu'nun arasındaki iplerin tamamen koptuğunu, İbrahim ve bizim bölgedeki arkadaşların bir bölümünün TKP-ML/TİKKO olarak ayrıldıklarını öğrendim.

OYA – Haa, şu İkinci Tasfiyeciler ayrışması... Kişisel çatışmalar bir yana, ayrılığa yol açan temel ideolojik sorun ne? Ya da var mı böyle bir ideolojik farklılık? Bilirsin, o zamanlar bir sözcükten bile ideolojik ayrılık çıkardı. Bana sorarsan aslında bu ayrılıkların pek çoğu kişisel nedenlere, kariyerizme, iktidar hırsına dayanıyordu. İdeolojik ayrılık diye diye amipler gibi parçalanıp duruyorduk.

MELEK – Sanırım İbrahim'in Kemalizm ve ona bağlı olarak Kürt meselesi üzerine yazdıkları ve düşünceleri, daha milliyetçi ve Kemalist bir çizgide olan Doğu'nun görüşleri ile bağdaşmıyordu. İbrahim, ayrıca başta da anlattığım gibi Çaru Mazumdar ve ÇKP içindeki radikal kanattan etkilenmişti, devrimi kırsaldan, köyden başlatma düşüncesine inanıyordu. Benim o dönemdeki ideolojik formasyonum çok güçlü değildi, ama Mao Zedung ve ÇKP tarihini iyi biliyordum, çünkü bunları İngilizce kaynaklardan okumuştum. Okuyup öğrendiklerime göre, Çin Halk Cumhuriyeti ile Türkiye arasında en ufak bir benzerlik bulamıyordum, birşeylerin yanlış olduğunu görebiliyordum.

1972 yılının başında İbrahim ve ekibi ile Doğu kesin ayrıldılar. Böylece bizim TİİKP (Türkiye İhtilalci İşçi Köylü Partisi) olarak Güneydoğu'da bulunan ekip, ki ben de bunlardan biriyim, kendi içinde ikiye bölündü. Bölgedeki köylüler de bunu biliyordu. Bora TİİKP'te, yani Doğu'nun yanında kaldı, parti görevlisi olarak bölgeye geri döndü. Ben de hâlâ TİİKP üyesiyim hâlâ ama bana sorarsan sadece kendimi temsil ediyorum.

Köylüler beni seviyorlardı, güveniyorlardı. Partinin bölündüğünü öğrenince, şimdi ne olacak diye sordular bana. Ben de taraf tutmadığımı, önümüzde uzun bir yol olduğunu, ayrılıklara karşı olduğumu söyledim. Dinleyip kafalarını salladılar, "Elif, sen burada kal, biz sana bakarız," dediler.

OYA – Tabii bakarlar bakmasına da, ne olacak bu işin sonu? Şimdi düşünüyorum da, ne günlermiş, nasıl savrulmuşuz dört bir yana. Hepsi de devrim içindi değil mi? Kimliklerimizi, yaşamımızı, geleceğimizi o umut üzerine kuruyorduk; bugün değilse yarın, bizler görmesek bile çocuklarımız görecekti devrimi... Peki kaldın mı orada?

MELEK – Tam bu sıralarda Bora bölgeye geldi. O da bizim evde kalıyor.

OYA – Benim hâlâ anlamadığım bir şey var. Sizler orada fing atıyorsunuz, tabii ki bilen duyan var ve hiçbir şey olmuyor. Bana sorarsan sizleri otlamaya bırakmışlar, ilişkilerinizi çözmeye çalışıyorlar.

MELEK – Bu sorunun cevabı, o dönemde polisin şehirlerde yoğunlaşmış olmasıdır. Kırsal alanda henüz büyük olaylar yok, oralarda geleneksel jandarma aramaları falan yapılıyor. Evler ara sıra basılsa da, rutin arama. Jandarmanın geldiğini zaten görüyorsun, biryerlere saklanıyorsun Şehirler gibi düşünme buraları. 1980 sonrası gibi de düşünme.

Ne diyordum? Haa... Bora geldi ve orada çok hastalandı, ağır bir sarılık olmuştu. Rengi sapsarıydı, köylüler buna kara sarılık diyorlardı. Köyün birinden bir yaşlı kadın bulup getirdiler. Kadın Bora'nın kanını akıttı; ama ne yapsak boş, Bora iyileşmiyor. Ben doktorlar ve eczacılar arasında büyüdüğüm için biraz tıp bilgim vardı ve bu tür bir sarılığın çok tehlikeli olabileceğini biliyordum. Bora'yı hastaneye gitmeye ikna ettim. Bora haklı olarak hastanede yakalanmaktan korkuyordu. Reşat yandığı zaman gittiğimiz Malatya'daki hastanenin başhekimi geldi aklıma, onun ilerici birisi olduğunu anlamıştım. Bora'ya dedim ki, ya hastaneye yatacaksın ya da öleceksin. Böylece Bora'yı hastaneye kaldırdık. Tahmin ettiğim gibi, o doktor tek bir soru sormadan Bora'ya baktı ve iyileşinceye kadar hastanede yatırdı.

Bu dönemde Bora ile aramızda bir yakınlaşma doğdu. Birbirimizi dört yıldır tanıyorduk. Bu süreç içinde duygusal olarak da yakınlaştık birbirimize. Zor koşullar ve imkânsızlık her zaman aşkı doğurur ve besler. Normal yaşamlarımızı sürdürüyor olsaydık ilişkimiz farklı gelişirdi belki de; ama dağ başında, her an tehlike altında, tetikte yaşamak bizi yakınlaştırdı. Çok güçlü bir duyguydu, derin bir ilişkiydi. Dayanışma, paylaşma, dostluk, tutku karışımı bir şey.

OYA – Buna aşk derler canım. Haklısın, özel durumlarda çok daha güçlü yaşanır.

MELEK – Bora nihayet iyileşti, ondan sonra da ben sarılık oldum; ama onunki kadar ağır değildi. Sarılık olunca Ankara'ya döndüm. Orada uzun zaman sonra ilk kez annemle buluştum. Çok zor ve dramatik oldu buluşmamız. Ama annem bana, geri dön, demedi. "Madem bu yolu seçtin, yolun açık olsun," dedi. Bunu söyleyebilmek, anne olarak kolay değil. Annem kişilikli bir kadındı. Sonradan benim yüzümden babamla birlikte Birinci Şube'ye götürüldüklerinde, polis benim yerimi sorduğunda, "Hangi anne çocuğunun yerini söyler ki polise!" diye kafa tutmuş.

OYA – Bu anlattıkların 72 baharı olmalı. Yani benim Ankara'dan İstanbul'a döndüğüm sıralar.

Oy dere, Kızıldere...

MELEK – Evet, 72 baharı, Mart sonu. Mahirler Kızıldere'de kuşatılıp yakalandıklarında Ankara'daydım, yeni iyileşiyordum. Cihan Alptekin'i ben İstanbul günlerimizden iyi tanırdım ve severdim. Saf, temiz yürekli, iyi bir insandı. O korkunç, kanlı baskının gazetelerdeki fotograflarına bakarken içim sızladı. Mahir Çayan ve arkadaşları 1971 Kasımı'nda Kartal Maltepe Cezaevi'nden firar etmişlerdi. Ulaş Bardakçı da firar edenler arasındaydı. Ulaş 1972'nin Şubat ayında Arnavutköy'de bir evde yakalandı, çatışarak öldü. Ulaş'ın bir apartman katında sıkıştırılarak öldürülmesi hepimizi çok kötü etkilemişti.

27 Mart 1972 günü Mahir, Cihan Alptekin, Sinan Kâzım Özüdoğru, Nihat Yılmaz, Hüdai Arıkan, Ertuğrul Kürkçü, Ahmet Atasoy, Ömer Ayna, Saffet Alp (üsteğmen), Sabahattin Kurt, Ertan Saruhan Ünye'de NATO üssünde görevli, ikisi İngiliz, biri de Kanadalı üç teknisyeni kaçırdılar. Amaç adamları rehin alıp Denizleri kurtarmaktı. Mahir kaçırılan adamlar için devletin pazarlık yapacağını düşünüyordu. Devletin ve CIA'nın üç teknisyen için kılını bile kıpırdatmayacağını o zamanlar henüz kimse anlamamıştı.

30 Mayıs'ta güvenlik güçleri havadan helikopter destekli bir kuşatma ile evi sarmışlar. Mahir evin çatısına çıkmış, "Biz bu yola dönmek için değil, ölmek için girdik!" diye bağırmış. Yanıt Mahir'i kurşunlamak olmuş. Ölmek mi istiyorsun, hadi bakalım! O kanlı çatışmada ölü sanılıp bırakılan Ertuğrul Kürkçü hariç, kaçırılan teknisyenler dahil, herkes öldü. Bütün gazetelerde ölü bedenlerinin çarşaf çarşaf fotoğrafları çıktı.

OYA – Gerçekten çok vahşi, çok kanlı bir olaydı. Sanki devlet yakalamaya değil de THKP-C'nin ve THKO'nun önde gelen kadrolarının tümünü orada yok etmeye önceden karar vermişti. Mahirlerin kuşatılıp öldürüldükleri günü ben de hiç unutamadım. Bu kadar kanlı bir olay yaşanmamıştı daha önce. Oya (Köymen) İstanbul'a gelmişti, birkaç günlüğüne birlikte kaçıp Ayvalık'a gitmeyi planlamıştık. Biraz nefes alacaktık, kafamızı toplamaya ihtiyacımız vardı. Sonra o olay oldu. Hem içimizden gelmedi biryerlere keyif yapmaya gitmek, hem de ortalık yeniden toz duman olmuştu, daha da sertleşmişti rejim, iki kadın her yerde dikkat çekebilir, başımıza umulmadık işler gelebilirdi. Vazgeçtik tabii.

MELEK – Bence Kızıldere o dönem için bir dönüm noktasıdır. Mahirlerin orada direnmeleri, teslim olmadan çatışarak ölmeleri... Devrimci hareket açısından moral yükseltici bir yanı da var çatışarak ölmenin. Ne ağıtlar yakıldı Kızıldere için. Birini hatırlıyorum:

"Oy dere Kızıldere / Böyle akışın nere / Bizde hal mı bıraktın / Sana can vere vere / Dere böyle durulmaz / Gence kurşun sıkılmaz / Sanma zalim olandan / Bir gün hesap sorulmaz."

OYA – O günlerde Sinan'ın (Cemgil) ve diğer ODTÜ'lü devrimcilerin çok yakın arkadaşı olan Çağatay Anadol'dan dinlemiştim o ruh halini. Çağatay, kır veya şehir gerillasını, silahlı mücadeleyi hiç benimsememişti. Bunun Türkiye koşullarında çıkmaz yol olduğunu görüyor, arkadaşlarını da çok seviyordu. Sinanlar dağa çıkmadan önce vedaya gelmişler. Çağatay onları ikna etmeye, vazgeçirmeye çalışıyor. "Öncelikle kurtarmaya gittiğiniz köylüler ele verecek sizleri, henüz kimse hazır değil, bu gelenek yok," gibisinden birşeyler söylüyor. İçi paralanıyor aslında arkadaşları için. Sinan'ın cevabı, "70 kişi ölür ama 70 bin kişi devrime kazanılır," oluyor. Bir başka sefer de "Taylan (Özgür) gibi sırtımdan vurularak pisi pisine ölmek istemiyorum, silah elde öleceğim," diyor Sinan.

Bu fedailik ve devrim uğruna hayatını verme ruh hali, o yıllarda çok yaygındı. Bir benzeri de sonraları PKK hareketinde yaşandı. Ancak 69-72 arasındaki bu psikolojik hava, Kürt hareketinin oturduğu temellere oturmadığından, kitlesellikten çok uzak olduğundan devrimci ama ölümcül bir romantizmi yansıtıyordu. Pırıl pırıl gençler kendilerini feda ettiler. Devlet de bu ruh halini acımasızca kullandı.

MELEK – Dönemin ruhu, diyelim... Böylece geldik 1972'nin Nisan ayına. Nisan ayında benim yine tayinim çıktı. Söke'ye, dağa çağrılıyordum. O aralar Ankara'da Doğu'nun Söke dağlarında olduğunu duymuştum. Peki ben ne yapacaktım Söke'de? Durum eskisinden daha vahim olduğu için soru sormak, yanıt almak falan iyice imkânsızdı. Bora o sıralarda iyileşmiş, Siverek tarafına geçmişti. Böylece ben yine tanımadığım birisiyle bir otobüse binerek Söke'nin Beşparmak Dağları'na doğru yola çıktım.

OYA – İçin örgütten kopmuş, güvenin azalmış ama sen hâlâ fermanlara uyuyorsun...

MELEK – Uyuyorum, evet.

OYA – Bora ile aranızdaki duygusal ilişkinin, onu sevmenin payı var mı bunda? Bora hâlâ Doğularla birlikte diye mi, ondan kopmamak için mi?

MELEK – Hayır, ondan değildi sanırım. Evet, o yapılanmanın yanlış olduğunun farkındaydım artık ama buradan nasıl, ne şekilde çıkacağımı bilemiyordum. Bir de, bu yola girmişim, yarı yoldan dönemem duygusu...

OYA – İyi bilirim: Örgütten ayrılmak kocadan ayrılmaktan daha zordur. TKP'ye girerken "giriş bedava çıkış parayla" derlerdi, yani kolay kolay ayrılınmaz gibilerden. Sonraki yıllarda illegal bir yapıdan ayrılmanın krizlerini ben de epeyce ağır yaşadım, bilirim. En ağırı da, kimin ne söylediği falan değil, insanın kendisiyle hesaplaşmasıdır.

MELEK – İllegal hayata girdikten sonra öyle aklına estiği gibi çıkamazsın. Gerçi ben sonradan öyle çıktım; ama o dönemde hâlâ beni orada tutan birşeyler varmış demek.

OYA – Ben Bora faktörünü bir yana atmıyorum. Onu seviyordun, onunla aynı atmosferi solumak, birlikte aynı yerde olmak önemliydi bence çekip gidememende. Ama örgüt bağlarını da bir yana atmıyorum, o ruh halini de çok iyi anlıyorum. İnsanın kendi kimliği sanki örgütsel yapı içinde erir. Üstelik böyle olması gerektiğine, bunun devrimci erdem olduğuna da inanırsın. Ne kadar haklı da görsen kendini, kopup ayrılmak bir çeşit ihanet gibidir.

Beşparmak Dağları'nda gerillacılık

MELEK – Evet, doğru. İşte bu sefer de Batı'ya, Söke'ye gidiyorum. Bahar aylarıydı, nisandı herhalde. Bu sefer Sökeli bir köylüyle bindik otobüse. Ortaklar'da indik, bir eve gittik, orada birkaç köylüyle buluştuk ve vurduk dağlara. Ben alışığım nasıl olsa, yürü denince yürüyorum. Bu sefer zaman zaman mola vererek bütün bir gün yürüdük. Beşparmak Dağları'na çıkıyoruz keçi yollarından. Köylüler bana takılıyor, "Tazı gibi yürüyon maşallah," diyerek. Nihayet bir mağaraya varıyoruz. Doğu, Nuri Çolakoğlu, Ercan Enç, Halil Berktay, en önemlisi de sevdiğim, yakın olduğum bir kız arkadaşım orada.

OYA – Yaa... bu anlattıklarına inanası gelmiyor insanın. Devrimci romantizm mi desem, gerillacılık oyunu mu desem. Silahlı mücadeleyi benimsemiş, gerçekten kırsalda örgütlenmeye çalışan Kaypakkaya gibileri anlıyorum; ama sen şu saydığın kadroya bak hele! Tam kır gerillası olacak tipler yani...

MELEK – Evet biliyorum, inanılması güç. İçinden, "Kardeşim sen de az deli değilmişsin," diye düşünüyorsun belki ama yapılıyor işte.

OYA – Yapılır, biliyorum. Bugünden baktığım zaman yaptığım bazı şeyler, hayatımın bir bölümü bana inanılmaz geliyor; kendime şaşıyorum, akıllı işi değilmiş, diyorum. Sadece bu örgütsel işlerde değil, özel hayatımda da ben nasıl yaptım bunları, dediğim işler var. Ama içindeyken sanki doğalmış gibi yaşıyorsun bunları. Kafanın basmadığı şeyler varsa bile, aklileştiriyorsun, bastırıyorsun sorularını. Peki Melekçiğim, bu arada senin bir de kocan var değil mi? Ne oldu bu adamcağız?

MELEK – Var tabii, ama ben ondan ayrılıp Ankara'ya gitmek için trene bindiğim andan sonra, bütün bu macera boyunca onu hiç görmedim, hiç yüz yüze gelip konuşmadık. Daha sonra buluştuk yeniden, çok farklı koşullarda. Ben illegaliteyi çok ciddiye aldım, almak da zorundaydım. İnsanların başını belaya sokmak istemiyordum. Daha sonra, annemi babamı Birinci Şube'ye götürdüler mesela nerede olduğumu öğrenmek için. Benim durumumun ne olacağı belli değil, böyle bir evlilik ilişkisi içerisine hapsetmek istemem kimseyi. Sanırım, Demir Özlü'ye vekâlet vermiştim gıyabi boşanma kararı alınabilmesi için. Benim bulunmadığım bir duruşmada boşandık. Bu da beni rahatlattı, hiç kimsenin hayatına ipotek koymak istemiyordum.

OYA – Ne tuhaf! Ben de Muzaffer'den arkadaşımız olan bir avukat aracılığıyla, vekâletle boşandım. Üstelik de ne komik! Boşanma ilamını işyerindeki odamda çöp tenekesinin içinde tesadüfen buldum.

MELEK – Aaa, nasıl oluyor bu?

OYA – Kötü bir huyum vardır; biraz düzen meraklısıyımdır. Masamın üstünde kâğıtlar birikince, ortalık karışınca fena basar bana. Bazen masamı, çekmecelerimi temizlerken, dikkatsizlikle gerekli evrakı, kâğıtları, fotoğrafları da atarım çöpe. Herhalde gelen zarfı da öyle dalgınlıkla, nedir diye bakmadan atmışım. Bu huyumu bildiğim için, bir şey kaybettiğimde kâğıt sepetini karıştırırım. Yine bir şey kaybetmiştim, kâğıt sepetini karıştırırken elime resmî bir zarf geçti, içinden de boşanma kararı çıktı.

Siz sonra karşılaştınız mı eski kocanla?

MELEK – Karşılaştık tabii, boşanmayla biter mi bu işler? Onlar ikinci bölümde.

OYA – Bayağı heyecanlı gidiyor. Hadi bakalım, devam.

MELEK – İşte ben artık Beşparmak Dağları'ndayım; ama bu sefer o sözünü ettiğim kız arkadaşım da var, kendimi yalnız hissetmiyorum. O, tüy gibi, o kadar ince ki, bütün gün o yolları nasıl yürümüş şaşırıyorum. Mağarada herhalde toplam on iki kişiyiz.

OYA – Vallahi tam romanlık bunlar, çocukça bir oyun tarafı da var.

MELEK – Doğru, oyun gibi... Ben tiyatrocu olarak bu yaşadıklarımızı kötü sahneye konulmuş bir oyun olarak gördüm çoğu zaman. Bu arada dağlar çok güzel, tepeden Bafa Gölü'ne bakıyoruz, Ege'nin mis gibi bahar havası, arkadaşımla ben bir kayanın üstüne tünüyoruz geceleri. Mehtap var, büyüleyici geceler. Biz konuşuyoruz da konuşuyoruz. Neden oradayız, ne bekliyoruz? Doğu (Perinçek) bir şey bekliyor sanki; ordudan gelecek bir hareket beklentisi mi, köylü devrimi mi, yoksa sadece orada saklanıyor muyuz? Emin değilim, bilmiyorum. Nuri (Çolakoğlu) ben geldikten hemen sonra mağaradan indi ve işte ondan sonra da yakalandı. Nuri çok işkence gördü, çünkü çok şey biliyordu, çok da direndi poliste. Ama sonuçta işkence senin de bildiğin gibi çok korkunç bir şey, hiç kimse işkencede konuşmuş olmakla suçlanmamalı. Sol gelenek hep bu tür direnme ve kahramanlık hikâyeleriyle doludur. Direnmek tabii önemli bir şey, insanlık onuruyla ilgili. Sorun sadece başkalarının adını vermek değil, kendi kimliğinin de parçalanması, yok edilmesi. Bütün bunları şimdi çok iyi anlıyorum; ama acıya karşı direncin yüceltilmesini ve bunun üzerine kurulu bir siyasal örgüt ahlakını anlamıyorum. Başka bir yol olması gerektiğini düşünüyorum.

OYA – Haklısın; işkenceye direnmek apayrı bir olaydır. Bakarsın en yiğit bildiğin bülbül gibi ötmüş, bakarsın hiç beklemediğin sessiz, çelimsiz biri asıl adını bile söylemeyip işkencede can vermiş. Kimseyi kınamamalı direnemedi diye, üstelik işkence görmemiş olanların hiç hakkı yoktur bence bu konuda ahkâm kesmeye. İbrahim Kaypakkaya en ağır işkenceler altında konuşmamış; örgütünü, yoldaşlarını tek bir sözcükle bile ihbar etmemiştir mesela, hayatıyla ödemiştir bu direnci. Biraz da bu yüzden menkıbeleşmiştir.

Peki Nuri'den başka inen oldu mu dağdan?

MELEK – Hayır, sanıyorum tek Nuri gitti. Doğu, Ercan, Halil, öteki kız arkadaşım, ben ve diğer arkadaşlar kaldı. Sökeli köylüler vardı, bir de kim olduklarını hatırlamadığım birkaç kişi daha.

OYA – Yani siz kurmaylar olarak, politbüro olarak mı oradasınız? Sen böyle bir yapının içinde miydin?

MELEK – Hayır, hiçbir zaman olmadım. Olmak da hiç istemezdim. Sadece düz parti üyesiydim.

OYA – Yani merkez komitesi Söke dağlarında, mağaralarda toplanıyor olayı değil bu?

MELEK – Hayır, değil. Sanırım Doğu daha önce İbrahim'le de burada buluşmuştu. Burayı güvenli görüyordu. Doğu ve diğerleri yönetici ektiptendi; ama ben böyle bir karar verici ekibin, senin tabirinle politbüronun içinde değildim.

OYA – Daha önce Doğu ve diğerleriyle tartışmışsın, aran iyi değil; niçin seni de çağırıyor Söke'ye?

MELEK – Bunu ben de düşündüm. Bulabildiğim tek mantıklı yanıt, bütün çıkıntılıklarıma karşın kimseyi ele vermeyeceğimi, gizlilik ilkesine uyacağımı, her durumda soğukkanlı olabileceğimi biliyordu.

OYA – Belki de etrafta dolaşıp yakalanmandan korkmuştur.

MELEK – Kim bilir, belki de... Neyse işte, mağaraya yerleştikten birkaç gün sonra kuşatıldık. Asker geldi, aşağıda mevzilendi. Beşparmak Dağları'nda olduğumuzu biliyorlar ama nerede, hangi delikte olduğumuzu bilmiyorlar. O yolları, bizi getiren köylüler biliyor. Yol dediğim, çalılıklar arasındaki patikalar. Oradan askerî araç geçemez, ancak yürüyerek çıkılabilir. Askerler "teslim olun, yerinizi biliyoruz" diyerek megafonla aşağıdan biryerlerden bize bağırıyorlar. Gecenin sesizliğinde ses yankılanarak bize ulaşıyor. Mağarada beraber kaldığımız köylülerin rehberliğinde gece başka bir mağaraya gitmek üzere yola koyuluyoruz. Bu arada mağarada yiyecekler, kap kacak var. Onlar da taşınacak. Bir de sac var, bir köylü arkadaşla ben sacda ekmek yapıyoruz. Hani daha önce Mehmet Ali'nin evinde öğrenmiştim ya... Bu sacı iple sırtıma bağlattım, yürürken elim boş kalsın diye. Karanlıkta, bir yamaçtan inerken ayağım kaydı, düştüm. Düşmemle birlikte sac sırtımdan koptu, kayalara çarparak yuvarlanmaya başladı. Gecenin sessizliğinde inanılmaz bir tangırtı yankılandı dağda. Askerler hemen ayaklandılar, megafonla bağırmaya başladılar yine. Bence onlar da anlamadı bu ne sesi? Doğu bana çok kızdı, ben de çok kötü oldum ama ne yapabilirim, düşmüştüm işte. Sonuçta başka bir mağaraya attık kendimizi. Orada askerin bizi bulması kolay değil, ancak helikopterle havadan taramaları gerek. O dönemde ordu da daha bugünkü kadar deneyimli donanımlı değil bu işlerde. Yeni mağaraya yerleştik. Askerler aşağıda, biz mağarada oturuyoruz. Onlar arada bir yine megafonla bağırıyorlar, biz ise tınmıyoruz. Ercan Enç çok şakacı bir çocuktu, halimizi dalgaya alıyordu. Halil ise tam bir ciddiyet içinde gündelik program yapmış, uzun yürüyüşten ilham alarak herhalde: Saat beş buçukta kalkış, yarım saat jimnastik, sonra kahvaltı, sonra eğitim, Halil en ciddi haliyle "Zhou Enlai yoldaş der ki..." diye lafa başlıyor. Biz o arada köylülerle melül melül bakışıyoruz. Zhou Enlai ne der, bizim pek umurumuzda değil. Orada kuşatılmış oturuyoruz, yiyecek ne bulacağız, su nereden buluruz gibi daha yaşamsal sorunlarımız var. Kaç gün hatırlamıyorum ama bir hafta, on gün öyle mağarada yaşadık.

OYA – Peki bu arada hiç sormuyor musunuz, biz burada ne yapıyoruz, ne bekliyoruz, niye buradayız diye?

MELEK – Ne soracaksın o durumda, konuşulacak bir yanı yok artık. Hepimiz kös dinliyoruz Zhou Enlai ne demiş. Ercan arada bir gerçek durumu çok daha iyi yansıtan laflar ederdi, "Hadi gelin piknik yapalım," gibi. Bu arada Doğu yeni bir karar aldı. Biz gruptaki iki kız Ankara'ya gidecektik. İki ya da üç köylü arkadaş ve biz iki kız, zifiri karanlık bir gece yine yola koyulduk. Köylülerin elinde domuz avında kullandıkları tüfekler var. Şakası yok, etrafımız askerle çevrili. Konuşmuyoruz aramızda, konuşursak da fısıltı halinde. Daha önce söylemiştim, öteki arkadaşımız çok zayıftı, yürüyemedi, köylülerden bir onu sırtladı. Ben yine katır gibi yürüyorum. Geldiğimiz gibi, yaklaşık on iki saatlik yolu yürüyerek Ortaklar kavşağına vardık. Yoldan geçen bir otobüsü durdurduk, ördek müşteri olarak bindik.

Köylü desen değil, şehirli desen değil, iki kadın. Leş gibi ter kokuyoruz. Otobüste kimse bizimle fazla ilgilenmedi. Oturduğumuz yer şoför mahalline yakın, şoför yanındakilerle konuşuyor. Ne konuşuyorlar? Tabii ki dağdakileri. Hikâyeler muhtelif, sanırsın dağda on iki kişi değil koca bir devrimci ordu var. O zamanlar bu işler çok büyütülüyordu. Asker ne yapmış, çatışma olmuş, herkes bire bin katarak türlü çeşit hikâye anlatıyordu. Biz hiç konuşmuyoruz, uyukluyoruz. Bu laflar da ninni gibi geliyor. Öyle geldik Ankara'ya. Ben Sırma'nın evine gittim, arkadaşım kendi evine. Düşünebiliyor musun saçmalığı, dağdan inip hiçbir şey yokmuş gibi, bilinen evlere gidiyoruz. Sırma beni derhal banyoya soktu, eve alınacak halde değilim, o kir ancak hamamda çıkar. Bu ara benim ayaklar yürümekten davul gibi şişmiş, falakaya yatırılmış gibiyim. Ayaklarım tuzlu suya sokuldu ve ben o gece on iki saat deliksiz uyudum.

Dağda askerlerin arasından sıyrıl gel, Doğu'nun karısının evinde kal! Olacak iş değil. Ben bir iki gece Sırma'da kaldıktan sonra yine sağda solda dolanmaya başladım. Sırma'nın çocuğu küçük, o eve bir şey olsun istemiyoruz. Ben zaten elimde bir çıkınla her gece bir yerde kalmaya alışmışım. O sırada bana verilen görev Ankara'da kalınabilecek evleri tespit etmek. Doğular dağdan inince Ankara'ya gelecekler ya... Bu da bana yine ağır bir yük yüklüyor, yakalanır konuşursam herkesi toplarlar. Ben birkaç randevuya gittim, arkadaşlarla irtibat kurmak için. Durumu beğenmedim. İzlendiğimi hissetmiştim.

O aralar Aşağı Ayrancı tarafında bir evde kalıyorum, bir tiyatrocu arkadaşla birlikte. Kıza dedim ki, sen bana sarı bir peruk bul. Ertesi gün kız bir peruk getirdi. Cırtlak sarı, kavuniçi tonunda, uzun bir saç. Tam Adana pavyonlarından çıkmış gibi. Neyse, ben onu biraz adam ederek kafama taktım. Çok değişmiştim. İş bununla da bitmedi, yine bu arkadaşlar bana bir THY hostes kıyafeti buldular. Onu da giydim, bir de tuhaf gözlük taktım.

Hostes Leyla sahneye çıkıyor

OYA – Haa, şu meşhur Hostes Leyla hikâyesi buradan mı çıktı?

MELEK – Evet. İşte böyle Hostes Leyla oldum. Denemek için ertesi günkü randevuma bu kılıkta gittim. Randevu Emek'te bir otobüs durağındaydı. Arkadaş geldi, bakındı, beni gördü ama tanımadı. Rahatladım, demek tanınmıyordum. Hiç renk vermedim. Sinirli sinirli saatime bakıp otobüs bekliyorum. Az sonra polis olduğunu tahmin ettiğim kişi de geldi. Tahmin ettiğim diyorum, çünkü her zaman değişik insanlar izliyordu, bazen bir çift bile olabiliyordu. Polis olduğunu tahmin ettiğim kişi bana dikkatle baktı, ben hissediyorum baktığını. Anladı mı bilemem. Ben sonunda bir taksiye binip oradan uzaklaştım. O gece ya da bir gece sonra, ben, bir arkadaşımız ve Emil Galip (Sandalcı) nerede olduğunu hatırlamadığım bir evde buluştuk.

OYA – Emil Galip'i önce Yıldırım Bölge'den hatırlıyorum. Bizim kadınlar koğuşunun etrafı dikenli tellerle çevrili havalandırma avlusundan, birkaç yüz metre uzaktaki erkeklerin havalandırması görülürdü. Aynı saatlerde volta atmaya çıkarılırsak birbirimizi uzaktan da olsa görebilirdik. Emil Galip tutuklanıp Yıldırım Bölge'ye konduğunda TRT yönetim kurulundaydı ve dış basından özetler bülteninin sorumlusuydu. 12 Mart TRT'sinde hukuk yoluyla mücadele vermeye çalışıyor, mesela 12 Martçıların adayı Musa Öğün'ün TRT genel müdürü olmasına karşı çıkıyordu. Bültene, dış basında 12 Mart'la ilgili eleştirileri de çevirtip koydurunca, fırsat yakalanmış oldu. Bültenin yazıişleri müdürü de Esin Abla'ydı (Talu-Çelikkan). O da tutuklanıp Yıldırım Bölge'ye getirilmişti. Onlar çabuk tahliye oldular. Ama Emil Galip daha sonra yeniden içeri alındı, şu komik uçak kaçırma işindendi galiba. Emil Galip'le senin tanışıklığın nereden? O bildiğim kadarıyla ne sizin ne de başka bir örgütün üyesiydi.

MELEK – Emil Galip bizim arkadaşları; Nuri Çolakoğlu'nu, Sırma'yı TRT'den tanıyordu. Ben de onlar kanalıyla tanışmıştım. Emil Abi o ara hapisten çıkmış, Denizlerin idamını engellemek için yapılan kampanyayı örgütlüyordu. Dediğin gibi, daha sonra anlatacağım olaylar sonucu, uçak kaçırma eylemine bağlayıp yeniden içeri aldılar. Ama tam anlattığım günlerde dışarıda işte. O gece çok güldük, Emil Galip bize takılıyor sürekli, bizimle dalga geçiyor. Bir ara içine doğmuş gibi, "Çok güldük, başımıza bir şey gelecek," dedi. O gece sabaha karşı bizimle birlikte olan kız arkadaşın annesinin evini basıp arkadaşımızı içeri aldılar. Bu da benim kuşkularımı doğruluyordu, çember daralmıştı. İşte o sıralarda ya da belki daha önce, Nuri de yakalanmıştı.

Bunun üzerine Emil Galip bana, "Gel bende kal," dedi. Kendi evini güvenli sanıyor. Emil'in evinde o sırada zaten iki kişi kalıyor. Bunlardan biri hapishaneden tanıdığı bir çocuk, diğeri ise eski bir TİP'li. Bana sorarsan, Emil Galip'in evi zaten biliniyordu, bir de ben eklendim. Ama çaresizim, kalacak güvenli yer yok. Sonuçta ben Hostes Leyla olarak Emil Galip'e taşındım. Evde kalan çocuklara da Emil Abi beni eski bir hostes arkadaşı olarak tanıttı. Bende tiyatroculuk olduğundan iyi rol yaparım, hatta bir süre sonra kendim bile hostes olduğuma inanmaya başlarım. Bu sefer de öyle oldu. Ben habire anlatıyorum: Uçuş şöyle oldu, pilot şunu yaptı, yolcu bana sarktı, ne istersen var. Zaten bu ekiple daha çok akşamları buluşuyoruz, gündüz herkes dağılıyor, ben de uçuşa çıkıyorum, yani hostes kıyafetimde randevulara gidiyorum. Polis bunu yiyor mu, orası belli değil.

OYA – Çoğunlukla yemezlerdi, otlamaya bırakır, izlerlerdi. Bunu bilirdik ama yine bildiğimizi okurduk; ne kafalar!...

MELEK – Düşünsene, bütün evlerin adresleri bende. Ağır bir sorumluluk. Emil Abi'nin evinde kalan hapisten çıkmış çocuktan da şüpheleniyorum, beni fazla didikliyor. Emil'e söylüyorum, "Yok," diyor, "o temiz çocuktur." Ben onların yanında her zaman perukla ve hostes olarak bulunuyordum.

O sıralarda Sırma'nın evi basıldı, polis beni onun evinde arıyordu. Şimdi düşünüyorum, bu adamlar beni zaten izliyorlar, niçin Sırma'nın evinde arıyorlar? Sonradan anladığım kadarıyla, ben gerçekten polisin kafasını karıştırmıştım. Emil'in evinde kalan çocuk tahmin ettiğim gibi polise çalışıyordu ve beni hostes olarak rapor etmişti. Polis bir süre benim gerçek kimliğim ile hostes Leyla'yı iki ayrı insan olarak düşünmüş olmalıydı. Sonradan aydılar tabii. Neyse, Sırma'nın evi basılınca ben artık Emil Abi'de kalamayacağımı anladım; onun TRT'den arkadaşı olan, annesiyle oturan birinin evinde kalmaya başladım. Ancak gündüzleri, her gün belli bir saate Emil Galip'e uğruyorum, haberler nedir diye durum değerlendirmesi yapıyoruz. Emil'le bir parolamız var; eğer her şey normal ve yolundaysa Emil Abi evin balkonuna bir kilim asıyor, ben de kilimi görünce içeri giriyorum. Bir hafta kadar böyle gidip geldim, sonra bir sabah gittiğimde baktım ki kilim yok. Öylece kaldım kaldırımda. Çok zor bir durum, insan kötüye inanmak istemiyor; ama öte yandan Emil Abi dikkatli bir insandı, kilimi unutmazdı. Biliyorsun ama kondurmak istemiyorsun. Bir süre karşı kaldırımda dolandıktan sonra kaldığım eve döndüm. TRT'ci arkadaşa durumu anlattım, Çok iyi niyetli olan ama bu tür işlerden hiç anlamayan bu arkadaş, "Hadi beraber gidip bakalım," dedi.

Bizdeki akla bak sen! Gittik, evet, kilim yoktu. Artık bu işte bir tuhaflık olduğu apaçık. İşte o gün hayatım boyunca kendimi affetmeyeceğim bir aptallık yaptım, düşündükçe kendime çok kızarım. Arkadaş gerçekten duruma aymadığı için, büyük bir saflıkla, ben gidip bakayım, diyor ve ben de onu yolluyorum. Yapılacak tek şey bir an once oradan uzaklaşmak oysa. Peruk takıp polis atlatmaya aklım eriyor da, orada kafam duruyor. Ben kaldırımda bekliyorum. Gitti ve dönmedi. Durum ortadaydı; polis eve karakol kurmuş her geleni alıyordu. Aydım ama artık çok geç. Evin önüne kadar gittim, kapıcının küçük oğlu beni tanıyordu. Çocuk benden akıllı olduğu için eliyle bana sakın gelme diye işaret ediyordu. Çok kötü oldum. Eve dönüp yaşlı anneye, benim salaklığım yüzünden oğlunuz içeri alındı, ben onu polise teslim ettim mi diyeceğim? Feci bir durum ama yaptım, kadıncağıza olanları anlattım ve hemen o evi terk ettim.

İşte tam bu sırada Bulgaristan'a uçak kaçırma olayı oldu. O zaman, Emil Abi'yi ve onun evine gidip gelen herkesi, Altan Öymen başta olmak üzere, Hostes Leyla kimdi, diye fena sıkıştırdılar. Hikâye şöyle: Polis, Emil'in evinde kalan muhbirin Hostes Leyla hikâyesiyle Bulgaristan'a kaçırılan uçağı birbirine bağlıyor. Daha sonraki yıllarda hem Emil Abi hem de Altan Öymen bana çok takıldılar, senin yüzünden yediğimiz dayakları hâlâ unutmadık, diyerek. Altan Öymen'in bir şey söylemesine imkân yok, çünkü zaten hiçbir şey bilmiyor. Emil ise dayağı yiyip susuyor. O, gerçekten bulunmaz sağlamlıkta bir insandı. Kimse onun ağzından laf alamazdı. Sanırım polis kısa zamanda duruma aymıştı ki, iki gün sonra benim bir fotoğrafımı Emil Abi'nin önüne atıp, "Bu değil mi Hostes Leyla?" diyerek bir fasıl daha dövmüşler.

OYA – Sen anlattıkça benim aklım da Emil Galip'e gitti. Ne güzel insandı. Ben onu 1972 sonbaharında *Yeni Ortam* gazetesinde tanıdım. *Yeni Ortam* macerasını ileride anlatacağım; ama şimdi burada Emil Galip'i sevgiyle anmak istiyorum. Dediğin gibi, o benim de hayatımda tanıdığım en tutarlı, en sağlam insanlardan biriydi. Medeni cesaretin, aydın namusunun ne anlama geldiğini ondan öğrendim. Olumlu anlamıyla bir Don Kişot'tu. Başına gelen bunca işe rağmen hep dimdik durdu. 1973'tü galiba, *Don Kişot* operası İstanbul'da sahneleniyordu. Orada, "Gitmek en uzak yıldıza / varmak varılmaz yerlere / bulmak bulunmaz olanı" gibi, şimdi sözlerini tam hatırlamadığım bir aryası vardır Don Kişot'un. Ona söylediğimde çok sevmiş, defalarca tekrarlamıştı.

MELEK – Öyleydi Emil Abi. Neyse işte, bir yandan bunlar olurken Doğu, Halil, Ercan ve diğer arkadaşlar Söke'den Ankara'ya geldiler. O arada Bora da Ankara'ya gelmişti. Bunların hepsi benim onlara bulduğum evlerde kalıyorlar; ben feci tedirginim. Bir gece Halil ve ben aynı evde kaldık, sabaha kadar uyumadık. Halil'in bana, "Çok güçlü olmalısın, artık her şeyi biliyorsun, yakalanır ve konuşursan hepimiz ve bütün hareket için çok kötü olur," dediğini hatırlıyorum. Şu üzerimdeki yüke bak! Bundan bir gün sonra Ankara'da herkesin katıldığı büyük bir toplantı yapıldı. Ben orada hatırladığım kadarıyla kendi görüşümü söyledim: "Polis bence beni hep izledi, bu evlerin hepsini biliyor, bu evler güvenli değil," dedim. Başta Doğu, kimse bana kulak asmadı, bunların paranoya olduğu söylendi. Doğu, sarı peruk yüzünden benimle dalga bile geçti. "Onlar senin sarı saçlarına bakıyorlardır," dedi.

OYA – Benim anlamadığım, sen nasıl olup da deşifre olmuyorsun, sizinkiler nasıl bu kadar rahatlar? Benim çevremde, bu gibi durumlarda hemen ortadan yok olunur, mümkünse yurtdışına çıkılır, ayak altında dolaşılmazdı.

MELEK – İllegal yapıya güveniyorsun ve polisin çalışma biçimini bilmiyorsun. Beni kesinkes izlemeye almışlardı. Nasıl olsa istediğimiz an yakalarız diye bakıyorlardı. Benim kuryelik yaptığımın farkındaydılar. Bütün bunlar o yılların acemilikleri, başka bir şey değil.

Neyse, ben o gece resti çektim, köprüleri bu defa attım. Doğu, benim Ercan'la Ankara'da kalıp bir gecekondu tutmamı istiyordu. Ben bu kez boyun eğmedim ve gerekirse tek başıma yeniden Güneydoğu'ya döneceğimi söyledim. Ortalık karıştı. Ben hem ağladım, hem direndim, bu kez Bora'ya da sert çıktım. Sonunda herkes anladı ki ben gidiciyim. Bora o noktada benden yana tavır koydu ve beni yalnız bırakmayacağını, benimle birlikte Güneydoğu'ya döneceğini söyledi. Doğu çok sinirlendi ama bir şey yapamayacağını da anladı. Çok zor geçen bir gecenin sonunda Bora ve ben arkadaşlarla vedalaştık ve son otobüse binerek Gaziantep'e doğru yola çıktık. Sabah Antep'te otobüsten indik bir otele gidip kendimizi yeni tayin olmuş iki öğretmen olarak tanıtıp iki oda tuttuk. İkimizde de sahte hüviyetler var.

"Antepliler yiğit kişilerdir"

OYA – Niye Antep de başka yer değil?

MELEK – O sırada arkadaşların bir kısmı Antep'te, Bora onlarla buluşacak.

Bora sabah otelden çıktı, çocuklarla buluşmaya gitti. Ben de çıktım, zaten çok sevdiğim bir kent olan Antep'te dolaştım. Kendimi ne kadar rahatlamış hissediyorum, anlatamam. Akşam Bora geldi, "Çocuklarla buluşamadım, bir aksilik oldu," dedi, birşeyler yiyip uyuduk. O zamanlar otelde televizyon falan yok, yapacak iş de yok. Ertesi sabah kalktık, Bora gazete almaya gitti, geldiğinde yüzü bembeyazdı. Bütün manşetlerde Ankara tevkifatı vardı. Ankara'da kim varsa bizim takımdan yakalanmıştı. Toplantıda da uyardığım gibi bütün evler basılmıştı. Bora benim haklı olduğumu anlamıştı. Keşke daha fazla ısrar etseydin, dedi. Ben de bütün kızgınlığıma rağmen çok üzülmüştüm.

Peki şimdi ne olacak, ne yapacağız? Bildiğimiz kadarıyla bir tek İstanbul'da Atıl Ant ve onunla beraber olan arkadaşlar dışarıda kalmışlardı. Bora arkadaşlarla bir irtibat kurabilmek için otelden çıktı. Gittikten bir saat kadar sonra otele bir telefon geldi. Telefondaki Bora'ydı, sesi çok heyecanlıydı: "Melek, hemen otelden ayrıl, sinemanın önüne gel." Yine bir tuhaflık olduğunu anladım. Eşyalarımı topladım, küçük bir çantaya koydum, resepsiyondaki adama daha sonra alacağımı söyleyip sakin görünmeye çalışarak otelden ayrıldım.

Bora sinemanın önünde hafif kamuflaj halinde bekliyordu, hemen bir bilet alıp içeriye girdik. Karanlıkta fısıltıyla konuşuyoruz. Hikâye şöyle: Bora sabah arkadaşıyla buluşacakları kahveye gidiyor, elinde siyah bir çanta var, içinde kitaplar, broşürler, evraklar. Arkadaşla buluşuyorlar, arkadaş önden çıkıyor kahveden, tam Bora çıkarken birden üç polis beliriyor ama sivil değil, normal polis. Hüviyetini istiyorlar, çantada ne var, diyorlar. Bora o arada çantayı vermemek için direnirken birden bakıyor karşı kaldırımda motosikletli bir adam, hiç tanımadığı biri. Bora'ya işaret ediyor, gel arkama atla diye. Bora fırlayıp kendini motosikletin arkasına atıyor, motosikletli çocuk uçarak oradan uzaklaşıyor, Antep'in arka sokaklarına girip izlerini kaybettiriyor. İzlenmediklerine emin olunca da, geçmiş olsun ağabey, yolun açık olsun, deyip Bora'yı indiriyor. Tek bir soru bile sormuyor. Al sana Antep, hele o zamanki Antep! Polise adam vermeyen Antep! Ama bu arada çanta polisin elinde kalıyor. Daha da kötüsü, Bora'nın eşkâlini görmüş olmaları.

İki seans sinemada oturduk, sorsan ne filmi oynuyordu diye, tek bir kare bile hatırlamıyorum. Orada havanın kararmasını bekliyoruz. Otele geri dönemezdik. Hava kararınca çıktık, bu kez bir başka arkadaşı bulduk, o da bizi Antep'in eski Ermeni mahallesinde bir kaçakçının evine götürdü. Kaçakçılık yapan, yoksul, kavruk bir adamcağız.

OYA – Bu anlattıkların, mesela Antep'in anlattığın havası, aynı dönemde İstanbul'un, Ankara'nın havasından bütünüyle farklı. Aynı günlerde, İstanbul'da, Ankara'da herkes her an teyakkuz halindeydi. İstanbul'da, elindeki çantayı polise vermeye direnen adamı, bırak polisin elinden kaçırmayı, halk kendisi yakalayıp polise teslim ederdi. Zaten o kişi de, kaçırmaya çalışan da anında kurşunu yerdi polisten.

MELEK – Tabii çok farklı. Ben neden ısrarla Antep'e gitmek istedim sanıyorsun? Oralarda Batı'da olmayan bir direnme geleneği var. Oraların insanları Kürdüyle, Ermenisiyle, Süryanisiyle, Arabıyla zaten yüzyıllardır bir biçimde direnmişler. Kaçak olmanın, devlete karşı durmanın ne demek olduğunu biliyorlar. Ben oralarda olmasaydım, İstanbul veya Ankara gibi kentlerde kalsaydım herkes gibi hapiste olurdum.

İşte biz şimdi eski bir Ermeni evindeyiz, hatta belki eski bir kilise müştemilatı. Tavana yakın bir çıkıntıda haç işaretlerini görüyorum. Ben yine, o hiçbir tanıma girmeyecek, ne şehirli ne köylü kılığındayım. Saçlarım uzun iki örgü, başımda yemeni, üzerimde el örgüsü bir hırka, altımda çiçekli pijama, onun üstünde etek. Bu eşyaları da kaldığım değişik yerlerden toplayarak edinmiştim. Fazla dikkat çekmiyordum bu kılıkta, ancak o beyaz şehirli yüzüm, ince bileklerim beni her zaman ele veriyordu.

Kaçakçının evinde dizildik sedire, âdet olduğu üzere ev sahibi herkese hal hatır soruyor. Sıra bana gelince, hoş geldin yenge, başımızın üstünde yerin var, girişini yaptıktan sonra hemen ekledi: "Tebdilsin, degil?" Antepli, bir bakışta okumuştu durumu. Bu gibi durumlarda her zaman olduğu gibi sessiz kalmayı yeğledim.

Gece iç avluya bakan bir odaya götürdüler, yer yataklarında yatıyoruz. Tavandaki haç işaretlerini, kazınmış, silinmiş, soluk tasvirleri görüyorum, gözüme uyku girmiyor. Benden önce o odada yaşananları düşünüyorum, kim bilir ne acılar yaşanmış, ne sessiz dualar edilmişti. Hakkım olmayan bir yerdeydim, tecavüz gibi bir şey. Buranın gerçek sahiplerine ne olmuş? Neredeler şimdi? Yaşıyorlar mı? Sorular birbirini kovalıyor. Ermenilerin ruhu bütün odaya sinmiş, beklenmedik ziyaretçiye kendilerini hatırlatıyorlar. Geceyi ruhlarla birlikte geçirdim, onlardan özür diledim ve kendime göre dua ettim hepimiz için.

OYA – Burada dur, dur burada! Yani bana kompleks veriyorsun. Sen 1972'de haberdar mısın Ermeni meselesinden, katliamdan falan?

MELEK – Ben de senin kadar biliyordum, yani aslında bilmiyordum, Malatya'da öğrendim. Doğu'da herkes Ermenilerden söz eder. Her şehirde bir Ermeni mahallesi vardır ve herkes bilir. Ben de onlardan öğrendim. Çok hikâyeler dinledim Ermenilere dair. Nasıl her şeylerini bırakıp gittiklerini, bazılarının mallarını komşularına emanet ettiklerini, kızların ve kadınların askerler tarafından alınıp Türk ailelere verildiklerini, bazılarının Kürt aşiretleri tarafından kurtarılıp dağa kaçırıldıklarını... O bölgenin hikâyeleri anlatmakla bitmez. İmparatorluğun ve Cumhuriyet'in resmî olmayan tarihi oralarda yazılmıştır.

Daha da gözyaşartıcı olanı anlatayım sana. Ertesi gün kaldığımız otele bir arkadaşı yolladık, otel ücretini ödemek ve eşyalarımızı almak için. Arkadaş gitti ve eli boş döndü. Arkadaşımızı tanımayan otelci, değil eşyaları vermek, bizim orada kaldığımızı bile reddetmiş. "Yok, burada öyle birileri kalmadı," diyerek kapıdan çevirmiş. Hatırlamıyorum içinde ne vardı ama ben orada kalan çantayı almak istiyordum. Kalktım gittim otele. Adam beni kapılarda karşıladı, "Yenge çok korktuk, nasılsın?" diyerek. Fazla konuşulmuyor, otelci sabah gelen arkadaştan da söz etmiyor. Hemen çıkarıp çantayı bana teslim etti, bütün ısrarlarıma rağmen para da almadı. Gözlerimde biriken yaşları görmüştü. "Burası evindir, ne zaman istersen gel, yerin hazırdır," dedi. Daha fazla konuşamadan, hemen dışarı attım kendimi.

OYA – Sence devrimcilikten miydi, yoksa Anteplilikten, yani bir çeşit delikanlılıktan mıydı bu tavır?

MELEK – Demin de sözünü ettiğim direnme geleneğinden. Büyük bir olasılıkla otelci bizim devrimci olduğumuzu anlamıştı. Bunu açık etmiyor ama tavrıyla bize sahip çıkıyordu.

Kaçakçının evinde bir iki gün kaldık; ama artık Bora da, ben de bir gerçeği anlamıştık: Çember çok daralmıştı, eğer yakalanmak istemiyorsak, hiç dışarıya çıkmadan gizlenmek zorundaydık. Yoksa bizim de yakalanmamız an meselesiydi. Bora, polis takibi konusunda beni ciddiye alıyordu artık. İşte ondan sonra hayatımızda çok zor bir dönem başladı. Sınırı geçtiğimiz ekim sonuna kadar sürekli gizlenerek yaşadığımız bir süre.

OYA – Bu sürede hep Antep'te mi kaldınız?

MELEK – Hayır, öyle olmadı. Antep'te birkaç gün kaldıktan sonra Bora İstanbul'a Atıl'ı bulmaya gitmek istediğini söyledi. Bu kez onu yalnız bırakmak istemedim. Artık birbirimizden başka kimse yoktu sanki dünyada. Bundan sonra ne yapacağız sorusu vardı karşımızda ve ne yaparsak beraber yapacaktık. Ben daha o zaman, "Sınırı geçelim, Beyrut'ta Filistin kamplarındaki arkadaşları bulalım," diyordum. Bora'nın bunu kabullenmesi bir süre aldı.

OYA – O günlerde, sizin takımdan bir sürü kişi de yurtdışına çıkmıştı bildiğim kadarıyla.

MELEK – Herhalde öyle olmuştur. Artık o kadar çok insan yakalanmıştı ki neredeyse bir tek Atıl, Bora'yla ben ve İbrahimler kalmıştı yakalanmayan. Tabii bir de Lübnan'daki Filistin kamplarındakiler.

İbrahim'le arkadaşları, yani TİİKP'den ayrılıp TKP-ML/TİKKO'yu kurmuş olanlar yine Tunceli-Malatya tarafındalar. Bu arada Bora, onlarla da haberleşiyordu sanırım. Biz yine otobüse bindik. Çayırağası firmasının çaycıları artık beni tanıyorlar, sabah altıda otobüs karşılamaya gelen, tuhaf adamlarla buluşan bu garip kadının adını onlar çoktan koymuşlardı ama renk vermiyorlardı. Bana sürekli çay getirip kimsenin ilişmemesini sağlıyorlardı.

Bindik otobüse, geldik İstanbul'a. İstanbul'a böyle gelmek beni çok sarstı. Düşün, doğup büyüdüğün şehirde gizlenerek yaşıyorsun ve sokakta seni birisi görüp tanıyacak diye ödün kopuyor. Tanıyanların çoğu için, sen artık korkulacak birisin. Bu bana çok ağır geldi, tabii ki beni kabullenecek arkadaşlarım vardı; ama kimsenin başını belaya sokmak istemiyordum.

Bir gece yine Bora ile böyle sokakta kaldık, bütün kapılar yüzümüze kapanmıştı. Sıkıyönetim var, sokakta nasıl barınacağız? Benim aklıma yine bir cinlik geldi. Elimizde bir miktar para vardı. Bizim evde hep anlatılırdı: Yıllar önce annemle babam Kireçburnu'nda bir restorana gidiyorlar, Boğaz'a karşı yemek yemek için. Garson soru falan sormadan hemen önlerine iki kadeh nane likörü getiriyor ve beş dakika sonra babamın yanına gelip, eline bir anahtar sıkıştırıyor "Odanız hazır," diyerek. Annemle babam bu hikâyeyi çok anlattıkları ve önünden geçerken yeri de gösterdikleri için ben orayı biliyordum. Derhal çantamdaki sarı peruğu çıkarıp kafama taktım, üstüme başıma çekidüzen verdim. Zaten artık tam bir orta oyuncusu gibi, muhallebici tuvaletlerinde kılık kıyafet değiştirmeye alışmıştım. Bora'yla gittik oraya ve gerçekten annemle babamın anlattığı gibi oldu her şey, kendimizi bir odada bulduk, geceyi kurtarmıştık. Bir yandan da her şeye rağmen gülüyoruz, kaderde bu da varmış diyerek. Ben kafamda sarı peruk tuvalete gidiyorum, odalarda tuvalet yok. Tuvalette kadınlar, oranın gediklileri toplanmış sigara içiyorlar. Ben içeri girince bir sessizlik oldu, sonra biri "Hoş geldin güzelim," dedi, bir diğeri "Nasıldı bari gece seansı?" gibi bir şey söyledi, gülüşmeler arasında tuvalete girip çıktım. Kendi kendime diyorum ki: "Ben şurada bu kadınlarla sohbet etsem nasıl olsa bir hikâye bulurum anlatacak, birkaç günlüğüne kalacak bir yer ayarlarlar." Odaya dönünce bu parlak fikrimi Bora'ya açtım; "Olmaz, onların çoğu polise çalışır," dedi.

Sabah kalkıp oradan çıktık, Sarıyer'e gidip çay bahçesinde börek ve çayla kahvaltı yaptık. İçinde doğup büyüdüğüm Çubuklu'daki yalı karşımda öylesine duruyor. Ben ise birisi beni görecek diye korkular içindeyim. Önümüzde uzun bir gün uzanıyor.

OYA – Peki parayı nereden buluyorsunuz? Örgüt mü veriyor, yoksa sen bir şekilde ailenden mi alıyorsun?

MELEK – Genelde para örgütten gelirdi. Para dersem, zar zor yaşayacak kadar. Bize Sovyetler'den gelmez ya, Çin'den de gelmiyordu, benim bildiğim kadarıyla.

OYA – Ne yani, prosovyet kanatta yer alan bizim gibilerin Rusya'dan gelen çil çil rubleleri yediğimizi mi söylemek istiyorsun sen? Hep öyle derler, öyle sanırlardı değil mi? Rusya'dan gelen rubleler... Olacak iş mi! İnsanlar inanırlar ama böyle şeylere. Bulmuşlar bizim gibi gönüllü yandaşları, bir de niye para versin adamlar? Aklıma komik bir anı geldi. Herhalde 1978 yılıydı; biz TKP yanlısı, daha doğrusu TKP'nin günlük gazetesi *Politika*'yı çıkarıyoruz, Aydın (Engin) *Politika*'nın genel yayın yönetmeni. Oral Çalışlar da Maocu kanadın gazetesi *Aydınlık*'ın yayın yönetmeni. *Aydınlık*'ta karikatürler çıkardı: Ben profilden çirkin burnumla çizilmişim, Aydın'ın ceplerinden rubleler fışkırıyor ve ben bir yandan yerden rubleleri toplarken bir yandan da "haraşo, haraşo" diyorum. O zaman da kızmaktan çok gülmüştüm bu karikatürlere. Yıllar sonra, geçende Oral'la konuşurken hatırladık, bu defa birlikte güldük. Nereden nereye...

MELEK – Ben bir keresinde çok mecbur kalmış, aileden para istemiştim. Hatta Zeynep Oral o sıralar *Milliyet* gazetesinde çalışıyor, ona bir arkadaşı yollamıştım, benim el yazımla yazılmış bir notla. Zeynep, çocuğun gerçekten benim tarafımdan gönderildiğine emin olduktan sonra bana bir miktar para ulaştırmıştı. Zeynep bu gibi konularda çok güvenilir biridir. Ağzı çok sıkıdır, asla konuşmaz. Gelen parayı aramızda bölüştük. Para konularında bizim örgüt çok disiplinliydi, her şey paylaşılırdı.

OYA – Gerçekten de öyleydi o zamanlar. Sadece sizin örgütte değil bütün örgütlerde ve gruplarda öyleydi. Devam et; İstanbul'da sonra neler oldu?

Sağmalcılar'daki ev

MELEK – Sonra neler oldu? Arada kopukluklar var, film şeridi kopuyor. Hatırladığım; ben duruma göre ya yemeni bağlıyorum ya peruk takıyorum. Saklanmak esas uğraş. Sonunda, Sağmalcılar Cezaevi'nin karşısında bir evin giriş katında bulduk kendimizi. Evde bizim arkadaşlar kalıyor, bir de hiçbir zaman adını öğrenemediğim köylü bir kadın ve iki çocuğu. Ev bir köşe başında olduğu için bizim kaldığımız oda iki taraftan sokağa bakıyor. Tahtakurusu kaynıyor ve içeride silah var. Bir iki tabancadan daha fazla silahtan söz ediyorum. O gece orada kalacağız. Ben zaten o günlerde her zaman üstümdekilerle yatıp kalkardım. Her an yakalanmak korkusu bende garip bir refleks geliştirmişti, en ufak bir çıtırtı olduğunda hemen fırlayıp kapıya hamle yapıyordum. Yıllarca kaldı bu bende. Uzun süre, çok güvenli ortamlarda bile her zaman giyinik yatmaya, en ufak bir seste yataktan fırlamaya devam ettim.

İşte o gece de tahtakurularından korunmak için yatağa girmemiştim, bir iskemlede uyukluyordum. Sabaha karşı, saat beşe doğru sokakta sesler duydum, penceredeki basma perdenin ucunu kaldırıp dışarıya baktım, ev sarılmıştı. Hiç ses çıkarmadan Bora'yla arkadaşları uyandırdım. Kurtulmamız zordu. "Bu iş burada bitti," diye düşündüm. Bora soğukkanlıydı. "Telaşlanmayın, sakin olun," dedi bize. Bu arada bizim köylü kadın iki çocuğunu alarak sokak kapısının önüne geldi. Kadın da çok sakin, olağan bir durummuş gibi davranıyor. Kapı yumruklanmaya başladı. Bizim ev sahibesi kadın, "Kim o?" diye seslendi, "Açın kapıyı, polis!" cevabı geldi. "Evde benle iki çocuk var, kimse yoktur, erkek yoktur, kapıyı açamam," dedi kadın. Ben duyuyorum, askerlerde de bir şaşkınlık oldu, harekâtı yöneten, yanlış yere mi geldik havasında herhalde. O sırada bizim köylü kadın Bora ve beni evin arkasında mutfak diye kullanılan bir odaya götürdü, oradan bir kapıyla arka sokağa bakan bir bahçeye çıkılıyordu. "Hadi yürüyün, geçin gidin," dedi. Kapı yine yumruklanırken biz o bahçeden bambaşka bir sokağa çıktık, sakin bir şekilde yürüyerek başka bir evin arka tarafına sığındık, sokağa çıkma yasağının bitmesini bekledik, sonra da ilk taksiye atlayarak Karaköy'e geldik, vapura binip Kadıköy'e geçtik.

Yaz günü, hava çok sıcak. Ben Bora'ya yine çılgın bir teklifte bulundum, "Plaja gidelim," dedim. Kadıköy'den ucuz birer mayo, güneş gözlükleri, yeni birkaç giysi aldık, plaja gittik. Suadiye Plajı'ydı galiba. Mayoları giydik, güneşleniyoruz. Çok Amerikan filmi seyretmiş olmanın yararları bu gibi zamanlarda ortaya çıkıyor. Plajdan çıkışta tebdil kılıkta, şehirli iki genç sevgili pozunda el ele sakin bir şekilde vitrinlere bakarak dolanıyoruz ve düşünüyoruz: Şimde ne olacak? Bora hemen o gece Malatya'ya gitme kararı verdi. Malatya'da nasıl olsa birilerini bulurduk.

Akşamüstüydü, Harem otobüs garajına geldik, Malatya otobüsü gece daha geç bir saatte kalkıyor. Bilet aldık, zaman öldürmeye çalışıyoruz. Hiç unutmuyorum Salacak ya da Harem taraflarında bir bara gittik, loş ışıklı bir yer ve biz kaçak âşıkları oynuyoruz. Durumda bir anormallik yok derken, benim antenlerim bir işaret aldı, masaların birinde oturan bir adama takıldım. Bu adamları hissetmek konusunda bende ancak kedilerde olabilecek garip bir radar sistemi gelişmişti. Hiç kuşku duymadım, izleniyorduk. Sabah evden kaçmamıza da göz mü yumulmuştu acaba? Niçin o anda yakalamıyorlar, sorusunun yanıtını ise çok iyi biliyordum. Bizi izleyerek bilmedikleri başka ilişkilere ulaşabileceklerdi. Tahminime göre bütün otobüs garajlarında adamları vardı. Bora, gece otobüste yakalanmaktan korkuyordu, ben yakalamayacaklarına emindim. Peki Malatya'da ne olacaktı? Onu o zaman düşünecektik.

Otobüsün saati geldi, bindik, adam da arka taraflarda bir koltuğa geçti oturdu. Hep birlikte yola çıktık. Bu yolculuk Malatya'dan Harran'a, oradan sınıra, Halep'e ve Beyrut'a uzanacaktı.

Malatya'dan Beyrut'a

Zor bir yolculuk oldu. Bora çok tedirgindi. Otobüs çay molası vermek için durduğunda bizim refakatçi de karşımızdaki masaya oturup çay içti. Bize bakmamaya çalışıyordu. Bir ara içeriye gidip telefon ettiğini gördük. Neyse ki koltuklarımız arasında bayağı bir mesafe var, en azından konuştuklarımızı duyamıyor. O zamanlar dinleme aygıtları da bugünkü kadar gelişkin değil. Bora, bu adamdan kurtulmadan kesinlikle arkadaşlarla buluşmak istemediğini, bir şekilde izimizi kaybettirmemiz gerektiğini söylüyordu. Kürecik'te inmek adamın eline adres vermek olacaktı. Mehmet Ali'nin evi zaten deşifre olmuş, dakika başı basılıyordu artık.

Öğleüzeri Malatya'ya vardık, otobüsten indik, bir taksiyle Malatya'nın biraz dışında bir yere gitmek için pazarlık ettik. Niyetimiz izlenip izlenmediğimizi anlamaktı. Refakatçi oyalanıyor, herhalde bizim ne yapacağımızı görmek için bekliyordu. Hangi taksiye bindiğimizi tespit edip arabanın numarasından bizi bulması işten değildi. Yola koyulduk, arkamızdan gelen giden yok. Varacağımız yere vardık, taksiyi yolladık ve oradan kalkan bir minibüse binerek tekrar Malatya'ya döndük. Son durağa gelmeden indik, arka sokaklardan dolanarak güvendiğimiz bir öğretmen karı kocanın evine gittik. Onlarda birkaç gün kaldıktan sonra başka bir eve geçtik. Artık her zaman karanlıkta yer değiştiriyorduk ve bir yere girdikten sonra ancak yer değiştirmek için çıkıyorduk; bir çeşit tutsaklık gibi.

Daha İstanbul'dayken bende anormal bir kanama başlamıştı, Malatya'da devam etti. Düşün, kaçaksın ve bir de kanamalısın. Sonunda kadınlardan biri beni bir doktora götürdü, ancak doktor da anlam veremedi duruma, kanamayı durduracak ilaçlar verdi. İlaçları alıyorum ama kanama durmuyor, betim benzim atmış, bembeyaz olmuşum. kendimi çok halsiz hissediyorum. En korktuğum şey, bu durumda hasta olmaktı.

Bu arada bizim arkadaşlardan biri Malatya'nın biraz dışında bir ev tutmuştu. Evin sahibine kendisini seyyar satıcı olarak tanıtmış, bir arkadaşıyla birlikte oturacağını söylemişti. Bu arkadaş, daha sonra Boralarla birlikte Filistin'de kampta kalacak ve tesadüf eseri İsrail saldırısından sağ olarak kurtulacaktı. Bora onun arkadaşı olarak eve girecekti, ama ben ne olacaktım?

Benim evde gizli kalmam gerektiğini düşündüler, ev sahibi benim varlığımdan haberdar olmayacaktı. Gece karanlıkta, hırsızlar gibi, Malatya'nın yoksul bir semtindeki gecekondunun alt katında bir odaya geldik. Şartlar gerçekten kötüydü. Yerlere şap bile dökülmemişti, toprağın üstünde eski bir kilim vardı. Oda çok rutubetliydi, tek pencereden az bir ışık alıyordu. Tuvalet dışarıdaydı, banyo ise hiç yoktu, insanlar yıkanmak için hamama gidiyordu. Odada bir küçük tüpgaz, bir çaydanlık, bir tencere, bir iki parça kap kacak vardı. Pencerenin altında dar bir tahta kerevet, kerevetin üzerinde bir minder ve çiçekli basmadan bir örtü. Kerevette bizim arkadaş yatıyordu, karşı köşeye Bora için bir yer yatağı serilmişti, ben de onun yanında yatmak zorundaydım. Üç kişi 15 metrekare bir odada yaşamak durumundaydık.

İş bununla da bitmiyordu. Arkadaşımız işe gider görünmek için sabah erken evden çıkıyor, şehirde turlayıp diğer arkadaşlardan haber topluyor, alışveriş yapıp genellikle öğleüstü dönüyor, sonra da dışarıya çıkmıyordu. Geriye kalan zamanda üçümüz hiçbir şey yapmadan burun buruna oturmak zorundaydık. Benim kanamam eskisi kadar olmasa da hâlâ sürüyordu, bu da beni çok rahatsız ediyordu. Tuvalete bile sadece gece, el ayak çekildikten sonra gidebiliyordum. Çok zor günlerdi benim için.

Üst katımızda, çok yoksul Pötürgeli bir hamal oturuyordu. Yılda birkaç ay İstanbul'a gidip Sirkeci'de hamallık yapıyormuş. Sonradan adının Hanife olduğunu öğrendiğim karısı Tekel Tütün Fabrikası'na bağlı tütün tarlasında çalışıyordu. Çok yoksul insanlardı, bir dolu da çocukları vardı.

Pötürgeli hamal da işsiz güçsüz evde oturduğu için canı sıkılıyor, iniyor aşağıya bizim odaya, çay içmeye. Adam geldiğinde, ayak seslerini duyuyoruz, ben kerevetin altına gizleniyorum. O daracık kerevetin altında toprağın üstünde bazen saatlerce kıpırdamadan yatmak zorundayım. Öksüreceğim de sesim çıkacak diye ödüm patlıyor. Gerçekten kafayı yemek üzereyim. Çare olarak yazı yazmaya başladım. Bir defter aldırdım ve başladım yazmaya. Kerevetin altında kendime bir yer yaptım, oraya giriyorum, yüzükoyun yatıp yazıyorum. O yazıların hepsini sonradan yaktım, neler yazıyordum hatırlamıyorum. Bir süre de böyle gitti, iki hafta kadar belki. Artık gerçekten zorlanıyordum, sonunda Bora'ya dedim ki: "Bu böyle olmayacak, leş gibi oldum, yıkanamıyorum, bitleneceğim. Adama, arkadaşımızın karısı gelecek deyin de ben açığa çıkayım, yoksa artık dayanamayacağım." Bora benim tükenmek üzere olduğumun farkındaydı, dediğimi yaptılar ve ben kerevetin altından kurtuldum. Sanki yeni gelmiş gibi yaparak legalleştim.

Pötürgeli hemen yan taraftaki boş odanın bana verilmesini sağladı. Orada bana temiz bir yatak yapıldı, böylece ben yenge olarak gün ışığına çıktım. Akşam Pötürgeli'nin karısı Hanife bana hoş geldin ziyaretine indi. Hanife en fazla otuzunda, belki de daha genç, uzun boylu, saçları örgülü, güzel bir kadındı. Öpüştük ve bu hemen beni sorgulamaya başladı; neyim, kimim? Ben duruma en uygun yalanı savurdum, şehir kızıydım ama gönül bu ya, yoksul bir adama âşık olmuş, evden kaçmıştım. Aşk ne sihirli sözcüktür! Bora ve ben, peşimize düşen ailelerden kaçan âşıklar olarak baş tacı edildik. Burada güvende olduğumuz bize temin edildi. Ben çok memnunum, Hanife'nin katına çıkıp su ısıtıp yıkanmışım, artık ayrı bir odada temiz bir yatağım var. Gelgelelim ertesi gün Hanife bu kez yanında mahalleden başka kadınlarla yine ziyarete gelmez mi! Kadınlar aşk uğruna yollara düşen şehirli kızı görmeye gelmişler. O günlerde hem kanama hem de hiç dışarıya çıkmamak yüzünden bembeyaz olmuştum. Beyaz tenli olmak köylüler için çok önemlidir. Kadınları bana bakıp, sağımı solumu elleyip gerçekten âşık olunacak bir kadın olduğuma kanaat getirdiler. Sonra başladı açık saçık konuşmalar. Kadınlarda hiç sakınma yok, dobra dobra her şeyi anlatıp gülüyorlar. Ben mahallede meşhur oldum, "Hanifegil'in orada, kaçırılan beyaz karının yanına gitmek" moda oldu. Bora bu durumdan endişe ediyordu ama benim yüzüm güldüğü için de seviniyordu. Akşamları artık Pötürgeli hamalla karısı birlikte geliyorlar, hep beraber çay içiyoruz. Sanıyorum onlar da Aleviydi, hiç kaç göç durumları yoktu.

Bu şekilde bir hafta kadar geçti. Bora'ya ve diğer arkadaşa, "Çocuklar, siz kendinizi kandırıyorsunuz, Hanife ve kocası bizim kim olduğumuzu gayet iyi anladılar, biliyorlar ama bizimle yüzleşmiyorlar," dedim. Bunlar, "Yok canım, nereden anlayacaklar?" dediler. Benim bu sözleri söylememden belki iki gün sonra bir akşamüstü Hanife ve kocası yine aşağıya indiler. Utangaç bir halleri var. "Biz sizinle konuşmak istiyoruz," dediler. Adam utana sıkıla söze girdi: "Ne olur bizi yanlış anlamayın, biz sizin kim olduğunuzu biliyoruz, siz Denizgillerdensiniz; ama sakın zannetmeyin ki sizi ihbar edeceğiz, böyle bir şey söz konusu değil. Biz bütün bunları bizim gibi insanlar için yaptığınızı biliyoruz; ama iki gündür kapıda bir herif var, tanımıyoruz, ondan kuşkulanıyoruz, yenge için çok üzülüyoruz, kadınlara çok işkence yaparlar, onu kaçırın buradan."

Ben şaşırmadım, çünkü dediğim gibi zaten anlamıştım. Hanife cin gibi bir kadındı, duruma hemen aymıştı. Bizimkiler şaşırdılar; ama adamın doğru söylediğinden hepimiz emindik. "Adamların başını da derde sokmayalım, gidelim," dedim. Biz toparlandık, ertesi gece gideceğiz, evde de kitaplar var. Adama "Kitapları yakalım mı?" diye sorduk, cevabını hiç unutmadım: "Hiç kitap yakılır mı, gün gelir okuruz, biz okumazsak, çocuklar okur." Ve bütün kitapları itina ile naylonlara sarıp kutulayıp bahçeye gömdü.

Gideceğimiz gece Hanife indi benimle vedalaşmaya, memelerinin arasından bir tomar para çıkardı, bana uzattı. O kadar yoksul insanlar ki o para onların belki de birkaç aylık geçim parası. Ben paramız olduğunu, onların o paraya daha fazla ihtiyacı olduğunu söyleyip parayı almak istemiyorum. İşte o zaman Hanife bana bir konuşma yaptı, hâlâ hatırladıkça gözlerim yaşarır: "Sen zengin kızısın, ben onu hemen anladım. Kim bilir neleri bırakıp geldin buralara, bu yoksullukta bizim gibi insanların yanında oldun. Bizim gibi insanlar için yapıyorsun bütün bunları. Bu para onun karşılığı değil ama elimden bu gelir, bu kadarcığını bırak yapayım." Ben o parayı aldım, birbirimize sarıldık, ağlıyoruz ve kopamıyoruz. Yerini yurdunu bulabilseydim mutlaka Hanife'yi gidip görmek isterdim; ama o eve bir gece karanlığında girmiş, bir gece karanlığında çıkmıştım. Hiç bilmiyorum neresi olduğunu. Daha sonra haklı olduklarını ve bizden sonra evin basıldığını duydum. Bizi kurtaran Hanife ve eşine işkence yapılmış olabileceğini düşündüğümde nasıl bir vicdan azabı duyduğumu sen anlarsın.

Köyden köye sınıra doğru

Sonra Malatya'nın başka bir köyüne gittik. Artık tüm örgütlerden yakalanmamış çok az insan kalmıştı. İstanbul'da Atıl ve dışarıda kalan son arkadaşlar da bu ara yakalanmıştı. O günlerde dışarıda kalanlar, hangi örgütten olursa olsun birbirini kolluyordu. Biz de THKO'lu arkadaşlarla birlikteydik. Bora ve benim için artık tek hedef, sınırı geçebilmekti. Bunun için ilişkiler kuruluyor, sınırı geçerken bize eşlik edecek kaçakçılar aranıyordu.

Yeni geldiğimiz köy, güzel bir yerdi. Havası suyu güzel derler ya, işte öyle. Ben burada dışarıya, açık havaya çıktım. Kanama da durmuştu, kadınlarla tarlada patates toplamaya gidiyordum. Bir gün jandarma geldi, ben başımda yemeni patates topluyorum. Askerin birinin bana gözü takıldı, ben hemen mahcup köylü kızı oynayıp başımı eğdim, o da üzerinde durmadı. Bora'yı ahıra, samanlığın içine gizlemişlerdi. Bu anlattıklarım herhalde ağustos ayında oluyor. O sırada öğrendik ki bizim kaldığımız bu evde bizden önce İlyas Aydın kalmış. İlyas Aydın meselesi o sıralar gündemde, onun sol hareketin içine sızdırılmış bir ajan olduğu söyleniyor. Biliyorsun, İlyas Aydın Şam'da Filistinliler tarafından bu gerekçeyle infaz edilmişti.

Ben bu evdeki insanlarla mesafeliydim, bunu çok iyi hatırlıyorum. Mehmet Ali'nin evi gibi değildi. Bir gece ev sahibi ile Bora boğma rakı içtiler, rakının da etkisiyle belki, adam, "Gelin bakın size ne göstereceğim," dedi. Çıktık dışarıya, yürüyerek en fazla 20 dakikalık mesafede ahır gibi bir yere geldik. Ahırın kapısı ahşap, uyduruk bir kilit var sadece. Adam kapıyı açtı ve ben donakaldım. Bütün ahır duvardan duvara dizilmiş, yüzlerce Kalaşnikofla dolu. Bu kadar çok silahı birarada ilk kez görüyordum. Şaşkınlıkla adama dönüp, "Bu silahlar buraya nasıl geldi?" diye abes bir soru sordum. Adam çok güldü bu soruma, "Katır sırtında yenge, katır sırtında," dedi. Buralarda çok farklı şeyler yaşandığını bir kez daha anladım.

Artık sınırı geçmemiz an meselesiydi. Kaçakçılar bulunmuş, sınırda bir köyde buluşmak için randevu verilmişti. Nihayet gideceğimiz gün geldi. Ben yine çıkınımı topladım, tuhaf kılıklarımdan birine girdim. Bora, ben, sanırım THKO'lu bir arkadaş ve şoförle yola çıktık. Taksiyle sınıra gidiyoruz. Bir akşamüstüydü, Harran Ovası'nı geçiyorduk.

Harran Ovası beni büyüledi. Kara bir deniz gibi uzanıp gidiyordu. Toprağın bu kadar kara olabileceğini ilk kez fark ediyordum. Arabadaki herkes tedirgindi. Takip edilip edilmediğimizden emin olmak istiyorduk. Sonunda gece karanlığında sınırdaki köye vardık. Köyde herkes yemeğini yemiş, evlerine çekilmişti, sönük iki üç ışıktan başka hiçbir hayat belirtisi yoktu. Ramazan ayındaydık. Geceleyeceğimiz evde, sınırı birlikte geçeceğimiz iki kaçakçı bizi bekliyordu. Bizi getiren arkadaş onlara teslim etti, vedalaştık. Onun görevi bitmişti, taksiyle geri dönecekti. İçimi derin bir hüzün kapladı, dokunsalar ağlayacağım. Geriye dönüşü olmayan bir yola çıktığımı sanırım o karanlık sınır köyünde anladım.

Sen yaşayacaksın ama o ölecek

Erkekler arasında sınırın durumu üzerine yarı Kürtçe, yarı Arapça bir konuşma sürüyordu. Ben ise yine kaçırılan kız rolünde, başım önümde, hiç konuşmadan oturuyordum. Her zaman olduğu gibi bir kadın kalabalığı meraklı gözlerle beni süzüyordu. Bu kez çok dikkatli olmalıydım, en ufak bir falso bizi ele verebilirdi. Kadınların hiçbiri Türkçe konuşmadığı için sorguya çekme şansları yoktu. Kadınlar el işaretleriyle beni yanlarına çağırdılar, ayrı bir odaya alındım. Onlar bana bakıyor, ben onlara. Kaçırılan bir kız nasıl olur diye bir fikrim yoktu ama şen şakrak bir halim olmadığı apaçık ortadaydı. Kadınlar kendi aralarında durmadan konuşup bu esrarengiz kadın üzerine çeşitli hikâyeler yazıyorlardı. Sonunda çok geç olduğu için yatmaya karar verdiler, bana da bir yatak serildi, gözümü kırpmadan sabahı ettim.

Sabah herkes ayaklandı. Çaylar içildikten sonra kadınlar yine el işaretleriyle beni alıp yandaki başka bir eve götürdüler. Kendimi olayların akışına bırakmışım, ne olacaksa olsun diyorum. Yan evin damında daha büyük bir kadın kalabalığı toplanmış, beni bekliyordu. Kadınlar büyük bir telaş içinde, bana birşeyler anlatmaya çalışıyorlardı. Beni damın orta yerine oturttular; zılgıt sesleri arasında, yüzünde çeşitli renklerde dövmeler, kafasında puşi olan, renkli giysiler içinde yaşlı bir kadın karşıma oturdu. Herkes gelip elini öpüyor, ona saygı gösteriyordu. Bir tören yapılıyordu ama ne için? Bu arada daha önce görmediğim on, on iki yaşlarında bir kız, Türkçe "Hoş gelmişin," dedi, kırık bir Türkçe ile durumu açıkladı. Benim çok üzgün olduğumu gören kadınlar köydeki falcıya haber vermişler, herkesin kaderini ve geleceğini bilen yaşlı teyze benim için getirtilmiş. Yaşlı kadın bir falcıdan çok bir Şaman'a benziyordu. Çok ilginç bir tören başladı. Kadın başımı ve bileklerimi birtakım sıvılarla ovuyor ve sürekli, şarkı mı dua mı anlayamadığım birşeyler mırıldanıyor; kadınlar da ona eşlik ediyorlardı. Benim için neler söyledi, ne anlattı bilemiyorum. Kadınların bazıları çok üzülüp ağladılar. Ben şaşkınlık ve merak içinde kaderimin ne olduğunu öğrenmek istiyordum. Kaderimin ne olacağını anlatan yaşlı kadının söylediklerinden tek kelime anlamıyordum. Türkçe konuşan kız susmuş, konuşmuyordu. Gözlerini kocaman açmış, kadına bakıyordu. Ne diyor, diye sorduğumda kafasını sallamakla yetindi, yanıtlamadı. O sırada dama çıkan bir kadın birşeyler söyledi, genç kız bana dönerek, "Sen gideceksin," dedi. Herkes ayaklandı, gelip öpenler, ağlayanlar arasında kadınlara veda ederken, kız yanıma geldi: "O dedi ki, sen yaşayacaksın ama yanındaki adam, seni kaçıran, o ölecek." Kalakaldım. Kadınların niçin ağladıklarını anladım. Kehanetin üzerinde düşünecek vaktim olmadı. Kalabalıkla birlikte damdan indim, Bora ve kaçakçıların bulunduğu eve geri döndük.

Bora ve kaçakçılar sınırı geçmeye hazırlanıyorlardı. Bora bıyıklarını kesmiş, kafasına bir kasket geçirmişti. Kritik an gelip çatmıştı. Korkuyor muydum diye sorarsan, hatırlamıyorum. O kadar çok değişik duyguyu aynı anda yaşıyordum ki, bunlardan biri sıyrılıp öne çıkmıyordu diyebilirim. Köylülerle vedalaştık, sınır karakoluna doğru yürümeye başladık.

Öğlen saatleriydi. Karakol köyün biraz ilerisinde küçük beton bir binaydı. İçeride sanırım iki jandarma vardı, bizi gayet sakin karşıladılar.

Kaçakçılar ile aralarında birtakım konuşmalar oldu. Ben hiçbir şeyi duyacak halde değildim. Karakolun duvarında asılı arananlar listesinden Bora bana bakıyordu. İşte o anda korktum. Dikkati çekmemek için gözlerimi yere indirdim, ne listeye bakıyordum ne de Bora'ya. Konuşmalar sürüyordu, sonunda birtakım paralar ödendi. Hatırlamıyorum ama büyük paralar olmadığını biliyorum. Jandarmanın "dikkatli olun" tembihleri ile birlikte kaçakçılar önde, biz arkada yürümeye başladık. Karakoldan sınırı oluşturan tel örgüye olan mesafe uzun değildi ama her yanımız mayınlıydı. Önümdeki ayak izlerine basarak yürüyordum. Tel örgüye vardığımızda kaçakçılar büyük bir ustalıkla, bir insanın geçebileceği büyüklükte bir delik açtılar. Tek tek hepimiz delikten geçtik. Bu kez Suriye topraklarında yürümeye başladık. Yine çok uzun olmayan bir mesafe yürüdükten sonra birkaç höyükten oluşan bir yere vardık. Höyüklerin birinden çıkan Arap giysili bir adam bizi karşıladı. Kaçakçılar adamla Arapça konuşmaya başladılar. Sonra höyüğün içine buyur edildik.

Dekorasyon dergisinden çıkmış bir höyük

Höyüğün içi kilimler ve sedirlerle döşenmişti. Ve inanmazsın, çok güzeldi. Fransız dekorasyon dergilerinden çıkmış gibiydi. İçeride yine Arap giysileri içinde genç ve yakışıklı bir adam daha vardı. Konuşmalar sürüyordu. Ben etrafıma attığım kaçamak bakışlar dışında hep yere bakıyordum. Höyüğün önüne bir araba yanaştı, kaçakçılar Araplarla vedalaştı ve hepimiz bir arabaya binip Suriye'nin içlerine doğru gitmeye başladık. Ancak arabaya bindikten sonra, biraz sakinleşince yaşadıklarımı idrak ettim. Türkiye'yi gerilerde bırakmış, bilinmeyen bir geleceğe doğru yol alıyordum.

Araba büyük bir taş evin önünde durduğunda hava henüz kararmamıştı. Kaçakçıların dediğine göre geceyi bu evde geçirecektik. Taş binanın kapısından büyük bir girişe, oradan da yan tarafta başka bir odaya buyur edildik. Odada birtakım adamlar, daire şeklinde dizilmiş koltuk ve iskemlelerde oturmuş, konuşuyorlardı. Odadaki tek kadın bendim. Ben hep başım önde, hiç konuşmadan oturduğum için bir süre sonra varlığım unutuluyordu. Bora'nın işi daha zordu. Erkekler dünyasına dahil olmak, onların sorularını yanıtlamak zorundaydı. Gözümün ucuyla duvarda asılı bir fotoğraf gördüm. Siyah beyaz fotoğrafta Arap giysileri içinde gözlüklü bir adam ve Arapça yazılar vardı. Fotoğraftaki adam, ne bizim kaçakçılara ne de odadaki diğer adamlara benziyordu. Birazdan kapıdan içeri siyah giysiler içinde, uzun boylu, gözlüklü bir adam girdi. Herkesi selamladı ve hal hatır sormaya başladı. Evin sahibi olan bu kişi deminden beri kafamı kurcalayan fotoğraftaki adamın ta kendisiydi. Hatır sormalar ve karşılıklı Arapça konuşmalar sürüyor, ben kurbanlık koyun gibi önüme bakarak oturuyordum. Derken gözlüklü adam yerinden kalktı, tam önüme gelip durdu. Kafamı kaldırıp adama bakamıyordum. Şimdi ne olacak diye düşünmeye çalışırken adam inanılmaz bir Oxford İngilizcesiyle konuşmaz mı! "Siz eminim ki içeride kadınların ve çocukların yanında daha rahat edersiniz. Dilerseniz sizi onlara götüreyim."

Bir an duraksadım. İngilizceyi anlamamış gibi yapıp role devam mı etmeliyim, yoksa bu daveti özel bir mesaj kabul edip adamı mı izlemeliyim? Kafamı kaldırıp adama baktım ve onunki kadar iyi bir İngilizceyle, "Tabii, daha iyi olur sanırım," dedim. Adam önde, ben arkada odadan çıktık. Odadan çıkıp kapıyı kapattıktan sonra adamın ilk cümlesi, "Sakın korkma, burada emin ellerdesin," oldu. Beni arka tarafta bir odaya götürdü, orada konuşmaya başladık. "Ben sizin siyasi kaçak olduğunuzu hemen anladım ama hiç merak etmeyin, kimseye bir şey söylemem yoldaş," diye söze devam etti. Adam Suriye Komünist Partisi üyesiymiş meğer. "Türkiye'de yaşananları biliyorum, siz ülkenizi terk etmek zorunda kaldınız ama üzülmeyin, bir gün mutlaka geri dönersiniz. Özgürlük ve eşitlik için mücadele kutsaldır, bunun için yola çıkanları evimde konuk etmek benim için bir onurdur. Siz karımla ve diğer kadınlarla birlikte oturun, daha rahat edersiniz, akşam size ve eşinize özel bir oda hazırlatırım," dedi. Şaşkınlık içinde adama bakıyordum. Bir an için dahi şüphelenmek aklıma gelmedi, emin ellerde olduğuma inanmıştım. Gecenin devamında kadınlar ve çocuklarla tek kelime konuşamadan önüme konulan yemekleri yedim. Büyük bir konukseverlik gösteriliyordu, hayatımdan memnundum, bir tek Bora'yı merak ediyordum. Yatma saati geldiğinde kadınlar beni bizim için hazırlanan odaya götürdüler. Odada güzel bir yer yatağı hazırlanmıştı. Atlas yorgan, işlemeli çarşaf ve yastıklar, her şey tertemiz. Böyle bir odada yatmayalı o kadar çok zaman olmuştu ki... Bora geldiğinde ona her şeyi anlattım. Ülkemizi terk ettiğimiz ilk gece bizi kucaklayan bu dayanışmanın huzuru içinde uzun zamandır hasret olduğumuz derin uykuya daldık.

Ertesi sabah erkenden kalktık. Bulunduğumuz yerden Halep'e otobüsle gidecektik. Ev sahibimiz, daha güvenli olacağı için benim çarşaf giymemi istiyordu. Suriye'de hüviyetsiz yakalanmak hapsi boylamak demekti. "Bu şekilde sana bir şey sorsalar bile cevap vermezsin. Çarşaflı bir kadın erkeklerle konuşmaz. Senin için en güvenilir yol bu."

Kadınlardan biri kara çarşafını getirip bana giydirdi. Çarşafı tutmayı zar zor becerdim. Gözlerimin dışında hiçbir yerim görünmüyordu.

Eski püskü bir otobüse bindik, Halep'e doğru yola koyulduk. Ben çarşafın içinde fena halde bunalıyorum ama yapacak bir şey yok. Bir süre sonra Dicle Nehri'nin kıyısına vardık. Bir salla karşı kıyıya geçmemiz gerekiyordu. Ancak araçları karşı kıyıya geçiren sal bozulmuş, arabalar ve otobüsler kuyruk olmuş bekliyor. Biz de durduk, erkekler aşağıya indi, ben ve birkaç kadın otobüste kaldık. Bana çok uzun gelen bir sürenin sonunda birisi suya girip salı tamir etti, biz de Dicle Nehri'nin karşı kıyısına geçtik.

Halep'teki ev sahiplerimiz

Öğleüzeri Halep'e vardık, kaçakçılarla birlikte bir lokantaya gidip yemek yedik. Ramazan olmasına rağmen lokantalar açıktı. Lokantada ben tuvalete gidip çarşafı çıkardım. Çarşafla çok zor yürüyordum ve her nedense Halep'e gelince kendimi daha rahat hissetmeye başlamıştım. Hep birlikte Halep Çarşısı'nın içinde bir dükkâna gidildi. Halep hoşuma gitti, çok renkli ve canlı bir şehirdi. Her yerde kadınlar vardı ve herkes rahat davranıyordu. Önüme bakmayı bırakıp şehri ve insanları seyretmeye başladım. Bol şekerli nane çayları içildi ve bir süre daha sokaklarda gezindikten sonra bizim kaçakçıların arkadaşı olan bir esnafın evine konuk olduk.

Konuk olduğumuz ev eski Halep'te, odaları geniş bir iç avluya açılan taş bir binaydı. İkisi de hafif tombul, sevimli bir karı koca olan ev sahiplerimiz, gayet düzgün bir Türkçe ile bizi buyur ettiler. Hal hatır sormalar bittikten sonra ev sahibesi hanım mutfağa girip yemek hazırlamaya başladı. Herkes Türkçe konuşuyordu, ben de hiç yabancılık hissetmeden gezinmeye, evi keşfetmeye çıktım. Avluda alçak bir yer masasında değişik mezelerle süslenmiş bir sofra kuruldu. Ramazan ve oruçtan söz edilmediği gibi sofraya boğma rakı gelmiş, erkekler ufaktan demlenmeye başlamışlardı. Bizim iki kaçakçı her durumda araziye uymak üzere davrandıklarından, orucu unutmuş, rakı kadehleriyle haşır neşir olmuşlardı. Halep'teki o avluda, alçak bir sedirde bağdaş kurmuş oturarak yediğimiz o yemeği hâlâ bir film sahnesi gibi hatırlarım. Ev sahiplerimiz Malatyalı bir Ermeni aileydi. Malatya'yı terk edeli yirmi yıl ya da daha fazla olmuştu. Bizim de Malatya'da kaldığımızı öğrenince uzun uzun bize Malatya'yı, köyleri sordular. Biz anlattıkça onlar ağladı, ben de onlarla birlikte ağladım. Sınırların yapaylığı üzerine derin sohbete daldık. Ev sahibimiz her yıl kaçak olarak sınırı nasıl geçtiğini, artık Halep'te de bir evimiz olduğunu anlatarak bizi rahatlatmaya çalışıyordu. Sanırım o da bizim gerçek kimliklerimizi anlamıştı ama hiç söz etmiyordu. Ortadoğu'nun gerçeği buydu; herkes kaçak ya da sürgündü, hiç kimsenin gerçek kimliği yoktu. Kimlikler günü birlik değişen kâğıt parçalarıydı. Gecenin devamında Türkçe, Ermenice türküler söylendi. Türkiye'yi terk ettiğim ikinci geceyi bana kendi evimdeymiş gibi hissettiren bu güzel insanlara büyük bir sevgi ve minnet duydum. Yurtlarından ve topraklarından kopmuş olmanın acısını bizimle paylaşırken, aramızda kin ve nefret duvarları örmek yerine bizleri sevgileriyle sarıp sarmaladılar.

Sabah yeni bir veda yaşadık. Ermeni aileden ayrılırken yine içimi hüzün kapladı. Tanışmalar ve vedalaşmalar arasında şaşkına dönmüş, garip bir duygu yoğunluğu içinde yuvarlanıp gidiyordum. Kaçakçılarımız Halep Çarşısı'nda olağan tedariklerini yapıyorlardı. Halep Çarşısı'nda esnafın çoğunun Türkçe konuştuğunu, kuyumcuların Türkiye' den göç eden Ermeniler olduğunu, Halep veya Antep'te bulunmak arasında büyük bir fark olmadığını o kısacık zaman diliminde kavrayabilmiştim.

Halep'te işler tamamlanmış, kaçakçıların tanıdığı bir taksi şoförüyle pazarlık yapılmış ve biz Şam'a doğru yola koyulmuştuk. Bizim örgüt, çeşitli Filistin örgütleri arasında o dönemde en solda, en Marksist çizgide diye bilinen Hıristiyan bir Filistinli olan Nayif Havatme'nin kurduğu FKDC (Filistin'in Kurtuluşu İçin Demokratik Cephe) ile ilişki içindeydi. Bizden önce Beyrut ve Bekaa Vadisi'ndeki kamplara giden arkadaşlar FKDC ile temas kurmuş, onların yönlendirdiği yerlere dağılmışlardı. Ancak biz, nerede kaç arkadaş var, onları nasıl bulacağız gibi soruların yanıtını bilmiyorduk. Bora'nın elinde FKDC'nin Şam'daki bürosunun adresi vardı, hepsi o kadar.

Şam'da sıkıntılı bekleyiş

Şam'a vardığımızda saat öğleni geçmişti. Kaçakçılar bize karşı son görevlerini yapmak üzere Bora'nın elindeki adresi arayıp buldular. Binanın üzerinde herhangi bir yazı veya tabela yoktu. Kapıyı çaldık ve beklemeye başladık. Kapı hemen açılmadı, sanırım dikiz deliğinden bakmışlar ve tanımadıkları için bizlere kapıyı açmamışlardı. Arapça bir konuşmalar oldu, kaçakçılardan biri bizim Türkiye'den geldiğimizi, arkadaşlarımızı aradığımızı anlattı. Bu konuşmalar kapalı kapının arkasındaki kişiyle yapılıyordu. Uzun süren konuşmalar sonunda asık suratlı bir genç kapıyı açtı, bizi pek de dostane sayılmayacak bir bakışla süzdü, yeniden Arapça birşeyler söyledi. Bizi içeriye almayı kabul etmiş olmalı ki günlerdir yapışık yaşadığımız iki kaçakçı, biraz da endişeli olarak vedalaştılar. Biz içeriye girdik ve kapı üstümüze kapandı. Türkiye ile son bağlantım sanki o iki kaçakçıydı. Daha önce hissetmediğim yabancılık, endişe, bilinmezlik, korku gibi duygular birdenbire üzerime çöktü.

Bizi içeri alan asık suratlı gençle ancak el kol hareketleri ve tek tük İngilizce kelimelerle anlaşabiliyorduk. İlk olarak çantalarımızı açtırdı, içindeki her şeyi boşalttırdı, üzerimizi aradı, bize ait kimlik falan ne varsa, özel bilgilerin hepsini aldı. Özetle bize söylediği şuydu: "Ben sizi tanımıyorum, yetkili bir arkadaş gelene kadar sizi bir odada kilit altında tutmak zorundayım. Tuvalete gitmek için kapıyı vurursunuz, gelir açarım." Yanımıza su ve iki bardak çay bırakıp, kapıyı da üzerimize kilitleyip gitti. İçinde eşya olarak bir masa, birkaç sandalye ve sanırım iki de kanape olan odanın sokağa bakan penceresi yoktu. Tek pencere apartmanın aydınlığına bakıyordu. Bora ile bu durumda yapabileceğimiz tek şeyi yaptık, birer sigara yaktık. Bu defa da Şam'da göz altındaydık ve derdimizi kime nasıl anlatacağımızı da bilemiyorduk

İki saatten fazla kaldık o odada. Dışarıda birtakım kişiler dolaşıyor, konuşmalar duyuyorduk. Akşam saat 20 sularında kapının kilidi açıldı, otuz yaşlarında bir adam bizi başka bir odaya götürdü. İngilizce olarak, "Hoş geldiniz ama şu sıralar her şey çok karışık, size birtakım sorular sormak zorundayım," dedi. Daha sonra Suriye ve FKÖ (Filistin Kurtuluş Örgütü) ilişkilerinin her zaman inişli çıkışlı olduğunu öğrenecektim. Yine de ortak bir dil bulmuş olmak beni rahatlatmıştı. Adam bizi uzun uzun sorguya çekti. Kimdik, hangi örgüttendik, Beyrut'ta kimleri tanıyorduk, burada kimi tanıyorduk, bizi kim göndermişti, gelme nedenimiz neydi? Soruları Bora'ya tercüme ederek yanıtlıyordum. Uzun bir soruşturmaydı ve karşımızdaki adam kolay ikna olacak gibi görünmüyordu. Sonunda İlyas Aydın'ı tanıyıp tanımadığımızı sordu. Biz de ismen bildiğimizi ama tanımadığımızı söyledik. Bora İstanbul'dan tanıdığı Doktor Ömer adlı birini aradığını söyledi. Eğer onu bulabilirsek o bizi tanıyacaktı. Doktor Ömer üzerine bir sürü yeni sorular sorulduktan sonra adam Ömer'i tanıdığını, yarın sabah bizi onun çalıştığı hastaneye götürebileceğini söyledi. Eşyalarımızı verdiler ve adamla birlikte binadan çıktık. Gece Şam sokakları kalabalıktı. Bir lokantaya gittik sanıyorum, yemek yedik. Adam, Bora'yla benim ayrı ayrı evlerde kalacağımızı söyledi. Bu benim hiç hoşuma gitmedi ama yapacak bir şey yoktu, sonuçta tutsaktık. Beni kadınlı erkekli gençlerin olduğu bir eve götürdü. Evdekiler tek kelime İngilizce bilmiyordu. Aralarında Arapça konuşup gülüşüyorlar, bana da fazla ilgi göstermiyorlardı. Sonunda gece geç vakit oğlanlardan biri "Refika ta'al," (Refika, Arapça kadın yoldaş demek) dedi, beni arka tarafta bir odaya götürdü. Odada bir yatak vardı, bir de battaniye verdi. Bunları yaparken usul usul bana yanaşmaya, elimi tutmaya çalışıyordu. Arapça birşeyler söyledi. Ben vahşi bir kedi gibi saldırganlaştım, "No, touch me!" diye bağırıyordum. Öyle bir bağırmışım ki içeridekiler geldiler, oğlana birşeyler söylediler, beni odada yalnız bırakıp gittiler. Odanın içinde bulunan şimdi hiç hatırlamadığım birkaç parça eşyayı kapının önüne yığdım. Sabahı beklemekten başka çarem yoktu. Battaniyeyi üzerime çekip yarı uyuklayarak sabahı ettim.

Sabah kızlardan biri geldi, beni aldı, içeriki odada çay ve kahvaltı vardı. Ben ise bir an önce Bora'yı bulmaktan başka bir şey düşünemiyordum. Sabah saat on gibi, dünkü adam ve Bora beni almaya geldiler. O evden kurtulduğum için o kadar sevinçliydim ki giderken herkese gülücükler bile dağıttım. Bir arabayla Şam'da bulunan Filistin mülteci kamplarından birine doğru yola çıktık. Doktor Ömer, adını bilmediğim bu kamptaki bir hastanede çalışıyordu. Belki ilk gün yaşadıklarımın etkisiyle Şam'dan hoşlanmamıştım. Halep gibi tanıdık ve dost değildi sanki. Sonunda kampa vardık.

Kampla ilk karşılaşma

İlk gözüme çarpan şey yoksulluk ve sefalet oldu. Pis sular ortalarda akıyor, yaralı bereli çocuklar sümükleri akarak dolanıyor, çöp kokusuyla karışık bir koku midemi bulandırıyordu. Hastane dedikleri yer üç dört katlı beton bir binaydı. İçeride pijamalarıyla dolaşan hastalar, yaralılar, beyaz gömlekli birkaç hemşire vardı. Yerlerde kanlı bezler, genel bir bakımsızlık ve pislik burada da göze çarpıyordu. Kapının önünde, girişte iki sandalyeye oturup Doktor Ömer'i beklemeye başladık. Tam o sırada hastanenin önüne bir cankurtaran yanaştı, bir koşuşturma oldu, herkes cankurtaranın kapısının önüne birikti. Cankurtaranın içinde yaralılar vardı. Bazıları ağır yaralı, kanlar içinde gençler, delikanlılar arabadan çıkarılıp hastaneye taşındı.

Biz orada şaşkın şaşkın duruyorduk. Kimsenin bizimle ilgilenecek hali yoktu. Herkes yaralılara yardım için koşturuyordu. İlk kez bir savaş ortamı içinde olduğumuzu anladım. Şakası yoktu, burada insanlar ölüyordu. Yaralılara ve kana baktıkça içim çekiliyordu. Bir bayılmam eksikti! Bu arada bir araba daha yanaştı, birileri indi. Bora, Doktor Ömer'i hemen tanıdı. Doktor da Bora'yı tanıdı neyse ki. Âdet olduğu üzere üç kez öptü, benim elimi sıktı, Türkçe "Hoş geldiniz," dedi. Üniversiteyi Türkiye'de okumuş. Onu bulduğumuza ikimiz de çok sevinmiştik. Şimdi yaralılarla ilgilenmesi gerektiğini, biraz daha beklememizi söyledi ve gitti. Biz yine beklemeye başladık. Arap ülkelerinde beklemek çok olağandır. Herkes, her durumda bekler.

Doktor Ömer'le birlikte hastaneden çıktığımızda akşamüstüydü. Şam'da bir lokantaya gittik. Doktor Türkçe bildiği için Bora ile doğrudan konuşabiliyordu. Durumumuzu anlattık, Türkiye'deki son gelişmeleri konuştuk ve Beyrut'a arkadaşlarımızın yanına gitmek istediğimizi söyledik. Doktor, yumuşak ve hoş bir insandı, yarın veya öbür gün bir Kızılhaç arabasıyla bizi Beyrut'a yollayacağını, bu gece kendisinde konuk olabileceğimizi söyledi. Ömer'in evinde sohbet uzadı, ondan İlyas Aydın'ın ajan olduğunun saptandığını ve bu nedenle de öldürüldüğünü öğrendik. Tam hatırlamıyorum ama sanırım bir gün daha kaldık. Ömer bize evde oturmamızı, sokaklarda dolaşmamamızı tembihlemişti. Suriye'de polise yakalanmak tehlikeliydi.

Ertesi gün Bora ve bana birer Filistin hüviyeti verildi. Benim adım Sümeyya Abdülfettah'tı ve hemşire kimliğim vardı. Kızılhaç arabasına bindik, Ömer şoföre gerekli talimatları vermiş, Beyrut'taki Demokratik Cephe Bürosu'na da geleceğimizi bildirmişti. O yolculuğu çok iyi anımsıyorum. Şam'dan Beyrut'a dağların arasından, herkesin pek bilmediği dar bir yoldan gidiyorduk. Her şey karışık ve gizemliydi, lisanı da bilmediğimiz için daha da zorlanıyorduk. Yol dağların arasından kıvrıla kıvrıla devam etti ve akşam hava karardıktan sonra bir tepenin üzerinden ışıklar içinde Beyrut göründü. Şoför bize, "Bakın Beyrut," deyince çok heyecanlandım. Dağların altında yatan ışıklı şehre hayranlıkla bakıyordum. Beyrut o uzak mesafeden bile beni büyülemişti. Beyrut'la aramda yıllarca sürecek aşk böyle başladı. Şehre girdik, kalabalık ışıklı sokaklarda, karışık bir trafik içinde ilerliyorduk. Sonunda Demokratik Cephe binasına geldik.

Bizi karşılayan genç adam hem geleceğimizi biliyor, hem de İngilizce konuşuyordu. "Sizin arkadaşlara haber vereceğim, gelip sizi alacaklar," dedi. Kim gelecek, orada kaç kişi var, tam bilmiyorduk. Bir tek Cengiz Çandar'ı biliyorduk. Nitekim az sonra Cengiz ve Ahmet Özdemir geldiler, Bora'ya sarıldılar, bana da merhaba dediler ama tanımış görünmüyorlardı. Oysa Ahmet'le İstanbul'dan tanışırdık, Cengiz Ankaralı olduğu için onu daha az tanırdım. Bora beni gösterip, "Bu da Melek," dediğinde ikisinin de yüzünde beliren şaşkınlığı hiç unutamam. İstanbul'da tanıdıkları Melek'e pek benzemiyordum artık. Benim, bildikleri Melek olduğumu intikal edince sarılıp öpüştük. Beyrut maceramız böyle başladı işte.

Yeni Ortam'da ilk gazetecilik adımları

OYA – Melekçiğim, ben senin bu müthiş maceralarınla yarışamam. Ben de anlatacağım o günleri; ama doğrusu seninkilerin yanında epeyce sönük kalacak anlatacaklarım.

Sen Söke'den, Beşparmak Dağları'ndan dönüp Hostes Leyla olduğunda; Ankara-İstanbul-Antep falan saklana gizlene dolaştığın sıralarda, 1972 Şubatı'nda ben kedi Felix'i de alıp İstanbul'a döndüm. Annemin evine, daha önce Muzaffer'le birlikte yaşadığımız Levent'teki daireye sığındım. Hayatım altüst olmuş, bütünüyle değişmiş. Tahliye olmuşum ama dava sürüyor, yedi buçuk yılla yargılanıyorum. İşim yok, iş umudu da görünmüyor ufukta. Neyse ki boşanmış olduğum için babamdan yetim maaşım var. Zor ve kötü bir dönem.

Ankara'daki çevremizden birkaç arkadaş da İstanbul'a taşınmışlar, farklı kimliklerle kaçak göçek yaşıyorlar. Bunca iş olmuş, kimse kenara çekileyim demiyor ha... Hâlâ yeni bir hareket, yeni bir devrimci odak örgütlemek peşindeyiz. Yalçın Yusufoğlu, dağılmış sol çevrelerle, 12 Mart'ın kılıç artıklarıyla, Mahirlerin Kızıldere'de katledilmesinden sonra iyice dağılan hareketin gençleriyle, Kıvılcımcılarla temasta. Tabii son derece gizli olarak.

Derken, şimdi bunun nasıl olduğunu, hangi kanaldan beni bulduklarını, kimin aklına geldiğimi hatırlamıyorum ama Mümtaz Soysal bir gün benim Levent'teki eve geldi. Sevgi de vardı yanında diye hatırlıyorum, ama bu belki de başka bir gelişlerindeydi. Çünkü Mümtaz Soysal tahliye olmuştu ama Sevgi 72 baharında yeniden tutuklanmıştı. İstanbul'da buluşup sık sık görüştüğümüz dönem 1973 yılı olmalı. Ben o sırada *Yeni Ortam* gazetesindeyim, Sevgi'yle Cağaloğlu'nda gazetecilerin, yazarların, yayıncıların müdavim olacağı küçük bir kafe-bar kurmayı hayal ediyorduk: "Oya ile Sevgi'nin Yeri" diye...

Mümtaz Soysal, Kemal Bisalman'ın yeni bir günlük gazete çıkarmaya niyetli olduğunu, beni de kadrosuna alabileceğini söyledi. Kemal Bisalman'ı 12 Mart öncesinden, *Milliyet*'teki yazılarından hatırlıyordum. Bir de 71 Martı'nda ilk sayısı çıkan, Temmuz'da da "Baskıları protesto ediyoruz" manşetiyle kapanan *Yeni Ortam* adlı haftalık derginin sahibiydi. Hatırlıyor musun bilmem, Aydın Engin haftalık *Yeni Ortam*'ın yazıişleri müdürüydü, ağabeyin Osman da ekonomi yazarıydı, Mümtaz Soysal da tutuklanana kadar o dergide yazıyordu. 12 Mart'ın en azılı döneminde gerçekten de cesur bir demokratik çıkıştı. Uzun ömürlü olmadı. Aydın Engin'in 71 Haziranı'nda tutuklanmasından sonra Kemal'in de gözü korkmuş, dergiyi kapatmıştı. Rahmetli Kemal Bisalman psikolojik sorunları, saplantıları, garip tutkuları olan bir adamdı; bir yandan korkularla dolu, bir yandan da kafası bozulduğunda gözünü budaktan sakınmayan biri. Hem çok espriliydi, hem de çok acımasız. Hele işte, çalışanlara karşı tavrı tahammül edilmezdi.

Her neyse; Kemal Bisalman'ın asıl derdi basında demokrasi mücadelesi vermekten çok Babıâli'de patron olmaktı. Özellikle de Simavilere pek özenirdi. Onların BMW'si mi var, Kemal de BMW sahibi olmayı koyardı aklına. Oldu da. O faşizan dönemde, fazla sivri olmayan ama dozunda bir demokratik çizgi izleyen, sola seslenen bir gazetenin iş yapacağını, hatta para bile kazandırabileceğini görüyordu. İşsiz güçsüz haldeyken Mümtaz'ın teklifi hoşuma gitti, Bisalman'la görüşebileceğimi söyledim. Hemen ardından Kemal bir gün bizim eve geldi. Birileri ona benim annemin zengin olduğunu söylemiş. Tabii bütünüyle yanlış, annem babamdan aldığı dul maaşıyla geçiniyor, bir de bankada birkaç bin lira kefen parası var. Kemal'in eve gelişinin nedeni, gerçekten de zengin kızı mıyım diye bakmak.

MELEK – Adam gazetesine yazar mı arıyor, kız mı bakıyor?

OYA – Tuhaf adamdı rahmetli. Belki de sadece meraktı onu bizim eve getiren. Evde babaannemden kalma antika mobilyalar vardı, ben onlardan nefret ederdim; ama Kemal Bisalman'ın pek hoşuna gitti anlaşılan. Bunları nereden bulduğumu sordu, aldırmaz bir edayla, "Saray'dan çıkmış, babaannem saraylıydı da," dedim. Anladım ki adamcağızda servete, mevkie karşı bir aşağılık duygusu, aynı zamanda da eziklik var. Ondan sonra hep zengin kızı rolü oynadım, üstelik annemden o zamanın parasıyla birikiminin neredeyse tümü olan 10 bin lirayı alıp gazete kurulurken Kemal'e borç verdim. Çalışanlara çok kötü davranan Bisalman, bir tek bana en ufak bir saygısızlık yapmadı orada çalıştığım süre boyunca. 10 bin lirayı da geciktirmeden ödedi. Prenses aşağı, Prenses yukarı oldum gazetede; ama ben de eşek gibi çalıştım doğrusu.

Gazete 1972 Eylülü'nde çıktı. İlk başlarda, çalışma hayatı-işçi-sendika sayfasını düzenliyordum, o sayfalarda bu konularda yazıyordum. Sonra dönemin boşluğunda benim sol yazılar ilgi çekmeye, fazla okunmaya başlayınca Kemal beni ikinci sayfaya köşe yazarı olarak oturttu. Kısa dönemde bayağı bir okur kitlesi edindik; güç günlerde küçük bir umut ışığı olduk. Bugün, neredeyse kırk yıl sonra orada burada rastladığım insanlar, "Ah Oya Hanım, biz sizi *Yeni Ortam*'dan beri okuruz, o dönem ne yazılar yazmıştınız, gecenin içinde bir fener gibiydiniz," gibi hem duygulandırıcı, hem de mahcup edici sözler söylüyorlar. Kimisi de "Ah o günlerin Oya Baydarı nerede, kızıma senin yüzünden Oya adı koymuştum, şimdi neden böyle oldun? Devrim, sosyalizm falan nerede kaldı?" diye sitem ediyor. Onlar için dünya 70'lerde donmuş kalmış, beni de dondurmuşlar.

Yeni Ortam'dan kimler geldi, kimler geçti! 72-73 yıllarında basındaki tek ses, tek olanak gibi görüldüğünden insanlar orada yazmaya önem verirlerdi. Tirajı 20-22 binle başladı, en iyi zamanında 45 bini buldu. Kemal Bisalman patron olarak çekilmez bir adamdı; yazarlarla, çalışanlarla onun arasında paratoner işlevi görmek bana düşerdi çoğu zaman. Birkaç ay sonra, ağabeyinin de yazdığı haftalık *Yeni Ortam*'ın yazıişleri müdürü olan, 71 Haziranı'nda tutuklanıp ayrılan, Kemal'in şerrinden yılmış, bir daha onunla çalışmak istemeyen Aydın Engin'i yeniden yazıişleri müdürü olarak gazeteye gelmeye ikna etti. Aydın'ın daha önceki haftalık dergi macerasından ağzı yanmıştı ama bizler de ısrar ettik, bunun devrimci görev olduğunu falan da söyledik herhalde; sonunda geldi. Böylece benim işim biraz azaldı, en azından sorunları paylaşabilecek biri daha oldu.

Yazı yazanlar dışında, benim gibi gazetenin mutfağında çalışanlardan teknik sekreter Yavuz Kösemen'i, gece sekreteri olarak gelen Eren Güvener'i, daha o zamanlar TKP'li olduğunu duyduğumuz Orhan Toros Tekeli'yi, kültür-sanat'ta Pakize Kutlu'yu, (şimdi Pakize Barışta) Zülfü Bayer'i, birlikte işçi-sendika ve ekonomi sayfasını hazırladığımız, o zaman pek genç olan Ertuğrul Tonak'ı (şimdi Profesör Ahmet Ertuğrul Tonak), "Bu kız gazeteciliğe hevesli, stajyer gibi çalıştır," diyerek Kemal Bisalman'ın bir dostunun gönderdiği, sabahtan akşama teleksin başında oturup teleks aygıtından rulo rulo çıkıp yerlere yayılan haberlerin triyajını yapan gencecik, güzel, alımlı Azer Bortaçina'yı, dış haberlerde tam bir İstanbul beyefendisi olan, ihtiyaçtan değil zevk için çalışan, adını şimdi hatırlayamadığım kibar beyi, başlı başına bir olay olan sevimli sakar çevirmen Dehen'i, kültür-sanat sayfası yönetmeni olarak başlayıp sonra Kemal'e dayanamayarak çabuk ayrılan Hayati Asılyazıcı'yı hatırlıyorum. Cüssesi ve dağınık saçı sakalıyla hatırladığım Oğuz Atay da ara sıra uğrardı gazeteye. Onun gelişi galiba Pakize içindi. Pakize *Yeni Ortam* için bir söyleşi yapmaya gittiğinde tanışmışlar. Aşkları o zaman başlamıştı, sonra da evlendiler.

Gazete daracık bir kadroyla küçücük bir binada çıkardı. Ankara'da da Mustafa Abi'nin (Ekmekçi) başında olduğu, galiba iki kişilik Ankara bürosu vardı. Hepimiz iç içe çalışırdık ve doğrusu Kemal'e rağmen çok eğlenirdik. En sevdiğimiz oyun, öğleyin yazıişleri odasında yiyeceğimiz lahmacunların, dönerli sandviçlerin altına, masaya *Yeni Ortam* gazetesini yaymak ve Kemal'in görmesini sağlamaktı. Yüzü gözü birbirine karışır, "Kardeşim bu ne! Başka varakpare bulamadınız mı masaya yayacak!" diye bağırırdı. Bazen de *Hürriyet* veya *Günaydın*'ı, *Cumhuriyet*'i yayardık masanın üstüne, o zaman çok keyiflenirdi. "Hah zıpkınlar! Bu varakpare ancak bu işe yarar," der, sonra da gözü önemli bir yazarın yazısına takılır, "Bu ne bu, yazı mı? Ben şeyime kalem bağlasam yazarım bunu," diye övünür, ama yazmaya kalkışınca tek bir satır yazamazdı. Cins adamdı Kemal Bisalman. Bir de Azer'e yapılan maço şakalar kalmış aklımda. Kızcağız Aydın Abi veya Toros Abi diye söze başlayınca Aydın Engin veya Toros Tekeli en buğulu ve erkeksi sesleriyle "Bana abi deme," derler, Azer kızarır bozarır, bizler gülmekten kırılırdık. Ama Azer kısa zamanda duruma intibak etti, oyuna katıldı, mavramız tam oldu.

Bir ilginç sahne var gözümün önünde, onu da anlatayım. Bir gün Kemal, Emil Galip'in yazısını sanırım suç unsuru olabilir, gazete kapanabilir korkusuyla koydurmadı. Emil'le sözünü ettiğim yazıişleri odasında tartışmaya başladılar. Derken yumruk yumruğa geldiler. Emil Galip ufak tefek ama pire gibi; bir kroşede, boylu poslu ama kof bedenli Kemal Bisalman'ı sarstı. O sırada, kavgayı ayırıyormuş gibi yapan Toros da Kemal'e arkadan bir tane çakınca adam yere düştü. Bizler çok keyiflendik. Sonra Emil Galip ayrıldı gazeteden. Böyle olaylar sık sık olurdu *Yeni Ortam*'da.

Bir de o zamanki ruh halimizi, sıkı devrimciliğimizi yansıtan bir anı aktarayım. *Yeni Ortam*'a ilan gelmezdi; ciddi müesseseler, sanayiciler, sermaye sahipleri, hele de o günlerin koşullarında öyle bir gazeteye ilan verirler mi hiç. Kemal ise ilan almak için çırpınırdı. Bir gün, nasılsa büyücek bir ilan geldi; sanırım bütün gazetelere dağıtılmış bir Shell ilanıydı ya da BP. Avuç içi kadar yerde, hepimizin her şeyden haberi var, bunu hemen öğrendik. Zaten o sıralarda, idare müdürü, Adana'nın eski TİP'li sendikacılarından Selahattin Okur. Onu da galiba Aydın bulup getirmişti. Biz bunu haber alınca, bütün yazıişleri, emperyalist şirketin ilanını koydurmayız diye direnişe geçtik. Kemal rahmetli, kaldı mı iki arada bir derede. Bizi gözden çıkaramaz çünkü hem sol satıyor, hem de bizleri neredeyse boğazı tokluğuna köle gibi çalıştırıyor; ilandan vazgeçemiyor, çünkü Babıâli'de çıkan saygın, normal, ilan alan ve bundan gelir sağlayan bir gazete çıkarmak istiyor. Sonra ne oldu, ilan girdi mi girmedi mi gerçekten de hatırlamıyorum. Herhalde girmiştir.

MELEK – Ben o sıralarda ya kaçıyorum ya yurtdışındayım. Gazete okuyacak durumda değilim. Ağabeyim Osman'ın da *Yeni Ortam*'da yazdığını biliyorum ama nasıl bir gazete, doğrusu haberim yok.

OYA – *Yeni Ortam*, o karanlık dönemde solcuların nefes alabileceği bir pencere, soluk da olsa bir umut ışığı gibiydi. Düşünsene, henüz 12 Mart rejiminin ortasındayız. Siyasal ortam bir gevşiyor, bir sıkılaşıyor. Yeni davalar açılıyor, yeni tevkifatlar oluyor. Hakkını teslim etmek gerekirse Kemal Bisalman'ın solcu olmadığının bilinmesi, oyunu Babıâli kuralları çerçevesinde oynaması gazetenin sıkıyönetim tarafından kapatılmamasını sağladı diyebilirim. Osman'a gelince; Osman haftalık *Yeni Ortam*'da vardı ama günlük gazetede hiç olmadı. Hatırladığım kadarıyla Uğur Mumcu, Mustafa Ekmekçi, Mümtaz Soysal, Emil Galip, İlhami Soysal yazıyorlardı. Mustafa Ağabey aynı zamanda Ankara bürosu şefiydi. İki küçük kızı vardı Ekmekçi'nin: Eylem ve Özlem. Yazılarında onlardan söz eder gibi yaparak satır aralarında önemli bilgiler, yorumlar aktarır, işi saflığa vurup sıkıyönetimi, rejimi ince ince eleştirirdi. Benim gibi sürekli yazarların dışında ara ara yazan pek çok kişi vardı. Bir süre sonra Aydın da köşe yazısı yazmaya başladı.

Yeni Ortam, bağımsız gazete olarak, hele de faşizan bir dönemde ilginç bir deneyimdir. Düşünsene; sıkıyönetim var, mahkemeler ve tutuklamalar sürüyor, Faik Türün gibi faşist kafalı ve gaddar bir adam İstanbul sıkıyönetim komutanı. İlhan Selçuk'ların, Talat Turhan'ların İstanbul'da, Ziverbey'de ağır işkence gördükleri bir dönemden geçiliyor. Yeri gelmişken söyleyeyim: İlhan Selçuk, Talat Turhan ve diğerleri General Madanoğlu cuntasının üyeleri olarak tutuklanmışlardı, yani 9 Mart'çıydılar. 9 Mart'çılarla 12

Mart'çıların bir hesaplaşmasıydı. Sol cunta lideri Madanoğlu ile takımını ihbar eden ise, bizim o zamanlar İktisat Fakültesi asistanı olarak tanıdığımız, benim hatırladığım kadarıyla 68'den beri bizim çevrelerde de dolanan Mahir Kaynak'tı. İstanbul Üniversitesi'ndeki solcu öğretim üyelerine, çeşitli olaylarda protesto bildirileri imzalattığını hatırlarım. Ajan olarak çalışmıştı cuntacıların arasında. Şimdilerde muteber uzman sayılıyor.

Konumuza dönecek olursak, bizler *Yeni Ortam*'da o zamana göre sol ve demokrat sayılan fikirleri savunuyoruz, böyle manşetler atıyoruz. Ben daha da ileri gidiyorum, sosyalizmden söz etmeye başlıyorum ufak ufak. Hapiste olan Behice Boran'ı gündeme getiriyorum, Denizlerin idamını, o idama el kaldırmış Meclis'i eleştiriyorum. Giderek devrimcilik dozunu artırıyorum yazıların, Kemal de ses çıkartmıyor, çünkü tirajımız ve sol kesimde saygınlığımız artıyor.

MELEK – Denizler dedin de, onlar daha önce Mayıs'ta idam edildiler, değil mi? Sen neredeydin, İstanbul'da mı?

OYA – İstanbul'daydım. 72 Şubatı'nda taşınmıştım İstanbul'a ya... Deniz-Hüseyin-Yusuf, 72'nin 6 Mayısı'nda idam edildiler.

MELEK – Sıkıyönetimin kötü günleriydi, yine de idamlardan sonra İstanbul'da birşeyler olmuş muydu? Ben sanki Ankara'da tepkiler oldu diye hatırlıyorum.

OYA – İdam kararı çıktıktan sonra infaza doğru giden süreçte büyük bir imza kampanyası örgütlenmişti. Başını Emil Galip ve Yaşar Kemal çekiyordu. Ama maalesef bir sonuç vermedi. Yurtdışından da dayanışma yapıldı ama olmadı çünkü çok kararlıydılar. Silahların gölgesindeki Meclis'te karar oylanırken "Üçe üç" diyorlardı, yani 27 Mayıs askerî darbesinden sonra idam edilen Menderes-Polatkan-Zorlu üçlüsüne karşı Deniz-Hüseyin-Yusuf... Demirel'in oylamada keyifle iki elini birden kaldırdığını hatırlıyorum. Ne iğrenç! Tam bir intikam ve vahşet eylemi.

Ne alakası var diyeceksin; benim için Boğaz Köprüsü'nün şöyle bir anısı vardır. Boğaz Köprüsü bitmek üzere, ben de sık sık motorla Beşiktaş'tan Üsküdar'a geçiyorum o günlerde, geçerken köprüye bakıyorum. Tuhaf bir duygu, sanki çok önemliymiş gibi, "Onlar bu köprüyü göremeyecekler," diye düşünürdüm. Çok mu lazım köprüyü görmek, çok mu umurlarında! Aksine, o günlerin solcu gençlerinin tümü gibi onlar da karşılardı bu köprünün yapımına. Hatta 1968 yazında Zap Nehri üzerine köprü kurmaya giden devrimci gençlerin bir amacı da "Boğaz'a değil Zap'a köprü gerek" propagandasıydı. Ama işte, onlar bu köprünün üzerinden geçemeyecekler düşüncesi bir tuhaf saplantı olmuştu bende. Hâlâ kurtulamadığım, Boğaziçi Köprüsü'nden her geçişimde hatırladığım marazi bir saplantı.

MELEK – Denizlerin idamının sende yarattığı etkiyi hatırlıyor musun? Mesela ben çok kötü olduğumu hatırlıyorum; ama o sıralarda kendim de o kadar zor bir durumdayım ki, sanki gereği kadar...

OYA – Haklısın, çok kötü olduğumu, olduğumuzu hatırlıyorum; senin tamamlayamadığın cümleyi tamamlarsam, sanki gereği kadar yas tutmadık, acıdan kendimizi kaybetmedik.

MELEK – Kötü oluyoruz ama bir yandan da, kavganın ortasındayız, biz bütün bunları göze aldık duygusu var.

OYA – O zamanlar öyle bir tuhaf atmosfer içindeydik. Devrime yürünüyorsa böyle olur bu işler, bugün birileri devrim uğruna ölüyorsa, yarın ben de ölebilirim havası.

MELEK – Direnmek meselesi ve direnmenin ölümle iç içe geçmesi, ölümün de "kanıksanması" demeyeyim, ama doğallaşması...

OYA – Devrimciler ölür, vaktimiz yok yaslarını tutmaya havası. İdamlara doğru giden günlerdeki yürek daralmasını, "Yok canım, o kadarını da yapamazlar artık," düşüncesini, son ana kadar bir özel af beklediğimi hatırlıyorum, ama tam o günü, idam gününü hatırlamıyorum. Nasıl hatırlamaz insan! Belki de acının duyguları dumura uğratması, uyuşturması; unutmaya sığınmak.

MELEK – Ben çok kötü olduğumu, çok üzüldüğümü gayet iyi hatırlıyorum; ama biz bu yola baş koyduk, bunlar da olacak, biz bu acılara katlanacağız fikrine kendimizi o kadar alıştırmışız ki, helak olmuyoruz, olayları dimdik karşılamaya çalışıyoruz.

Hangi hedefe yürüyoruz?

OYA – Peki Melek, o günlerde ne düşünüyordun, nasıl bir gelecek görüyordun? Nasıl bir mücadele olacak, kafanda ne var, hep aynı noktada mısın, yoksa sorguluyor musun? Sonrasında nasıl devam etmeyi düşünüyorsun?

MELEK – Benim kafamda ne vardı? Doğrusunu istersen ben o süreçleri çok günübirlik yaşadım. Beyrut'a gittiğim zaman, hele de Filistinlilerle tanışınca, işin ciddiyetini ve boyutlarını kavramaya başladım. Zaten illegal yaşama ve silahlı mücadeleye girdiğinde sonunda ölüm olduğunu, olabileceğini biliyorsun, o zaman ileriye yönelik bir perspektifin de olmuyor, uzun vadeli düşünmüyorsun. O noktada amacı kaybediyorsun; silah, savaş, ölüm yaşamın parçası oluyor. Özellikle Filistin kamplarında gördüm bunu. Silahla ilişki çok farklı bir şey. Silah sana hükmetmeye başlıyor ve o silahın sana hükmetmeye başladığı yerde yarın kavramı ya da uzun vadeli proje diye bir şey kalmıyor. Günübirlik bir ayakta kalma mücadelesi... Ben bunları, yıllar sonra, artık tamamen olayların dışına çıktığımda, daha sakin bir hayat yaşamaya başladığımda geriye gidip düşünebildim. Yine de iş böyle silahla külahla nasıl olacak, nasıl başarılacak, diye sorduğum oluyordu kendi kendime. Silahlı mücadeleye, bir de örgüt yapısına ilişkin, bu iki konuda kafamda çok ciddi sorular vardı. Ama o yapının içindeydim. Ne kadar sorgularsan sorgula, yine de bir ucundan bağlısın.

OYA – Doğrudur, hep böyle olur. Sorgulamaya başlarsın ama kendi sesini bile susturmak istersin, dediğin gibi bir ucundan bağlısındır. Anlattığın dönem sizin örgütün içindeki ayrışmanın şiddetlendiği bir dönem. Kararsızlığın oldu mu bu konuda?

MELEK – Biliyorsun, PDA çizgisinden (*Proleter Devrimci Aydınlık*), Maoculuktan gelmiştim. Bu işlerin olduğu günlerde TİİKP'deydim (Türkiye İhtilalci İşçi Köylü Partisi). TİİKP, illegal bir partiydi, 1971'de kurulduğu sanılır ama kurucularından Doğu Perinçek'e göre 21 Mayıs 1969'da, yani benim *Türk Solu*'nda, *İşçi-Köylü*'de çalıştığım dönemde kurulmuş. Ben o zamanlar bundan haberdar değilim. Benim illegal partiye alınmam Kürecik'e gönderilmemden az öncedir.

OYA – Peki TİKP (Türkiye İşçi Köylü Partisi) neydi, o da sizinkilerin değil miydi?

MELEK – O daha sonra. 71 öncesindeki, benim de içinde olduğum parti TİİKP idi. Sonradan, 1977'de yeniden kurulurken TİKP, yani Türkiye İşçi Köylü Partisi oldu. Ben artık, bu tip partilerin yanından bile geçmiyordum.

OYA – TİİKP'nin Mao Zedung düşüncesini benimsemiş, silahlı mücadele ve şehirleri kırlardan kuşatma stratejisini savunan bir yapı olduğunu anlattın. Yanlışsam düzelt; TİİKP'nin lider kadrosunda Doğu Perinçek, Hasan Yalçın, Gün Zileli, Nuri Çolakoğlu, Şahin Alpay, Cengiz Çandar, Halil Berktay, Ömer Özerturgut, Oral Çalışlar, Bora Gözen, İbrahim (Kaypakkaya) falan vardı. Ama İbrahim Kaypakkaya bir yana, çoğu akademisyen ve aydın olan bu kadroyu silahlı mücadele anlayışı ile bağdaştıramıyorum. Olsa olsa, o günlerin havasında "devrimci" olmanın veya görünmenin önşartı sayılan silahlı mücadele, bu kişiler için teorik bir perspektiften ibaretti. Nitekim Kaypakkaya, partideki pasifizme karşı sert bir eleştiriden sonra ayrılıp TKP-ML (Türkiye Komünist Partisi-Marksist Leninist) ve TİKKO'yu (Türkiye İşçi Köylü Kurtuluş Ordusu) kurmuştu. Hep merak ederim, sence yukarıda saydığım adlar silahlı mücadeleye gerçekten inanıyorlar mıydı?

MELEK – Bu soru ilginç bak! Bir ara konuşmuştuk siyasi önderlik işçilerden, emekçilerden mi, küçük burjuva kökenli aydınlardan mı oluşur meselesini. Siyasi hareketler ve partiler genellikle aydınlar, sınıfsal köken olarak işçi ya da köylü olmayan kişiler tarafından kurulur, bilirsin. Siyasi önderlik teorik donanıma sahip olanlar içinden çıkar çoğunlukla. Bu, hem Türkiye'de hem de bütün dünyada böyle. Filistin siyasi hareketinin önderlerinden George Habash doktordu, Arafat mühendisti, okumuş yazmış aydın kişilerdi yani. O nedenle Türkiye'de silahlı mücadeleyi savunanların da köken olarak burjuva veya küçük burjuva aydını olmalarında şaşılacak bir şey yok bence. Silahlı mücadeleyi savunmak o gün yaşanan dünya konjonktürü ve içinde bulunulan koşullarla ilgili bir durumdu. Örneğin Filistin hareketinin silahlanmaktan başka bir seçeneği yoktu. Karşısına ABD tarafından desteklenen dünyanın en ileri silah teknolojisiyle donanmış İsrail Ordusu çıkarılmıştı. Ancak silahlı mücadele ile terörist saldırı arasında her zaman gözden kaçırılmaması gereken bir ayrım olmuştur. Bizler açısından düşündüğümde, ben İbrahim'in ve onun kadrosunun kırlardan başlayarak şehirleri kuşatacak silahlı harekete ve devrime gerçekten inandığını çok iyi biliyorum. Doğu'ya gelince; o başka bir vaka... Ben Doğu'nun gerçekten neye inandığını hiçbir zaman bilemedim, anlamadım, bu yüzden de bir yorum yapamam. Ama diğerleri arasında silahlı mücadeleye, en azından teorik düzlemde inanan çok kişi vardı.

OYA – Hedef kapitalist düzeni ve devleti yıkmak, sosyalizmi kurmak, komünizme yürümekti, değil mi? Bunun için de devrim gerekiyordu.

MELEK – Tabii ki devrim ve sosyalizm, ama nasıl? TİP'in hep savunduğu gibi demokratik yoldan, parlamenter mücadele ile mi, halk isyanına dayanan silahlı mücadele ile mi? Kıran kırana tartışılan, dövüşülen mesele buydu. İşin içine emperyalizm ve ulusal bağımsızlık gibi milliyetçilikle iç içe geçen söylemler de girdiğinde işler karışıyordu. O dönem soldaki tartışmaları, ayrışmaları hatırlasana. Sosyalist devrim, demokratik devrim tartışmaları... Bir de dünyada yükselen hareketler var; Latin Amerika'da silahlı mücadeleler, gerilla savaşları var, Çin'de Kültür Devrimi gerçekleşmiş.

Geriye dönüp baktığımda, o günlerde Türkiye'de bu iş ancak silahlı mücadele ile olur diyen, örnek olarak da Hindistan'daki Naxalbari hareketini ya da ÇKP içindeki sol eğilimleri model alan bizimkilerin, aslında belki tam farkında olmadan başka bir gerçeğe işaret ettiklerini düşünüyorum. Kırlardan şehirleri kuşatma meselesinin özünde yatan neydi? Bu çizgiyi savunanlar neden ağırlıklı olarak Güneydoğu'ya, Tunceli'ye gidiyor, oralarda örgütlenmeye çalışıyorlardı? Biz neden oralara kaçıyor, sığınıyorduk? Oradaki köylüler, devrime en yakın olanlar; yani kırlardan gelip şehirleri kuşatacak olanlardı da ondan. Kimdi o köylüler? Tabii ki Kürtler. Ama bu böyle söylenmiyordu o sıralarda.

OYA – Çünkü Kürt meselesi henüz bir milli hareket olarak kavranmıyordu solun çok geniş kesimleri tarafından. Doğu Devrimci Kültür Ocakları, sonra Doğu Devrimci Kültür Derneği, TİP'te örgütlü Kürt arkadaşlarımız vardı. TİP'in Doğu mitingleri yapılmış, dikkatler bölgeye çekilmişti. Ama ben hatırlıyorum, mesela benim için ve yakın sol çevrem için Kürt meselesi, sosyalist devrimle, ulusların kendi kaderlerini tayin hakkının sağlanmasıyla çözülebilecek bir sorundu. Doğu'nun, Güneydoğu'nun feodal yapısı, halk üzerinde ağanın, aşiret reisinin baskısı, köylülüğün ezilmişliği ve sömürülmesi ve bugünkünden çok farklı kavradığımız jandarma baskısı vardı gündemimizde. İsmail Beşikçi'nin bir ilk olan *Doğu Anadolu'nun Düzeni* çalışması konuya farklı bir boyut getirdi, İsmail'e yıllarca hapse mal olsa da, Kürt sorununun sadece ağalık, sadece ekonomik geri kalmışlık olmadığını vurguladı. Yine de gözümüzün tam açıldığını söyleyemem. Neyse işte, senin sözünü ettiğin, devrimci potansiyel gördüğümüz kırsal kesim halkını o zamanlar biz daha çok Aleviler diye bilirdik.

MELEK – Evet, öyle; bilinmese de, Aleviler dense de, Türkiye'de silahlı mücadele ancak Kürt hareketinden doğabilirdi.

OYA – Bu söylediğin önemli geliyor bana. O günlerde de düşünmüş müydün bunu?

MELEK – Ben bunu, bu açıklığıyla Suriye sınırını geçme aşamasında kavramıştım. Bölgede kaçak yaşamamın bunu anlamamda çok büyük etkisi oldu. Kürtlerin neler çektiklerini, aslında gerçek vatandaş sayılmadıklarını, baskıları ve zulmü içlerinde yaşayarak gördüm. 12 Mart döneminde baskıların bir kısmı belki darbeden kaynaklanıyordu; ama ben Kürtlerin çok öncelerden gelen, kadim sorunları olduğunu hissettim, sezdim ve şöyle düşündüm: Türkiye'de devrim olacaksa bu ancak Kürtlerle olur. Bizim gibi insanların yaşamsal ve sınıfsal sorunu değildi devrim. Ama Kürtlerin böyle bir sorunu vardı. Dağlar onlarındı ve şehirler kuşatılacaksa bir gün, onlar kuşatacaktı. Bir de Söke'deki köylü ile Güneydoğu'dakilerin aynı olmadığını, sorunlarının ve devrime bakışlarının çok farklı olduğunu anladım.

OYA – Silahlı mücadele meselesinde bir nokta daha var: Silahlı hareketlerde devrim kavramı ve o devrimin amacı, başlangıçta açık ve belli olsa da, bir süre sonra muğlaklaşıyor. Hele de kitle tabanı olmayan, silahla devrimciliği eşitlemiş küçük gruplar, bir süre sonra terörist yuvarlara dönüşüyorlar, lumpenleşiyorlar. Artık, hangi hedefe yönelik, nasıl bir devrim sorusu sorulmuyor bile. "Yıktığının yerine ne koyacaksın?" sorusu cevapsız kalıyor. Geçmişte demokratik devrim, sosyalist devrim denince, bunun dünyada ve yaşamda bir karşılığı vardı; yolu, yordamı, programı vardı. Silahlı mücadeleyi öne çıkaran hareketlerde, silahın ve silahlı mücadelenin kendisi, onun gerektirdiği yaşam biçimi amaç haline geliyor diye düşünüyorum. Sen daha içeriden bakan, daha doğrusu bir zamanlar içinden bakmış birisi olarak ne diyorsun?

MELEK – Bence biraz geriye giderek, dünyada neler olduğuna bakmak gerek. Bugün bölgede yaşadığımız olayların başlangıcı 70'lerdedir. İsrail'in devlet olarak kurulması, askerî bir devlete dönüşerek bölgede silahlı güç olması Ortadoğu'yu yeni bir çatışma alanı haline getirdi. ABD, Vietnam'dan sonra Uzakdoğu'da, Asya'da kolay dikiş tutturamayacağını anlayınca, yeni paylaşım alanı Ortadoğu oldu. ABD'nin bölgedeki gücü İsrail devletiydi. İsrail devletinin Ortadoğu'daki varlığı, beraberinde militarizmi ve silahlı direniş hereketlerini getirdi. 1967 Savaşı İsrail'in Filistin topraklarının büyük bir bölümünü işgal etmesiyle sonuçlandı. El Fetih ve diğer silahlı direniş örgütleri o zaman büyüdüler ve geliştiler. Bu kadar büyük bir silahlı gücün karşısında silahsız nasıl direnilecek? ABD'nin gerek Türkiye'de gerek Lübnan'da yaptığı girişimler bu ülkelerde anti-Amerikan, antiemperyalist hareketleri doğurdu. Silaha karşı silahla direnme geleneği böyle doğdu. Bu noktaya itildi halklar.

Ben Türkiye sınırını geçip kendimi Lübnan'da, Filistin direniş hareketleri içinde bulunca bu gerçeği kavradım. Karşında koskoca bir İsrail Ordusu var, onun karşısında silahla direnen çeşitli gruplar: Bir savaş durumu, silahlar konuşuyor artık. 70'lerde başlayan bu durumun başka bir ölçekteki benzeri, Kürt hareketinin gelişmesi ile şimdi Türkiye'de yaşanmaya başladı.

Devletlerin resmî ordularına karşı gerilla usulü savaş geleneği kendi dinamiklerini birlikte getirdiği için, o mücadelenin sonunda nasıl bir devlet, nasıl bir yapı kurulabileceği sorunu, çok çapraşık bir sorun. Sen yıllarca savaşmış bir adamın elinden Kalaşnikofunu aldığın zaman yerine ne koyacaksın? O dengelerin kurulması kolay olmuyor.

OYA – Ya sosyalizm? Sosyalist düzeni kurma tahayyülü?

MELEK – Sosyalizm Batı kaynaklı bir toplumsal tahayyül. Alman Sosyal Demokrat hareketine baktığın zaman o tahayyülün toplum içindeki dayanaklarını görüyorsun. Ama bizim gibi toplumlarda aynı dayanaklar yok, çok farklı sosyal ve kültürel yapılar söz konusu: aşiretler, cemaatler, tarikatlar. Filistin direniş hareketi de bu yapıların içinden çıkıyor. İlginç olan; Batı'nın geliştirdiği model ya da düşüncelerle Batı'ya karşı direnme başlıyor. Direniş Batı'ya karşı yöneldiği zaman, Ortadoğu halkları kendi kültürlerine, kendi tarihlerine, kendi direnme biçimlerine bakmaya başladılar. İslamcı hareketlerin doğması ve gelişmesi böyle ortaya çıktı. Siyasal İslam'ın sadece ABD ve İsrail tarafından yaratıldığı savı bence fazla sığ bir yorum. Evet, ABD'nin meşhur "yeşil kuşak" politikası vardır ama hiçbir politika verimli bir toprak bulmazsa yeşermez.

OYA – Benim parçası olduğum, içinden geldiğim sol çizgide, toplumsal tahayyül ve üzerine oturduğu model hep vardı: sosyalist ülkelerdeki klasik model. Senin söylediğin gibi Batı kaynaklı bir model bu. Çin Devrimi'nden Latin Amerika gerillacılığına, Afrika'dan Ortadoğu'ya, dünyanın da bizim de tartıştığımız, işin özüne bakacak olursan, Batı (Avrupa) kaynaklı klasik modelinin farklı yapılardaki geçerliliğiydi. Savunduğumuz dünya ve ülke tahayyülü, şablon bir modeldi. Kendi modelini kurmaya kalkıştığında reel sosyalizm de denilen dünya sosyalist sisteminin dışına itiliyordun. Fransız Komünist Partisi'nin öncülük ettiği Avrupa komünizmi fikri ortodoks Marksizm tarafından nasıl ihanetle damgalanmıştı, hatırlasana... Her neyse, yine "yüksek fikirlerimizi" soktuk araya!

Hayatın akışına dönecek olursak, ben o günlerde *Yeni Ortam*'daki köşeme kurulmuş, sonradan bazılarının önemseyerek, bazılarının da dalga geçerek "Baydarizm" dedikleri, siyasal hattımız çerçevesinde sosyalizm üzerine, demokrasi üzerine yazılar yazıyorum. Bir yandan da usul usul giden siyasal toparlanma adımlarının gazete köşesinden sözcülüğünü yapıyorum, ki bu adımlar daha sonra 1974 Haziranı'nda TSİP'in (Türkiye Sosyalist İşçi Partisi) kuruluşuna varacak.

Yeni bir sosyalist parti peşinde

MELEK – Hattımız dediğin nedir? TİP çizgisi mi? Silahlı mücadeleye karşı, parlamentarist çözüm mü?

OYA – Bu kadar basit olmasa da, evet, özünde bu. 71 öncesinde olduğu gibi yine silahlı mücadeleye, kırlardan şehirleri kuşatma, gerilla savaşı, Fukoculuk gibi çizgilere karşıyız. Ama o dönemlerde silahsız adam, silahsız hareket devrimci sayılmıyor. Kimse olanlardan ders almış değil. Bir de silahlı mücadeleye girmiş olanların yaşamlarıyla ödedikleri bedel o kadar ağır ki, açıktan karşı çıkmak devrimci ahlaka sığmıyor. Yani biz, yeni bir sosyalist parti kurmaya çalışırken Türkiye koşullarında sosyalizm için silahlı mücadelenin geçerli olmadığını savunuyoruz ama biraz mahcup bir karşıtlık.

Senin Malatya'da Bora ile birlikte saklanıp, sonra Suriye'den sınırı geçip Beyrut'a ulaştığın günlerde, yani 1972 sonbaharında, ben harıl harıl *Yeni Ortam*'da çalışıyorum. Asıl hedefimiz yeni bir sosyalist parti kurmak. Bizim eski Ankara grubundan daha çok Yalçın Yusufoğlu ile ilişkideyim. O, yılmadan usanmadan, yeniden örgütlenme peşinde. Asıl derdimiz; SBKP'nin (Sovyetler Birliği Komünist Partisi) kardeş parti olarak tanıyacağı, Türkiye'de de toplumsal-siyasal varlık olarak görülecek güçte bir sosyalist/komünist parti yaratmak. O yıllarda merkezi Leipzig'de olan illegal TKP (Türkiye Komünist Partisi); zar zor dinlenebilen Bizim Radyo'nun doğru düzgün Türkçe konuşamayan spikerlerinin okuduğu, çoğu yalan yanlış propagandayla dolu bültenlerden; kimilerinin iki elin parmağını geçmez dedikleri üyelerden ve kulağımıza çalınan dedikodulardan ibaret. Ama SBKP'nin resmen tanıdığı parti o.

Bizim prosovyet kanatta, bu tanınma meselesi, yani SBKP'den kardeş parti olarak kabul görme ve dünya komünist partileri arasında sayılma meselesi çok önemliydi. Güçsüz de olsa, sadece bir addan ibaret de olsa, enternasyonalist dayanışmanın odakları ve sembolleri o partilerdi. Bizler için işçi sınıfı enternasyonalizmi en değerli kavram ve komünist olmanın önkoşuluydu. Sizin ÇKP'nin çizgisine, enternasyonalizme ihanet ettiği, dünya komünist hareketini böldüğü için karşıydık asıl.

Yalçın (Yusufoğlu), Ahmet Kaçmaz ve diğer arkadaşlar, örgütsel geleneğin devamını sağlamak ve TKP köklerine bağlanmak için eski komünistlerle, TKP bağları çoktan kopmuş, TİP kurulduğunda ve sonraları MDD ayrışması olduğunda da bu oluşumlarda yer almamış, bir çeşit "uyuyan birader" durumundaki eski kadrolarla ilişki kurmaya çalışıyorlardı. Güçlü bir parti yaratırsak, yurtdışındaki illegal TKP yerine bizi tanımaya mecbur kalırlar fikri vardı kafamızda.

Dr. Hikmet Kıvılcımlı'nın, 12 Mart'tan sonra yurtdışına kaçışı ve ölümünden sonra dağılmış kadrolarıyla, *Sosyalist* dergisi çevresiyle de bağlar kurulmuştu. Bu kesimde Kıbrıs kökenli öğrenci gençler de vardı.

Dr. Hikmet Kıvılcımlı olayı ayrı bir dramdır. Madem geçmişimizi konuşuyoruz, anlatmadan geçmeyeyim. Doktor, o kuşağın komünist olduğu için en uzun süre (22 yıldan fazla) hapiste yatmış ve en fazla ürün vermiş, özgün fikirleri olan sosyalistlerinden biridir. 1925'te TKP Merkez Komitesi'ne seçilmiş, kendisinin de içinde, hem de merkezinde olduğu partiye eleştiriler yöneltmiş, öneriler sunmuş, yönetimle ters düşmüş, benim bildiğim kadarıyla partiden ihraç edilmiş ama sosyalist mücadeleden hiç kopmamış, Sovyetler'e inancını hiç yitirmemiş bir komünistti. Bugünden baktığımda, yazdığı kitaplarda ileri sürdüğü orijinal denebilecek fikirlerini, teoriye katkı çabalarını, en önemlisi de kısır ortodoks yorumlardan ayrılma cesaretini o zamanlar anlamadığımı, küçümsediğimi düşünüyorum. 12 Mart Muhtırası'ndan sonra, yeni bir sosyalist derleniş için çıkarmaya başladığı *Sosyalist* dergisinde "Ordu kılıcını attı" manşetini, devrim için orduya güvenmesini de unutmadan tabii... TKP içindeki eski hesapların körüklediği polemik üslubu, Nâzım Hikmet başta olmak üzere eski yoldaşlarından bazıları için kullandığı aşağılayıcı, hatta zaman zaman müstehcenleşen dili beni çok iterdi. O eski kuşak komünistlerde bu üsluba sık sık rastlanır. Belki daracık bir çevrede, ağır baskı ve gizlilik koşullarında kitlelerle bağları kopuk yaşarken, iç çekişmeleri, didişmeleri öne çıkıyordu. Doktor'a yakınlık duymazdım. Ama, faşizan bir askerî müdahale sonrasında, sıkıyonetim tarafından aranırken kaçmış olan bir komüniste Sovyetler'in ve TKP'nin reva gördüğü muamele bana çok acı gelmişti. Enternasyonalist dayanışmayla, devrimci ahlakla bağdaştıramamıştım. Bu olay beni o zaman da çok sarsmış, çok düşündürmüştü.

MELEK – Ne yapmışlardı Kıvılcımlı'ya?

OYA – Adam yaşlı ve kanser hastası. "Ordu kılıcını attı" manşetini atıyor ama, o da birçokları gibi 12 Mart Muhtırası'nın beklenen 8-9 Mart sol darbesi olduğu yanılgısı içinde. Tabii, muhtıranın ardından gelen Balyoz Harekâtı çerçevesinde, bütün sol liderler, önde gelen sosyalistler gibi o da aranmaya başlıyor. Hastalığı ilerlemiş, hapse girmemesi gerekiyor. Kaçıp bir sosyalist ülkeye sığınmak istiyor. İlk aklına gelen tabii ki Kâbe bellediği Sovyetler Birliği. SBKP ile ilişki kuruluyor, onlar da bu gibi durumlarda yaptıkları gibi TKP'ye danışıyorlar. Bize olay o zamanlar böyle yansımıştı; yıllar sonra TKP'li olunca konuyu sorduğum bir üst düzey yönetici de doğruladı bu bilgiyi. TKP şefleri ile Doktor arasında daha 1925'ten başlayan, 1933'te TKP içindeki çatışmalarla süren, 1938 donanma tevkifatına varan kan davası var, hele de sonraları TKP genel sekreteri olacak İsmail Bilen'le (Laz İsmail)... Kim haklı, kim haksız, kim ihbar etmiş, kim ihanet etmiş, bu ayrı konu. Ama anlaşılan bizimkiler olumsuz görüş belirtiyorlar ki Sovyetler ve Bulgaristan Doktor'u kabul etmiyor. Ağır hasta halde, en yakınındaki birkaç Kıbrıslı sosyalistin yardımıyla, hikâyeye göre bir tekneyle Kıbrıs'a, oradan da Belgrad'a kaçırılıyor. 1971 Ekimi'nde Belgrad'da öldü zaten. Doktor'un başına gelenler enternasyonalist dayanışmaya olan inancımda ilk soru işaretlerini doğurmuştu.

Neyse, konuyu dağıtmayım. Bir yandan Kıvılcımcılar ve TKP kökenli eski tüfeklerle, öte yandan Mahir hareketinin, konumlarının muhasebesini yapmaya başlamış, "devrim = silah" denklemini sorgulayan kılıç artığı gençlerinden bazılarıyla ve bizim Ankara grubundan Çağatay (Anadol), Ahmet (Kaçmaz) ve benim gibi bağımsızlarla yeni bir parti yaratılmaya çalışılıyor. Yalçın benim *Yeni Ortam*'da yazmama çok önem veriyordu. Orası, oluşturacağımız hareket için bir pencere, hatta bir propaganda kürsüsü olacak, oradan kitlelere mesaj verecek ve legalite kazanacaktık. Zavallı Kemal Bisalman haklı olarak sürekli bir tedirginlik içindeydi; ama bana ve Aydın'a da mahkûmdu bir yandan.

MELEK – Sen o günlerde hem *Yeni Ortam*'da çalışıyorsun, yazılar yazıyorsun, hem de yeni bir sosyalist parti kurma peşindesin. Ben ise bambaşka havalardayım. Merak ettim. O dönemde bizlerden haberiniz var mı, tevkifatlardan ya da Lübnan'daki Filistin kamplarındakilerden?

OYA – Evet, uzaktan izliyorduk, oradan buradan haberler geliyordu. Zaten 12 Mart'ın hemen öncesinde, 1970 sonları, 71 başlarında tanıdığımız birçok devrimcinin Lübnan'daki Filistin kamplarında silahlı mücadele eğitimi aldıklarını duyardık. Ben Filistin'e gidenlerin yiğitliklerinden, inanmışlıklarından kuşku duymasam da, bu işi maceracılık sayıyordum. Senin oralarda olduğunu hiç bilmiyordum mesela. O zamanlar fazla bir tanışıklığımız yoktu; ama oralarda olduğunu bilseydim mutlaka ilgimi çekerdi, şaşırırdım, en azından "Ah o güzel kız da mı oralarda!" gibi bir tepkim olurdu. Bir tek İlyas Aydın olayını hatırlıyorum. Kulağı delik olan, sürekli duyumlar alan Yalçın'ın, subay kökenli İlyas Aydın'ın ajan olduğunu, silahlı hareketlerin içine çok ajan sızdığını sık sık söylediğini hatırlıyorum. Beyrut'tan, Bekaa'dan, Filistin kamplarından, oralardaki Türkiyeli devrimcilerden söz ediliyordu. Bora'nın ölümü haberini de hatırlıyorum. Ben Bora'yı hiç tanımadım ama Yalçın tanırdı, çok üzülmüştü. Sanırım bu daha sonra, 1973'te olmalı.

MELEK – Evet, 1973 Şubatı. Hatırlaması acı veriyor.

OYA – Biliyorum, ucundan kıyısından biraz anlatmıştın. Hani insanın birkaç yılı vardır ki bütün yaşamının özeti gibidir ya da bütün anılar silindiğinde, her şey unutulduğunda bir tek onlar kalır. 1972 sonbaharından 1973 baharına kadar, Güneydoğu'da, Suriye'de, Halep'te, Beyrut'ta geçirdiğin günler, hem senin yaşamının hem de o yıllarda Türkiye solunun bir bölümünün yaşadıklarının –özeti demek hafif kalır– özü gibi adeta. Bunlar anlatılmalı; nasıl yaşadık o günleri, hangi duygularla? Başkaları da anlatmalı, çünkü herkes kendince yaşadı, farklı sonuçlar çıkardı; toplumsal ve bireysel tarihlerimiz bunların bir toplamıdır, diye düşünüyorum. Bu yüzden de konuşmamız akarken bir yandan, o bölümü bütün olarak, kesintisiz şekilde yerleştirelim sayfalara.

MELEK – Öyle yapalım, konuşmamız kesintiye uğramasın. Ayrıca, o günleri sanki sıradan olaylarmış gibi, sohbet eder gibi konuşmak zor oluyor benim için. Kendi içime dönüp sadece kendi sesimle anlatırsam daha kolay olacak.

OYA – Tamam canım. 1973 baharında sen Beyrut'ta, Filistin mülteci kamplarındasın.

MELEK – Evet; Burj al Barajneh. Bizim arkadaşlar, kampın içinde Filistin'in Kurtuluşu İçin Demokratik Cephe'nin (FKDC) askerî korumaları; ben ise aynı kampta bir ailenin yanında kalıyorum.. Beyrut'u, o insanları, kamptaki yaşamı benimsemişim. Ama sorunlar var, öyle bir zamanda oradayım ki, sorma. Bizim örgüt dağılmış, Türkiye'de kalmış hemen herkes içeride ya da kaçak, bizim kamptakilerden bazılarının kafasında örgütle, yapıp ettiklerimizle, neden orada olunduğuyla ilgili sorular belirmiş. Ben zaten o sorularla yüklü gelmiştim Beyrut'a.

OYA – Yani sizin sorununuz Beyrut'ta olmak değil, örgütle ideolojik-siyasal açıdan ters düşmüş olmak.

MELEK – Evet; ben uzun zamandır Türkiye'de silahlı mücadele ile devrim olamayacağına, olsa bile bunun ancak Kürt bölgeleri için geçerli bir strateji olduğuna inanıyordum. Filistin'de silah eğitimi yerine Avrupa'da işçilerin yoğun olduğu ülkelerde çalışabileceğimizi düşünüyordum. Ama Lübnan'dan çıkmak için gerekli olan pasaport, para gibi olanaklar Avrupa biriminin, yani Ömer Özerturgut'un elindeydi. O da Beyrut'taki uzun tartışmalardan sonra, Merkez Komitesi'nin kararlarına uymayanlara ne pasaport ne para, hiçbir olanak sağlanamayacağını söyleyip çekip gitti. Böylece kimliksiz, pasaportuz, parasız kaldık orada. Ya koptuğumuz Merkez'in emirlerine uyacağız, Kara Eylül'ün etkin olduğu bir kampa gideceğiz ya da...

OYA – Ya da orada, Beyrut'un ortasında kalakalacaksın. Nasıl sıyırttın, nasıl çıkabildin Beyrut'tan?

MELEK – Uzun uzun anlatıyorum bunları "Beyrut'ta Filistin Kamplarında" bölümünde. Özeti şöyle: Ayrıldığım eşimin İsviçre'de Birleşmiş Milletler kuruluşu olan GATT'ta çalıştığını biliyordum. Güçbela onunla ilişkiye geçtim. Beyrut'a beni eşi olarak gösteren bir pasaportla geldi, beni aldı, İsviçre'ye götürdü.

Beyrut'ta, Filistin kamplarında

MELEK – Kampa nasıl geldiğimizi çok iyi hatırlamıyorum. Cengiz ve diğer arkadaşlar Beyrut Havalimanı'ndan şehre giden yolun üzerinde bulunan Burj al Barajneh Filistin mülteci kampında Demokratik Cephe'nin askerî güvenlik biriminde görevliydiler. Filistin mülteci kampları, 1948 yılında İsrail devletinin kurulmasıyla yurtlarından ve topraklarından koparılan Filistinlilerin çeşitli Arap ülkelerine iltica etmesi sonucu kurulmuştu. O dönemde Lübnan'da Beyrut ve diğer şehirlere dağılmış 15 kamp ve yaklaşık 400 bin mülteci vardı. Beyrut'taki kampların bir kısmı şehrin merkezine çok yakındı. Kampların çeşitli giriş kapıları, genellikle değişik Filistinli örgütler tarafından korunurdu. O yıllarda kamplar; barakalar, gecekondular, iki veya üç katlı beton binalar, bunların arasından geçen daracık yollardan oluşurdu. Kampın kendi içinde sadece bakkal, manav gibi günlük ihtiyacı karşılayan dükkânlar vardı. Lübnan yasaları gereğince, Lübnan vatandaşı olmadıkları için Filistinli mültecilerin pek çok işte resmî olarak çalışmaları yasaktı. Bu nedenle kamplar büyük ölçüde BM'nin yardım kuruluşu olan UNRWA ve FKÖ tarafından yapılan yardımlarla ayakta duruyordu. İsrail devleti kurulduğunda, varsıl Filistinliler çeşitli Arap ülkelerinde ve ABD'de kendilerine yeni hayatlar kurmuşlardı. Kamplar ise yoksulların ve topraklarından koparılan Filistin halkının sığınma yerleriydi.

Şehrin yoğun trafiğinden geçerek Burj al Barajneh'e vardık. Cengiz kapıdaki askerî elbiseli ve Kalaşnikoflu devriyelerle selamlaştı. O Arapçayı bayağı sökmüş, konuşuyordu. Kampta zaten herkes onları tanıyordu. İlk bakışta burası Şam'daki kampa benzemekle beraber daha derli topluydu ya da bana öyle gelmişti. Aslında kalacağım bu yeri sevmeye kararlıydım. Dar sokakların arasından geçerek bir barakaya vardık. Burası ince uzun bir oda, odanın içinde mutfakımsı bir yer ve tuvaletten oluşuyordu.

Bizim arkadaşlar, yerde uyku tulumları içinde yatıyor, askerî giysiler giyiyorlardı. Her şey çok yeni, çok değişikti benim için. İstanbul'dan tanıdığım Yücel Özbek'i, adını bildiğim ama tanımadığım Müfit Özdeş'i, kod adı Esat olan arkadaşı, Ahmet Özdemir ve Cengiz'i hatırlıyorum. Orada tek kadındım. Bütün arkadaşlarla sarıldık, öpüştük. Neler olmuş, neler yaşanmış, hiçbir şey bilmiyordum. Bora'ya, sanırım Almanya'daki Ömer Özerturgut'tan bazı haberler ulaşmıştı. TİIKP'nin Merkez Komitesi'nde olan ve hapiste olmayan çok az kişi kalmıştı. Bora ve Ömer bunlar arasındaydı. Cengiz ve onunla birlikte kalan diğer arkadaşlar örgütten koptuklarını ve artık bağımsız hareket ettiklerini açıklamışlardı. Ben arkadaşlarla buluşmanın heyecanı içindeydim, kendimi de zaten örgütten kopmuş, kendi adına davranmaya aday birisi olarak görüyordum. Bora kuşkusuz benim kadar özgür davranamazdı. Henüz Türkiye'de olan ama yanımıza gelmesi beklenen arkadaşların ve herkesin sorumlusu oydu. İlk heyecan geçince beni aldı bir düşünce. Ben burada tek kadın olarak nasıl kalacaktım? Bütün gözükaralığıma rağmen yetiştiğim aile ortamından gelen konformist yanlarım bazen böyle ortaya çıkıyordu işte. Daha önce de anlattığım gibi Türkiye'de hep el üstünde tutulmuş, korunmuş, kollanmıştım. Burada ne olacaktı? Endişelerimin ne kadar yersiz olduğunu Filistin halkını tanıyınca anlayacaktım.

Filistinli ailem

Biz barakada arkadaşlarla muhabbet ederken elinde tespihi, yaşlı bir amca belirdi. Cengiz'le Arapça konuştular ve anlaşıldı ki beni almaya gelmiş. Filistinli babam Abu Assam ile böyle tanıştım. Oracıkta benim yeni kod adım Ayşe olarak saptandı. Filistin hareketlerinin en solcu kanadı olarak bilinen Demokratik Cephe, örf ve âdetlere bağlıydı. Genç bir kadın, askerî bir barakada erkeklerle birlikte kalamazdı. Bohçamı alıp arkadaşlarla vedalaştım, ertesi sabah buluşmak üzere ayrıldık. Filistinli babamın arkasından dar sokaklardan geçerek yeni evime vardım. Ev bir gecekondunun alt katında, iki odadan oluşan bir yerdi. Gittiğimizde içerisi kalabalıktı. Anne, son derece güler yüzlü, şişman bir kadındı. Başında beyaz yemenisiyle beni hemen kucakladı. Sanki gerçek kızı uzun bir yolculuktan dönmüş gibi davranıyordu. Odada bulunan herkesle üç kere öpüştük. Ailenin kızı, yani kız kardeşim, Demokratik Cephe üyesiydi ve kampta görevliydi, az da olsa İngilizce biliyordu. Herkes Arapça konuşuyordu. Ben anlamadığım dillerin konuşulduğu ortamlarda yaşamaya artık alışmıştım, oturduğum minderden herkese gülümseyerek durumu idare ediyordum. Kız kardeşim bana müjdeli haberi verdi: Beni yıkayacaklardı. Günlerdir yıkanmadığım için herhalde bayağı kokuyordum.

Bu pis yaşamaya alışma olayı da ilginçtir. Yıkanmadığın ilk hafta kendini kötü hissedip koktuğunu düşünürsün, kaşınırsın. İlk haftadan sonra vücut kire alışır, kokunu daha az hissetmeye başlarsın, hatta kaşınmazsın. İki haftadan sonra vücutta oluşan tabaka seni her şeye karşı korur; sık yıkanmanın gereksiz bir alışkanlık olduğunu bile düşünmeye başlarsın. Filistinli ailem, özellikle anne, çok temiz insanlardı. Evin içi mis gibi sabun kokuyordu. Mutfak ve banyo olarak kullanılan arka odada kazanlarla su kaynatıldı, ben bir leğene oturtuldum, sıkı bir bir bit taraması yapıldıktan sonra anne ve diğer iki kadın halis zeytinyağlı Nablus sabunlarıyla başladılar beni yıkamaya. O kadar kir kolay çıkmaz elbette, kese faslı başladı. Kaç tur yıkandığımı bilmiyorum. Sonunda artık paklandığıma karar verildi; temiz çamaşırlar, evin kızının siyah pantolonu ve sarı kazağı bana giydirildi. Uzun saçlar tarandı, kurulandı. Bayağı hafiflemiş ve gevşemiştim. Sonra yer sofrasında yemek faslı başladı. Her bulduğunu yiyenlerden olduğum için önüme konan her şeyi yedim. Zaten her şey çok lezzetliydi ya da bana öyle gelmişti. Bu arada eve devamlı birileri girip çıkıyordu, bazıları Kalaşnikoflu gençlerdi. Sonraki günlerde kamptaki tüm erkeklerin silahlı milis olarak eğitildiklerini ve geceleri nöbet tuttuklarını öğrenecektim.

O gece çok yorgun olduğumu anladılar, iç odada kız kardeşimle paylaşacağım yer yatağını hazırladılar. Yatağa kendimi attığım an, sanki hep orada yaşıyormuşum, kendi evimdeymişim gibi derin bir uykuya daldım.

Ertesi sabah kendimi dinlenmiş ve yenilenmiş hissederek kalktım. Kahvaltıdan sonra babam yine elinde tespih, önüme düştü, beni Bora ve diğer arkadaşların kaldığı barakaya teslim etti. Teslim ederken akşam altı buçukta almaya geleceğini de ekledi. Bundan sonraki günlerde bu programa sıkı sıkıya bağlı kaldık. Ondan izin almadan bir yere gitmem pek kolay görünmüyordu. Babam tam anlamıyla benden sorumluydu. Bu sorumluluk sadece feodal anlayışla bir kadına sahip çıkmak değildi. Kampların dışında polise yakalanmam benim için ciddi sorunalar yaratabilirdi. Arapça konuşamadığım için tek başıma dolaşmam da tehlikeliydi.

Ben gerçek dayanışma ve kardeşliği yaşamış şanslı insanlardan biriyim. Bugün bana sorsan; çektiğim bütün sıkıntılara rağmen, yaşadıklarım benim hayatımdaki en büyük zenginliktir. Gerçek dostluğu ve insanlığı gördüm, bu yüzden bugün yaşadıklarımız beni çok acıtıyor, yaralıyor. Kardeşliğimizi kaybettik, Filistin halkı da kendi içinde bölündü, kardeş kanı akıtıldı. Bizim kendi ülkemizde yaşadıklarımız ise ortada.

Neyse, hikâyeme dönecek olursam, kamptaki Türkiyeli arkadaşlarla çok uzun konuşmalarımız oldu. Ben başından beri kendimi oradaki arkadaşlara daha yakın hissetmiştim. Örgüt yapısı, hiyerarşi, insani davranışlar, sorumluluk gibi temel konularda ben de zaten onlar gibi düşünüyordum. Koşulsuz bir itaat ve boyun eğme üzerine kurulu bir yapıdan özgürlük ve eşitlik çıkacağına inanmıyordum. Bora ile birçok konuda farklı düşünmemize rağmen, benim üzerimde hiçbir baskı uygulamıyordu. Bora insanlara saygılı, anlayışlı, kararlı ama yumuşak bir insandı. Soğukkanlı davranmayı bilen, en zor anlarda bile pes etmeyen, her zaman, her durumda çözüm üretmeye yatkın bir kafa yapısı vardı. Aklıyla hareket ederdi ama duygulu bir insandı. Ondan çok şey öğrendim, farklı düşünmemize rağmen aramızdaki bağ hep çok yoğun, ilişkimiz çok duygulu, tutkulu oldu.

Cengiz ve diğer arkadaşlar gibi ben de Türkiye'de yakın dönemde silahlı bir hareketin başarıya ulaşacağına inanmıyordum. Silahlı bir hareket olacaksa bile, bunun Türkiye'nin Güneydoğusunda, Kürt halkıyla sınırlı kalacağını, ülke çapında yaygınlaşamayacağını düşünüyordum. Bu nedenle de Bora ve diğer arkadaşların Lübnan'daki Filistin kamplarında askerî eğitim almalarına karşı çıkıyordum. Bizim gibi insanlar için askerî eğitim görmenin bir anlamı yoktu. Yapılacak en doğru şey, Almanya veya Türk işçilerin bulunduğu diğer bir Avrupa ülkesine gitmek, orada çalışmaktı. Arkadaşların bir bölümü de buna yakın düşünüyordu. Ancak asıl sorun burada başlıyordu. Hiç kimsenin parası ve hüviyeti yoktu, her şey örgütün Almanya bürosunun elindeydi.

Cengiz iyi İngilizce bildiği, dil yeteneği ile Arapçayı da konuştuğu için Beyrut'ta Demokratik Cephe'nin dışında, özellikle de El Fetih ile iyi ilişkiler kurmuştu. Bora'yı ve beni, o sıralar El Fetih'te önemli bir konumda olan Abu Halid'le tanıştırdı. Filistin hareketindeki herkes gibi Abu Halid de kod adıydı. 1982'de Lübnan İsrail güçleri tarafından işgal edildiğinde, kampların birinde ölecek olan Abu Halid'in o dönemde Arafat'ın sağ kolu, hatta askerî danışmanı olduğunu sonradan öğrenecektim.

Filistin hareketi içindeki ayrılıklar

Abu Halid'le ilk görüşmemizde Türkiye üzerine konuştuk. Türkiye'den yeni gelen bizlere çeşitli sorular yöneltti. O sıralar Filistin kurtuluş hareketi içinde Filistin halkının bütün kesimlerini kapsayan uzun soluklu bir mücadeleyi savunanlarla, terör yöntemlerini kullanmak isteyen Kara Eylül gibi örgütler arasında ciddi fikir ayrılıkları vardı. Filistin örgütleri içinde George Habash tarafından kurulan Filistin'in Kurtuluşu İçin Halk Cephesi (FKHC) 1967 yenilgisinden sonra dünyanın ilgisini Filistin davasına çekmek için uçak kaçırma eylemlerini başlatmıştı. Uçak kaçırma olaylarının kahramanı kadın gerilla Leyla Halid de FKHC üyesiydi.

Bu tür eylemlerin Filistin hareketine olumlu ve olumsuz etkileri çok tartışılmıştır. Olumlu yanı şu oldu: Bu eylemler sayesinde bütün dünya Filistin halkı diye, yurtlarından kovulmuş bir halk olduğunu duydu. Ancak uçak kaçırma gibi bir olay dünyada "haber" olabiliyordu. İsrail devletinin, kurulduğu 1948 yılından o güne kadar yapmış olduğu tüm toprak ilhakları, Birleşmiş Milletler kararlarını hiçe sayan davranışları, Filistin halkının zorla göçe zorlanması Batı dünyasında ve basınında yankı bulmuyordu. Uçak kaçırma eylemleri Filistinli direnişçilerin halklarına yapılan haksızlığı duyurabilmek için başvurdukları bir yöntem, çaresizliğin getirdiği bir arayıştı.

İlk olaylarda kimseye zarar vermemeye özen gösteriliyordu. Ancak daha sonra bütün bu tür eylemlerde söz konusu olan kör şiddet ve kan devreye girmeye başladı. Filistin direniş örgütlerine, uzun yıllar üzerlerinden atamayacakları "terörist" damgası vuruldu. Yüzleri kefiyelerle örtülü fedaiyinler bütün dünyada terörizmin sembolü haline geldiler. Hollywood filmlerinin baş kahramanları bu acımasız, şiddet yanlısı teröristler oldu. Daha sonra yaratılan bu imaj bütün Filistin halkını kapsayacak şekilde genişletildi

Ancak bu tür eylemler Filistin hareketleri arasında ciddi fikir ayrılıklarına da yol açtı. Bizim orada olduğumuz dönemde ortaya çıkan Kara Eylül hareketi ise kimilerine göre gizliden gizliye Arafat ve El Fetih ekibi tarafından kurdurulmuştu. Bu konular bugün bile açıklığa kavuşmadığı için yorum yapmak kolay değil. Bilinen o ki, bu tür eylemlerin Filistin davasına yarardan çok zarar getirdiğini anlayan Arafat ve arkadaşları 1973 yılından sonra Kara Eylül gibi yapılanmalara karşı oldular.

Abu Halid, aynı sorunun Türkiye sol hareketi içinde de var olup olmadığını, bizim bu konudaki görüşlerimizi öğrenmek istiyordu. Bora ve ben terörle bir yere varılamayacağına, uzun soluklu bir mücadele gerektiğine inandığımızı söyledik. Bu ilk görüşmemizde Abu Halid bende güven hissi uyandırmıştı. Beyrut'ta bir dostum olmuştu.

Bu arada kampta yaşam sürüyordu. Filistinli babam beni her gün 18.30'da alıp eve götürüyor, artık yolları öğrenmiş olmama rağmen asla yalnız bırakmıyordu. Akşamları yemekten sonra komşular bizim eve çay içmeye geliyorlar, aralarında İngilizce bilenlerle sohbetlerimiz oluyordu. Komşularımız arasında bir bacağı hafif sakat, Beyrut Amerikan Üniversitesi'nde okuyan, çok iyi İngilizce konuşan Helwi adında bir kızla arkadaş olmuştum. Helwi ve ailesi Hayfalıydı. Annesini çok iyi hatırlarım. Başından eksik etmediği beyaz yemenisi, uzun boyu ve yeşil gözleriyle çok etkileyici bir kadındı. Sırım gibi dimdik ve gururlu bu kadın, kızı ve oğluyla kampta yaşam mücadelesi veriyordu. Ailesinin bir bölümünün yurtdışında olmasına rağmen, o kampı terk etmek istemiyordu. Yaşamının tek bir amacı vardı: Hayfa'ya geri dönmek. Benim Filistinli babam da Hayfalı bir köylüydü. Akşamları Helwi'nin aracılığıyla bana Hayfa'yı, portakal bahçelerini, geride bıraktıkları evlerini, oradaki yaşamlarını anlatırlardı. Onları dinlerken Filistin halkına yapılan büyük haksızlığı, İsrail devletinin kurulmasında etkin rol oynayan Batılı güçlerin ihanetini görüyordum. Okuyacağım hiçbir kitap geceler boyu dinlediklerimi bana öğretemezdi. Her geçen gün onlara daha çok bağlanıyordum. Ben de ülkesizdim, ben de onlar gibi göçmendim, hiçbir yere ait değildim ama her yerde yaşayabilirdim. Hepimiz yurtsuzduk.

Helwi'nin çok yakışıklı, genç bir erkek kardeşi vardı. Her zaman elinde Kalaşnikof'la gelirdi bize. Daha sonra Helwi'den onun Kara Eylül grubuna yakın olduğunu ve dünyanın Filistin davasından haberdar olması için terör veya uçak kaçırma gibi eylemlerden başka yol olmadığına inandığını öğrendim. Helwi, kardeşiyle aynı görüşte değildi. Geceler boyu bizim evde uzun tartışmalar olur, ben ancak bunların bir bölümünü Helwi aracılığı ile anlayabilirdim. Filistin hareketi içinde ciddi bölünmeler olduğunu biliyordum. İsrail'in muazzam askerî gücü ve 1967 Savaşı'nda Arapların uğradığı büyük yenilgi, Filistin topraklarının büyük bir kesiminin İsrail işgali altına girmesi, Filistin hareketini ciddi bir yol ayrımına getirmişti. El Fetih'in kurucuları Arafat ve arkadaşları Filistin halkının Arap devletlerine bağımlı kalamayacağına, kendi silahlı güçlerinin kurulması gerektiğine karar verdiler. Daha sonra bütün dünyanın "fedaiyin" olarak tanıyacağı Filistin gerilla güçleri bu dönemde kuruldu ve Ürdün topraklarında kurulan kamplarda eğitim görmeye başladılar.

Biz, kafamızda çeşitli sorularla da olsa kamptaki yaşantımıza devam ederken, Almanya'dan haber geldi. Ömer Özerturgut durum değerlendirmesi yapmak için Beyrut'a geliyordu, geldi de. Bizim gibi kampta değil, sanırım başka bir yerde kalıyordu. Bizlerle görüşmek için kampa geldiği ilk gün, çok uzun bir gün oldu. Tartışmalar çok sert geçti. Bunların hepsini anlatmam kendi başına ayrı bir kitap konusu. Özetle: Para, pasaport gibi imkânlar Almanya'nın, yani Ömer'in yetkisi altındaydı. Ömer örgüt sorumlusu olarak Merkez Komitesi adına parti çizgisine uyulmasını, uymayanların para ve pasaport olanaklarından yararlanamayacağını söylüyordu. Bu bana çok ters geldi, bunu da Bora'ya söyledim. Bora çok zor durumdaydı. Ömer'le anlaşmazsa orada bulunan ve daha sonra gelecek olan arkadaşlar ne yapacaktı? Çocukların hiçbirinin parası ve pasaportu olmadığı gibi dil de bilmiyorlardı. Bora onlardan sorumluydu ve Avrupa'ya gitmelerini sağlamak zorundaydı. Hepimiz kendimizi çok kötü hissediyorduk. Para ve pasaport şantajıyla ideolojik mücadele yapılıyordu.

Ömer, dil bilmediği için Filistinlilerle yaptığı görüşmelere beni götürmek istediğini söyledi. Cengiz artık güvenilmez kişi ilan edilmişti, aslında bana da güvenmiyordu ama başka çaresi yoktu. Bora'yı yalnız bırakmak istemediğim için görüşmeye gitmeyi kabul ettim. Görüşme, kampın dışında, o dönemde Filistin kuruluşlarının çoğunun bulunduğu Batı Beyrut'ta, yüksek bir binanın üst katlarının birindeydi. İyi hatırlamıyorum ama sanıyorum üç Filistinli, Bora, Ömer ve ben vardım. Adamların hiçbirini tanımıyordum. İçlerinden biri İngilizce konuşuyor, ben söylenenleri tercüme ediyordum. Yapılan teklif gayet açıktı. Bizim arkadaşlar kampta askerî eğitim alacaklar, bunun karşılığında Almanya'da terör eylemlerine katılacaklardı. Kara Eylül grubuyla karşı karşıya olduğumuzu anlamıştım. Adamın söylediklerini tercüme ettikten sonra Bora ve Ömer'e bu teklifin çok açık bir terör eylemi planı olduğunu, bizim böyle bir plan içinde olamayacağımızı söyledim. Aramızda Türkçe tartışmaya başladık. Adamlar da bu durumdan huylanmışlardı. Bunun üzerine Ömer bana dönüp, "Sesini kes ve çeviri yap, başka işlere de karışma," dedi. Beynim zonkluyordu, "Hayır, çeviri yapmayacağım ve bu pazarlığın parçası da olmayacağım," diyerek diklendim. "O zaman çık git buradan, şunu da bil ki, sana ne para ne de pasaport veririm," gibi bir tehdit savurdu. Bora şaşkın bir şekilde aramızı bulmaya çalışıyordu. Ben ayağa kalktım, "Senden ve örgütten hiçbir şey istemiyorum, buradan da gidiyorum," dedim. Adamlara da İngilizce olarak gitmek istediğimi, binadan nasıl çıkacağımı sordum. Onlar da aramızda bir sorun olduğunu anlamışlar, beni kalmaya ikna etmeye çalışıyorlardı. "Gidiyorum," dedim ve kapıyı vurup çıktım.

Apartmandan çıkmayı başarmıştım ama Batı Beyrut'ta nerede olduğunu bilmediğim bir sokağın ortasında hüviyetsiz, parasız kalakalmıştım. Hiç kimse değildim, hiçbir kimliğim yoktu. Ölsem ya da öldürülsem kimsenin haberi bile olmayacaktı. Kafamı kaldırıp mavi gökyüzüne baktığımı anımsıyorum. O anda sonrası belirsizdi. Sadece kendime ve Filistin halkına güveniyordum. Nasıl olsa bir yol bulurdum. Sora sora kampın yolunu bulmayı başardım, eve döndüm. Evdekileri görünce de ağlamaya başladım. Dilim döndüğünce birşeyler söylemeye, durumu anlatmaya çalışıyordum. Anne bana sarılmış, "Kal burada, burası senin evin," deyip duruyordu

O akşam babamdan izin alıp kamptaki arkadaşların yanına gittim, olanları anlattım. Onlar da kötü oldular. Hepimiz kendimizi kapana kıstırılmış gibi hissediyorduk. Sonra Bora geldi, çok uzun bir gece oldu. Ben ve arkadaşların bir kısmı şantaja boyun eğmekten yana değildik. Bora, arada kalmıştı, Ömer'le ipleri koparırsa nasıl bir çözüm bulacağını bilemiyordu. Türkiye'den gelecekler vardı daha, ayrılırsa onları ne yapacak, nerede yaşatacaktı?

Biz de ayrılıyoruz

Görünen o ki Bora o yeni kampa gidecek, ben Beyrut'ta kalacaktım. yollarımız ayrılıyordu. Aklım ve duygularım karmakarışıktı. Çok huzursuzdum. Gidecekleri kamp, Trablusşam kentine yakın, deniz kenarındaki Nahr El Bared mülteci kampıydı. El Fetihli dostumuz Abu Halid bana bu kampın Kara Eylül ve benzeri örgütlerin etkisi altında olduğunu, güvenilir bir yer olmadığını söylemişti. O gece hiç uyumadım. Kaldığım evin damına çıktım. Akdeniz rüzgârı yüzümü yalayarak esiyor, bana sanki bir mesaj veriyordu. Sınır köyündeki falcı kadının kehaneti miydi yoksa? "Sen yaşayacaksın ama o ölecek."

Bu olaylar yaşanırken, arkadaşım Helwi kanalıyla ayrıldığım eşime bir mektup gönderdim. Hayatta olduğumu, Beyrut'ta bulunduğumu, annemi ve babamı bulup onlara haber vermesini rica ettim. Cenevre'de BM'nin yan örgütlerinden GATT'ta çalışıyordu o sıralarda, bunu biliyordum. Zarfın üzerine, adını ve sadece GATT, Cenevre yazıp yolladım. Kendi adresim olarak da Helwi'nin posta kutusunu verdim.

Gerçeği söylemem gerekirse, Beyrut'ta ne yapacağımı, nasıl var olacağımı düşünüp duruyordum. Filistinli ailem, yoksul insanların çoğu gibi beni de aralarına katmış, yük olduğumu bir an için bile bana hissettirmiyorlardı. Ama bu yeterli değildi. Kimlik ve para sorunu nasıl çözümlenecekti? Yine El Fetih'e ve Abu Halid'e başvurdum. Beni her zaman olduğu gibi güler yüzle karşıladı. Bora ve diğer arkadaşların Nahr El Bared'e gitmelerine çok karşıydı. Ona göre bu kamp güvensiz bir yerdi ve her an saldırıya uğrayabilirdi. Ben de ona durumun çaresizliğini, çıkış yolu bulamadığımızı anlattım. Bu arada kendi adıma Beyrut'ta kalmak istediğimi, belki İngilizce dersi verebileceğimi ya da onlara herhangi bir şekilde yardım edebileceğimi söyledim. İleriye yönelik neler olabilir, hüviyet sorunu nasıl çözümlenir gibi sorunları konuştuk. Şimdilik ben Burj el Barajneh'deki ailemle yaşamaya devam edecek ve Şatila'daki hastenede çalışan İtalyan doktor ve hemşirelere yardımcı olacaktım.

Bu kez Filistinli babam beni her sabah Şatila kampındaki hastaneye götürmeye, akşamları da oradan almaya başladı. Adamın da çilesi! Bu işe başladığımın ikinci ya da üçüncü günüydü, akşam Helwi elinde bir mektup sallayarak geldi. O anı hiç unutmuyorum. Yeniden Melek olarak bana yazılmış bir mektup vardı önümde. Yeniden Melek olmak çok garip bir duyguydu. Eski eşim, anneme ve babama haber verdiğini, kendisinin Cenevre'de rahat olduğunu ve kısa süre içinde gelip beni Beyrut'tan alacağını yazıyordu.

Helwi'ye mektupta yazılanları anlattım. Hem sevinç, hem hüzün vardı içimde. Filistinli ailem kendi öz ailemi bulmama çok sevinmişti ama benden ayrılma fikri onları hiç mutlu etmemişti. Annem ağlamaya başladı. Ben de aynı duygular içindeydim. Beyrut'ta yaşamak ve kaderimi Filistin halkıyla birleştirmek kararımdan dönmek bana çok zor, hatta imkânsız gibi geliyordu.

Ertesi sabah Bora'ya eski eşimin mektubundan söz ettim. Bir an ikimiz de sessiz kaldık, sonra Bora her zamanki soğukkanlı ve akılcı tavrıyla, "Çok iyi bir haber, senin buradan çıkabilmen hepimiz için çok yararlı olur," dedi. Ben ise hâlâ şaşkındım. Geriye dönmek, yeniden Melek olmak o kadar da kolay gelmiyordu bana. Bora, hemen cevap yazmamı, kocama Beyrut'ta kendisini beklediğimi iletmemi istiyordu. Uzun konuşmalarımız oldu, ayrılmak kolay mı? Ben "hem ağlarım, hem giderim" ruh hali içinde, eski eşime onu beklediğimi söyleyen bir cevap yazdım.

Diğer arkadaşların hepsi benim adıma çok sevindiler. Hiç değilse ben Avrupa'ya kapağı atarsam belki onlar için de birşeyler yapabilirdim. Onların çoğu, ideolojik olarak ikna oldukları için değil, başka bir imkânları olmadığı için Bora ile birlikte Nahr El Bared'e gitmeyi kabul etmişlerdi. Ben, Şatila'daki hastaneye gitmeye devam ediyordum.

Şatila'daki hastanede çalışan, herkesin "Doktor" diye çağırdı İtalyan hekim, İtalyan Komünist Partisi üyesiydi. Üç yıl önce Beyrut'a gelmiş, Filistin kamplarında çalışmaya başlamıştı. İtalya'ya geri dönmek istemiyordu. Bir kere İtalya'ya gitmiş, bir ay sonra Beyrut'a geri dönmüştü. Kendi anlatımıyla, Batı dünyasının güvenli, korunaklı ve planlı yaşamı onu çok sıkmıştı. Doktor kendini Filistinli olarak görüyordu. Aynı zamanda cerrah olduğu için her gün onlarca ameliyat yapıyor, günler ve gecelerce hastaneden hiç çıkmadığı oluyordu. Hastanede küçük bir odası vardı, aralarda bize orada kahve yapardı. Il Manifesto grubu üyesi iki hemşire vardı, Milanolu bu kızlarla da dost olmuştum, hatta daha sonraki yıllarda Milano'da onlardan birinin evinde kaldım. Hastanede ayak işlerini yapıyor, basit pansumanlarda yardımcı oluyordum, şikâyetim yoktu.

Bora ve arkadaşların Nahr El Bared'e gidecekleri gün yaklaştıkça içimdeki sıkıntı da büyüyordu. Bora ile beraber bir gün Beyrut'ta dolaşmaya karar verdik. Filistin hüviyetlerimizi alıp Hamra'ya indik. Hamra'daki sinema salonlarının birinde Fairuz'un konser ilanlarını gördüm. Fairuz'un o zamanlar en parlak dönemiydi. Kampta bütün gün onun şarkıları çaldığı için ben de artık onu tanıyordum. Konsere gitmek istiyordum, ama bilet parasını nereden bulacaktık? Bora'da bir miktar para vardı, ancak her kuruşun hesabını vermek zorundaydık. Daha sonra Filistinli bir arkadaşla buluştuk ve Beyrut'un dillere destan kordonunda, sahilde, denize bakan bir kahvede oturduk. Beyrut kahveleri her zaman tıklım tıklım doludur. Kadınlar çok güzel, çok çekicidir. Kahvede otururken bile etrafınızdaki hava sanki elektrik akımıyla yüklüdür. Beyrut'u eşsiz kılan bu elektriğin insanda bir tür bağımlılık yarattığını sonradan fark ettim.

Yanımızdaki Filistinli arkadaş gülerek bize oturduğumuz kahve ile ilgili yorumlarını anlatıyordu: "Şu denize bakan masada oturan iki adam MOSSAD ajanlarıdır, ileriki masada oturanlar Suriye istihbaratından, bize en yakın olanlar ise Filistin istihbaratından, hiç üzülmeyin MİT de sizi izliyordur. Burası Beyrut, herkes birbirini izler." Hep birlikte güldük ama daha sonra yaşananlar, söylenenlerin doğru olduğunu bana ve diğer arkadaşlarıma acı bir şekilde öğretecekti.

Akşam kampa döndüğümüzde Helwi bu kez elinde bir telgrafla geldi. Eski kocam, üç gün sonra Beyrut'ta olacağını ve kalacağı otelin adresini bildiriyordu. Bana hâlâ çok uzak bir olasılık gibi gelen yeniden "Melek" olmak, gerçeğe dönüşüyordu. Oysa ben Beyrut'ta Filistin halkından ve mücadelesinden her gün yeni şeyler öğreniyordum.

Mesela İslamiyete bakış açım değişiyordu. Benim gözümde Türkiye'de İslamcılık, Kanlı Pazar günü üstümüze yürüyen elleri bıçaklı, sopalı, sakallı, takkeli adamlardı. Filistinli ailem dindar insanlardı. Baba namazını kılıyor, arada bir Kuran okuyordu. Ama kızı başı açık ve mücadele içinde gelişmiş bir militandı. Filistin kurtuluş hareketi içindeki pek çok önemli isim Hıristiyan Araplardı. En başta Arafat'ın kendisi ve El Fetih kurucularından, bir kısmı ise Mısır'da kurulan Müslüman Kardeşler örgütünden geliyorlardı. Ortak payda, Filistin halkının bağımsızlığı, işgal altındaki toprakların kurtarılması ve bunun karşısında duran ABD ve İsrail'e karşı verilen mücadeleydi. Dünya sol hareketleri ve komünist partilerin bir kısmı Filistin halkının yanında yer alıyordu. Ben bütün bunları kavramaya çalışırken Beyrut'ta Filistinliler ile Lübnanlı Hıristiyan Falanjist güçler arasında gerginlik tırmanmaktaydı. İsrail, Filistin direnişinin başlattığı uçak kaçırma gibi eylemler karşısında, hâlâ sürdürdüğü bir strateji geliştirmişti: Filistin direniş örgütleri liderlerini ve önde gelen isimlerini MOSSAD ajanları ve Beyrut'taki silahlı timleri vasıtasıyla avlayarak öldürmek. İleriki yıllarda El Fetih'in pek çok kurucusu İsrail tarafından dünyanın değişik ülkelerinde öldürüldü.

Beyrut'ta gerginlik içinde yaşamak olağan bir var olma biçimiydi. Ben de bu duruma ayak uydurmuştum. Kimse yarın ne olacağını, hayatta kalıp kalmayacağını bilmiyordu. Bunun kimse için fazla bir önemi de yoktu. Önemi olan tek şey, direnmek ve mücadeleydi. Hepimiz aynı yolun yolcusuyduk ve ölüm her an hepimizi yakalayabilirdi.

Telgraf elimde düşünmeye başladım. Nasıl olacaktı? Bora'yı, diğer arkadaşları ve Filistin halkını kaderine terk edip Batı'ya gitmek! Düşüncesi bile ürkütücüydü. Tahmin edeceğin veya edemeyeceğin kadar zor günler yaşadım. Durmadan ağlıyordum. O güne kadar yaşadıklarıma direnen sinir sistemim sanki birden iflas etmişti. Benimle birlikte herkes ağlıyordu. Eski kocam Beyrut'un benim çok az bildiğim zengin bölgesinde bir otelde kalıyordu. Onu görünce sevindim elbette ama ağlamam dinmedi. Beni hâlâ karısı gibi gösteren bir pasaport getirmişti. Çok az insanın yapacağı bir şey yapıyordu: Kendisini bırakıp dağlara giden eski karısını, eşi gibi gösterip zor bir durumdan kurtarıyordu. Bu da beni bir yandan sevindiriyor, diğer yandan eziyordu.

Bu arada yaşadıklarımı bir sis perdesinin arasından hatırlıyorum. Herkesle ve Filistinli ailemle vedalaşmam, Bora ile Beyrut'ta sokağın ortasında sürekli ağlayarak ayrılmamız, uçağa binmem, her şey ama her şey sisler ve gözyaşları içinde yüzüyor.

Cenevre Havalimanı'nda gerçek bütün açıklığıyla yüzüme çarptı. Karmaşa, düzensizlik, yoksulluk, hepsi bitmişti. Hastane koridorları kadar temiz ve steril sokaklar, kırmızı ışıklarda duran arabalar ve yayalar, yeşil çimenli parklar ve bahçeler. Bu bir şaka değildi, kader bu kez de bana, "İçinde büyüdüğün, nereye gidersen git aslında ait olduğun dünyaya hoş geldin Melek" diyordu.

Mültecilik zor zenaat

OYA – Aferin adama. Böyle durumlarda çoğu insan kaçacak delik arar. Üstelik de eski kocan. Ya seni çok seviyormuş ya da çok yürekliymiş! Bu ilişkiyi merak ediyorum. Kafamda oturmayan birşeyler var. Karısının özgürlüğüne saygılı, baştan beri seni kısıtlamaya çalışmamış bir adam. Üstelik karı dağlarda, Filistin kamplarında. Bırakıp gitmişsin, boşanmışsınız ve adam gelip seni Beyrut'tan çıkarıyor, evine getiriyor.

MELEK – Olağandışı durumlar, olağandışı psikolojik atmosferler yaratıyor. Bu yaşananların hiçbiri geleneksel kodlar ve normlarla açıklanamaz. Bir yandan insanlar ölüyor, öldürülüyor, hapishanelerde, işkencelerde; diğer yandan polis yakamızda ve biz ayakta kalmaya, var olmaya çalışıyoruz. Böyle bir ortamda her ilişki, aşklar ve dostluklar çok özeldi, öyle olmak zorundaydı, farklı bir atmosferin içindeydik.

OYA – Haklısın, öyleydi gerçekten. Sen şimdi biraz da yurtdışı günlerini, mültecilik yaşamını anlat. Yurtdışına kaçıp mülteci olarak yaşamanın apayrı, kekremsi bir duygusu vardır, bilirim. Bir yandan, onca beladan kurtulduğunu düşünüp mutlu olursun, öte yandan kavgadan kaçmış olmanın ağırlığını duyarsın. Geride bıraktıkların için eksiklenirsin, içten içe bir suçluluk duygusu olur.

MELEK – Evet, çok karışık duygular... Söylediğim gibi, Cenevre'ye geldim. Eski eşim, Lozan-Cenevre arasında küçük bir kasabada oturuyordu. Hiç yüksek bina olmayan, bahçeler içinde iki katlı evlerden oluşan bu mahallede akşam saat sekizden sonra sokaklarda insan görmek olanaksızdı. Beyrut'un kalabalığı, düzensizliği ve canlılığından sonra birdenbire yeniden köy hayatına dönmüş gibiydim.

Havaalanından eve geldiğimizde bizi annem karşıladı. Ben ağlamayı kestim ve anneme sarıldım. Bu kez da annem ağlıyordu. Anlayacağın bu ayrılık ve buluşmalar her zaman gözyaşlı oluyordu. Sen de mülteci olduğun için benzer durumlar yaşamışsındır.

OYA – Evet, buluşmalar ve ayrılmalar; her ayrılışta, bir daha görebilecek miyim endişesi. Bir daha göremeyeceğimizi düşündüğümüz bir eski dost birden hiç umulmadık yerde, umulmadık anda karşımıza çıkınca ne kadar sevinirdik. Hele de o kaçak göçek halimizde, Türkiye'den turist olarak ya da iş için gelen eski bir tanış, bir arkadaş cesaret edip de ararsa, ilişki kurmaktan korkmazsa nasıl da duygulanır insan.

MELEK – Tam bu dediğin gibi işte; geldiğimin üçüncü günüydü, annemle alışveriş yapmaya şehrin merkezine indik. Cenevre derli toplu, küçük bir şehir. Annemden ayrıldım, alışveriş merkezi olan anacaddede yürümeye başladım. Birden benim yürüdüğüm kaldırımda karşıdan gelen üç kişi gördüm. Miyop olduğum için gözlerim beni yanıltıyor herhalde, dedim. Birbirimize doğru yürümeye başladık, karşılıklı gelince durduk. Karşımda Öget (Öktem), Bülent (Tanör) ve Yücel Sayman duruyor. Bir an sustuk, kediler gibi bakıştık, sonra sanırım Öget "Aaa, Melek!" diye bir ses çıkardı ve sonra hepimiz kuşkuyla etrafımıza bakındık, gören, izleyen var mı diye. Kaçak yaşamak insanda bu tür garip refleksler geliştirir, sen de bilirsin. İki dakika içinde hepimiz kucaklaştık. Bülent'le Öget'i İstanbul'dan iyi tanırdım, Yücel'i daha az. Bu ilk karşılaşmadan sonra Cenevre'de sık sık biraraya geldik, hem maceralı hem de keyifli günlerimiz oldu. Bülent eşsiz bir insandı, Öget de öyle. Cenevre'deki yaşamımı kolaylaştırdılar, renklendirdiler. Yücel'le de sonradan dost olduk.

OYA – Bora ile haberleşebiliyor musunuz?

MELEK – Cenevre'ye gelir gelmez Bora'ya bir mektup yazdım. Mektupları yine Helwi'nin adresine yazıyordum. Bora haftada bir Beyrut'a gelip Helwi'den alıyordu. Mektupların bana ulaşması veya Bora'nın benim mektubumu alması bazen iki haftayı buluyordu. Bora'dan mektup aldığım günler Beyrut, orada bıraktığım arkadaşlar, kamptaki ailem hepsi yeniden gözümde canlanıyor, üzerime garip bir ağırlık çöküyordu. Bora, kötü şeyler yazmasa bile, satırların arasında onun yaşadığı zorlukları, sıkıntıları hissediyordum. Bir an önce kamptan çıkmalarını sağlamak zorundaydım. Almanya ile temas kurdum, ama ilişkilerde bir düzelme olmadığı gibi her an daha kötüye gidiyordu. Ben her şeye katlanmaya razıydım, yeter ki Bora ve diğer arkadaşlar kamptan çıkıp Avrupa'ya gelebilsinler.

Bu arada Müfit Özdeş de Beyrut'tan bir şekilde çıkmayı başardı, Cenevre'ye geldi. Eşi Tülay'la buluştular. Bir ara Gençay'la o zamanki Norveçli eşi Yana da gezmeye, bizleri görmeye gelmişlerdi. Daha sonra Müfit ve Tülay Norveç'e gittiler, orada mültecilik başvusu yaptılar. Anlayacağın Cenevre bizim buluşma yerimiz oldu.

OYA – Cenevre daha önce de pek çok mülteci barındırmıştır.

MELEK – Özellikle de devrim öncesinde Rus mültecilerin sığındıkları bir kentti, Lenin ve eşi Krupskaya da kalmışlardı burada. Kaldıkları evi bulup ziyaret ettik. Hiçbirimiz bizi nasıl bir geleceğin beklediğini bilmiyorduk. Bülent, Cenevre'deki Uluslararası Hukukçular örgütünde çalışıyordu, ciddi akademisyen olarak evde de çalışmalarını sürdürüyordu, Öget ise piyano dersi vererek para kazanıyordu. Bir ara Bülent ve Yücel, Cenevre'de İspanya'daki faşist Franko rejiminden kaçan İspanyol mültecilerin açtığı bir lokantada ek iş buldular. Biz de arada gidip orada İspanyollarla birlikte antifaşist şarkılar söylerdik. En büyük sıkıntımız bizim meyhaneler havasında bir yer bulamamaktı. Saat gece 10 dedin mi her yer kapanıyordu Cenevre'de. Sonunda bir gün Bülent bir kafe-bar keşfetti. Burası geceleri açıktı. Şehrin gariban, lumpen ve marjinal kişileri burada toplaşıyordu. Biz de oraya gitmeye başladık. Bir süre sonra Bülent buraya "toplum tortusu" gibi bir ad taktı. Müdavimleri arasında gerçekten ilginç tipler vardı.

OYA – Bu mültecilik dönemleri, insanın yaşamında araya giren garip oyun gibi, intermezzo gibi olur biraz. Artık burada yaşayacağım, dönmeyeceğim kararı bir türlü verilemez. Sanki bavullarının üzerine oturmuş ne zaman geleceği belli olmayan geç kalmış bir treni bekler gibisindir. İçinde hep bir geçicilik, iğretilik duygusu olur. Biz 12 Eylül'den sonra o duyguyla tam 11 yıl yaşadık.

MELEK – Geri dönememenin nasıl bir duygu olduğunu ben de Cenevre'de yaşamaya başladım. İşin ilginç yanı, koşulların çok daha zor ve belirsiz olduğu Beyrut'ta bu tür duygulara hiç kapılmamıştım. Beyrut ve Filistin kampı Türkiye'deki yaşamın ve mücadelenin doğal bir uzantısı gibiydi. Orada toplumun içinde kayboluyordum, burada ise kendimle baş başaydım.

OYA – Peki o zaman niye Bora'nın ve diğerlerinin kampta kalmalarına karşı çıkıyordun?

MELEK – Beni tedirgin eden, kampta olmalarından çok, kampa gitme kararının veriliş biçimiydi; bizim örgütün işleyişiydi. Bir de o kampın güvenli olmaması. O süreci anlattım zaten Beyrut bölümünde.

Cenevre'ye geleli bir ay olmuştu. Bora'dan gelen mektuplar ve Müfit'in anlattıklarından çok iyimser bir tablo çıkmıyordu. Ocak ayının sonlarına doğru sanırım ben Milano'ya gittim ve Bora'ya birşeyler yollamak için Almanya'dan gelen bir arkadaşla buluştum. Şubat ayının ortalarında, Bora'dan aldığım mektup bak işte burada: 16 Şubat tarihli. Bak ne yazıyor: "Şu sıralarda buradan ayrılma hazırlıkları içindeyim. Sana bunu bildirmek için dün gece telefon ettim. Saat sekizden ona kadar aradım ama telefondan cevap alamadım, herhalde evde yoktunuz. Bugün telgraf çekeceğim. Şartları şimdiden kestirmek mümkün değil, fakat en kısa zamanda seni tekrar arayacağım. Benden tekrar haber alana kadar bekle ve merak etme yavrum."

O günleri düşünürsen, haberleşme olanakları bugünkü gibi değildi. Bırak interneti, cep telefonunu, direkt hat bile yoktu. O nedenle acil durumlarda telgraf çekiyorduk. Bora'nın mektubu beni çok sevindirmişti. Nihayet yeniden görüşebilecektik. Arkadan telgraf geldi, her şeyin yolunda olduğunu, 22 Şubat'ta kamptan ayrılacaklarını yazıyordu. Müfit hâlâ İsviçre'deydi. Ona da haber verdim, o da çok sevindi. Bir hafta sonra kutlama yaparız diye konuştuk.

22 Şubat günü evdeydim. Akşamüstü haberlere bakmak için televizyonu açtım. İlk haber şöyleydi: "İsrail, Lübnan'daki Filistin mülteci kampına denizden saldırdı, 11 Türk ve .... Filistinli öldü." Televizyona bakıyorum ama görmüyorum. Haberin devamını izledim mi, ne gördüm hatırlamıyorum. Sanırım evde yalnızdım. Sonra birileri geldi. O günün devamını da çok iyi hatırlamıyorum. Öget yanımdaydı ve galiba bana uyuşturucu bir ilaç vermişlerdi.

Ertesi gün Müfit'le Cenevre merkez postanesine gittik. El Fetih'teki arkadaşımıza telefon edip Cengiz'e ulaşmaya çalışıyorduk. Bir saat uğraştık, kimseye ulaşamadık. Çıktık postaneden, 50 metre yürüdük yürümedik, iki sivil bizi durdurdu, hüviyetlerini gösterdiler: İsviçre polisi. Bizden de kimlik istediler. Türkiye'de olağandır bu türden çevirmeler ama Cenevre'de hiç normal değildir. Ben eski eşimden dolayı edindiğim BM hüviyetini çıkardım. Polis hüviyeti eline aldı, inceledi. Demek BM ile ilintiniz var, dedi; adres sordu, mecburen söyledim. BM kartımı iade etti. Bu arada Müfit, üstünde defalarca oynanmış, içinde bol Suriye ve Lübnan damgaları bulunan pırtık bir pasaport çıkardı. Polis pasaporta antika bir eşyaya bakar gibi baktı, inceledi, Müfit'e geri verdi, gidebilirsiniz, dediler ve uzaklaştılar. Bülent ve Öget'in kaldığı eve geldik, olanları anlattık. Hepimiz tedirgin olmuştuk; belki de bizi izliyorlardı.

OYA – Tatsız tabii ama garip bir şey yok bunda. O ülkelerde mültecileri ve siyasal kaçakları her zaman izlerler. Almanya'da bizim Frankfurt'taki eve Alman istihbaratından gelmiş, sorgu sual bile etmişlerdi. Mülteciysen, siyasal kimlikli yabancıysan her zaman "olağan şüpheli" durumundasındır. Bir de tabii işin başka bir yüzü var: Mültecilerin, rejim karşıtlarının başına kendi ülkelerindeyken bir şey gelmesini de istemezler; bu, başlarına dert açabilir. Peki Beyrut'la, Cengiz'le temas kurabildiniz mi?

MELEK – Ertesi sabah eve Cengiz'den telgraf geldi. Cengiz bu arada hâlâ Beyrut'ta bizim eski kampta kalıyordu. Telgrafta Bora'nın ve sekiz arkadaşımızın öldüğünü bildiriyordu. O günün devamında sokaklarda dolaştığımı, köprüler üzerinde gezindiğimi, nerede olduğumu ve nereye gittiğimi bilmeden saatlerce yürüdüğümü hatırlıyorum. Sonra yine Öget vardı yanımda. Bana yine ilaçlar verildi, uyku ile uyanıklık arasında gidip geliyordum. Suriye'ye geçerken sınırda falıma bakan yaşlı kadını hatırlıyordum kâbusların arasında, "Sana söylemiştim, yanındaki ölecek, demiştim, unuttun mu?" diyordu.

Şehit yakınının Beyrut'a dönüşü

OYA – Beyrut'a, Bora'nın cenazesine gidebildin mi? Daha doğrusu, gittiğini biliyorum da, nasıl gittin diye sormalıyım belki. Ben olsam gitmezdim, dayanamazdım, diye düşünüyorum. Neydi seni oraya sürükleyen?

MELEK – Gittim ama cenazeye yetişemedim. Cengiz ve Abu Halid beni Beyrut Havalimanı'nda karşıladılar. Kendim ne haldeydim bilmiyorum ama Cengiz berbat görünüyordu. Sarıldık birbirimize, fazla bir şey konuşmadık. Burj el Barajneh'ye, kampa ve Filistinli aileme geri dönüyordum ama farklı bir konumda. Ben artık yakınlarını ve sevdiğini şehit vermiş birisiydim. Filistin mücadelesi içinde şehitlik çok ayrı bir mertebedir. Yurtsuzların, toprağından koparılanların, kendi ülkelerine yeniden sahip olabilmek için başka ülkelerde ölmelerinin anlamı çok değişiktir. Lübnan İç Savaşı ve onu izleyen İsrail saldırıları ve işgaliyle devam eden çatışmalarda yüzlerce Filistinli Lübnan topraklarında can verdi. Filistin halkına destek vermek için mülteci kamplarında yaşayan, değişik uluslardan ve dinlerden onlarca insan bugün Lübnan'ın değişik yerlerindeki mezarlarda yatıyor.

OYA – Bora da onlardan biri; ne garip kaderler ve ne hüzünlü!.. Kampa yeniden döndüğünde ne hissettin?

MELEK – Kampa geldiğimizde kampın büyük bir kesimi beni karşılamak üzere Filistinli ailemin evinin önünde toplanmıştı. Âdet olduğu üzere şehit verilen eve taziyeye gelinirdi. Ancak bu taziye ölen kişinin ardından duyulan üzüntü ve matem havası yerine bir tür tören şeklinde olurdu. Mahallenin erkekleri ve gençleri Kalaşnikoflarıyla gelirler, şehit düşen kişinin fotoğrafı önünde mücadeleye devam yemini ederek havaya kurşun sıkarlardı. Kadınlar bağıra çağıra ağlamaz, sessiz gözyaşlarını içlerine akıtırlardı. Şehitlerin karıları ve yakınları dirençli olmak zorundaydılar. İşte ben de kendimi böyle bir törenin içinde buldum.

Ailem Bora'yı ve öteki arkadaşlarımızı Filistin devriminin şehitleri olarak anıyorlardı. Bora'nın fotoğrafı evin baş köşesine asılmıştı. Babam beni ağırbaşlı bir selamla karşıladı, "sakın ağlama" mesajını bakışından hemen aldım. Filistinli anneme sarıldım, âdet olduğu üzere üç kere öptüm. Bana Arapça birşeyler söyledi, yemenisiyle gözyaşlarını sildi ve beni kadınların arasında bir yere oturttu. Herkes gelip bana taziyede bulunuyor, kimse ağlamıyordu. Ciddi bir törendi. Evin içine sığmayan kalabalık sokaklarda birikmiş, gençler İsrail aleyhine sloganlar atmaya başlamıştı. Daha sonra herkes evinde pişirdiği özel yemekleri getirmeye başladı. Kadınlar koşturup duruyor, kuzu etli pilavla dolu tabaklar elden ele geçiriliyordu. Yemekler yendi, çaylar içildi. Babam ve erkekler ölenler için dua okudular ve namaz kıldılar. Ben oturduğum yerden rüyada gibi izliyordum bunları. Gözümde bir damla yaş kalmamıştı. Sihirli bir güç acımı alıp götürmüş, yerine bambaşka bir duygu gelmiş oturmuştu. Bora ve ölen arkadaşlarım Filistin halkıyla bütünleşmişlerdi. Bu evdeki herkeste onlardan bir parça yaşıyordu. İsviçre sokaklarındaki yalnızlığımın yerini alan aidiyet duygusu, ölümü bir kopma, yok olma, ayrılık olmaktan çıkarmıştı.

Hava kararmaya başladığında Filistinli babam duvarda asılı Kalaşnikofunu indirdi. Her zaman gözü gibi baktığı silahını kontrol etti, kendi boynundaki kırmızı kefiyeyi çıkarıp benim boynuma taktı. "Hadi Ayşa, kalk bakalım, benimle geliyorsun, son görevini yerine getireceğiz." Tören devam ediyordu; baba, ben ve bizi izleyen Kalaşnikoflu gençler evin damına çıktık. Baba törensel bir jestle silahını bana verdi, artık kararmaya yüz tutmuş gökyüzünü göstererek, "Hadi bakalım, İsrail jetlerine bu semaların onların olmadığını göstereceğiz," dedi. Kalaşnikof'u omzuma yerleştirdi ve ben karanlık gökyüzüne doğru ateş etmeye başladım. İlk kurşunda bütün gövdem sarsıldı, ikinci ve üçüncüde alıştım. Kaç el ateş ettiğimi bilmiyorum. Benden sonra herkes bir el ateş etti. Sokaktan gelen İsrail karşıtı sloganlar silah sesleriyle birlikte gökyüzüne yükseldi. Beyrut'a dönüşüm böyle başladı.

OYA – Başladı, dediğine göre, demek ki bir süre daha kaldın Beyrut'ta.

MELEK – Evet, kaldım. Çok zor günlerdi benim için. Neler yaşadığımı anlatmaya çalışacağım.

Ertesi gün, Cengiz ve Filistinli arkadaşlarla Nahr El Bared'e gittik. Bora ve diğer arkadaşlar Bedawi ve Nahr El Bared kampları arasındaki bir tepede, Enternasyonal Dayanışma Mezarlığı olarak bilinen denize nazır bir mezarlığa gömülmüşlerdi. Filistinliler ve dünyanın dört bir yanından onlarla dayanışmaya gelip şehit olanlar, burada yan yana uyuyorlardı. Bora'yı onlara emanet ettim. Mezarın başında oturdum, denize baktım, dayanamayıp ağladım.

OYA – Bora'nın nasıl öldürüldüğünü öğrenebildin mi?

MELEK – Öğrendim. Daha sonra Bedawi'de Demokratik Cephe'den Filistinlilerle buluştuk. Bana olayın nasıl yaşandığını, İsrail'in denizden botlarla geldiğini, Bora nöbetçi olduğu için ilk onu gördüklerini, Bora'nın ateş ettiğini ve İsrail askerlerinin gürültü çıkmaması için Bora'yı kalbinden süngüleyerek öldürdüklerini anlattılar. Bora'nın öldükten sonra çekilmiş fotoğrafını verdiler. Uyuyormuş gibiydi, gövdesindeki tek yara, kalbinin üzerinde çiçek gibi duran süngü yarasıydı. Filistinliler için, bu şekilde ölmüş olması onun çok özel bir kişi olduğunun işaretiydi.

İsrailli askerler, bizim arkadaşların kaldığı barakayı basıp, oradaki herkesi makineli tüfeklerle tarayıp öldürdükten sonra odanın içinde bulunan evrak veya belge niteliğindeki her şeyi alıp götürmüşlerdi. Bora'dan geriye tek kalan şey kampta Fransızca çalışırken kullandığı bir ucu yanmış defterdi. Onun dışında hiçbir şey yoktu. Benim mektuplarım ne olmuştu? Onları sakladığına emindim. Ayrıca ertesi günü yola çıkacakları için eşyalarını da toplamış olmalıydı.

Sonraki günler daha zor geçti. İsrail saldırısında yaralanan fakat öldü sanılıp bırakılan arkadaşımız Şatila'daki hastanede yatıyordu. Vücudunun çeşitli yerlerinden çıkarılan kurşunların açtığı yaralar henüz kapanmamıştı. Yaşamsal bir tehlike yoktu ama travmayı atlatamamıştı. Beni görünce çok heyecanlandı, ilk sorusu, "Bora nasıl?" oldu. Bora'nın ve diğer arkadaşların öldüğünü bilmiyordu. Yalan söylemek kolay değildi, iyi diyordum ama sesim hiç inandırıcı çıkmıyordu.

Şatila'daki hastane

Böylece Şatila'da daha önce çalıştığım hastaneye geri dönmüş oldum. Bu kez hem yaralı arkadaşa eşlik ediyor, hem de koğuşta yatan diğer yaralılarla ilgileniyordum. Koğuş; savaş filmlerinde gördüğümüz gibi, yatakların yan yana sıralandığı dar, uzun bir odaydı. Ağır yaralılar, ameliyattan çıkanlar, nekahat dönemi geçirenler, herkes birarada yatıyordu.

İlk günlerin heyecanı geçince, yaşadıklarımın bütün ağırlığı üzerime çöktü. Onlar öldü, ben niye yaşıyorum, sorusu bir türlü aklımdan çıkmıyordu. Kötüydüm, belli de ediyordum. Bir gece İtalyan doktor beni küçük odasına çağırdı, önüme bir kahve koydu ve koyu İtalyan aksanlı İngilizcesiyle, "Bana bak *bella* (güzelim), kendine çekidüzen ver," dedi. "Şu haline bak, seni gören korkar. Sevdiklerini kaybetmek acıdır; ama burada her gün onlarca genç ölüyor. Ben ölüme karşı direniyorum, yaşamı savunuyorum. Yaşam sürüyor, sen de yaşıyorsun ve yaşayacaksın. Bunu kafandan çıkarma. Şimdi git yüzünü gözünü düzelt, saçlarını tara, adama benze, sonra gel, sana ihtiyacım var." Dediklerini yapmaya çalıştım ve yeniden yanına döndüm. Bana baktı, "idare edersin" gibi bir laf etti ve bana yeni görevimi söyledi.

Koğuşta çok ağır iki ameliyat geçirmiş bir genç yatıyordu; yakışıklı, dalyan gibi bir delikanlıydı, Filistin örgütleri arasındaki bir iç çatışmada yaralanmıştı. Doktor ameliyatları yapmış, delikanlının yaşamını kurtarmış ama acısını dindirecek ilaçları bulamamıştı. Hastanede morfin yoktu. "Git, onun yanında otur, elini tut, sıcaklığını ve enerjini ona geçir. Acısını dindireceksin. Göreyim seni." Koğuşta akşam, hastalar için en zor saatlerdir. Gittim, delikanlının yatağının yanındaki iskemleye oturdum. Bir kolu ve bir bacağı alçıdaydı, çok acısı vardı. Beni görünce şaşkınlıkla baktı ilk önce, sonra arkamda topladığım saçlarımı işaret etti. Saçlarımı açmamı istiyordu. Saçlarımı açtım, sağlam elini uzattı, saçlarımı tuttu. Ben de ona elimi uzattım. Bilmiyorum ne kadar zaman böyle oturduk. Ben ona usul usul Bora'nın en sevdiği türküyü söyledim. Delikanlı uykuya dalar gibi oldu, artık inlemiyordu. Doktor gelmiş yüzünde memnun bir ifadeyle bize bakıyordu. "Bak gördün mü, yaşaman bir işe yarıyor işte," dedi. Ben Filistinli ailemin yanında yine evin kızı olarak baş tacı edilmiş, el üstünde tutuluyordum. Akşamları ev dolup taşıyor, herkes heyecanla son gelişmeleri tartışıyordu. Artık ufak ufak Arapça anlamaya da başlamıştım. Tam o sıralarda işte, İsrail özel nişancı timlerle Beyrut'ta Filistin hareketinin önde gelen isimlerini öldürmeye başladı.

O psikolojik hava içinde, artık Beyrut'ta kalmaya kesin kararlıydım. Arapça öğrenecek, kendime FKÖ araştırma bürosunda bir iş ayarlayacak ve yaşamımı burada sürdürecektim. Batı'ya dönmek istemiyordum. Cengiz, Esat ve yaralı arkadaşımız ise Avrupa'ya gitmek üzere hazırlık yapıyorlardı. Bir gün Abu Halid'le El Fetih'in bürosunda oturmuş konuşuyorduk. Benim Beyrut'ta kalmak istediğimi biliyordu. O konuşmayı çok iyi hatırlarım, çünkü hayatımın en önemli kararlarından birini verdirdi bana.

Abu Halid, "Senin Beyrut'ta kalman bizleri sevindirir. Sizlerin bizim mücadelemizde önemli yeriniz var. Bizlerle kader birliği içine girdiniz, bunun ne demek olduğunu en acı deneyimleri yaşayarak öğrendiniz. Ama ne olursa olsun sen Türkiye devrimci hareketinin bir parçasısın. Önünde daha uzun yıllar var. Eminim ki ülkene geri döneceksin ve burada yaşadıkların ve öğrendiklerini kendi insanlarına anlatacaksın. Bunu yaptığın zaman bizim mücadelemize de en büyük katkıyı yapmış olacaksın. Bizler bu coğrafyada uzun savaşlar vereceğiz, belki çoğumuz ölecek ama vazgeçmeyeceğiz. Senden bir dostun ve yoldaşın olarak, kendi insanlarına geri dönmeni istiyorum. Filistin davasına yapabileceğin en büyük katkı budur," dedi özetle.

Kendi insanlarıma geri dönmek? Kimdi kendi insanlarım? Kendimi burada, Beyrut'ta, dünyanın her yanından kopup gelen insanlar ve Filistin halkının yanında, Bora'nın mezarına yakın, çok daha iyi hissediyordum. Benim için zor olan, Beyrut'ta kalmak değil, gitmekti. Abu Halid'in sözleri üzerine çok düşündüm. Bir gece rüyamda Bora'yı gördüm, "Abu Halid haklı, ben burada iyiyim, sen yola devam etmelisin," dedi. Kendimce zor olanı yaptım, Cenevre'ye döndüm.

Cenevre'de son perde

OYA – Aslında senin asıl sürgün dönemin şimdi başlıyor bence. Beyrut'la bağlarını kopardıktan sonra. Nasıl geçti sonraki günler? Kimler vardı? Neler oldu?

MELEK – Cengiz, Esat, Müfit, Tülay, Bülent, Öget, Yücel, bir süre hepimiz Cenevre'deydik. Bu arada huzurumuzu bozan bazı olaylar oluyordu. Bir gün İsviçreli ev sahibimiz bizi görmeye geldi. Karı koca ve iki kızdan oluşan bu aile çok hoş, sıcak insanlardı. Bizleri sevmişlerdi, bahçelerinde bize partiler düzenliyorlardı. Adam bizi uyarmaya gelmişti. İsviçre polisi bizi soruşturuyordu, ona da sormuşlardı. Adamcağız bize açıkça, "başınız dertte, bunlar sizin peşinizde" mesajı veriyordu. Bunu yapacak İsviçreli de azdır yani.

İsviçre polisi bizim izimizi sürüyordu ve iş eski kocama kadar uzanmıştı. Olaylar birbirine eklendiği zaman düğüm çözülüyordu. Müfit'le beni sokakta durduran polisler benim BM hüviyetimden eski eşime ulaşmışlardı. Beyrut'a geri döndüğümü de biliyorlardı çünkü bizi dinlemeye almışlardı. MOSSAD Bora'nın evrakları arasında benim mektuplarımı da bulmuştu. Mektuplar Cenevre'den geliyordu. Bütün bu iz sürmelerin asıl amacı bizlerin Kara Eylül grubu ile ilişkili olup olmadığımızdan duydukları kuşkuydu. MOSSAD o dönemde bütün Avrupa'da kuş uçurtmuyordu. 1972 yılında yaşanan Münih Olimpiyatları olaylarından sonra işi daha da sıkıya almışlardı.

Eski eşim de durumun farkındaydı, İtalya'da bir Amerikan üniversitesinde kendisine yeni bir iş ayarlamıştı. Ama neme lazım, bir tek gün bile bana dönüp, "Senin yüzünden işimden, evimden oldum," demedi. İtalya'ya gitme hazırlığına girişti.

Böyle yarı legal durumda yaşamak benim için de zorlaşmıştı artık. Başka bir ülkeye siyasi mülteci olarak gitmek daha akıllıca olacaktı.

Hepimiz için yeni bir yol ayrımı söz konusuydu. İsviçre'de durumu sağlam olan Bülent ve Öget dışında herkes, her an sınırdışı edilebilir, hatta Türkiye'ye iade edilebilirdi. O günlerde biraraya gelip son bir kez durum değerlendirmesi yapmak istedik. Bize çok yardımcı olan İsviçreli bir kız arkadaşımız vardı. Sadece kayak yapanların gittiği, öyle fazla popüler olmayan bir kayak merkezinde bir "chalet" (İsviçre'de özellikle kayakçıların kullandığı ahşap dağ evi) bulduğunu, koşulların biraz ilkel olduğunu ama kimsenin bizi orada izlemeyeceğini söyledi. Biz hemen bu öneriyi kabul ettik, hazırlık yaptık, yanımıza giysilerimizi, yiyeceklerimizi de alarak uzunca bir yolculuk sonucu dağdaki eve vardık.

Burası gerçekten sadece kayak sporu yapanların geldiği beş on evlik bir yerdi. Mayıs ayında olduğumuz için karlar erimiş, etrafta kayak yapan kimse de kalmamıştı. Bu dağ başında küçük bir kahve, burayı işleten genç bir çift ve henüz bir yaşında bile olmayan bebekleri vardı. Bizim grubun görünüşü İsviçre dağlarına pek uymuyordu. Arkadaşlar üç günlük sakal, bıyık, ellerinde sallama, omuzlarında çizgili kumaştan erkek ceketiyle dolaşıyorlar. Kadınlar pantolon kazak giyiyorlar ama kayak veya sporla uzaktan yakından bir ilişki içinde olmadıkları besbelli. Bu garip grup toplanıp kendi aralarında bilinmedik bir lisanda saatlerce konuşuyor, tartışıyor, arada kızanlar, bağıranlar oluyordu. Havayı güzel bulduğumuz için bazı toplantıları açık havada yapıyorduk. Lisan bilenler arada kahveye uğrayıp genç çiftle iki çift laf edip ilişkileri normalleştirmeye çalışıyordu.

Gelgelelim hayatlarında bizim gibi insanlar görmemiş olan İsviçreli genç çift, fena halde huylanmaya başladı. Bu arada Esat omzuna atılmış ceketi, arkasına basılmış mokasenleri ve elinde sallamasıyla mahalle kahvesine girer gibi "un kafe" diyerek kahve isteyince İsviçreliler iyice korktular sanırım. Ben polise haber verebileceklerini düşünerek genç çiftle konuşmaya karar verdim. Bir sabah erkenden, kimse kalkmadan kahveye gittim. Kibar bir Fransızcayla kahve istedikten sonra sohbete başladım. Onlar da rahatsızlıklarını belli etmemeye çalışarak bana kim olduğumuzu sordular. O anda kafama bir cinlik geldi. Avangard oyunlar sergileyen bir Türk tiyatro grubu olduğumuzu söyledim. "Aaa... ne enteresan," tepkisini alınca da başladım anlatmaya. Biz çok özel bir gruptuk, doğaçlama çalışıyorduk ve o nedenle herkes oyunda hangi rolü oynuyorsa bütün gün boyunca o kıyafette dolaşıyor, oyundaki kişiliğine bürünüyordu. Bu çok yeni ve özel bir teknikti, oyun böyle kuruluyordu.

Genç karı koca ağızları açık beni dinliyorlar; eski günlerimden kalan bütün tiyatro bilgim birden kafamda canlanmış, desteksiz değil destekli bir şekilde atıyorum. Yarım saat kadar konuştum ve genç çift tümüyle ikna oldu. Sonunda oyunumuza davet bile ettim ve memnun bir şekilde kahveden ayrıldım. Arkadaşlara durumu anlatmak üzere eve yollandım.

Hemen arkamdan Yücel benim gittiğim yoldan değil arka yoldan gelip benden beş dakika sonra kahveye oturuyor. Yücel de iyi Fransızca konuştuğu için, kahveciler heyecanla, "Her şeyi biliyoruz, oyunda sizin rolünüz nedir?" diyorlar. Hiçbir şey anlamayan, durumdan da kuşkulanan Yücel, "Ne oyunu?" diyor. Gençler o kadar ikna olmuşlar ki Yücel'in oyunu sürdürdüğünü sanıyorlar.

"Biliyoruz, siz tiyatro grubusunuz," diyorlar. Bunun üzerine Yücel iyice huylanıp, "Ben ve arkadaşım anayasa hukukçusuyuz," demez mi! Onlar tabii ki Yücel'in rolünün anayasa hukukçusu olduğunu düşünüyorlar. Ancak iş bu minvalde uzayıp gidince işin işinde bir tuhaflık olduğu da anlaşılıyor. Yücel gelip her şeyi anlatınca artık oradan çözülmekten başka bir çaremiz olmadığını anladık.

OYA – Geçende Yücel Sayman'ı gördüm, o da hatırlıyordu bu olayı. Bir de sürekli, "Yahu şu kafalarımıza bak, ben tam o sırada doçent oluyordum. Ne işim vardı oralarda!" deyip duruyordu. Bugünden baktığımızda garip gelen apayrı bir atmosferde, apayrı bir ruh halinde olduğumuzu konuştuk. Tam üniversitede anayasa doçenti olacakken bırakıp gidersin işte. Ama galiba hayıflananımız da yok pek.

MELEK – Bu olaydan sonra herkes dağıldı. Müfit ve Tülay Norveç'e gittiler, Cengiz, Yücel ve Esat ise Paris'e. Ben Cenevre'de Paris'ten haber bekliyorum. Cengiz'le Yücel Paris'te kalacak yer ayarlayacaklar, ben de onların yanına gideceğim. Bu arada örgütün Almanya bürosu Cengiz ve galiba Yücel için de partiye ihanet nedeniyle infaz kararı almış. "Devrime zarar veren bu kişiler ortadan kaldırılmalıdır" gibi bir açıklama yapılmış.

OYA – Çaru Mazumdar öğretisi dergi sayfalarında durduğu gibi durmuyor tabii. Bunları hayata geçirmeye hazır "devrimci militanlar" her zaman bulunur.

MELEK – Evet, daha sonra Paris'te bir kahvede yaşanan acemi infaz teşebbüsü, başarısızlıkla sonuçlanmış.

OYA – Yücel biraz anlattı olayı o konuşmamızda. Ona göre asıl hedef Cengiz'miş. Ama Cengiz, tıfıl bir militan gelip merkezin kararını bildirince öyle bir gülmeye başlamış ki, işin bütün ciddiyeti kaybolmuş. Anlaşılan kimse bu kararları falan takmıyormuş artık. Ama aksi de olabilirdi, olay farklı gelişir Yücel de Cengiz de öldürülebilirlerdi. Az mı tanık olduk benzer olaylara! Parti, örgüt, önderlik, her neyse o; şu kararı aldı, bu emri verdi. Ve söz konusu olan insan hayatları...

MELEK – O yurtdışı günlerinde Yücel ve Cengiz'in Paris'e gittiklerinin ertesi günü, sokakta Sabetay Varol ile karşılaşmaları, komik olaylar zincirinin başka bir halkasıdır. Şam'da hapishane, Bekaa Vadisi'nde kamp gibi maceralardan sonra Sabetay kapağı Paris'te halı ticareti yapan amcasının yanına atmış, orada yaşıyor. Sonunda Paris'te bir hizmetçi odası bulan Cengiz ve Yücel telefon edip Paris'e gelmemi söylediler. Böylece Cenevre'ye veda edip bu kez St. Germain üzerindeki hizmetçi odasına geçiş yaptım. Hatırlıyorum, 1973 yılının Eylül ayıydı.

Paris durağı kısa sürdü. Fransa'dan iltica hakkı almak zordu, elimizdeki pasaportların süresi dolmak üzereydi. Sonunda Amsterdam'a gitmeye karar verdik.

Amsterdam durağı

Bizi Hollanda'ya Doğan Abi (Özgüden) yönlendirmişti. Orada epeyce Türkiyeli olduğunu biliyorduk. Hollanda'da Ahmet Kardam'la karşılaştık.

OYA – Aaa, Ahmet!.. Sonra sıkı TKP'li oldu, 80 sonrasında Almanya'dayken bizim komutandı. 12 Eylül sonrasında Almanya'ya iltica etmiş, karısı Filiz ve oğlu Umut'la Berlin'de yaşıyordu. Berlin'de onların evinde, Frankfurt'ta bizde buluşurduk.

MELEK – Ahmet, 70'lerin başında, 12 Mart döneminde Mihri Belli hareketindendi. 12 Mart'tan sonra kaçıp Utrecht'e gelmişti. Ahmet Kardam Utrecht'te, Cengiz'le ben Amsterdam'dayız ve siyasi mülteci olmak için resmen başvurmuşuz. 73 yılının sonbaharı.

Daha önce yurtdışına çıkıp karısı İnci ile birlikte Brüksel'e yerleşmiş olan Doğan Özgüden bize Hollanda'da birtakım adresler vermişti.

OYA – Bildiğim kadarıyla Özgüden çiftinin sizin hareketle ilişkisi olmamıştı hiç. Onlar *Ant* dergisini çıkarırlardı. Sosyalist devrimi savunan, TİP'e uzak durmayan bağımsız bir yayın çizgisi vardı *Ant*'ın. 1968-69'da birlikte çalıştığımızı, sık sık *Ant*'a gittiğimi hatırlıyorum. Sonraları keskin bir çizgiye kaydılar, Latin Amerika gerilla hareketlerinden esinlenerek Fukocu çizgide yayınlar yaptılar. Hatırlar mısın, Mariguella'nın *Şehir Gerillası* kitabını yayımladılar. İnci Özgüden, yaratıcı ve iyi bir grafikerdi –şimdi tasarımcı deniyor ya–, Mariguelle'nın kitabının çok çarpıcı olan kapağında kurşun delikleri vardı. Biz, silahlı mücadeleye karşı olanlar bu kapağı hem beğenmiş hem de ideolojik olarak çok eleştirmiştik.

MELEK – Tabii hatırlıyorum o kitabı. Haklısın, Özgüdenlerin bizim hareketle ilişkileri yoktu. Ama artık hareket mareket mi kalmış! Millet yurtdışına kaçmış, başını sokacak delik arıyor, herkes birbirine yardım etmeye çalışıyor.

Cengiz'le ben, sonradan arkadaş olacağım Feride adlı İranlı bir kızın evinde kalmaya başladık. Feride de mülteci. O zamanlar İran'da Şah rejimi var, Feride İran'da tanınmış bir çocuk romanları yazarıyken Şah rejiminin baskıları yüzünden ülkesinden kaçmak zorunda kalmış. Amsterdam'da, o zamanlar "crack house" denilen belediyeye ait olup da işgal edilen bir evde oturuyor. Bu *crack house*'larda yoksullar işsizler, *junkie*'ler otururdu. Ev eski, kalacak doğru dürüst yer yok, uyduruk bir sobayla ısınıyor. Cengiz gececidir, geceleri uyumaz, çalışır; ben ise gündüzcü. Dolayısıyla Cengiz gündüzleri uyuyor, ben geceleri. Vardiya usulü. Giderek Feride ile yakın arkadaş oldum. Çok kişilikli bir kadındı, çok zor bir hayattan geliyordu.

Amsterdam'da Cengiz'le beş parasızız. Bu arada Feride'nin evinden ayrılıp Hollandalı bir kızın evine gittik; ama bütün evlerde yaşama koşulları köyden beter. Kürecik köylerinden, Filistin kamplarından sonra Avrupa'da oraları aratacak bir yoksulluk içinde buldum kendimi. Hava soğuk, evlerin birinde cam kırık, içeriye kar yağıyor. Hiç hastalanmayan ben orada romatizma oldum, bütün eklemlerim iltihaplandı; ama yapacak bir şey yok.

İlk göz ağrım Paris dışında, Batı dünyası bana hep yabancı olmuştur. Hiçbir zaman orada yaşamak cazip gelmemiştir. Oysa benim asıl Filistin kamplarında kültür şoku yaşamam gerekirdi; ama ben bütün o süreçte gerek Kürtler gerek Filistinlilerle güçlü bağlar kurmuştum, kendimi oralı görüyordum.

OYA – Melek! Ulagay ailesinin kızı olduğundan emin misin? Sokaktan, cami avlusundan falan toplamış olmasınlar seni!

MELEK – Doğru söylüyorum. Bütün güçlüklerine, savaşlara, zorluklara rağmen benim için Beyrut her zaman sığınacağım yer olarak kalmıştır. Amsterdam o zamanlar uyuşturucu cennetiydi. Ben orada uyuşturucu alışkanlığı nedeniyle hayatları tamamen kaymış genç insanları görünce, "Batı'nın özgürlük anlayışı bu mu, bu kendini yok etme hakkı mı?" diye düşünmüştüm.

Bu arada Cengiz de ben de iş arıyoruz. Cengiz Hollanda hükümetinin Türk işçilerle ilgili çalışmalar yapan bir kurumunda iş buldu, ben ise İngilizcem iyi olduğu ve yayıncılıktan az buçuk anladığım için büyük bir yayınevinde, Elseviers'de iş buldum. Hollanda'da herkes İngilizce konuşuyor, yayınevi de bir yığın İngilizce kitap yayımlıyordu. Metinlerin İngilizce son okumalarını yapıyordum, bir süre sonra editör olmuştum. Bayağı iyi bir para almaya başladım ve ilk iş olarak Amsterdam'ın iyi bir mahallesinde, küçücük iki odası ama büyük bir terası olan, ışık alan bir eve taşındım. Minnacık bir de mutfağım var, evde yemek yapabiliyorum. O küçük eve kimler gelmedi ki!

OYA – Bizim 80 sonrası sürgün yaşamımızda Frankfurt'taki evimizde öyleydi. Yüzlerce kişi gelip geçti o evden.

MELEK – Şimdi biz iş güç bulup biraz rahata kavuşunca başladık faaliyete, boş durulur mu? Ahmet'le (Kardam) buluşuyoruz, Türk işçileri örgütlemeye çalışıyoruz. HTİB'i (Hollanda Türkiyeli İşçiler Birliği) o dönemde kurduk.

OYA – Onun kurucusu siz misiniz?

MELEK – Evet, biz üçümüz kurucuyuz, birkaç da Hollanda'dan işçi arkadaş vardı. Maviye ve Nihat vardı mesela. Sonradan Nihat öldürüldü, birçokları gibi bana çok acı veren bir ölüm.

OYA – Evet, Nihat'ın öldürülmesini ben de biliyorum. Onunla ve Maviye ile 80 sonrasında Amsterdam'da tanışmıştık. Güzel bir evleri vardı, fedakârca çalışan insanlardı. Daha sonra TKP'li olmuşlardı bizim gibi. Tam da pisi pisine gitti o çocuk.

MELEK – Çok acı bir olaydır, pırlanta gibi bir çocuktu Nihat.

Böylece Hollanda'da faaliyet başladı. Bu kadar olay yaşamışız, otur bir kenarda değil mi? Oturamıyoruz ki; ama ben artık siyasi parti istemiyorum. Benim kafamda, günün birinde Türkiye'ye dönüldüğünde, hareket içinde yer almış olanların tümünün çok büyük katılımıyla her şeyin konuşulması, hataların ortaya dökülmesi, gerçekçi bir muhasebe yapılması gibi düşünceler var. Çürük betonla ev yapılmaz, yapılırsa da yıkılır diye düşünmekteyim. Parti değil ama dernek gibi, açık, legal, kitlesel bir çalışma içinde olabilirim diyorum.

OYA – On, on iki yıl sonra ben de benzer süreçlerden gelip benzer bir noktaya vardım. Örgüt düşmanı olmadım ama bizim eski hareketlere, eski partilerimize benzer oluşumlardan söz edildiğinde, "teşekkürler, ben almayayım" diyorum.

MELEK – Evet, işte yine işçileri örgütlemeye çalışıyoruz ama legal bir kitle örgütünde. HTİP kısa sürede palazlandı, birçok Türkiyeli işçi üye oldu.

Eski kocam o sırada Bologna'daydı. Söylemiştim ya, GATT'la ilişkisini kesmiş, Cenevre'den ayrılmıştı. O zamanlar onunla da hâlâ görüşüyoruz, ilişkimiz iyi. İltica başvurusunda bulunmuşum ama beklemedeyim, henüz mülteci pasaportum yok. Bir geçici seyahat belgesi alıp Bologna'ya gittim. Bologna o zamanlar İtalyan Komünist Partisi'nin kalelerinden birisi. Hem bu yüzden hem de binalarının yapımında kullanılmış kırmızı tuğlalar nedeniyle, "kızıl şehir" olarak anılıyor. 1973 Eylülü'nde Allende devrilmiş, ortalık Şili'den kaçan mültecilerle dolu. Sabah Bologna Meydanı'nda toplanılıyor, herkes kırmızı atkılı, tartışmalar, marşlar, kıyamet kopuyor. Her gün miting, her gün herkes sokakta. Sanırsın yarın devrim olacak.

OYA – Bizde 71 öncesinde olduğu gibi...

MELEK – Ama İtalyan Komünist Partisi gerçekten çok güçlü. İşçi tabanı ve geleneği var. İtalyan Komünist Partisi o zamanlar Avrupa'nın hem en kitlesel, hem de Sovyet çizgisinden en bağımsız partisiydi. Lübnan'da ve sonradan İtalya'da birçok partili tanıdım. Benim yaşamımda gördüğüm gerçek komünistlerdi onlar. Onlardan çok etkilenmiştim. Şilili mültecilerden de tanıdıklarım oldu, onlar da bize yakın insanlardı. Demek istediğim şu: Bunca acı olay yaşanmış, Bora ölmüş, sürgündeyim ama hâlâ yenilgi kavramı, yenilmişlik duygusu yok. Aynı heyecan, aynı coşku. Bologna'da o gösterileri, mitingleri izleyince yerimde duramıyorum. Kuyruk yine havada, her gün bir mitingden diğerine koşuyorum.

Bologna'dan Hollanda'ya döndüğümde, mültecilik başvurum kabul edilmişti. Ama tam o sırada Türkiye'de af çıktı.

OYA – Mültecilik dönemi pek uzun sürmemiş. Bizimki 12 yıl sürdü, siz ucuz kurtulmuşsunuz. Peki af haberi gelince hemen döndün mü?

Türkiye'ye dönüş

MELEK – Haberi alır almaz Ahmet Kardam, Cengiz, ben oturup konuştuk. Hemen dönmeye karar verdik. Amsterdam'daki Türkiye konsolosluğundan bize bir kâğıt verdiler, sonra da biz o kâğıtlarla Türkiye'ye giriş yaptık. Dönmek sanıldığı kadar kolay olmuyor, sen de yaşamışsındır.

OYA – Kolay değildir, biliyorum. Karmakarışık duygular içinde bocalar insan: mutluluk, sevinç, hayal kırıklığına uğrama korkusu, yeni bir yaşam kurma endişesi. Geride bıraktığın arkadaşlarını, yoldaşlarını ne halde bulacaksın? Değişmiş olabilirler, ilişkiler soğumuş olabilir. Bir de girişte, sınır kapısında neyle karşılaşacağını bilemezsin.

MELEK – Evet, aynen öyle. Türkiye'ye girişte bize bir şey yapmadılar, elimizdeki kâğıtlara bakıp geçin dediler. Ama DGM'ye gidip ifade vermek zorundayız, yoksa hüviyet alamayız. Nasıl oldu tam hatırlamıyorum ama sanırım Osman'ın *Cumhuriyet* gazetesi ilişkileri nedeniyle ben Ankara'da Uğur Mumcu ile buluştum. Uğur, ben ve vekâletimi alan bir avukat, biz kalktık DGM'ye gittik. Uğur'la avukat, "Sen her şeyi dinle ama hiçbir şey söyleme ve hiçbir suçu kabul etme," dediler. "Hâkim sana çeşitli sorular sorabilir ama sen hepsine bilmiyorum, diyeceksin."

Ben şaşkınım, bunca maceraya rağmen o zamana kadar mahkemeye çıkmamışım. Tamam, dedim, girdik içeri. Mahkeme heyeti karşımda; bir de daktilo yazan kız var. Klasik, anne adı baba adı sorularından sonra savcı benimle ilgili iddianameyi okumaya başladı. Oya, inanmazsın, sayfalarca yazı... ne istersen var. Kürecik'ten başlayıp Söke'ye, Ankara'ya, oradan Beyrut'a uzanan bir hikâye. Oku oku, bitmiyor. Ben öyle sus pus oturuyorum, hâkim arada bir gözlüğünün üzerinden bana bakıyor. Çoğu kez olduğu gibi, o da, "Bu kız mı bütün bunları yapan?" diye düşünüyor olmalı. Benim tipime böyle işleri kimse konduramıyor. Şimdi düşün, bütün yakalananlar benimle ilgili birşeyler anlatmışlar. Ama İbrahim hiç konuşmamış; zaten o kendi sorgusunda da hiç konuşmamış ve işkenceyle öldürülmüştü. Bora ile diğer arkadaşlar ölmüş, kimileri de hiç yakalanmamış. Bu yüzden hikâyede hâlâ boşluklar var.

Hatırlamıyorum ama herhalde 45 dakikaya yakın sürdü iddianamenin okunması. Ben de öyle orada masal dinler gibi dinliyorum. Yüzüme bir hayret ifadesi oturttum, en az hâkim kadar şaşırmış görünüyorum. Savcı bitirince hâkim gözlüğünü düzeltti, bana bakarak sordu: "Bütün bunlar hakkında ne düşünüyorsunuz?"

Güler misin, ağlar mısın bir durum. Ben yine o şaşkın yüz ifadesiyle, "Benim bütün bunlardan haberim yok, bir şey bilmiyorum," dedim. Hâkim gözlüğünün üzerinden bana öyle bir baktı ki, sinirlendiğini anladım. "Nasıl olur, bütün bunlar buraya nasıl geçmiş, bütün bu anlatılanlar hepsi yalan mı?" dedi. Ben yine sakin ama kararlı bir şekilde, "O okuduğunuz ifadelerin hangi koşullar altında alındığını ben bilmiyorum, dolayısıyla yazılanlar gerçek olmayabilir," gibi hafif tepeden bir tavırla cevap verdim. Adam çok sinirlendi, o ana kadar siz diye hitap ederken birden sen demeye başladı. "Yüzde ellisini kabul et, ben de ona göre davranayım," gibisinden bir laf etti. Bende tık yok. Onun üzerine daktilo yazan kıza döndü, "Yaz kızım," dedi ve benim tüm iddiaları reddettiğim zapta geçti. Duruşma bitti, ben ayağa kalktım, dışarı çıkacağım. Döndü ve gözlerini bana dikerek, "Şimdi o kapıdan yürüyerek çıkıp gidiyorsun ama şunu bil ki biz seninle günün birinde er geç hesaplaşacağız, bunu da aklından çıkarma," dedi. Bu sözlerle dışarı çıktım. Uğur beni bekliyor. Ona hâkimin son sözlerini aktardım. Uğur rahmetli, gevrek gevrek güldü; "Hesaplaşır, hesaplaşır," dedi.

OYA – Türkiye'ye döndün, artık her şey bitmiş miydi senin için? Hareketten bütünüyle kopmuş muydun?

MELEK – Tabii... Kopma Beyrut'tan hemen sonra olmuştu. Cengiz, Müfit ve oradaki bazı arkadaşları zaten örgütten ihraç etmişlerdi. Beni de ihraç ederlerdi ama arada Bora olduğu için sanırım resmî bir karar çıkmadı. Ben Avrupa'da bağımsızlığımı ilan etmiştim, Türkiye'ye döndükten sonra da, asla örgüte girmem dedim. Çok ciddi eleştiri, hatta özeleştiri yapılması gerektiğini düşünüyordum.

Bu o kadar zor bir durum ki! Bir zamanlar çok yakın olduğun, sevdiğin, güvendiğin insanlarla örgüte bakışın nedeniyle uzaklaşıyorsun. Hapisten çıkanlar bizimle konuşmuyorlar; bize dönek ve hain gözüyle bakılıyor. Hareketten kopanın ruh halinin anlaşılmasının hapishane koşullarında çok zor, neredeyse imkânsız olduğunu o zaman anlamıştım. Onların bu tavırlarını anlayışla karşıladım, nasıl olsa günün birinde onların da bazı gerçekleri göreceklerini biliyordum. Nitekim daha sonra hapisten çıkanların çoğu ayrıldılar hareketten.

Bir akşam Vecdi Abi ile Sevinç Abla'ya (Özgüner) gittim. Onlar Bora'ya da çok yakındılar. Sabaha kadar konuştuk. Çok acılı bir geceydi, Sevinç Abla da ağlamıştı benim anlattıklarımı dinlerken. Ben o gece Sevinç'le Vecdi'ye birçok şeyi anlattım. "Bunları ortaya dökmeden, bunları yazıp çizmeden, yani yüzleşmeden devrimci kahramanlık hikâyeleri anlatmakla yetinilirse, sol örgütlenmelerin hiçbir şansı olamaz, böyle bir geleneğin üzerine bina inşa edilemez, bizden sonra gelen nesiller de aynı hataları yaparlar, sol gelenek diye ortaya konan tablodaki birçok şeyi yeniden düşünmek zorundayız," dedim. Çok net hatırlıyorum, "Seni anlıyoruz, haklısın; ama bunlar böyle ortaya dökülürse, bu, sola saldırmak için yeni bir zemin oluşturur, şimdilik susmak zorundayız," dediler bana, o eski kuşak sosyalist tavrıyla.

OYA – Sadece eski kuşaklar değil, bizim kuşağın çoğunluğu da, bizden sonrakiler de hep kaçtı böyle bir yüzleşmeden ve hesaplaşmadan. Türkiye'de değil dünyada da solun darbe yemesinin, hatta yenilmesinin en önemli nedenlerinden birinin bu "kol kırılır yen içinde kalır, devrimin veya sosyalizmin yüce çıkarları için şimdilik susmak zorundayız, düşmana koz vermeyelim" tavrı olduğunu hep düşünmüşümdür. Marksizmi, Leninizmi, Sovyetler'i, komünist sistemi, kendi içinden hem de sapına kadar komünist, sosyalist, Marksist kalarak eleştirenler dahi hain, dönek ilan edildiler. Mahalle baskısının daniskası vardı bu konuda. Hâlâ da var. Eleştiri getirenler kadar eleştirenlerin kitaplarını okuyanlar, farklı bakışları öğrenmeye çalışanlar da "kafası karışık yoldaş" sayıldılar. Bu yüzden çoğumuz sustuk ya da sadece küçük çevremizde fısıldaşmakla yetindik. Susmayanlar da şu veya bu biçimde susturuldular. Şunu düşünürüm hep: Bizler hep çok cesur olduk, kendimizi öyle sandık. Devrim uğruna, inandığımız düşünce uğruna ölümü göze aldık. Onca insanımız öldü; işkenceyi, zindanı, sürgünü, ailelerimizden, çocuklarımızdan, sevgililerimizden ayrılmayı, daha pek çok şeyi göze aldık. Şu senin başından, hepimizin başından geçenlere bir bakmak yeter... Ama en zor göze aldığımız, hatta göze alamadığımız şey, kendi örgütümüzden, kendi cemaatimizden dışlanmaktı. Orada yeterince cesur olamadık. Dinsel tarikatlar, cemaatler için de böyledir sanırım.

MELEK – Evet, öyle. Ben o günlerde de, "Şimdi susarsak çok daha büyük kötülük yapacağız," diye düşünüyordum. Bugün gelinen durum zaten ortada. Ama o günlerde bana katılan yoktu. Çok zor oldu benim ondan sonraki hayatım. Beni tanımayanlar "dağdaki terörist kız" olarak görüyor, örgüte sadık kalanlar "dönek" sayıyordu.

Bu türden partilerde, örgütlerde bir daha yer almadım.

III

Yeni bir dönem başlıyor

14 Ekim seçimleri: Ecevit'in zaferi

OYA – Sana dönüş yolunu bana da beş buçuk yıl kesinleşmiş hapis cezasından kurtulma yolunu açan 1974 affı, Ecevit'in 1973'teki 14 Ekim seçimlerini kazanmasıyla gerçekleşmişti.

Senin önce Paris'e, oradan Amsterdam'a gittiğin 1973 sonbaharını çok iyi hatırlıyorum. 12 Eylül'de Şili'de Allende yönetimine karşı faşist Pinochet darbesi olmuştu. Sosyalist Allende'nin, iktidarı bir yıl önceki genel seçimler sonucunda, işçilerin, halkın çoğunluğunun oylarıyla demokratik yoldan alması, Şili'de halk iktidarının hızlı adımlarla ilerlemeye başlaması, yakın tarihte bir ilkti ve sosyalizmin demokratik yoldan kurulabileceğini savunan bizler için büyük bir zaferdi. O gece *Yeni Ortam* gazetesinin birinci yaşını kutluyorduk tam kadro. Kemal Bisalman paraya kıymış, daha sonra bize katılacak birkaç gece sekreteri ve nöbetçi arkadaş dışında bütün çalışanları Cankurtaran'da, sahil yolundaki bir restorana yemeğe davet etmişti. Tam yemeğin ortasında bulunduğumuz yere telefon geldi gazeteden. O zamanlar, gittiğin yerin telefon numarasını bırakıyorsun acil durumlar için. Gece sekreteri, Şili'de darbe olduğunu, Başkan Allende'nin Moncada Sarayı'nda direnişe geçtiğini, sarayın darbeci askerler tarafından ablukaya alındığını, içerideki sivillerin direndiklerini, çatışmaların sürdüğünü haber veriyordu. Beynimizden vurulmuşa döndük. Dedim ya, Şili Devrimi'nin, Başkan Allende'nin, hele de biz parlamenter yolu savunanlar için özel bir önemi vardı. Sosyalistlerin, kitle gücüyle demokratik yoldan iktidara gelebileceğinin ve kısa sürede reformlar gerçekleştirebileceğinin kanıtı, aynı zamanda da büyük bir umuttu. Allende'nin ve Nâzım'ın da arkadaşı olan komünist şair Neruda'nın apayrı bir yeri vardı gönüllerimizde. Faşist darbecilerin, işkence olsun diye tek tek parmaklarını kesecekleri gitarist Victor Hara'nın devrim türkülerini ezbere bilirdik, *Venceremos*'u o bambaşka söylerdi. Yemek falan ortada kaldı, hemen gazeteye döndük. O sırada Allende'nin teslim olmamak için kendi tabancasıyla intihar ettiği haberi geldi. Sonra da günlerce, aylarca Şili'de Pinochet faşizminin zulmünü, işkencelerini izledik ve gazeteye yansıttık.

Ayrıca, 14 Ekim seçimleri yaklaşmıştı. Türkiye'nin 12 Mart rejiminden çıkabilmesi için bu seçim önemliydi. Bir yandan da yeni bir sosyalist parti kurma hazırlıklarına girişmiştik.

MELEK – Peki o günlerde 12 Mart rejimi yumuşamış mıydı, görece bir gevşeme mi vardı da siz böyle yazıp çiziyorsunuz, gizlilikle de olsa parti kurmaya, siyasal mücadeleye hazırlanıyorsunuz? Üstelik de anladığım kadarıyla hiçbiriniz hapiste değil, dışarıdasınız.

OYA – O dönemi yaşamış olanlar bilir: Hep söylerim; 12 Mart bir provaydı, faşizan, otoriter bir rejimdi; ama örneğin, kolu kanadı koparılsa da, vesayet altına alınsa da parlamento feshedilmemişti. Siyasal ortam bir geriliyor, bir gevşiyordu. Kimin dışarıda, kimin içeride olduğunun da ölçüsü yoktu aslında. Bakarsınız yeni bir tevkifat olur, mesela AKM'yi havaya uçuracaklar diye alakasız insanlar gözaltına alınır, işkence görür, tutuklanır; bakarsınız *Yeni Ortam*'da en olmadık, en sert yazıları yazarız, ses çıkmaz... Ben, ara tahliyeyle çıkmıştım, dışarıdaydım ama dava sürüyordu. Mesela, o günlerde İstanbul'da karısı Ayşen'le (Besen Anadol) farklı bir kimlikle gizlilik koşullarında yaşayan Çağatay Anadol tutuklandı. Takip veya ihbarla izini bulmuşlardı. Yalçın gizlilik koşullarına azami dikkat ederek illegalde yaşıyordu. Bütün baskılara, sıkıyönetime, ağır şartlara rağmen rejim bir türlü pekişememişti, güçler dengesi sürekli değişiyordu, askerler zor durumdaydı. Yani kaçak göçek de olsak yolumuza devam ediyorduk. Vesayet rejiminin gevşemesinde, askerin etkisinin azalmasında, o sırada CHP içindeki Ecevitçi çizginin ağırlık kazanmasının büyük payı olmuştur. Ordunun ve devletin adayı olan Genelkurmay Başkanı Faruk Gürler'in bütün baskılara rağmen cumhurbaşkanı seçilememesi, Meclis çoğunluğunun Gürler'e oy vermemesi, Korutürk'ün cumhurbaşkanı olması, önemli bir dönemeçti.

MELEK – 12 Mart rejimi çok uzun sürmedi. Seçimler ne zamandı?

OYA –14 Ekim 1973. Yurttaş olarak da gazeteci olarak da sabahlara kadar büyük heyecanla izlediğimiz bir seçimdi. Bizlerin de kaderini çizecek bir seçim olarak görüyorduk. Ecevit, özgürlükçü, eşitlikçi, adaletli bir toplum vaat ediyordu. Ünlü "Akgünlere" bildirgesinde, "hiçkimsenin devlete de, servete de kul olmayacağı" bir düzenden söz ediliyordu. "Tekelleri kuşatacağız", "Su kullananın, toprak işleyenindir" sloganları kitlelere ulaşırken dağlara taşlara "Umudumuz Ecevit", "Karaoğlan Geliyor" yazılıyordu. Bizim açımızdan ise, Ecevit tabii ki sol popülist bir liderdi ama en azından 12 Mart rejiminin soldan aşılmasında bir adım olacaktı.

1973 baharında, yani 12 Martçıların ve ordunun adayı Orgeneral Faruk Gürler'in seçilemeyip Korutürk'ün cumhurbaşkanı olmasından sonra seçim havasına girildi. İnönü'nün CHP'si değişim geçirmiş, Ecevit ve kadrosu partiye egemen olmuştu. CHP'nin devlet partisi görünümü Ecevit'le değişmişti. Halkın Karaoğlan diye adlandırdığı, kendinden biri olarak benimsediği Ecevit, o döneme göre ileri sol sloganlarla birinci parti oldu.

Ben, daha doğrusu biz, yani yeni bir sosyalist parti peşinde olan grubumuz seçimlerde Ecevit'i destekledik. Sol oyların dağılmaması için, 14 Ekim 1973 seçimlerine İstanbul'dan bağımsız sosyalist aday olarak katılan Mehmet Ali Aybar'ı engellemek için de *Yeni Ortam*'ı kullanarak Aydın'la ben elimizden geleni ardımıza koymadık. Aybar, seçim sürecine girildiği günlerde Kemal Bisalman'la anlaşmış, o günlerde *Yeni Ortam*'da yazmaya başlamıştı. Bu durum bizim hiç hoşumuza gitmiyordu, çünkü CHP'nin İstanbul oylarını bölecekti. Aybar'ın yazılarını koymamak için türlü bahane buluyorduk. Bazen yazı elimize geç geldi diyorduk, bazen sakıncalıydı, gazete kapatılabilirdi bassaydık diyorduk, bir bahane buluyorduk yazıyı kullanmamak için. Aybar da kaçın kurası, üstelik de inatçı bir adam, yazıyı bir daha, olmadı bir üçüncü defa gönderiyordu. Ne ayıp değil mi yaptığımız! Bugünkü aklımla asla böyle şeyler yapmam. Siyasal etiğe olduğu kadar gazetecilik ahlakına da aykırı.

Hiç unutmuyorum, CHP o seçimde İstanbul'dan kırk milletvekili çıkardı. Yirmi beş otuzdan fazlası beklenmiyordu. Listede kırkıncı sırada benim Dame de Sion'dan yakın arkadaşım olan Bahar Salman'ın kocası avukat Vahit Çalın vardı. Kendisinin bile aklının ucundan geçmediği halde seçildi. Benim *Yeni Ortam*'daki yazılarımın epeyce etkili olduğu günlerdi, bu yüzden Vahit için "senin milletvekilin" diye dalga geçerlerdi.

Müthiş bir seçim kampanyası oldu. Ecevit'in seçim öncesindeki son büyük İstanbul mitingi günü, taksiler, minibüsler, halk otobüsleri, özel otomobiller, "Ecevit'e, Ecevit'e" diye bağırarak bedava taşıyorlardı halkı Taksim Meydanı'na. Öyle bir heyecan, öyle bir halk desteği...

MELEK – Benim en kötü zamanlarımdı, üstelik de yurtdışındaydım, pek yer etmemiş bende; hatırladığım kadarıyla CHP tek başına hükümet kuramamış, MSP ile koalisyona mecbur kalmıştı, değil mi?

OYA – Evet, hükümetin kurulması uzun sürmüştü, sonunda MSP ile uzlaşmışlardı. Ama çok sürmedi. O sıralarda İtalya'da Komünist Partisi ile Hıristiyan Demokratların koalisyonu vardı galiba. Buna tarihsel uzlaşma denmişti. Bizde de CHP ile MSP'nin koalisyonundan yana olanlar, bunu savunmak için benzer yorumlara gidiyorlardı. Mümtaz Soysal'ın bizim *Yeni Ortam* gazetesinde çıkan "Tarihsel Yanılgı" yazısını hatırlıyorum mesela. Ama başlık şaşırtmasin seni, Mümtaz Soysal dindar sağın ve özgürlükçü solun halkçılık paydasında bunca zamandır buluşamamasını yanılgı olarak niteliyor, CHP-MSP koalisyonunu olumluyordu. Pek uzun sürmedi bu ortaklık. Yine de bizlere bir yararı oldu; senin de, benim de yararlandığımız af yasası çıkarıldı. Daha doğrusu, MSP'nin "komünistlere af" istememesi yüzünden önce kabul edip sonra bazı maddelerine oy vermediği yasa, Anayasa Mahkemesi tarafından eşitlik ilkesine aykırılık gerekçesiyle iptal edilince, bizler de kurtulmuş olduk.

Bir parti kurma hikâyesi

Biz seçimlere doğru giden süreçte, aylık bir dergi çıkarma peşindeydik. Benim, özellikle *Yeni Ortam* ve üniversite çevrelerinden, aydın kesimlerden, akademisyenlerden arkadaşlarım, tanışlarım vardı. Demokrat kimlikli yazarlardan, aydınlardan, akademisyenlerden de yazı alacağımız, kafamızdaki siyasal oluşuma hem zemin hazırlayacak, hem de teorik organı olabilecek bir yayın planlıyorduk.

Aydın Engin, çıkardığı sendika dergileri ve yayın deneyimiyle bu işlerden anlıyordu. Babıâli piyasasını tanıyordu. Ama parti kurmaya hazırlanan bizim gruptan kimileri, Aydın Engin'den hiç hoşlanmıyorlardı. Aydın'ın sendika çalışmalarından kazanılmış işçi ilişkileri var, becerileri var, tiyatroculuk döneminden gelen bir çevresi var. O daha çok pratik adamıdır, iş çıkarmaya yatkındır, uzun teorik tartışmalar yerine kestirmeden iş yapmaya eğilimlidir. Bizimkiler için, dışarıdan gelen güvenilmez "öteki" konumunda. Bir de, işin gerçeğini itiraf etmek gerekirse, *Yeni Ortam*'da birlikte çalışırken, ondan gelen bir yakınlaşma eğilimi var; bundan huylanıyorlar. Yani Aydın, hem onların "devrimci" tipine uymuyor, hem klandan kız kaçırıyor!

Neyse işte, Aydın'dan hoşlanmasalar da yayın işleri için elleri mahkûm. Zaten sonrasında, parti kurulduktan sonra da yayın işlerinin hammaliyesi onun üzerine kaldı. Böylece biz dergiyi kotarmakla görevlendirildik. TİP'ten 1965'te milletvekili seçilmiş Yusuf Ziya Bahadınlı'nın Cağaloğlu'nda, Babıâli Yokuşu'nda küçük bir yayınevi var. Aydın'la Yusuf Ziya'ya gittik, dergi çıkarmak istediğimizi söyledik, üç ortak olarak bu işi yapalım dedik. Arkasında şu var bu var demiyoruz, zaten parti de daha kurulmamış. *İlke*'nin ilk sayısı Ocak 1974'te çıktı. Bu ilk sayıyı 5000 bastık, hemen tükendi, bir baskı daha yaptık. Derginin yeni baskılar yapması Türkiye'de görülmemiş bir şey; ama toplumun dinamik kesimleri, solcular, sosyalistler içten içe kaynıyor, yasaklar baskılar pek de para etmiyor. Üstelik sosyalist sol çizgide hiçbir legal yayın yok henüz. Dergi büyük bir boşluğu doldurdu.

İlke dergisinin yarattığı heyecan bizleri iyice kamçıladı, partiyi bir an önce kurmak istiyoruz. Ama sol hareketin 12 Mart öncesindeki bölünmüşlüğünün yeniden yaşanmasını da istemiyoruz; hiç değilse eski TİP kadrolarının, sosyalist devrimci prosovyet kanatların biraraya gelmelerini savunuyoruz. Bunun için de öncelikle TİP yönetiminin görüşünü, olurunu almak gerek. Bana, o sırada Adapazarı Cezaevi'nde tutuklu bulunan Behice Boran'la görüşme görevi verildi. Behice Hanım'la Yıldırım Bölge'de yatarken saygılı ve zaman zaman da yakın ilişki kurmuştuk. Kalktım, Adapazarı'na gittim.

MELEK – Ziyaret serbest miydi? Behice Hanım'ı görebiliyor muydun?

OYA – Evet, özellikle Behice Boran gibi tutuklular için belli esneklikler tanınıyordu. Güçlük çıkarmadılar görüşe. Birlikte Yıldırım Bölge Kadınlar Koğuşu'nda kalırken onun neleri sevdiğini öğrenmiştim; sevdiği meyvelerden götürdüğümü hatırlıyorum, bir de baklava ve biraz fındık fıstık. Şu insan hafızası ne tuhaf! En önemli şeyleri unutuyorsun da gereksiz ayrıntıları hatırlıyorsun... Yıldırım Bölge Kadınlar Koğuşu'nda tutukluyken, akşamüstü oldu mu ben oralet tozunu suyla ve limon kolonyasıyla karıştırarak hafif bir kokteyl hazırlardım, yanına da görüşmecilerin getirdiği fındık fıstıktan bulurdum, Behice Hanım'la içkilerimizi yudumlardık. O hem içer hem yüzünü buruştururdu. "Çıkınca Divan'da gerçek bir kokteyl içeceğiz," derdi özlemle.

Hatırlıyorum; Behice Hanım'la Adapazarı Hapishanesi'nde, beton zeminli, içinde tek bir eşyanın bulunmadığı büyük bir odada görüştük. Yanımıza gardiyan da vermediler, rahatça konuştuk. Odada oturacak bir tabure bile yok, Yıldırım Bölge'deki hapishane günlerinde olduğu gibi, ayakta volta atarak konuşuyoruz. Behice Hanım o sıralarda 65 yaşında, ben onun 65'inci yaş gününde "65 yaşında ve 27 yıla hükümlü" diye bir yazı yazmıştım *Yeni Ortam*'da. Böyle bir sempati, bir güven ilişkisi vardı aramızda. Behice Hanım'a yeni bir sosyalist parti hazırlığı içinde olduğumuzu, yeni partinin TİP'i de mutlaka kucaklaması gerektiğini anlattım. Bir tür icazet alıyorum, bir yandan da hareketi iyice bölmeyelim, diye düşünüyoruz. Bu olayın sonradan çok spekülasyonu yapıldı, çok şeyler söylendi. İşin aslı; Behice Boran, "Madem bir çalışmanız var, kurun partiyi ama ben bu insanlara hiç güvenmiyorum; sivil yönetime geçiyoruz, demokrasiye geçiyoruz derlerken ne kadar samimiler bilemiyorum; partiyi kurun, bu bir test olur," dedi.

MELEK – Bu insanlar derken kimlerden söz ediyor?

OYA – Herhalde CHP-MSP koalisyonundan. Behice Hanım aslında o ortamda sosyalist bir partinin kurulabileceğini düşünmüyordu. Bunda içeride olmasının da payı vardı, içerideyken her şey olduğundan daha karanlık görünür, insan daha kuşkucu olur. Biraz da bu yüzden sanırım, parti için henüz erken, ben hemen kurulmasını doğru bulmuyorum demek yerine, kurabilirseniz kurun, bir test olur, dedi.

Behice Hanım'dan açık tepki gelmeyince, bunu icazet saydık

ve işi hızlandırdık. Bir yandan da tutuklu olmayan TİP'lilerle görüşülüyordu. Onlar ortak bir partiye yatkın değillerdi, TİP'in yeniden kurulabileceği koşullar gerçekleşene kadar beklemekten yanaydılar. Biz ise acilcilik yapıyoruz, momenti yakaladığımızı düşünüyoruz, ortalık fazla karışmadan işi bitirmekten yanayız. Cağaloğlu'nda Tan Apartmanı'nda bir daire tuttuk, kirasını masrafını kendimiz denkleştiriyoruz. Zaten elimizde hâlâ iyi satan ve önemsenen *İlke* dergisi var, bir de parti yayını olarak *Kitle*'yi çıkarmaya hazırlanıyoruz. O sıralarda üniversite gençliği de yeniden hareketleniyor, kapatılan derneklerin yerine Yüksek Öğrenim Dernekleri kurulmuş. O gençler dergiye, gazeteye gelip gidiyorlar. İlk iş olarak arşiv kuruyoruz. Her gün bütün gazeteler geliyor; bizim gençler, özellikle de gencecik iki tıp öğrencisi Nilgün (Doğançay) ile Meral, İffet, Kıbrıslı Fuat Fegan'ın kardeşi Emel, daha birkaç genç, benim yönlendirmemle gazeteleri kesiyor, kupürleri arşivliyorlar. Arşivi olan, ilimi bilimi olan ciddi bir örgütlenme peşindeyiz. Ötekiler; Yalçın, Çağatay, illegalite nedeniyle son ana kadar ortalara çıkmayan ama varlığı bilinen Filistin kamplarından geçmiş İbrahim Seven, onun takımından, benim o zamanlar pek tanımadığım, illegal havalar basan, Dr. Hikmet Kıvılcımlı çevresinden olduğunu öğrendiğim birileri örgütlenme çalışmaları sürdürüyorlar. İşin bu tarafını ben pek kurcalamıyorum. Tan Apartmanı'na bir sürü insan gelip gidiyor, onları daha çok yayınlar çevresinde örgütlemeye çalışıyoruz. Sonradan çeşitli çevrelerde ünlenen aydın kesimlerden genç insanlar var. Ali Kırca'yı hatırlıyorum mesela: Sarp Kuray takımından, 12 Mart'tan sonra ordudan atılan genç subay adaylarından, kızıl sarı saçlı bir genç. Yalçın Yusufoğlu onu *Kitle* yazı kuruluna sokmaya çalışıyor. Ama Ali çok kalmadı, çabuk kaçtı. Füsun Erbulak, bir ara sinemada ün yapan Semra Özdamar da ara sıra uğrayanlardandı. Füsun Erbulak uzunca bir zaman partide kaldı, özellikle kuruluş döneminde kendi çevresinden bağış toplamak gibi işlerde fedakârca çalıştı. Şöyle bir gelip sonra gizlilik havalarında ortadan yok olan Kıvılcımcıların ağır toplarını, Mahir hareketinin gençlerini hatırlıyorum.

Parti kurulacak ya, bize bir başkan lazım. Türkiye karizmatik başkanlara alışmış, hiç değilse adı bilinen, şöyle oturaklı biri olmalı. Aramızda böylesi yok. En tanınmışı, *Yeni Ortam* yazıları yüzünden benim. Ama kadrolar üzerinde hiçbir politik ağırlığım yok, eninde sonunda TİP kökenli bir aydınım işte. Üstelik kadınım, üstelik hiç hevesli değilim bu işe, beceremeyeceğim bir şey.

En önemlisi de kurulacak partinin "derinleri", Kıvılcımcı hareketten gelenler, devrimcilik dedin mi mutlaka illegal olacaksın, silahı külahı da boşlamayacaksın ezberinde olanlar beni hiç iplemiyorlar, hatta benden işkilleniyorlar. Başkan kimi yaparız diye kara kara düşünürken YalçınYusufoğlu eski TKP geleneğine bağlanmamızı sağlayacak bir başkan adayı buldu: Ziya Oykut adlı bir doktor. O sırada Sağmalcılar Cezaevi'nde hekimlik yapıyor.

Adamı daha ilk gördüğümde gözüm tutmamıştı. Benim tuhaf bir sezgim vardır; hayatta ne zekâma ne belleğime ne bilgime güvenirim, ama bu sezgime güvenirim, beni yanıltmamıştır.

Aydın'ın yakın arkadaşı, sendika dergilerini birlikte çıkardıkları, daha sonra da İSTA Haber Ajansı'nda ortağı olan Osman Arolat o sırada *Ant* dergisi yazıişleri müdürlüğünden kesin hüküm giymiş, Sağmalcılar'da yatıyor. Çetin Altan da Sağmalcılar'da o günlerde. Aydın, Osman'ı ziyarete bir gidişinde, parti çalışmalarından söz ediyor, başkan olarak Dr. Ziya'nın düşünüldüğünü söylüyor. Birkaç hafta sonra Aydın yeniden görüşe gittiğinde, Osman, Dr. Ziya'nın sağlam ayakkabı olmadığını, topladığı bilgilere göre adamın şaibeli olduğunu bildiriyor Aydın'a. Tutuklularla parasal ilişkilere girdiği, daha önce çalıştığı Adana'da da benzer maceraları olduğu söyleniyor. Bu bilgiyi Aydın bana fısıldadı. Ama bizimkilere söylemek zor, Aydın'ı zaten sevmiyorlar, Osman'a da öyle fazla bir güvenleri yok. Yine de Yalçın'a ilettim bilgileri. Kızdı, beni onun bunun sözüne kanıp eski bir komüniste, pırıl pırıl bir adama atılan iftiralara inanmakla suçladı. Uzatmayayım, sonraki günlerde partinin kurulmasının eli kulağındayken bu doktor, bizim anamızın kefen parasından, zengin arkadaşlarımızdan, kendi küçük maaşlarımızdan partinin kurulması, dergilerin çıkarılması için toplayıp biriktirdiğimiz paraların bir bölümünü de alıp sırra kadem bastı. Yalçın, "Çok fazla kaptırmadık, sadece *Kitle* gazetesi için topladığımız paraları parti adına gazetenin sahibi olacağı için ona vermiştik, şöyle 500 lira kadar kesip geri verdi," diyor. Ben daha fazlasını kaptırdık diye hatırlıyorum.

Sadece Türkiye'yi değil dünyayı değiştirecek bir parti kurma iddiasında olan şu bizlerin saflığına bak sen!

Parti başkansız kalınca kendi aramızdan birini bulmak gerekti. O zamanki tabirimizle söyleyecek olursam, eli yüzü düzgün, giyimi kuşamı yerinde, biraz dil bilen, "prezentabl" bir başkan arıyorduk. Maocu hareketten kopup Ankara'da bizim gruba katılan Ahmet Kaçmaz tarife uygundu, onu başkan yapmaya karar verdik.

MELEK – Öteki adam paraları aldı kaçtı haa? Parti parasıyla kaçan başkan adayı hiç duymamıştım.

OYA – Evet, adam bir miktar parayı alıp kaçtı. Neyse *Kitle*'yi çıkarabildik, 1974 Haziranı'nda da partiyi kurduk.

Birimiz "Tamam" derken birimiz boylu boyunca dalıyor

Böylece, senin örgütten kopup hareketi sorguladığın 1974'te ve sonrasında, ben boylu boyunca sol siyasete daldım.

Türkiye Sosyalist İşçi Partisi'nin (TSİP) kuruluş çalışmaları ilerliyor. Bir yandan *Yeni Ortam*'da militanca yazılar yazıyorum, bir parti kurulması gereğinden söz ediyor, TSİP'in gerekçesini ve tabanını hazırlıyorum, bir yandan kuruluş için gecemi gündüzüme katmış çalışıyorum.

1974 Haziranı'nda, 15-16 Haziran işçi direnişine bir selam gönderip TSİP'i resmen kurduk. Ankara'ya gidip İçişleri Bakanlığı'na dilekçe verenler arasında ben de vardım. TSİP 12 Mart sonrasında kurulan ilk sosyalist partiydi, ama tek kalmadı, ardından TİP geldi, sonra da diğerleri. 12 Mart öncesindeki bütün fraksiyorlar şimdi partileşiyorlardı. Hani tarihten, deneyimden öğrenmek deriz ya, yok böyle bir şey; kolay kolay öğrenilmiyor. Aslında aralarında ideolojik, programatik fark olmayan TİP kadrolarıyla TSİP kadroları bile birleşemedi. O günlerde her iki taraf da bir sürü bahane, ideolojik-siyasal kılıf buluyordu bu ayrılığa; ama bugünden bakınca asıl nedenin insani zaaflar, eski kişisel hesaplar, güvensizlikler olduğunu apaçık görüyorum. Bir iki yıla kalmadı, sosyalist sol yine bölük pörçük hale geldi.

MELEK – TSİP nasıl bir partiydi, yani neydi amacınız?

OYA – Amaç tabii ki işçi sınıfı öncülüğünde sosyalist devrim. Allende'nin çok kısa süren Şili deneyiminin kanlı yenilgisinden sonra bile umudumuzu, inancımızı yitirmemiştik. Öte yandan o yıllar Sovyetler'in güdümündeki sosyalist sistemin parlak dönemiydi, Soğuk Savaş yerine iki sistemin yan yana var olabileceğinin (*coexistence*) teorisinin ortaya çıktığı yıllar. Tabii ki kapitalizmle sosyalizm arasında bir yakınlaşmadan (*convergence*) söz edilmiyordu, ama yine de üçüncü dünya savaşı tehdidini yumuşatmaya yönelik bir adımdı. Sonraki yıllarda da Portekiz'de, İspanya'da faşist diktatörlükler yıkılacak, Vietnam Savaşı zaferle sona erecek, bir gevşeme ve umut dönemi açılacaktı. TSİP deneyimini uzun uzun anlatmaya gerek yok burada. Bizim, özellikle de benim psikolojimi yansıtmak açısından birkaç fırça darbesiyle aktaracak olursam, önce tümüyle "iradeci" (*volontarist*) bir yapılanma olduğunu anlıyorum şimdi. Türkiye'de sosyalist adı altında, SBKP'nin ve sosyalist sistemin tanıdığı legal bir komünist partisi inşasına çalışıyorduk. Pek başarısız da sayılmazdık. 1974'teki kuruluşundan 1979'a kadar TSİP epeyce varlık gösterdi. 12 Eylül'e gelindiğinde de kadrolarını en iyi koruyan sol yapılardan biri oldu.

MELEK – Sizin Ankara grubundan kimler vardı partide?

OYA – Ankara grubu da bölünmüştü. Orhan Silier mesela, onunla birlikte o sırada Orhan'la evlenmiş olan Oya Köymen 1975'te kurulan ikinci TİP'e katıldılar. TSİP yönetiminde, Ankara grubundan Ahmet Kaçmaz, Yalçın Yusufoğlu, Çağatay Anadol, ben vardık. Ben 5 kişilik başkanlık kurulundaydım, yani politbüroda. Ama Tan Apartmanı'nın zemin katındaki parti merkezinin tuvaletlerini temizlemek de bende, çünkü yapmasan kimse yapmaz; gelen mektupları, muhaberatı düzenlemek de bende; teorik dergimiz *İlke*'ye, haftalık *Kitle*'ye yazı yazmak da bende. Yani hamaliyeyi yüklenmiştim büyük çapta.

MELEK – Tek kadın sen misin?

OYA – TSİP'te epeyce kadın vardı; ama merkezde yönetici konumda tek kadın bendim. Yönetimdeydim ama, "derin parti"den haberim olmadığını bir süre sonra anladım.

MELEK – Derin parti de ne demek? Yani derin devlet gibi derin parti mi var?

OYA – Meğer varmış. Bir gün, galiba *İlke-Kitle* yayın kurulları toplantısındaydık, yönetici konumda kim varsa orada; geniş bir toplantı. Masanın üzerinde pelür kâğıdına basılmış bir bildiri dolaşıyor. TKP'nin (Türkiye Komünist Partisi) yeniden organize edilmesi gerektiği, Sovyetler'in tanıdığı TKP'nin mevcut haliyle proletarya partisi olamadığı ifade ediliyor. Sıkı devrimci bir üslup. Altında da imza yerine TKP-R, yani TKP-Reorganizasyon yazılı. Okudum ve her zamanki saflığımla ilk tepkim, "Bu bir polis provokasyonu," oldu. O gün üstünde fazla durulmadı hatırladığım kadarıyla. Zaten geniş bir toplantıydı. Sonra anlaşıldı ki, TKP-R, bizim TSİP'in illegal çekirdeği. Yani sıkı partililerin yer aldığı gizli yapı.

Meğer İbrahim Seven ve takımının önerisi ve bastırmasıyla böyle bir "derin" örgütlenme oluşturulmuş. Bu İbo Sevenler takımı partinin devrimci proleter kanadı olarak görülürdü. Filistin'den geçmişler, silah külah işlerinden anlıyorlar. Tamam, bizler silahlı mücadeleyi benimsemiyoruz; yine de bu silah meselesi ile illegalite, konspiratif çalışma gibi kavramlar o zamanlar devrimcilikle özdeş sayılıyor solda. Aydın kesimden gelenler, özellikle de Ahmet Kaçmaz, o sıralarda yaygın olan işçi yüceltmesi, proletarya yüceltmesi olarak özetleyebileceğim bir aydın kompleksiyle bu takımın ağzının içine bakarlardı, gerçek devrimciliği onların temsil ettiğine inanırlardı. Partinin başkanı olan Ahmet Kaçmaz'ın, TKP-R'nin de başı olmayı kabullenmesinin temelinde bence bu bakışın etkisi vardı.

Anladım ki ben hariç yönetici konumdakilerin tümü bu örgütlenmeye dahil, en azından haberdarlar. O sırada Yalçın Yusufoğlu hapiste. *Kitle* dergisinin sorumlu yazıişleri müdürü olarak bir yazıdan dolayı tutuklanmıştı. Sonraları konuştuğumuzda, TKP-R yapılanmasının kendisinin de içine sinmediğini, hapiste olmayı nimet saydığını söylemişti; ama başta o da olayın içinde. Tepki vereceğimi tahmin ettikleri, bir de İbo Seven takımının bana güveni olmadığı, beni legalist ve pasifist saydıkları için baypas edilmişim anlaşılan. O toplantıda TKP-R bildirisini önüme atarak tepkimi ölçmek istediler. "Aaa, pek doğru" desem, ben de kabul edileceğim herhalde. Bense hiç düşünmeden "polis provokasyonu bu" tepkisi verince, sorun doğdu.

İşin esprisi: Kendi aramızda bu illegal yapılanmaya "kıyak parti" derdik, TSİP'te biraraya gelen, kendi iç disiplinlerini bir ölçüde koruyan çeşitli grupların, mesela Doktorcuların, THKP-C kökenli gençlerin falan dışında kalan, bağımsız, sade partililere de "keriz TSİP'li" denirdi. Ben hem politbüro üyesiyim, hem de keriz TSİP'liyim.

MELEK – Peki sen karşı mısın parti içinde böyle bir oluşuma?

OYA – Evet, karşıyım. "Biz legal bir partiyiz, kendimizi illegal TKP yerine koyamayız, illegalde bir paralel örgütlenme kuramayız," diyorum. Leninist "tek ülke, tek sınıf, tek parti" ilkesine bağlıyım. Zayıf da olsa, hataları da olsa bir ülkede tek bir komünist partisi olması gerektiğini düşünüyorum. Türkiye gibi, solun üstündeki baskıların çok ağır olduğu, komünizmin milli güvenlik belgesinde bile bir numaralı düşman ilan edildiği bir ülkede kadroların korunması, gerektiğinde kaçırılması, yeraltına çekilebilmesi için önlemler alınması gerektiğinin bilincindeyim. Ama legal parti görünümü altında, gereğinde silahlı mücadele verebilecek bir yeraltı örgütü kurma fikri beni aşıyor. THKP-C, sizin TİİKP, ondan türeyenen TİKKO, vb. dahil, 12 Mart sürecindeki benzer yapıların yanlışlığı, başarısızlığı, yenilgisi yaşanarak kanıtlanmışken benzeri yollar denemenin provokasyondan başka işe yaramayacağını söylüyorum. Eski arkadaşlarımla, şimdi otuz beş yıl sonra konuştuğumuzda, sen haklıydın, diyor çoğu; ama o zaman itiraz edince, illegaliteden korkan, pasifist, parlamentarist küçük burjuva aydını konumuna düşüyorsun. Öte yandan, şimdi baktığımda, illegalite arayışının Türkiye'de demokratik özgürlüklerin, düşünce ve örgütlenme özgürlüğünün çok kısıtlı olmasından, örgütün her an bir darbe ile çökertilebileceği korkusundan kaynaklandığını da anlayabiliyorum.

Aslında, TKP-R, yani "Türkiye Komünist Partisi-Reorganizasyon" bildirisini görünce beni asıl irkilten; merkezi yurtdışında olan illegal TKP'ye rakip bir yapılanma fikriydi. TSİP'in önde gelen kadrolarının çoğunda, adı sadece komünist dünyanın kara kitabında yazılı TKP'nin yerine gerçek bir Türkiye Komünist Partisi kurmak vardı. Bizimkilerin TKP-R'si de buna doğru bir adımdı.

TKP çekim merkezi oluyor

1973 ortalarından itibaren, o zamana kadar Bizim Radyo yayınları dışında sesi duyulmayan, kökü dışarıda suçlamasını haklı çıkaran, gücü, kadrosu yok denecek kadar az olan TKP de yavaş yavaş Türkiye'de örgütlenmeye başlamıştı. Küçük broşür boyutundaki aylık *Atılım* dergisi illegal olarak dağıtılıyordu. Bu silkinmede, 12 Mart'tan sonra çoğu yurtdışına çıkmış Partizan ekibinin payı vardı. Sen TİP'i bilmediğin için bir şey ifade etmeyebilir. Partizan ekibi TİP Eminönü ilçesindeki, bazıları benim Sosyoloji'den öğrencim olan genç ve aktif kadrolardan oluşuyordu. Liderleri Sosyoloji öğrencisi ve eski FKF Başkanı Veysi Sarısözen'di. Nabi Yağcı (sonraları TKP Genel Sekreteri Haydar Kutlu), Ertan Uyar, Toygun Eraslan, Sıtkı Coşkun, Cihan Şenoğuz, Güray Tekin Öz, Şerif Yıldız hep bu ekiptendi. 1970'e doğru, bunlar TİP'le son bağlarını koparak Partizan ekibini kurmuşlar, fabrikalarda, işçi semtlerinde çalışmalar yapıyorlar, *Partizan* dergisi yanında büyük işyerlerinde işyeri yayınları da çıkarıyorlardı. Türkiye'yi bilen, İstanbul işçi hareketi içinde çalışmış, fabrika bağları olan, iyi kötü yayın deneyimine sahip bu ekip, TKP'nin sonraki yıllarda gösterdiği önemli gelişmenin taşıyıcılarından biri oldu. Bunların çoğuyla, 71 öncesinde gerek TİP Eminönü ilçesinden, gerekse asistan-öğrenci ilişkisi içinde üniversiteden tanışıyordum. Bazıları yakın arkadaşımdı.

TKP'nin Türkiye'den gelenlerle aldığı taze kana; DİSK, özellikle de Maden-İş Sendikası'nda güç kazanması, fabrikalara, işyerlerine, işçi semtlerine ayak atması da eklenince, varlığı görünür hale geldi. TKP illegal bir parti; illegalite bizim kuşak solcularına hep çekici gelmiştir. Devletten bağımsızlaşma, devletin takibinden bağımız siyaset yapabilme gibi anlaşılmıştır. Biraz da öyledir gerçekten. Tabii bunları 2010'un teknolojik olanaklarının hayal bile edilemeyeceği bir dönem için söylüyorum, 2000'lerin iletişim teknolojisini düşünecek olursak, bizim o zamanlar "konspiratif" dediğimiz gizlilik koşullarında çalışma yöntemlerimiz pek ilkel, pek çocukça kalıyor. TKP, aynı zamanda enternasyonal hareketin, SBKP'nin resmen tanıdığı komünist partisi.

O günlerde TKP'nin sloganı ve gösterdiği hedef "toplumsal ilerleme"ydi. Bu yüzden TKP sempatizanlarına "ilerlemeciler" denmeye başlamıştı. Hani eskiden tıklım tıklım dolu otobüslerde biletçi sürekli olarak "İlerleyelim beyler!" diye bağırırdı ya. 1975, hele de 76'dan sonra sol harekette pek çok kişi "ilerlediği" için "İlerleyelim beyler!" sözü çok popüler olmuştu. TKP-R'i kuran bizim TSİP'lilerin telaşı, meydanı TKP'ye bırakmamak için olmalıydı.

Derin TSİP'i öğrenince benim çok canım sıkıldı, kendimi arkadaşlarım tarafından kandırılmış hissettim, bana yeterince güvenilmediği duygusuna kapıldım. O sırada hepimiz için enternasyonalist hareketin parçası olmak çok önemliydi. Enternasyonalizmi

SBKP ve Sovyetler temsil ediyordu; TKP ise bütün yetersizliğine rağmen resmen tanınmış olan partiydi. Sovyet ya da Bulgar basın veya kültür ataşeleri aracılığıyla kurmaya çalıştığımız ilişkilerde, en iyi komünistlerin ve enternasyonalistlerin, en sadık prosovyet unsurların bizler olduğumuzu ne kadar anlatmaya, ispat etmeye çalışsak da, kara kitaptan birini silip yerine ötekini geçirmek kolay değildi öyle. Yani TKP-R olanaksızdı, bunu da açıkça görüyordum. "Ben bu işte yokum," dedim. TSİP'in el üstünde tutulan, bir de epeyce işe yarayan kişilerinden biriyken birden gözden düştüm. Sıkı partili tabandan açıkça veya alçak sesle, "tasfiyeci, küçük burjuva, parlamentarist" diyenler oldu. Yönetimdeki arkadaşlarımla da ilişkilerimiz soğudu, uzaklaştık. Ama birbirimizin yüzüne bakamayacak noktalara hiç gelmedik. Yıllar sonra, bugün de dostluklarımız devam ediyor. Bazen o günleri konuşuyoruz, itiraflarda bulunuyoruz birbirimize ve çok eğleniyoruz.

MELEK – Ayrıldın mı TSİP'ten?

OYA – Bir süre sonra ayrıldım; daha doğrusu Aydın Engin, Zülfü Dicleli, karısı Bilge, TSİP'in gençlik örgütünden birkaç genç arkadaş ayrıldık önce. Bir süre sonra kopmalar hızlandı, "ilerleyenler" çoğaldı. Kısa bir süre TSİP'te örgütte ağırlık kazanmayı denedik, yani hemen havlu atmadık. Mesela merkezdekilerin önem verdikleri, yönetimde de önemli bir yere sahip Zülfü Dicleli ile birlikte, İstanbul ilini bize verin pazarlığı yaptık. Burada belli bir etkimiz, saygınlığımız vardı. Ama vermediler tabii, delegeler merkeze yakın olanlardan ayarlandı. Daha önce de söylemiştim has TSİP'lilerin Aydın Engin'den hazzetmediklerini ya. Mesela Aydın hiçbir zaman yedek üyelikten asil üyeliğe terfi ettirilmedi, asil üyelik için aynı ilçede altı aydan fazla çalışmış olmak gerekiyordu tüzüğe göre, Aydın altı ayı dolmadan bir başka ilçeye tayin ediliyordu. Bu yüzden il kongrelerinde falan delege de olamadı. Bunları şundan anlatıyorum: Bütün sosyalist/komünist partilerde Leninist parti modeli geçerlidir, daha doğrusu o modele öykünülür. Devrimin hemen öncesi ve devrim anının gereği olan savaş örgütü modeli normal bir burjuva toplum düzeninde, görece demokratik bir ortamda da geçerli sayılır. Leninist parti modelinin en temelinde "çelik çekirdek" mantığı vardır. Çelik çekirdek; en cesur, en fedakâr, en deneyimli, en donanımlı komünistlerden oluşan, böyle olduğu farz edilen, bir bölümü illegalde çalışan dar bir kadroya verilen addır. Yine Leninist parti ilkelerinden olan demokratik merkeziyetçiliğin demokratikliğinin sözde kalması, sıkı merkeziyetçiliğin parti içi demokrasiyi yok etmesi hep bu çelik çekirdek efsanesi veya tabusuna dayanılarak gerçekleştirilir. Gizlilik bu yarayı daha da derinleştirir. Kimler çelik çekirdeğe dahildir, onları oraya kim getirmiş, kim seçmiştir, bu sorular sorulamaz bile. Bizim Leninist modele özenen, öyle olmakla övünen partilerimizde çelik çekirdekler çoğunlukla teneke çekirdeklerdir aslında. Bu yüzden de işler büsbütün sarpa sarar; parti ağaları, küçük despotlar türer. Bulundukları küçük iktidar konumundan yararlanıp "parti benim" diyerek eşitlerini ezmeye başlarlar. Komünist hareketin tarihi bu durumun trajik örnekleriyle doludur. Bizde de heveslisi çoktu, benzer yapılarda hâlâ da var.

MELEK – Seni ilgi ve biraz da hayretle dinliyorum. Niye hayret dersen, o yıllarda ben yurtdışındayken, Avrupa'da SBKP'nin örgütlenme biçimi, parti içi demokrasinin olmayışı, Stalinist parti modeli vb. konular özellikle İtalyan Komünist Partisi gibi geniş kitle tabanı olan partilerde şiddetle eleştiriliyordu. Bu tartışmalar sol içinde ayrılmalara neden oldu. Bunda Maocu hareketlerin, ÇKP yanlısı örgütlerin de payı vardı kuşkusuz. Ama SBKP'de işlerin yürümediği belliydi. Sizler ise bu durumda SBKP'ye bağlı bir hareket kurma hevesi içindesiniz, üstelik de yapılan yanlışlıkların farkındasınız: Bunu nasıl açıklıyorsun?

OYA – Yapılan yanlışlıkların ne kadar farkındaydık, ben ne kadar farkındaydım? Stalinizmi eleştirmekle birlikte, "o dönemde, o koşullarda zorunluydu" bakışı geçerliydi sanırım. Ben kendi hesabıma Stalinizmi baştan beri reddetmiştim; siyasal etik, sosyalizmin özü, vb. gibi nedenler bir yana, benim yapıma da uygun değildi; ama aşıldığını düşünüyordum. Çelik çekirdeklerin, çeliklikleri kendinden menkul teneke çekirdekler olduğunu ise epeyce sonra kavradım. Ayrıca, burada düzeltme yapmam gerekiyor, SBKP'ye bağlı bir hareket değildi amacımız, enternasyonalist bütünlüğe bağlanmaya çabalıyorduk. "Enternasyonalizm" büyülü, sihirli sözcüktü.

Neyse işte, derin ideolojik ayrılıklardan çok, büyük ölçüde bu türlü huzursuzluklar, güven aşınması, SBKP tarafından kardeş parti olarak tanınmak için TKP ile yarışılması gibi nedenlerle TSİP'ten ayrıldım. Şimdi düşününce, beni en fazla rahatsız eden şeyin şeffaflık eksikliği, yönetim ve üyelerle ilgili çeşitli hesaplar, "parti benim" diyen kimilerinin demokratik merkeziyetçiliğin "demokratik"liğini hiçe saymaları, legal bir partide atılan illegal havalar olduğunu düşünüyorum. Sonraları, siyasal partiler üzerinde düşünürken bunların burjuva partilerinde de benzer biçimde tekrarlandığını fark ettim. Sadece Leninist veya sosyalist partilerde değil, siyasal örgütlenmelerin tümünde var olan şeflik, önderlik, biat kültürü, eleştirinin, sorgulamanın partiyi yıpratmak, hatta münkirlik sayılması...

MELEK – Beni yıldıran da buna benzer nedenlerdi; güven aşınması yaratan, parti uğruna bireyi harcayan anlayış. Bunlar o zaman tüm örgütlerde değişik oranlarda ve biçimlerde vardı. TSİP'ten ayrıldıktan sonra katıldığın TKP farklı mıydı?

OYA – Benimki tam yağmurdan kaçıp doluya tutulmak oldu. Haklısın, hem iktidarı almaya talip hem de kendi içinde iktidar kavgaları olan siyasal örgütlenmelerin yapıma uygun olmadığını bütün o deneyimleri yaşadıktan sonra, çok geç anladım diyelim istersen. Açık konuşmak gerekirse TKP'ye katılırken, orada da benzer bir yapı olduğunun farkındaydım. Partinin tarihiyle ilgili bazı yayınları, belgeleri okuyunca, irkilmiştim. Nasıl bir düzeysizlik, nasıl birbirinin ayağını kaydırma, Büyük Ağabey'e, yani SBKP'ye gammazlama, belden aşağı vurma... Bunu, topraklarından ve hayatın gerçeklerinden kopmuş bir avuç insanın giderek artan ruhsal bunalım ve hastalıklılık haline vermiştim. O yıllarda aldığı taze kanla atılıma geçmiş olan Parti'de daha iyi bir işleyiş olacağını düşünüyordum. İllegal hareketlerin, o türden partilerin yapısı, melekten şeytan yaratmaya elverişlidir. İnsanın içindeki kötülük tohumları iktidar mücadelesi içinde ve gizlilik koşullarında daha kolay filizlenir ve boy atar. Hepimiz, sen de, ben de kendi deneyimlerimizden biliriz: Belirli, dar bir ortamda, hele de düşmanla çevrelendiğin duygusu içindeysen içinde yaşadığın ortamın parçası olursun ve her şeyi orada edindiğin gözlükle görmeye başlarsın. Bu durum insan ilişkilerini, davranış normlarını, etik endişesini etkiler, aşındırır. İktidar konumundaysan, daha da beter. Siyasal iktidar insanı bozulmaya daha açık hale getiriyor. Kitle denetiminin ve muhalefetin olmadığı ya da çok zayıf olduğu illegal yapılarda bozulma kaçınılmazdır. Tek tek çok iyi, ahlaklı, fedakâr olan insanlar, siyasete daldıklarında, bir siyasal yapılanma içinde yer aldıklarında, hele bu illegal bir yapıysa, bir süre sonra çarkların dişlileri arasında öğütülüyorlar, yapının şeklini alıyorlar. Üstelik de bu makbul bir durum sayılıyor.

MELEK – Tam da bu nedenle ben asıl sorunun "iktidar" olduğunu, örgüt ilişkilerinden başlayıp özel ilişkilere, kadın erkek ilişkilerine kadar varan yaşamın her alanında "iktidar"ın sorgulanması gerektiğini söylüyorum. Açıklık ve saydamlık bu nedenle çok önemli. Ben kendi deneyimlerimden sonra bu noktaya geldim ve bugüne değin yaşadıklarım bu konudaki görüşlerimi perçinledi diyebilirim.

OYA – İktidar konusunda tümüyle katılıyorum. İktidar bozar. Bu bahisler böyle üç beş cümlelik değil; becerebilsem sırf bu konuda birşeyler yazmak isterdim. Hikâyemize dönecek olursam, TSİP'ten ayrıldık, TKP'nin gelip bizi bulmasını bekliyoruz artık. Haber uçurduğumuz ulağımız, TKP'li yakın arkadaşımız Toros Tekeli. İllegal yapı ya! Öyle ben üye olmak istiyorum diye kendiliğinden gidemezsin. Birinin gelip seni bulmasını beklersin. Eskiler, gizemli bir ifadeyle, "O, bir yerde bir postacıdır, bir yerde manavdır, bir yerde ustabaşıdır" diye tarif ederlerdi gizli TKP üyesi komünisti. İşte bizler de haberi uçuracaklarını tahmin ettiğimiz kişilere işaret çakıp postacıyı bekliyoruz. Dolaylı temaslar, karşılıklı gülücükler 76 başlarına kadar sürdü. Vuslat galiba 76 baharında gerçekleşti. O sırada ben İSTA'da çalışmaya başlamıştım.

MELEK – İSTA neydi?

OYA – Aydın'la Osman Arolat'ın kurdukları haber ajansı. Ankara'da ANKA ajansı vardı ya, bilirsin; hâlâ da var galiba. Resmî Anadolu Ajansı ve Türk Haberler Ajansı dışında, gazetelere servis yapan ilk özel ve bağımız haber ajansıydı ANKA. İSTA'yı da (İstanbul Haber Ajansı) Aydın'la Osman (Arolat), 1974'te kurmuşlardı. Bazı gazetelere, sendikalara, meslek kuruluşlarına haber servisi yapıyorlardı. İSTA'dan kimler kimler geçti. 90 sonrasında basında isim yapmış pek çok kişi İSTA'da boğazı tokluğuna çalışarak başlamıştır gazeteciliğe.

Ben *Yeni Ortam*'da Ecevit'in Kıbrıs harekâtına karşı yazılar yazıyordum. 24 Nisan'daki ilk müdahalenin, Türkiye'nin garantör devlet hakları çerçevesinde faşist Samson darbesine karşı Kıbrıslı

Türklerin can güvenliğini ve haklarını korumak için yapılmış olmak gibi bir meşruiyeti vardı. Gerçekten de hem Samson hem de destek aldığı faşist Yunan cuntası bu müdahale sonucunda devrildi. Yani "Barış Harekâtı" bu aşamada işe yaramıştı. Ama ardından ikinci harekât ve Türk Ordusu'nun kuzeyi işgali geldi. Yazılarımda bu ikinci harekâta karşı çıktım, Türkiye'nin işgalci konuma düşeceğini, Kıbrıs'ın başımıza eskisinden büyük bela olacağını, Kıbrıs'ın bütünlüğü ve bağımızlığının korunması gerektiğini yazmaya başladım. Birkaç ay sonra da Kemal Bisalman beni gazeteden şutladı. Artık kendisi mi korkmuştu, biryerlerden uyarı mı gelmişti, bilemem. İkinci ihtimal daha güçlü, çünkü hem gazetenin temel direklerindendim hem de çok işine yarayan biriydim.

İşsiz kalınca ben de İSTA'da çalışmaya başladım. O zamanlar daha TSİP'liyim, partide çalışmak zaten bütün zamanımı alıyor; ajans partiye de servis yapıyor, TSİP'in basınla ilişkilerini düzenliyoruz, basında TSİP haberlerinin çıkmasını sağlamaya çalışıyoruz.

Neyse, sonunda beklenen haber geldi, TKP'ye üyeliğe layık görülmüştük. "Tüzüğü, programı benimsiyorum, Parti'ye kabulümü rica ediyorum" gibisinden bir başvuru dilekçesi yazmamız istendi. Hiç unutmuyorum, bir gün Cağaloğlu'ndaki İSTA'dan çıkmışız Aydın'la birlikte, Gülhane Parkı'nda volta atarak tartışıyoruz. TKP'ye giriş dilekçesini konuşuyoruz. O sırada bunun hayatımızda çok önemli bir dönüm noktası olacağını düşünüyoruz. Bir ara Aydın, "Tamam ama benim içim rahat değil; ben bu programa, bu tüzüğe katılmıyorum, partiye yalan söyleyerek girmek olur mu?" diye kuşkusunu, tedirginliğini dile getirdi. Benim cevabım ne? "Aldırma, kim tüzüğü programı bütünüyle benimseyip giriyor ki! Girer, içinden düzeltirsin." Tam oportünist bir tutum benimki; ama o sıralarda benim için en önemli kavramlardan biri enternasyonalizm; TKP de, 1920'lerden beri süren enternasyonalist geleneğin bir parçası. Şimdi düşünüyorum da, sadece bu muydu beni TKP'ye çeken? Hareketin hızlı yükselişi, özellikle işçi sınıfı ve sendikalarda kazandığı güç, "işçiden, işçiden yana esiyor yel" diye türküler söylediğimiz bir dönemde, benim üzerimde de etkili olmuştu herhalde. Mesela sana şunu söyleyim de psikolojik durumumu daha iyi anla.

Yakında bizimle temas kurulacağı ve partiye üye olacağımız haberinin geldiği günlerde Aydın'la benim hakkımda, kim olduklarını hâlâ bilmediğim bir TKP'li odak tarafından hazırlanmış aşağılamalarla dolu bir metin dolaşıma sokulmuştu. Orada Parti'nin güvenilmez unsurlarla doldurulması eleştiriliyor, "köçekler, oyuncular, hafifmeşrep kişilerin üye yapılması"na karşı merkez uyarılıyordu. Köçek, oyuncu falan dedikleri Aydın; hafifmeşrep olan da ben. Aslında daha da ağır bir niteleme vardı benim için. Fahişe değil ama benzer bir sözcük, şimdi hatırlamıyorum. Böyle bir sekterlik, saldırganlık, böyle aşağılık bir üslup... Ama biz komünizme, enternasyonalizme, devrime öylesine gönül vermişiz ki küfür de yesek sineye çekiyoruz. Arkadaşımız eski TKP'li Toros da, "Hızlı bir büyüme aşamasına geçildi, bunu hazmedemeyen, küçük olsun benim olsun diyen eski kadrolar var," diyerek aldırmamamızı söylüyor. Her neyse işte, böyle azimle TKP'li olduk.

MELEK – TKP illegal bir parti, bir de üstelik merkezi yurtdışında, hakkınızda bu tür olumsuz yorumlar da yapılıyor ve siz yine de bu partiye giriyorsunuz? Nasıl bir iştir bu, diye sorguluyorum doğrusu? İşler nasıl yürüyordu, çalışma biçimi nasıldı, kimlere bağlıydınız mesela?

OYA – Kızdırma beni şimdi! "Devrimin ve sosyalizmin yüce çıkarları için" sen yaşamadın mı sanki benzer şeyler!

Neler yaptığımıza, çalışma biçimine gelince; illegal çalışmanın insanı cezbeden bir yanı vardır, birden her şey farklı bir ciddiyet, bir gizem kazanır. Ama benim için ilk andan yadırgatıcıydı, hatta komikti. Bizi üç kişilik bir hücre yaptılar. Aydın, ben ve başımıza birim sekreteri olarak verilmiş ufak tefek, esmer Toksöz yoldaş. Biz hep tabak gibi açık olduğumuz için, o benim de Aydın'ın da cemazüyelevvelimizi, adımızı, sanımızı her şeyimizi biliyor. Biz ise onu tanımıyoruz. Benim parti adım Emine Amasyalı oldu, Aydın'ınki de Korkmaz. Komikliği düşünsene; hücre toplantısı yapıyoruz ve birbirimize parti adıyla seslenmemiz gerek. Ben de Aydın da bu işi beceremedik, hiç isim söylememeyi tercih ettik. Bir de "yoldaş" hitabını kullanamadım, çok yapay, özenti geldi bana. Anlayacağın, daha ilk adımdan uyum sağlamakta zorlanıyorum. Bir de, kendi aklıyla değil partinin aklıyla hareket ettiğini söyleyen, en küçük eleştiriye tahammül edemeyen, tipik bir "aparatçik" olan sekreterimizin dar kafalılığı ekleniyor. Mesela bir gün TKP'nin sesi sayılan, Leipzig'den yayın yapan Bizim Radyo'nun doğru dürüst Türkçe konuşamayan spikerlerini eleştirmiş, "Zaten kökü dışarıda diyorlar, bari düzgün Türkçe konuşanı bulsalar," demiştim. Adamın gözleri hayretle açıldı, "Yoldaş, sen böyle konuşursan yükselemezsin," dedi bana. Nereye yükseleceksem! Yani bir tuhaflık var, dıştan sanıldığı, görüldüğü gibi değil bu iş, en azından benim yapıma hiç uygun değil. Ama tabii susuyoruz, içimize gömüyoruz kuşkuları.

Ne iş yaptığımıza gelince; birim sekreteri aracılığıyla doğrudan merkez komitesine ve Bilen Yoldaş'a bağlı olduğumuz, basın-yayın alanında çalışacağımız söylendi. Zaten o sıralarda İsmail Cem'in gündelik *Politika* gazetesi, DİSK Maden-İş, yani aslında TKP tarafından satın alındı. Bir süre sonra İsmail Cem yerine Aydın genel yayın yönetmeni yapıldı. Ben hem onun yardımcısı hem de gazetenin başyazarıyım. Gazetenin ıvır zıvır bütün işleri de bizim üzerimizde.

Şimdi yine sana dönelim. Ben TSİP, TKP, *Politika* gazetesi derken, sol siyasetin, bize göre devrimci mücadelenin tam ortasındayım. O sıralarda sen neler yapıyorsun peki?

"Dağdan inen kız" ovaya yerleşmeye çalışıyor

MELEK – 1974 yazında Türkiye'ye afla döndüm. Ailem çok olgun davrandı ama çevre pek öyle değildi. "Dağa çıkan kız"ım ya, bizim çevrelerden beni sokakta görenlerin çoğu kaldırım değiştiriyor, ne olur olmaz, yanında görünmeyelim diye. Biliyorsun, terörist damgası yapışıverir insana. Şimdi ben de kendimi düşünüyorum da, Güneydoğu, Söke, Ankara, Beyrut, Cenevre, Paris, Amsterdam'da mültecilik, hepsi yaşanmış ve ben hâlâ "devrimciyim". Örgütten kopmuşum ama "sade devrimci" statüsündeyim. O arada eski arkadaşların bir bölümü hapisten çıkmış, çile çekmişler; onlar bizlere karşı çok katı; dönek muamelesi yapıyorlar. Onlarla eskisi gibi olamamak beni çok üzüyor, yaralıyor.

O yıllarda hem yaşama koşullarım öyle olduğu, hem de göçebe yaşama alıştığım için bütün eşyalarım tek bir bavula sığardı. İki pantolon, üç kazak, iki ayakkabı, bir mont gibi. Türkiye'ye de böyle geldim. Benden hâlâ umudunu kesmeyen annem hemen harekete geçti

OYA – Hiç değilse kızın şeklini şemailini düzeltelim, diyordur kadıncağız.

MELEK – Evet, aynen öyle. "Kızım, alışverişe çıkalım üstüne birşeyler alalım," gibisinden sözler. Ama sen de herhalde bilirsin, o geçiş kolay olmuyor.

OYA – Ben de sana hep bunu sormak istiyordum. Benim bildiğim sen, her zaman çok hoş, Pariziyen giyinen bir kadınsındır. Genç kızlığında, Kolej yıllarında da öyleydin herhalde. Sonra yeni yaşamının gerektirdiği yeni bir tarz edinmiş olmalısın.

MELEK – Evet, otuz otuz beş yaşımdan sonra yola geldim! ODTÜ'de çalışırken, sonradan iş hayatı derken değiştim elbette. Yavaş yavaş oldu o geçiş. Sen beni çok sonra, artık ovaya intibak ettikten sonra tanıdın.

OYA – Aslına döndün yani; ailen, çevren itibarıyla olması gerekene.

MELEK – Dönmüşüm ya, İstanbul'da durumum hiç de parlak değil. Üniversiteyi henüz bitirmemişim, işsizim, ailemin eline bakıyorum. Bizim üniversitede bilirsin o zamanlar sertifika sistemi vardı. Ben ek sertifikayı felsefeden almıştım ve onun sınavını da henüz kaçak yaşamaya başlamadan vermiştim. Tek bir sertifikam kalmıştı, İngiliz Dili ve Edebiyatı sanırım.

OYA – Peki sonra afla mı bitirdin?

MELEK – Evet, öğrenci affı çıktı, başvurdum ve sınavlara girerek diplomamı aldım. Ben Amsterdam'da yayınevinde çalışırken bir yandan da bir tür serbest gazetecilik yapıyordum. Hollanda'da İngilizce geçerli dildir bilirsin, gazetelere Türkiye ile ilgili haberler yolluyordum. Türkiye'ye dönünce, o zaman bize en yakın, en açık kapı olarak gördüğüm *Cumhuriyet* gazetesine gidip orada birşeyler yapabilir miyim diye sormak istedim. İlhan Selçuk'tan telefonla randevu alıp gittim. *Cumhuriyet* Cağaloğlu'ndaki eski binasındaydı daha.

OYA – İlhan Selçuk'la tanışıyor muydun daha önceden?

MELEK – Evet, tanışıyordum. İlhan Selçuk'un bir kuzeni vardır, aynı yaşlarda bir hala oğlu. O Bebek'te otururdu ve spor bir Mercedes arabası vardı. Bizler, Bebekli Kolejli kızlar ilkgençlik yıllarımızda bu kuzenle takılırdık, benim bir flört olayım da olmuştu. İlhan Selçuk'la da bu kuzen vasıtasıyla tanışmıştım. İlhan Selçuk o zamanlar büyük isim, bizlerle ilgilenecek hali yok tabii. Neyse, lafı uzatmayayım; İlhan benim kim olduğumu biliyor ve sonradan yaşadıklarımdan da haberdar. O dönemde İlhan Ziverbey Köşkü'nde işkence görmüş, hapiste yatmış, 12 Mart'tan kendi payına düşenleri yaşamış, çeşitli badirelerden geçmiş. Ben telefon edince hemen randevu verdi. O gün yine o eski pantolonlarımdan birini giymişim, kılığım kıyafetim o biçim. İlk görüşme anı biraz tuhaf oldu, sanırım o da beni eski Kolejli kız halimle hatırlıyordu. "Vah vah, ne olmuş bu kıza?" diye düşünmüştür belki. Sonra başladık konuşmaya, ben maceralarımın tümünü anlatmadım ama militan bir hava estiriyorum. O İranlı belgeselci arkadaşımla Türk işçiler üzerine bir film projesinde çalışmak üzere yeniden Amsterdam'a gitmek zorundaydım ve *Cumhuriyet* gazetesinde çalıştığımı gösteren bir belge istiyordum. O da yardımcı oldu, görev kartı gibi bir şey çıkardı bana.

OYA – Melekçiğim, sen İlhan, İlhan deyince anımsadım. Bir dönem, İlhan Selçuk'la ona adıyla hitap edecek kadar yakınlığınız olmuştu yanılmıyorsam. Geçen yaz, sen Marmara Adası'nda bizde kalırken koruması seni aramış, İlhan Bey'in seni görmek istediğini haber vermişti. O sırada Amerikan Hastanesi'ndeydi ama sağlığı iyiye gidiyordu. Yanlış hatırlamıyorsam Sırma ve sana yapılmış bir yemek davetiydi bu. Birkaç yıl önce de, hatırlıyorum, İlhan Bey yine hastalanmıştı, onu ziyarete gitmiş bir arkadaşımız seni görmekten memnun olacağını, geçmiş olsuna gitmenin İlhan Bey'e iyi geleceğini söylemişti. Sen de gitmiştin galiba.

MELEK – Evet, doğru; bir dönem yakın bir ilişkimiz vardı; hayatımı yeniden kurmakta çok yardımcı oldu bana. Üniversiteyi bitirmem için ısrar etti, destekledi. Sizden, Marmara Adası'ndan İstanbul'a döndüğümde, oldukça iyileşmişti, gazeteye bile gelebiliyordu. Sırma ile birlikte, gazetede ziyaret ettik onu. Gazetede, bizim geldiğimizi gören İlhan Selçuk'a yakın kim varsa Vakıf Yönetim Kurulu'ndan mesela, odaya doldular. Meraktan mı yoksa bu iki kadınla İlhan Bey'i yalnız bırakmayalım, kontrolü elden kaçırmayalım güdüsüyle mi, bilemem artık.

OYA – Gençliğimden bu yana, tarihte iz bırakmış önemli kişilerin insan yanları, duyguları, güçleri, zaafları, umutları, kederleri, kendileriyle baş başa kaldıklarındaki iç hesaplaşmaları beni hep ilgilendirmiştir. Sadece siyasal kimlikleriyle hatırlanmaları haksızlık gibi gelir bana. İlhan Selçuk'un ölümünden sonra Lütfi Kırdar'da yapılan resmî anma törenini hem sen hem de Aydın, biraz üzülerek, "O, bu değildi, bundan ibaret değildi" duygularıyla, kederle anlattınız. Aydın, "Oradaki tören resmî Ergenekon töreni gibiydi, davalardan birinin bir numaralı sanıklarından bir paşa salona geldiğinde neredeyse ayakta alkışlandı, her konuşan hamaset nutukları attı," diye anlattı bana üzüntüyle. "Sonuna kadar kalamadım, çıktım," dedi. Sen de benzer şeyler söylemiştin. Onu iyi tanıyan eski bir dost olarak anma töreninde neler hissettin Melek?

MELEK – Benim için çok zor oldu, çünkü bu cenaze konusu aramızda konuşulurdu. Benden yaşça büyük olduğu için "İlk ben öleceğim, cenazeme bütün sevdiğim kadınlar gelecek ve hepsi benim için ağlayacak, ben de yattığım yerden bunun keyfini çıkaracağım," derdi. Onun istediği gibi güzelce giyinip süslendim, beyazlar giydim. Lütfü Kırdar'a girip onun gençlik fotoğraflarını gördüğüm an çok kötü oldum. Sonra tören de senin söylediğin gibi çok resmîydi. Ben ise gençliğimin bir dönemini, anılarımı, duygularımı yaşamak istiyordum. Törenden çıktım, sokaklarda dolaştım.

OYA – *Cumhuriyet*'e gitmekten, İlhan Selçuk'tan söz edilince dayanamayıp sordum bunları; araya girdim. Devam edelim istersen.

MELEK – Dediğim gibi, öğrenci affı çıktı, üniversiteye yeniden başvurdum. Hocalarım Mina Urgan, Berna Moran, Cevat Çapan da mezun olmam için beni çok desteklediler. Hiç değilse bir üniversite diplomam oldu. Üniversite diplomam olunca iş bulmam kolaylaşabilirdi. İstanbul'da benimle ilgili dedikodular nasıl yayıldıysa, gerçekten de anlamıyorum, kimse beni işe almıyordu. En sonunda, rahmetli Onat (Kutlar) beni Sinematek'te işe aldı. Sinematek o zamanlar Sıraselviler'de; Onat, Ömer Pekmez ve ben varız. Onat her zamanki güler yüzüyle bana çok iyi davranıyor; ama benim orada çalıştığım duyulunca, hareketten kopanlar, kopmayıp kafası karışık olanlar, başladılar Sinematek'e damlamaya.

Onat sonunda dedi ki: "Kızım burayı da bastırtacaksın, kim bunlar?" Ben de ezik büzük, "Valla işte Onat Bey, geliyorlar ne yapayım!" gibi laflar ediyorum. Onat ne sabırlı adamdı, kaderde bu da varmış diyerek ses çıkarmıyordu. Bir süre az bir maaşla orada çalıştım. Sonra bir özel dershanede İngilizce öğretmeni olarak işe girdim. Dershanenin sahibi sanırım ilerici bir adamdı, gelsin burada çalışsın, demiş, işte orada daha ciddi bir maaşla işe başladım.

Dershanede işe girince, elime de biraz para geçince ailemin yanından ayrıldım, Emil Galip'in o sıradaki nişanlısı, sonraki eşi Sevim'in boşalttığı bir bodrum katına taşındım. Bizim eski ekip oraya da doluşmaya başladı. Cengiz, Müfit, Sabetay da dönmüştü, bilumum işsiz ve kaçaklar da geliyordu. Kimin girip çıktığı belli değil. Parti, örgüt falan yok ama hengâme aynı. Zaten siyasal ortam yine karışık, Türkiye kaynayıp duruyor, sosyalist partiler, başta DİSK olmak üzere işçi örgütleri... Ben artık örgütlü değilim, partili değilim ama bu atmosferin de ortasındayım. Bu arada 1 Mayıs geldi dayandı. 1 Mayıs 1976'da ben o evde kalıyordum.

1 Mayıs 1976'yı yaşamak

OYA – 76 yılının 1 Mayısı, 1920'lerde İstanbul'da kutlananlardan en az 50 yıl sonra ilk kitlesel ve yasal 1 Mayıs'tı. 50 yıllık yasağın sona ermesi, daha doğrusu işçi sınıfının gücüyle sona erdirilmesiydi. O günkü umut, heyecan, coşku, "iyi ki oradaydım" dedirten cinstendi. Ben yine Levent tarafından ve bütün trafik durmuş olduğu için yürüyerek Barbaros'tan Beşiktaş'a doğru iniyordum. Barbaros Bulvarı'ndan fabrikalar, işçiler, halk bir nehir gibi akıyordu gerçekten. Beşiktaş Meydanı'nda halaylar kurulmuş davullar çalıyordu ve kalabalık Dolmabahçe'ye, oradan Taksim Meydanı'na doğru yürüyordu. Dolmabahçe'de, iki yanı ulu çınarlarla çevrili yoldan geçerken, kaldırımda insan seline karışmadan duranlar arasında çok çile çekmiş eski tüfeklerden yazar Hasan İzzettin Dinamo'yu tanıdım. Nasıl ağlıyordu, anlatamam sana. Sevinç gözyaşları; bunu da gördüm, artık ölsem de gam yemem duygusunun akıttığı yaşlar. Düşünsene, 50 yıllık bir yasak yıkılıyor. İşçi sınıfı diye, komünizm diye yıllarca hapislerde yatmışsın,

1 Mayıslarda gizli gizli bildiri dağıttığın için işkence görmüş, tutuklanmışsın ve işte, çabalarının boşuna gitmediğini görüyorsun. İçimden gidip ona sarılmak, birlikte ağlamak gelmişti o sırada.

Şimdi düşünüyorum da, Hasan İzzettin Dinamo o gün 67-68 yaşındaymış, yani benim bugünkü halimden iki yaş daha genç. Bana çok yaşlı gelirdi oysa... Neyse işte, Beşiktaş'tan gelen kol Karaköy tarafından gelenle birleşti, Taksim'de Şişhane'den, Haliç'ten, Merter'den gelenlere kavuştu. Taksim Taksim olalı böyle bir kalabalık, böyle bir coşku, bu kadar kızıl bayrak, bu kadar genç insan, hele de işçi görmemiştir. AKM'nin önüne boydan boya asılı dev pankartta sonradan 1 Mayısların simgesi haline gelen ünlü çizim vardı: Ortasında 1 Mayıs yazan bir dünyayı iki yandan tutan iki el; iki işçi eli... Resim Orhan Taylan'ın eseriydi, senin beş altı yıl sonra evleneceğin adamın.

Günün en büyük galibi ise o 1 Mayıs'ı düzenlemiş olan DİSK ve arkasındaki TKP'ydi. 1 Mayıs'tan birkaç gün önce, özel bir konuşmada, o sırada DİSK Genel Sekreter Yardımcısı olan TKP Merkez Komitesi üyesi Aydın Meriç, "Bu bir meydan okuma. Ya duvar üzerimize yıkılacak, altında kalacağız ya da büyük bir atılım yapacağız," demişti.

Duvar o gün üstümüze yıkılmadı ama bir yıl sonraki 1 Mayıs'ta tepemize kurşun yağdırdılar.

MELEK – Ben 1 Mayıs 1976'da İstanbul'da sözünü ettiğim bodrum katında kalıyorum. Kendime zor bakıyorum, bir de küçük kedi yavrusu almıştım. Arka odadan çıkılan bir küçük bahçe vardı, orada yaşıyordu. 1 Mayıs kortejine Beşiktaş'ta Barbaros Bulvarı'nda katıldım. "Kimlerle yürüyeceğim?" diye kara kara düşünmüştüm. Sonunda sanırım sanatçıların ya da edebiyatçıların kortejine katıldım. Cevat Çapan'ı hatırlıyorum, oğlu Alişan küçücüktü, babasının omzunda gelmişti. Kortejde, o sırada ABD'den yeni gelen ve kendini 1 Mayıs yürüyüşünde bulan Gündüz Vassaf'la tanıştım. Yan yana yürüyorduk. Bu tanışıklık daha sonra yıllarca sürecek bir dostluğa dönüştü. O günkü coşku, heyecan, mutluluk hâlâ belleğimde. Yürüyüşten sonra Çiçek Pasajı'na gidilmişti, pasaj 1 Mayıs marşıyla inliyordu. Devrim oldu olacak sanırsın!

1 Mayıs geçip gitti, devrim olmadı, biz yaşam mücadelesine devam ettik.

OYA – O günlerin havasını hatırlattın bana. 1976-80 dönemi, 12 Eylül'e kadar gerçekten de çılgın bir dönemdi. Sadece bizler, devrimci sol hareketin şu veya bu yanında yer alanlar değil egemen sınıflar, iktidardakiler, burjuvazi, bütün siyasal kesimler komünizm geldi gelecek havasındaydılar. Ben şahsen her zamanki kötümserliğim ve çevremi sinir eden gerçekçiliğimle sosyalist devrimi çocuklarımızın değil, belki torunlarımızın bile göremeyeceğini düşünüyordum.

Hatırlarsan devletle işbirliği içindeki faşist güçlerin; MHP'nin, Ülkücülerin, kendilerine milliyetçi mukaddesatçı diyenlerin cinayetlere varan saldırıları da 1976'da, özellikle de 1 Mayıs'tan sonra yoğunlaştı. CIA ve Kontrgerilla kontrolündeki derin devlet bile böyle görüyordu ki 12 Eylül darbesine varacak yolun taşlarını döşüyorlardı.

Hikâyemize dönelim: Sen 1976 Mayısı'nda İstanbul'dasın, ama galiba Ankara'ya göçeceksin.

1976-77 Ankarası'nda

MELEK – 1976 baharında, Kolej çevresinden tanıdığım Çağlar Keyder Amerika'dan dönmüş, Ankara'da ODTÜ'de İktisat Bölümü'ne girmiş. "ODTÜ Hazırlık Bölümü'ne müracaat et, İngilizce hocası arıyorlar," dedi. Ben de kalktım gittim, okutmanlık sınavına girdim, kazandım ve ODTÜ'ye kabul edildim. O zamanki parayla hiç unutmam 13 bin lira maaş alacağım. Bu çok büyük bir para o günlerde. Ben o parayı görünce inanamadım doğrusu. Tam o sırada Hasan Tan ODTÜ rektörlüğüne getirildi. Hasan Tan ODTÜ öğretim üyeleri camiasında faşist olarak tanımlanan birisi. Adamın ilk icraatlarından biri beni ve birkaç kişiyi işten atmak oldu.

OYA – Daha ders vermeye bile başlamadan mı?

MELEK – Tabii canım, bu anlattıklarım iki ay içinde oldu bitti. Yani İngilizce okutmanı olarak işe girmemle atılmam bir oldu. Atıldığım bana tebliğ edilince, idari bölümde bir sekreter kadın var bu işlere bakan, ona gittim, neden işime son verildiğini sordum. Kadın suratıma hayretle baktı, "Siz nedenini bilmiyor musunuz?" dedi. "Hayır, bilmiyorum," dedim.

Dosya gelmiş tabii... Kadın dosyayı benim suratıma doğru fırlattı, "Bilmiyorsanız, alın okuyun," dedi. "Sağ olun, almayayım," deyip çıktım. Türkiye'ye geldiğimde karşısına çıkarıldığım hâkimin sözleri geldi aklıma. Arkama baka baka İstanbul'a döndüm. Avukat Orhan Apaydın beni severdi, durumu öğrenince, "Hemen dava açalım Danıştay'da," dedi. Sekiz ay ya da biraz daha uzun bir süre geçtikten sonra davayı kazandım ve elimde yürütmeyi durdurma kararı ile yeniden ODTÜ'ye girdim. 76 yılının sonları olmalı bu anlattıklarım. O sırada Sırma, Doğu'dan ayrılmış, üçüncü evliliğini yapmış; Tosun ve Nuran Terzioğlu, Çağlar Keyder, Huricihan İslamoğlu, daha birçok eski arkadaşım Ankara'da. Huricihan da ABD'den dönmüş, ODTÜ'de İktisat Bölümü'nde ders veriyor. Ben Huri ile birlikte onun evinde kalıyorum. Böylece benim hayatımın Ankara bölümü başladı.

Hemen ODTÜ Öğretim Üyeleri Derneği'ne üye oldum. O sıralarda Üniversite kaynıyor, Hasan Tan rektör olmuş ama bütün öğrenciler ayakta. Huricihan'la birlikte oturuyoruz, yanımızdaki evde Jülide Gülizar oturuyor. Jülide Hanım o zaman TRT'de spiker. Şimdi Sheraton Oteli'nin olduğu yer o zamanlar Kavaklıdere şaraplarının bağı. Bizim evler de bağın tam karşısında. Bir bahçe katında Huri ve ben oturuyoruz, yanımızdaki bahçe katında Jülide Hanım. Daha sonra faşizmin gemiyi azıya aldığı günlerde, Bahçelievler katliamından sonra, ülkücüler bağın içine mevzilendiler. Akşamları Jülide Hanım'a telefon edip, "Hepinizi geberteceğiz!" diye tehdit ediyorlar. Evler bahçelerle çevrili olduğu için ne yapsak korunmamız çok zor. Genellikle Jülide Hanım, Huri ve ben evlerin birinde bir odaya girip bütün pencereleri tahtalarla kapatırdık. Bir gece adamları bahçede gördük. Neler yaşandı bu ülkede... Bazen düşünüyorum da bitmeyen bir çile. Bir badireden başka bir badireye yuvarlanıp gidiyorduk. Geriye dönüp düşünürsen az şey değil.

OYA – Hiç az şey değil canım. Sadece sen, ben değil bütün bir kuşak ve bizden sonrakiler böyle yaşadılar. Yine de ayakta kalabildik işte. Özellikle 1976-80 arasında yaşananlar, peş peşe gelen faşist saldırılar, cinayetler, kitlesel katliamlar... Hepimiz hedeftik ve buna alışmıştık, ne tuhaf!

Mahalle baskısıyla nikâh masasına

MELEK – O günlerde sen artık TKP'li olmuşsun ve *Politika* gazetesindesin. Aydın'la beraber misiniz?

OYA – Evet, beraberiz. Üstelik de tuhaf ve tedirgin edici bir durum var. Bir yandan uzun süredir birlikte olduğum; saygım, sevgim olan biri var hayatımda; hiç kimsenin bilmediği, bilen varsa bildiğini belli etmediği bir ilişki. Üstelik o sıralarda hapiste. Öte yandan Aydın'la birlikte olmaya başlamışız. Neden yapar insan böyle şeyleri? Hayatı daha karmaşık hale getirip asıl sorunları unutmak için belki de. Belki de kadın kısmı, üstüne çok düşüldü mü dayanamıyor. Anlayacağın pis bir durumdayım ve kendimi kendime karşı bile temize çıkaramıyorum. Tabii ki Aydın'la olan ilişkimiz gizli kapaklı olmak zorunda. TSİP'teki arkadaşlar zaten baştan beri Aydın'dan hoşlanmıyorlar, klandan kız kaçıran yabancı o. Bunu anlatmıştım sanırım. Ayrıca ben de bu ilişkiye geçici gözüyle bakıyordum, kimseyle evlenesim yoktu, kendime farklı bir yaşam düşünüyordum.

MELEK – Ama evlendiniz değil mi? Ne zamandı?

OYA – Daha sonra, 1977 Eylülü'nde evlendik. Artık TKP'liyiz, günlük *Politika* gazetesini çıkarıyoruz. Aydın genel yayın yönetmeni, ben onun yardımcısı gibiyim ve ikinci sayfada köşem var. *Politika* DİSK Maden-İş'in mülkiyetine geçmiş ama herkes TKP güdümlü olduğunu biliyor.

O günlerde Aydın ve ben oraya buraya davet ediliyoruz, özellikle de Sovyet konsolosluğundaki, Bulgar bilmemnesindeki Ekim Devrimi kutlamalarına falan. Hep ikimizin adına tek davetiye geliyor. Bir yandan da Parti'den "Cık, cık, cık yoldaş; yani böyle olmuyor, konuşuluyor her yerde," diye bastırıyorlar. Ahlak zabıtalığı her kesimde vardır. Hele 30-35 yıl önce, bu tür ahlakçılık, muhafazakârlık solda da yaygındı.

Anlayacağın komünizmin zorlaması, partinin iteklemesiyle evlendik diyebilirim. Bu da bizim mahallenin baskısı işte. Özel yaşamlara dava ve devrim adına müdahale sık görülen olaylardandı. Tabii ki zorlama olmazdı. Ama partiden böyle bir uyarı geldi mi sadık ve inançlı yoldaş gereğini yerine getirirdi zaten.

Baktık böyle tuhaf bir durum var, "Hadi bari evlenelim," dedik. O zamanlar nikâh şimdiki gibi kolay değil, bir sürü bürokrasi var. Kâğıtlar askıya çıkıyor, bilmem ne kadar bekleniyor. Madem olacak bu iş çabuk olsun diye, bir avukat arkadaşımız yıldırım nikâhı için gerekli işlemleri yaptırdı. Nikâh için iki şahit gerekiyor. *Politika*'da birlikte çalıştığımız yakın arkadaşımız, yıllar önce Bodrum'da intihar gibi bir araba kazasında kaybettiğimiz Aydın Şenesen'i de aldık, bir başka arkadaş da doğrudan nikâhın kıyılacağı yere gelecek. Sabah gazete toplantısını yaptık, sonra bir acele çıkıp nikâh dairesine gittik. Öteki şahidin işi çıkmış gelemedi. Ne yapalım, belediyedeki çaycıyı ayarladık ikinci şahit olarak. Nikâh alelacele kıyıldı. Ben beş tane içi likörlü çikolata almıştım: Nikâh memuruna, şahitlere, birer tane de bize. Onları ağzımıza attık ve acele gazeteye döndük, çalışmaya devam ettik.

Böyle ayaküstü bir evlenmeydi işte. Senin tabirinle bir badire içinde yaşıyorduk, sevişiyorduk, evleniyorduk, hatta çocuk bile doğuruyorduk o ortamda...

Kanlı bir dönemi hatırlamak...

1977-78'e gelindiğinde, sabah evden çıkarken akşam dönüp dönemeyeceğin belli değildi. Lisede okuyan gençleri Ülkücü saldırılardan korumak için anneler, babalar nöbetleşe okulların önünde çocuklarını beklerlerdi.

Biz o günlerde *Politika* gazetesindeyiz. Düşünsene! *Politika* TKP'nin, yani komünistlerin gazetesi sayılıyor, öyle de zaten. Bir ihbar gelirdi, kapılar tahkim edilir, girişe barikat kurulurdu. MHP'nin yarı resmî yayın organı *Hergün* gazetesi de Cağaloğlu'nda bir yerdeydi. Başında da Taha Akyol vardı. Mesela hatırlıyorum, *Hergün* gazetesine solcular saldırmıştı bir defasında, galiba bir arkadaşlarının Ülkücüler tarafından kaçırılıp orada tutulduğunu iddia ediyorlardı. Anında bize haber ulaştırıldı; masalarımızı pencerelerin önünden içerilere, duvar diplerine çektik, ana kapıda önlem alındı, sokağın başı tutuldu. Mukabele ederlerse kurşunlara hedef olmayalım diye. O günlerde pek sık görüşemediğimiz arkadaşlarımız birkaç günde bir telefon ederlerdi, "Şöyle birarayalım dedik, nasılsınız?" Aslında sağ salim miyiz diye kontrol ediyorlar. Bir yandan da gazetedeki yazılar yüzünden mahkemelere taşınıp duruyoruz. Aynı gün birkaç davaya birden girdiğimiz olurdu. Ama kimse yılmıyor, usanmıyor.

TKP'nin güç kazandığı günler. DİSK, sosyal demokrat kanatla komünistler arasındaki iç çalkantılarla sarsılıyor ama görünüşte gücü yerinde. İşçi sınıfı ilk kez siyasal grevler, direnişler yapıyor. Devlet Güvenlik Mahkemeleri'ne karşı DİSK'in öncülüğünde yürütülen mücadele DGM'lerin kaldırılmasıyla sonuçlanıyor. Mitinglerde, "DGM'yi ezdik, sıra MESS'te" diye haykırıyoruz, gazetemize manşetler atıyoruz.

Yeni kuşaklar bilmez, MESS (Türkiye Metal Sanayicileri Sendikası); yani sınıf düşmanımız. Maden-İş MESS'e karşı sürekli grev ve direniş halinde, MESS ise işveren sendikalarının en güçlülerinden ve en gözü dönmüşlerinden, en uzlaşmazlarından biri. Bu arada, insanlar ölüyor, gün geçmiyor ki bir arkadaşımız, bir yoldaşımız saldırıya uğramasın, vurulmasın, ölmesin.

Böyle bir atmosferde yaşanıyordu. İşin garibi de bunu yadırgamıyorduk, sanki yaşam başka türlü olamazmış, böyle yaşamak kadermiş gibi bir duygu. Demek savaşların ortasında, bombardıman altında da böyle yaşıyor insanlar. Gündelik yaşam bütün zorluklara karşın sürüyor. Âşık oluyorsun ya da ayrılıyorsun sevgilinden; fırsat bulunca bir kadeh şarap içip balık yemeye Boğaz'a kaçıyorsun mesela; eski arkadaşlarınla buluşuyorsun, gülüyorsun, ağlıyorsun. Gençler ölürken çocuklar doğuyor. Bir koşu gibi yaşıyorsun hayatı. Nefeslenmek için bir an durup geriye baktığında ise garipsiyorsun.

MELEK – Evet, bir koşu gibi...Yaşam mücadelesi içindeyiz hepimiz. Para kazanmak, okumak, aile geçindirmek gibi sorunlarla boğuşuyoruz bir yandan. Ben o sırada bekârdım, ama bu hay huy içinde aile geçindirmeye çalışanlar da vardı.

OYA – Sizin PDA takımı daha varlıklı, seçkin kesimdendi. Zaten hatırımda kaldığı kadarıyla o hareketin ilk çekirdeğindekiler; bir çeşit başları, yöneticileri diyelim, çoğunlukla Ankara Hukuk ve Siyasal'ın asistanlarıydı.

MELEK – Evet, öyle denebilir.

OYA – Biz sizlerin burjuva kökenli iyi aile çocuğu olmanızın; kolejli, okumuş yazmış ya da akademisyen niteliğinizin dedikodusunu yapardık. Gerçekten iyi yetişmiş, iyi okumuş, çoğu tuzu kuru bir kadroydu. Benim çevremdeki solcular, sosyalistler, mesela TSİP'tekiler, bildiğim TKP'liler, ağırlıklı olarak orta-alt ya da orta sınıftan, memur, öğretmen, asker, esnaf ailelerinin fedakârlıkla okutulmuş çocuklarıydı. Yönetici konumdakilerden tabana doğru inildiğinde işçiler, kırsal kesimden gelenler, gecekondu bölgelerinin gençleri çoğunluktaydı. TSİP'in seçkinler örgütü olmadığını anlatmak için "ayak kokulu parti" denirdi. İşçilerin, emekçilerin partisi olduğumuzu, seçkinler partisi olmadığımız düşünerek bundan gurur duyardık.

MELEK – Bizim PDA (*Proleter Devrimci Aydınlık*) ekibi her zaman "burjuvalar" olarak anılırdı, haklısın.

OYA – Adı "proleter devrimci"ydi ama. Kuru devrimcilik kesmiyordu, ille de proleter olacak; yani işçi sınıfının, emekçilerin de en alt katmanları. Haksızlık yapmayayım, 1970'lerde tıpkı devrim gibi proletarya sözcüğü de sihirli bir sözcüktü.

Yine yaşamın akışına dönelim. Ankara'ya geldin, ODTÜ'ye İngilizce okutmanı olarak girdin. Neler yapıyorsun?

MELEK – Ankara'ya gelince, Siyasal Bilgiler'de doktora yapmaya niyetlendim. Siyasal'da tanıdıklarım vardı, daha bildik bir çevreydi. Doktora sınavına girip kazandım. Doktora derslerine devam etmeye başladım. ODTÜ'de İngilizce dersi veriyorum, Siyasal'da ise öğrencilik yapıyorum. Yoğun bir çalışma temposu.

Ömer Madra o günlerde Siyasal'da asistandı. Ömer, gençlik günlerinden kalma bir arkadaşım. O sırada zor günler geçiriyordu. Karısını kaybetmiş, iki çocukla kalmıştı. Birbirimize destek olduk. Böyle yuvarlanıp gidiyorduk işte. Baskın'la (Oran) Ömer kanalıyla tanıştım. Onlar iyi arkadaştılar.

Hiçbirimizin para durumu parlak değildi. En iyi kazanan bendim, kira da vermediğim için param daha çoktu. Kimde ne para varsa ortaya konur, ortaklaşa yaşanırdı! Baskın Oran hepimiz adına daha ekonomik yaşama projeleri yapardı. Kendisi Siyasal'ın lojmanlarından birinde kalıyordu. Orada bizlere Afrika Milliyetçiliği dersleri verirdi. İlber (Ortaylı), sonradan CHP'den siyasete atılan Şükrü Gürel hocam oldular. Yani arkadaşlarım hocalarımdı aynı zamanda. Bizim doktora sınıfında Serhan Ada, Gürcan Türkoğlu, Füsun Üster, Cemil Koçak vardı.

O dönemde Ankara'da insanlar sokaklarda vurulmaya başladı, faşizan tırmanış hızlandı. İşler çok zorlaşınca bir süre hepimiz birlikte kalmaya başladık. Hiç kimse yalnız sokağa çıkmıyordu, arkamızı kollayarak yaşıyorduk. Hepimiz tehdit ediliyoruz, Tosun Terzioğlu kendisini öldürmeye gelen adamı yakalamıştır sokakta. Ben de Kavaklıdere'deki evden çıkıp bir çatı katına taşındım. Akşam eve geliyorum, ışığı yakıyorum telefon çalıyor, açıyorum; berbat sesli biri, "Komünist orospu, geldin mi evine, bekle geliyorum!" diyor mesela. Gece sabaha karşı ikide, üçte telefon ediyorlar. Her gün birileri öldürülüyor. Ankara mahalle mahalle, bölge bölge parsellenmiş durumda. Devrimcilerin elinde olan, faşistlerin elinde olan bölgeler var. Geceleri silah sesleri gırla. Beyrut gibi olmuştu. Ben o kargaşada master programını bitirdim.

OYA – İstanbul'da da tamamen aynı durumdayız. Solcuların yoğun yaşadığı bazı mahallelerin girişlerine, Ortaköy'de, Küçükarmutlu'da mesela barikatlar kurulmuştu Ülkücülerin, faşistlerin saldırılarına karşı. Bu atmosfer, 1977'deki kanlı 1 Mayıs'tan ve hemen ardından Haziran 1977 seçimlerinden sonra büsbütün ağırlaştı, olaylar tırmanışa geçti. O zaman Kontrgerilla diye bildiğimiz Özel Harp Dairesi, yani Türk Gladyosu iş başındaydı. Hatırlıyor musun, Haziran seçimlerinden hemen önce miting için Çiğli'ye giden CHP lideri Bülent Ecevit'e havaalanı çıkışında zehirli kurşunla ateş edilmişti, hem de bir polis tarafından. Seçimlere birkaç gün kala, Başbakan Süleyman Demirel, Ecevit'e, 2 Haziran'da Taksim Meydanı'nda yapacağı mitingde Taksim Gezisi'nin oradaki Sheraton Oteli'nin üst katlarından uzun namlulu, dürbünlü tüfekle ateş edileceğini mektupla bildirmiş, mitingden vazgeçmesini önermişti. Şu işe bak! Nereden nasıl ateş edileceği bile belli ve kimse işi soruşturmuyor, açığa çıkarmaya, Kontrgerilla'ya dokunmaya niyetli değil ya da cesaret edemiyor. Ecevit mitingden vazgeçmedi. Suikast ihbarını açıkladı ama kendisinin oraya gideceğini de söyledi. Hatırlıyorum, CHP'li olmadığımız halde hepimiz oradaydık, meydan dopdoluydu, Taksim'in gördüğü en görkemli mitinglerden biriydi.

1978'de daha korkunç olaylar yaşadık. İstanbul'da üniversitede yedi öğrencinin öldüğü 16 Mart katliamı, 9 Ekim'de Ankara Bahçelievler'de yedi TİP'li gencin, vurularak, telle boğularak evlerinde uğradıkları saldırıda öldürülmeleri... O korkunç cinayeti hatırlarsın. Reis Abdullah Çatlı'nın Ülkücü timi yapmıştı o işi.

Haluk Kırcı yıllar sonra cinayeti ayrıntılarıyla anlattı, nasıl telle boğduğunu, nasıl öldürdüğünü, hepsini.

MELEK – 1978 kışında, Huricihan ABD'ye gitti. Yedi TİP'li gencin öldürüldüğü Bahçelievler katliamından sonra ben de artık o evde kalamadım, Güvenevler'de küçük bir çatı katı buldum, Sırma'nın hemen alt sokağında, oraya taşındım. Hiç değilse en üst kattaydım ve kapıcım güvenilir bir Alevi'ydi.

OYA – Her şey unutuluyor, bireysel hafızalarımız gibi toplumsal hafıza da unutkan. Ve sonra her şey bir kez daha aynen yaşanıyor; aynı acılarla, aynı hatalarla. Bu konuşmaları yaparken, hatırlamak için 1970'lerin gazetelerini, dergilerini biraz karıştırdım da, neler, ne kanlı olaylar yaşamışız, ne çok ölüm, ne çok acı görmüşüz çevremizde, hatırladıkça dehşete kapıldım. Geri dönüp 1977 yılı ve sonrasında Türkiye'de yaşananlara bakınca, sağ-sol çatışması adı altında her gün onlarca insanın öldüğü, toplu katliamlarda yüzlerce kişinin canını yitirdiği bir mezbaha görünümü var. MC (Milliyetçi Cephe) hükümetleriyle, Demireli'yle, Türkeşi'yle, Ülkü Ocakları'yla derin devlet destekli topyekûn bir saldırı... Özellikle de işçi hareketine, devrimci öğrenci ve gençliğe, sol partilere, sol örgütlere, sosyalistlere, demokratlara karşı planlı bir sindirme hareketi sürdürülüyor; Ülkücü denilenler kadar, o zamanlar bizim Maocu-goşist dediğimiz silahlı hareketler de kullanılıyor. Her iki tarafta da ajan provokatörler kaynıyordu kuşkusuz. 1 Mayıs 1977'de daha sonraki kanlı olayların provası yapıldı bence. Sen neredeydin kanlı 1 Mayıs'ta?

Kanlı 1 Mayıs meğer başlangıçmış

MELEK – 1 Mayıs 1977'de yürüyüşe katılmak için İstanbul'daydım. Benim gibi eski Maocuların durumu hiç parlak değildi. TKP bize eski Maocu olduğumuz için diş biliyor, kendi ekibimiz ihanet ettiğimiz için bize düşman, devlet de geleneksel sürek avını sürdürüyor. Hatta aramızda şakalaşmıştık, "devletten kurtulsak diğerleri öldürür" diye. Hiç de hoş olmayan bir şaka. Ama o günler sol içinde bölünmeler o boyutlara varmıştı. Ben aktif olarak bir siyaset içinde olmadığımdan değişik siyasi gruplar arasındaki çekişmeleri çok yakından bilmiyorum. Ama gruplar arasında havanın gergin olduğu biliniyordu, bu nedenle de o gün Taksim Meydanı'na girişler DİSK tarafından denetleniyordu.

1 Mayıs'ta ben Öğretim Üyeleri ile birlikte yürüdüm. Tam olarak hatırlamıyorum ama Beşiktaş tarafından gelen kortejin içindeydim. Çok görkemli, çok organize bir yürüyüştü. Hatırladığım tek şey, silahlar atılmaya başladığında tam göbekte, şimdiki metro girişlerinin orada olduğum. Her iki taraftan gelen kurşunlar üzerimizden geçiyordu. Hem otelden hem de Sular İdaresi'nin üstünden ateş edildiğini ben kendi gözlerimle gördüm. Biz üst üste yere yığıldık, bu gibi durumlarda kaçmak yerine olduğun yere yatmak daha akıllıca olabilir, ancak insanlarda panik başlayınca kimse soğukkanlı olamıyor. Benim olduğum yerde ezilmek tehlikesi daha büyüktü. Ne olduğunu da tam olarak kavrayamamıştık. Kurşunların vızıldayarak üzerimizden geçtiğine tanık oldum. Sonra yerden kalkabildim, ayakkabılarım yoktu, ayağımda çoraplarla Mete Caddesi'ne doğru koştum. Harbiye Radyoevi'nin önüne geldiğimde Yaşar Kemal ve sanırım Ataol Behramoğlu ile karşılaştım. Yaşar Ağabey beni görünce "Ne oldu sana yavrum!" diye bağırdı. Ben farkında değilim, yüzüm gözüm kan içindeymiş. Oradan da Nişantaşı'na kadar yürüdüm ve Gençay'la Ayla Gürsoy'un evine ulaştım. Meydanda ölenler olduğunu sonradan öğrendim.

OYA – Ben İstanbul'daydım, *Politika* gazetesinde. Sabahtan itibaren, Anadolu'dan, her yerden otobüslerle, arabalarla gelen veya İstanbul'un dört bir yanından Taksim'e doğru akın akın yürüyen işçi, fabrika, sendika, gençlik, parti, meslek örgütü kollarını gazete için izliyoruz. *Politika* gazetesi DİSK'in ve aslında TKP'nin legal yayın organı durumunda, 1 Mayıs kutlamalarını da esas olarak DİSK ve TKP'liler sırtlamış, "sahibi biziz" havasındalar. Biz *Politika* kadrosu olarak 1 Mayıs'ı en geniş ve en çarpıcı şekilde yansıtmakla görevli sayıyoruz kendimizi.

Türkiye solu, şiddetli bir saldırı altındayken birleşeceğine, ortak cephe kuracağına birbirine düşman partilere, hareketlere, fraksiyonlara bölünmüş durumda. "Sınıf sendikacılığı" şiarıyla aktif ve militan sendikacılık yapan DİSK, iç çatışmalara ve bölünmelere rağmen en etkili günlerini yaşıyor. İşçiler Türk-İş sendikalarından, bağımsız sendikalardan ayrılıp akın akın DİSK'e katılıyorlar ya da sendikalar Türk-İş'ten kopup DİSK'e geliyorlar. Can Yücel'in şiirindeki gibi "İşçiden, işçiden yana esiyor yel" o günlerde. DİSK'in en güçlü sendikalarından Maden-İş TKP'nin güdümünde. Aynı zamanda DİSK Genel Başkanı da olan Maden-İş Genel Başkanı Kemal Türkler bu desteği etkili şekilde kullanıyor. TKP de DİSK'ten güç alıyor ve neredeyse yarı legal denebilecek şekilde dört bir yanda örgütleniyor. Aslında büyük bir kitle gücü, bilinçli komünist işçi müfrezeleri yoksa da, dışa yansıyan görüntü böyle.

Güç her zaman çekim merkezi olur, bilirsin. CHP içinden kimi sol milletvekillerinin TKP ile temas aradıkları, kapalı kapılar ardında kulaklarımıza "Ben de TKP yandaşıyım, 141-142. maddelerin kaldırılmasından yanayım," diye fısıldadıkları günler. Biz onlara, biraz da küçümseyerek "saylav" derdik. TKP'nin illegal yayın organı *Atılım*'ın öz Türkçeye meraklı bir dili vardı. Sanırım o sıralarda partinin başındaki İ. Bilen gibi 40 yıldır Türkiye'den kopuk yaşayan eskiler açısından 1930'larda, 40'larda ilericilik sayılan öz Türkçe kullanımı önemliydi. İşte *Atılım*'da da milletvekili yerine "saylav", mücadele yerine "savaşım", zafer yerine "utku" gibi sözcükler kullanılırdı. Bazılarının ne anlama geldiğini ben bile çıkaramazdım. *Politika*'daki köşe yazılarımda da bu sözcükleri kullanmazdım. Bu yüzden birkaç kere uyarıldım, yine de kalemim varmadı bir türlü. Her neyse... fırsatını bulduklarında fısıltıyla "biz de komünistiz" diyen CHP saylavları da TKP'yi olduğundan güçlü görüyorlardı herhalde.

1 Mayıs sabahı iş bölümü yapıldı, meydana kim ne zaman gidecek, kim ne yazacak, hepsini planladık. Ben öğle saatlerinde Taksim'deydim. Meydan hıncahınç dolu, kortej ara sokaklara doğru sarkıyor. Öğlen olmuş da geçmiş, hâlâ pek çok örgüt, pek çok sendika, gençlik kuruluşu henüz alana bile ulaşamamış. İşçi sınıfı; sosyalistlerle, devrimcilerle omuz omuza, yüzbinlerin katıldığı bir 1 Mayıs kutluyor.

Devrimci marşlar çalınıyor. Hele de Timur Selçuk'un seslendirdiği o unutulmaz "1 Mayıs, 1 Mayıs, işçinin emekçinin bayramı" marşı... Yüzbinlerce işçi, emekçi, genç "141-142'ye Hayır", "Faşizme Geçit Yok", "İşçiyiz Güçlüyüz. Devrimlerde Öncüyüz" diye haykırıyor, pankartlar taşıyorlar. Gerçekten de göz yaşartıcı, heyecan verici bir manzara. Hele de benim gibi TKP'li isen ve meydana illegal TKP'nin damgasını bastığını görüyorsan...

Kürsü, Taksim Gezisi merdivenlerinin hemen önündeki, şimdi otobüslerin durduğu yerdeydi. Kemal Türkler'in konuşması bekleniyor. Heyecan ve sloganlar dorukta... Baktım her şey yolunda; işçi sınıfı, emekçi örgütleri, aydınlar, devrimciler; "burjuvazi"ye, "faşist devlet"e, "işbirlikçi iktidar"a karşı, kızıl bayraklarıyla, devrim sloganlarıyla, isyan ve umut türküleriyle güçlerini gösteriyorlar. Gazeteden muhabir arkadaşların nöbet değiştirmek için sabırsızlandıklarını düşündüm, geç kalmadan gidip izlenim yazayım, yarınki gazetenin hazırlanmasına yardımcı olayım diye, Türkler'in konuşmasını dinlemeden meydandan ayrılmaya karar verdim.

Trafik tümüyle durmuştu, hatırladığım kadarıyla otobüsler, taksiler işlemiyordu. Kalabalığı yara yara Gümüşsuyu'ndan Dolmabahçe'ye doğru indim. Baktım bir araç bulmak yürümekten daha uzun zaman alacak, Karaköy'e yürüdüm, Galata Köprüsü'nden geçtim, Cağaloğlu yokuşunu çıkıp gazeteye geldim. Aydın gazetedeydi, manşeti hazırlıyordu, meydandan ilk fotoğraflar ulaşmıştı, birinci sayfa yapılmış, iç sayfalara geçilmişti. Tam hatırlamıyorum; katliam haberi hemen mi geldi, bir süre sonra mı, bilmiyorum. Yani ben, 1 Mayıs 77'nin görkemini, heyecanını yaşadım; ama otuz yedi cana mal olan katliam saatlerini yaşamadım.

Tabii altüst olduk; ama durup yas tutacak ya da Taksim'e gidecek halimiz yok. Gazete bu, yarın çıkması gerek. O sırada meydandan sağ kurtulan muhabir arkadaşlar, gençler, TKP'liler gazeteye dönmeye başladılar. Manşet, birinci sayfa, iç sayfalar hepsi değişecek. İşe koyulduk, koyulduk da çok kritik bir durum; manşete ne çekeceğiz, ne yazacağız!

Olayların ardından yapılan DİSK açıklamasında "CIA ve onun yerli kardeş örgütü, işbirlikçi tekelci sermaye ve MC'nin (Milliyetçi Cephe) desteklediği faşistler ve Maocu bozkurtlar" katliamın sorumlusu olarak gösteriliyordu. Bizim *Politika*'daki manşetimiz daha da beterdi: "Maocu bozkurtlar Taksim'i kana buladı" gibi bir şeydi. Ertesi gün biraz daha temkinli olduk, acaba mı dedik. Aslında Sular İdaresi'nin önünde bizim Maocu-goşist dediğimiz gruplar vardı ve ilk tabanca orada patlamıştı; ama aynı anda Intercontinental'in (şimdiki The Marmara) üst katlarındaki pencerelerden açılan ateşle meydanı saran panik ve kargaşada insanların çoğu ezilerek ölmüştü. Özellikle de Kazancı Yokuşu'nun başında. Büyük bir provokasyondu. Bazı sol grupları, sol örgütler içine sokulmuş ajanları da kullanmış olabilirler tabii; ama buz gibi Kontrgerilla işiydi. Nitekim biraz önce de söylediğim gibi Demirel bile, bir ay sonra aynı meydanda seçim mitingi yapacak olan Ecevit'i provokasyona karşı uyarmıştı. Bana sorarsan, derin devletle bağından hiç kuşku duymadığım Demirel ve benzerleri provokasyonun amacını da, kimler tarafından tezgâhlandığını da çok iyi biliyorlardı. Zaten, kanlı 1 Mayıs'ın kanlı bir tezgâhın ilk adımlarından biri olduğunu sonraki günlerde yaşayarak gördük.

MELEK – Basında çıkan, olayların sorumlusu olarak Maocuları gösteren TKP yanlısı yazılara ben pek şaşırmadım. Demin de söylediğim gibi sol içindeki bölünmeler, birbirini karalamalar almış başını gidiyordu. Her hareketin içine provokatörler sızar, ama 1 Mayıs 1977 öyle bir iki kişinin organize edebileceği çapta bir olay değildi. Çok büyük bir örgütlenme işiydi ve sanırım kalabalık bir kadro bu iş için görevlendirilmişti. Bu nedenle 37 kişinin öldürüldüğü bir olayı başka bir sol grubun işiymiş gibi göstermek, tam da bu katliamı yaptıranların işine gelecek bir yorumdu. Onlar da zaten bu tür yorumlar yapılabileceğini, bu işin sorumluluğunu solun üstüne atarak işin içinden sıyrılabileceklerini düşünmüş olmalıydılar. Bölünmemiş, güçlü bir sol, egemen sınıflar ve devlet için her zaman en büyük tehdit olmuştur.

Nasıl da unutuyor insan

OYA – Şimdi, aradan otuz yıldan fazla bir zaman geçtikten sonra, o günlerin gazetelerini, belgelerini karıştırırken, "Öyle bir ortamda nasıl yaşamışız, gündelik yaşamımızı nasıl sürdürebilmişiz?" diye soruyorum kendi kendime.

Daha önce anlatmıştım, 1977'de *Politika* gazetesindeyiz ve artık TKP'liyiz. Yani illegal bir partinin legaldeki gündelik yayın organının yönetimindeyiz sözde. Sözde, diyorum, çünkü davul bizim boynumuzda, tokmak parti müfettişlerinin elinde. Gazeteden, gazetecilikten, hele de Babıâli gazeteciliğinden zırnık anlamayan, bütün basın deneyimi sendika dergileri ve sendika başkanlarının konuşmalarının metinlerini yazmaktan ibaret "yoldaşlar" ikide bir manşetlere, yazılara, kadroya müdahale edip duruyorlar. Mesela o gün Türkiye'yi yerinden oynatan çok önemli bir siyasal gelişme oluyor, bizim gazetenin manşeti, sekiz sütuna şimşir harflerle: "UDC Çığ gibi büyüyor". UDC; Ulusal Demokratik Cephe demek. TKP'nin o günlerdeki stratejik sloganı. Aslında ortada cephe mephe yok. Sol bile kendi içinde paramparça. Büyüyen tek şey, olduğundan çok daha güçlü görünen TKP mitosu; ama gerçeği yansıtmıyor. Öne çıkan bunca gelişme varken böyle bir manşetin yanlış olduğunu söyleyince yine "kafası karışık yoldaş" durumuna düşüyoruz.

1977 ortalarından başlayarak kargaşanın, olayların, sağ-sol çatışması denilen sokak çatışmalarının, kanlı kavgaların, cinayetlerin rengi belirgin biçimde değişti. 1978'de, artık öldürülenlerin günlük çetelesi tutulmaya başlandı. Her ay, çoğu genç, onlarca insan ölüyordu. Bir ayda yüz kişinin, toplu katiamların olduğu aylarda beş yüz kişinin sağ-sol çatışmalarında öldüğü oldu. Demirel'in başbakanlığındaki Milliyetçi Cephe (MC) hükümetleri döneminde, vurucu güç olarak MHP'nin komando kamplarında yetişmiş MHP'li, Ülkü Ocaklı militanlar yanında silahlı eylemlerde Esir Türkleri Kurtarma Ordusu (ETKO), Türk İntikam Tugayı (TİT), Türkiye Ülkücü Şeriatçı Komando Ordusu (TÜŞKO), daha bunun gibi çeşitli karanlık örgütler de kullanılmaya başlandı. Saldırılar, yükselen sol hareketi, sol parti ve örgütleri, yereldeki solcuları, DİSK sendikalarını, sendikacıları, işçileri hedefliyordu. Demirel'in "Bana Ülkücüler, milliyetçiler cinayet işliyor dedirtemezsiniz" sözünü hatırlarsın, değil mi?

MELEK – Evet, ne günlerdi! Galiba Nisan 1978'di, Server Tanilli vuruldu. Ankara'da Bedrettin Cömert öldürüldü.

OYA – Milliyetçi Cephe hükümetleri dönemlerinde devlet içinde örgütlenen MHP'nin stratejisi 1978'e kadar, sağ-sol çatışması yaratarak, solculara saldırarak bir yandan sıkıyönetim ilanını sağlamak, öte yandan solcuları ya da kendisiyle uğraşanları ortadan kaldırmak, solu sindirmekti. Ama 1978 başlarından itibaren senin anımsattığın türden cinayetler başladı. Adı bilinen, toplumda saygınlığı olan, sosyalist ya da komünist olmayan demokrat aydınlara, akademisyenlere, yazarlara suikastlar başladı. Evet, mesela Bedrettin Cömert'in öldürülmesi... Bedrettin ne hoş, ne zarif bir insandı. Hacettepe'de doçentti, oradan tanıyordum. İtalya'da İtalyan Dili ve Edebiyatı okumuştu, doktorası estetik dalındaydı. Sanat tarihi dersleri de veriyordu yanlış hatırlamıyorsam. İlericiydi, demokrattı, uygar bir insandı ama militan değildi, herhangi bir eylemde yer aldığına da şahit olmadım. Ve işte öldürdüler. Bedrettin'in öldürülmesinden sonra bende jeton düştü: Bu saldırılar, ölümler, cinayetler, öyle çoluk çocuk işi değildi; sağ görüşlü gençlerle sol görüşlü gençlerin vuruşması değildi. Tıpkı onca kişinin öldüğü 1 Mayıs'taki gibi, bu olayların ardında farklı güçler, gizli eller vardı. Böyle düşündüm; ama Kontrgerilla'yı o zamanlar da bildiğimiz halde, tam da adını koyamamıştım. Bugün artık bütünüyle ortaya serilen Gladyo, Ergenekon, her neyse, o zamanlar tabu konulardı. Cızzzz.... Suikasta uğrayan bile cesaret edemiyor soruşturmaya. Kafalarımızda tanımsız, flu bir şer odağı. Burjuva devletinin melaneti olarak kavrıyoruz olup bitenleri.

MELEK – Bu türden cinayetlerden benim hatırladıklarım arasında, İTÜ'de dekan olan Profesör Bedri Karafakioğlu, bizim Neşe'nin (Erdilek) kocası Trabzon Üniversitesi'nden Necdet Bulut, daha önce Savcı Doğan Öz cinayetleri var.

OYA – Aralık 1979'da Prof. Cavit Orhan Tütengil öldürüldü; o da ılımlı siyasal kimlikli, aktif siyasetle ilgisi olmayan bir bilim adamıydı. TRT'ci Ümit Doğanay'ı hatırlıyorum mesela. Abdi İpekçi'nin öldürülmesi, Mihri Belli'nin, daha başkalarının uğradıkları saldırılardan kıl payı kurtulmaları... Bir de *Politika*'nın yazıişleri müdürü çalışma arkadaşımız Ali İhsan Özgür 21 Kasım 1978'de kaçırılıp işkenceyle öldürülmüştü. Cesedi 22 Kasım'da bulundu. O sırada Aydın Engin gazetenin genel yayın yönetmeni, onu Ali İhsan'ı teşhis etmesi için morga çağırmışlardı. O geceyi hiç unutmam. Aydın yatakta dönüp duruyor ve zaman zaman ağlıyordu. Ali İhsan'ın her yanında sigara söndürme izleri, bıçak yaraları varmış. Bir de –belki bunca yıl sonra söylemem doğru değil ama çok içimde kalmıştı, söylemeden geçemeyeceğim– *Politika*'nın yazıişleri müdürlerinden bizim Aydın Şenesen, Ali İhsan'ın öldürülmesini izleyen günlerde Kadıköy vapurunda Hasan Pulur'a rastlıyor. Ali İhsan'ın öldürülmesine geliyor söz. Aydın Şenesen, "Abi, bir dayanışma yapılsa, gazetecilerden bir ses çıksa..." gibisinden birşeyler söylüyor. Hasan Pulur, "Çok kötü tabii ama su testisi su yolunda kırılır," diyor. O gazeteci değildi, militandı demeye getiriyor. Düşünebiliyor musun, nasıl bir aymazlık! Üstelik Hasan Pulur o zamanlar solcu sayılanlardandı. Aydın tutuklandığı zaman Nezih Demirkent'le birlikte herhalde Gazeteciler Cemiyeti adına, *Politika*'ya geçmiş olsun ziyaretine gelmişlerdi. Fotoğrafımız var birlikte. Ama işte o bile, eğer sosyalistse, komünistse, gazeteci saymıyor öldürüleni.

Su yolunda sadece su testilerinin kırılmadığı, üç aya kalmadan Abdi İpekçi'nin öldürülmesiyle ortaya çıktı; ama uyandıklarını söyleyemem. Bunu biraz da dönemin ruh halini aktarmak için anlattım. Sonra eski komünistlerden Sevinç Özgüner evinde vurularak öldürüldü. O sıralarda İKD Genel Sekreteri olan Zülal Kılıç'ın eşi DİSK uzmanı Alaattin Kılıç ile Berdan Dere ölümden yaralı kurtuldular. Mecidiyeköy, Şişli, Levent, Sarıyer gibi semtlerden geçilmez olmuştu neredeyse. Ülkücü denilenler bellerinde tabancayla dolaşıyorlardı, bir çeşit paramiliter güç gibiydiler. Buna karşılık solcuların, işçilerin çoğunlukta olduğu gecekondu mahallelerinde, Hisarüstü'nde, Ortaköy'de, Gazi'de, 1 Mayıs mahallesinde (sonra Kenan Evren Mahallesi oldu galiba) bizimkiler barikatlar kuruyorlardı. Tam bir iç savaş görüntüsü. Unutuyoruz hepsini; yıllar geçince sisleniyor, uçup gidiyor dehşet anıları, hatta affediyoruz. Ama yeniden dönünce o günlere, bugün de en azından zihniyet olarak devam eden o faşist terörün ne kadar ağır yaşandığını, ne kadar zalim olduğunu, ülkeyi nasıl destabilize ettiğini anlıyor insan.

MELEK – Ya halka yönelen toplu katliamlar... Malatya, Sivas, Kahramanmaraş, Elazığ, Çorum olayları. Hele de Çorum'da barikatlar kurulmuş, gerçek bir iç savaş tablosu yaşanmıştı.

OYA – Çorum, Sivas, Malatya, Elazığ, Kahramanmaraş olayları, bunun gibi onlarca olay. Hepsi esas olarak Alevilere ve solculara yönelmişti, Alevi-Sünni çatışması kaşınıyordu. Hatırlıyorum; olaylar, "Komünistler camiye bomba koydu, solcular cami yaktı, bayrak yaktı" diye ya da yörede saygınlığı olan önemli birine suikast düzenlenmesiyle başlatılıyordu. Ardından gecekondu semtlerinde, özellikle Alevilerin yoğun olduğu köylerde, mahallelerde kahveler, evler taranıyordu, okul çıkışlarında öğrenciler vuruluyordu. Malatya'da Belediye Başkanı Hamido (Hamit Fendoğlu) Ankara'dan postalanan bombalı paketle öldürülünce, komünistler Hamido'yu öldürdü yaygaralarıyla şehirdeki Aleviler, Alevi işyerleri saldırıya uğradı, onlarca insan öldü. Özellikle CHP'li Alevilere yönelen, bir hafta süren faşist terörü engellemek için kolluk kuvvetlerinin önlem almadıkları görüldü. Kahramanmaraş o dönemdeki kitle kırımlarının en korkuncuydu. Günlerce önceden hazırlanmıştı. Alevilerin evleri kırmızı tebeşirle işaretlenmiş, MHP'li komandolar, Ülkücüler bir plan dahilinde örgütlenmişti.

İlk üç günkü kanlı saldırılarda ölenlerin sayısı resmî açıklamalara göre 111'di. Fotoğrafları hatırlıyor musun? Öldürülmüş hamile kadınlar, bacakları ayrılmış küçücük çocuklar, bebeler, genç yaşlı insanlar, Alevi halk yanmış, darp edilmiş bedenleriyle yerlerde üst üste ölü yatıyorlardı. Yine bir hafta boyunca sürdü saldırılar. Bu olaylardan sonra Alevi nüfusun yüzde sekseni kenti terk etti.

Çorum tam bir iç savaştı senin de söylediğin gibi. Her şey çok önceden planlanmış; Alevi mahallelerine saldırıldığı gece şehrin emniyet güçlerinin, polislerin neredeyse tamamı değişmiş, yerlerine MHP ve sağ eğilimli Pol-Birli polisler getirilmişti. Zaten çok gergin olan ortamda olay çıkabileceğini haber veren İl Jandarma Komutanlığı'nda bir yarbayın uyarılarına kulak asılmadığı gibi, adam görevden alınmıştı. Hatırlıyorum, Çorum'da sol ilk defa güçbirliğine gitti. İşin şakası yoktu, mahallelerin girişlerinde kurulan barikatlarda her kesimden ve fraksiyondan solcular vardı. Orada solcular da silahlıydılar. Özellikle köylerde bu güçbirliği işe yaramış, katliamın daha da genişlemesi engellenmişti. Beş Gün Savaşı olarak bilinen o günlerde, köylerde Alevi kadınların ırzına geçildiğine, emzikli bir kadının memesinin kesildiğine, benzer vahşet olaylarına inanmak istememiştik; ama sonraki dönemlerde hepsinin doğru olduğu ortaya çıktı.

Şu birkaç rakamı tarihe not düşelim diye kaydettim. Bak: 1976'da sağ-sol çatışması denen olaylarda öldürülenlerin sayısı 120. Tabii ki bu sayı büyük şehirlerde bilinen vakaları gösteriyor, yoksa köylerde, ücra yerlerde kim bilir kaç olay vardır. 1978'in eldeki verileri derleyerek benim çıkarabildiğim bilançosu 600 ölüyü geçiyor. 1979'da, Kahramanmaraş olaylarından sonra 14 ilde sıkıyönetim ilan edilmesine rağmen sağ-sol çatışması denen olaylarda ölenlerin sayısı 877, ama biliyorum ki bu sayı çok eksik. Ölüleri sağcı-solcu diye ayırmak insanın vicdanını sızlatıyor; ama gerçek şu ki gizli odakların provokasyonları ve devletin desteğinde saldıranlar, anti-komünizm paydasında birleşen MHP'li, Ülkücü, İslamcı Sünni militanlar olduğu için ölenlerin büyük çoğunluğu solcular, sosyalistler, CHP'liler, Alevilerdi. Bu kesimler devlet destekli faşist saldırıya hedef kılınmışlardı.

1976-1980 Eylülü arası dönem, bugünü anlayabilmek için, özellikle solun ders çıkarabilmesi, kendi hatalarıyla da yüzleşebilmesi için başlı başına araştırılmaya değer bence.

12 Eylül'e doğru, adım adım

MELEK – Ben o yıllarda, olayların ortasında değildim ama herkes kadar hedeftim ve tabii çok huzursuzdum. Sanırım o sıralarda CHP iktidardaydı, MHP ve diğerleri sürekli olarak sıkıyönetimi zorluyorlardı ve CHP bir darbeye yol açabileceği endişesiyle herhalde buna yanaşmıyordu. Kahramanmaraş'tan sonra sıkıyönetim ilanına mecbur kaldı.

OYA – Kahramanmaraş olaylarının ardından sıkıyönetim ilan edildiği günü çok iyi hatırlıyorum. Levent'te oturuyorduk. 1979' un başıydı. Olaylar öylesine hızlanmış, faşist terör ve çatışmalar öyle boyutlara ulaşmıştı ki, can güvenliğimiz kalmamıştı. O günlerde elden düşme çok eski bir VW kaplumbağa araba edinmiştik. Her gün, kontağı çevirmeden arabada patlayıcı aramamızı, tekerleklerin altına bakmamızı tembih etmişlerdi. Ama hep unuturduk, motoru işlettikten sonra akıl eder, "Hay Allah, yine bakmayı unuttuk ama neyse patlamadı," der, kendi halimize gülerdik. En güç durumlarda bile insanda mizah duygusu, gülme arzusu oluyor. Kapımıza, sözde koruma olarak bir polis dikmişlerdi. Aydın'ın adı, Ülkücülerin öldürülecekler listesinde varmış, *Politika*'nın yayın yönetmeni olduğu için herhalde. Ben de komünist partisinin gazetesinde yazı yazan, adı epeyce bilinen, mimli biriyim, ben de tehdit altındayım. Polisçik sabahtan akşama girişin oralarda bekliyor. İçimize dert oluyor tabii; gerçekten saldıracak olsalar ne yapabilir ki, üstelik kendi canı da tehlikede. Şimdi hatırlamıyorum nasıl, galiba Emniyet Müdürlüğü'ne korumaya ihtiyacımız olmadığını, hayatımızın sorumluluğunu kendimizin yüklendiğini bildiren bir yazı yazarak adamı savmıştık başımızdan.

Kahramanmaraş olayları üzerine sıkıyönetim ilan edildiğini gazetede haber alır almaz eve geldim. Evde küçük çaplı bir evrak temizliği yaptım, TKP yayınlarını falan sakladım. Sıkıyönetim dendi mi, bizim kuşakta kitapları, yayınları ortadan kaldırma refleksi oluşmuştur. Bazen ayıklama bile yapmadan alıp götürürler kitaplarınızı, liste ve zabıt da tutulsa, bir daha geri alamazsınız. 12 Mart döneminde benim çok kitabım gitti böyle. Aydın İstanbul dışındaydı, o gece mi ertesi gün mü, döndü. Sıkıyönetimin nasıl gelişeceğini, bizlere de uzanıp uzanmayacağını görene kadar bir süre evimizden ayrıldık. Ayrı ayrı evlerde kalacaktık. Evi terk etmeden önce, birinin hediye getirdiği iyi bir Fransız konyağı vardı, onu acele yarılamaktan ve belirsiz geleceğimize kadeh kaldırmaktan da geri durmadık. Arjantinli rejisör Solanas'ın *El Sur* (Güney) filmini bundan en az beş altı yıl sonra Almanya'da mülteciyken gördüm: Arjantin'de darbe olmuş; askerlerin kapıya dayandığını fark eden yaşlı devrimci çift, önce tabancayı çekmeceden çıkarır masanın üstüne koyarlar, sonra da kadehlerine konyak doldurup tokuşturur, kendilerini almaya gelen askerlerle çatışarak birlikte ölürler. Filmi gördüğümde buz kestim, tam bir *déjà-vu* duygusu. Ölüm sahnesi hariç biz bu sahnenin aktardığı duyguları aynen yaşamıştık Aydın'la.

MELEK – Sıkıyönetim ilan edilmişti ama, benim hatırladığım, sıkıyönetime rağmen olayların sürdüğü.

OYA – Sürüyordu tabii, amaç sıkıyönetimle yetinmemek, askerî darbeyi körüklemekti. Darbe tetiklemeye Kahramanmaraş, Kalatya, Sivas, Çorum gibi olaylar yetmeyince iç savaş stratejisi devreye sokuldu. Görünürde, vurucu güç yine MHP ve Ülkü Ocakları'ydı, sağ-sol çatışması sürüyordu. Ama işin içinde başka güçler olduğunu sezmemek mümkün değildi. Abdi İpekçi'nin Şubat 1979'da evinin önünde Mehmet Ali Ağca tarafından vurulması ülkeyi şoka soktu.

Türkiye olaylara sağ-sol çatışması diye bakarken, katliamlar birbirini izlerken, işçi mahallelerinde, fabrikalarda, büyük işletmelerde terör saldırıları yoğunlaşırken, birileri 12 Eylül'ü planlıyordu. Bunu fark etmiyor da değildik, yine de gerek kişi gerekse hareket olarak tedbirimiz, kendimizi kormak için bir silah edinmekten ibaret kalıyordu. Mesela Aydın bir tabanca bulmuş, yastığın altına koymuştu. Benim silahtan ödüm kopar. Hani şeytan doldurur derler ya... Sabahlara kadar uyuyamıyorum. "Bunu kullanmasını bile bilmiyoruz, ne işimize yarar," diyorum. Aydın, "Kapıya dayandıklarında bir an için caydırıcı olur," diyor. Ya sonraki an?

MELEK – Senin oğlan kaç doğumludur? O günlerde mi doğurdun yoksa?

OYA – Ekim, 1979 Ekimi'nde doğdu. Hamile kaldığımı epeyce geç fark ettim. O zamana kadar birkaç kez kürtaj olmuştum. Bu defa doktorum, "Resmen evlisin artık, üstelik yaşın 39, yani son tren kaçıyor," dedi ve üç ayı geçmiş gebeliğe kendisinin müdahale etmeyeceğini söyledi. Ben de korktum, belki bilinçaltımda gerçekten de bir çocuk sahibi olmak istemişimdir. Deminden beri konuşuyoruz ya; bugünden bakıldığında böyle bir ortamda nasıl yaşanır, üstelik de doğurmaya nasıl karar verilir diye şaşıyor insan. Ama içinde yaşarken her şey daha doğal geliyor, hayat akıyor işte. Olaylar bu konuştuklarımızdan çok daha vahim, çok daha ürkütücü, yani o günlerde, benim konumumdaki birinin çocuk doğurma kararı, hele de 39 yaşında, hiç akıllı işi değil, yine de doğurdum.

MELEK – O günlerde hâlâ *Politika* gazetesinde misiniz?

OYA – Evet ama gazetenin durumu kötü, bir yandan para yok, bir yandan kâğıt darlığı var. Türkiye ekonomisi korkunç darboğazda. Petrol kuyrukları yüzünden arabalar işlemez olmuş, kaloriferler yanmıyor. Gazete binasının her yanı taş, ayaklarımız donuyor, paltolarımızla oturuyoruz binada. Gazete bobini bulmak altın bulmaktan daha zor. Öyle günler olurdu ki, gazete çıkacakmış gibi hazırlanır ama basılamazdı. Kâğıt olmadığını, gazetenin basılamayacağını Aydın, ben, bir de Aydın Şenesen bilirdik; çocuklara söyleyemezdik. Bazen bir mucize olurdu, son anda birkaç top kâğıt bulunur, İstanbul baskısı yapılırdı. Geceleri sabaha kadar kâbus görürdüm: Hiç durmadan kâğıt bobinleri akar dururdu önümden ve ben onlardan birine bile ulaşamazdım. Üstelik de Parti'nin basın sorumlularının yönlendirmesi, açıkçası baskısıyla, *Politika* TKP'nin yarı resmî yayınına dönüşmüştü. Düşünsene hem Babıâli'de gündelik gazete çıkarma iddiasındasın hem de slogancı, amatör bir parti yayını olmaktan öteye geçemiyorsun. Aydın, ben, Aydın Şenesen bu duruma itiraz ediyoruz, bu manşetlerle olmaz, bu bir gazete değil diyoruz; ama elimizden de bir şey gelmiyor. Yani orada da tatsızlık var.

Sıkıyönetim ilanından sonra, gazete ara ara sıkıyönetim yasaklarını ihlalden kapanıyor, sonra yine açılıyordu. Aydın'ın, benim, Aydın Şenesen'in sivil ve askerî mahkemelerde süren onlarca davamız vardı, tutuksuz yargılanıyorduk ama her an içeri alınabilirdik. Her duruşmadan sonra, tutuklanmadığımıza şükredip "Bu defa da atlattık," diye sevinirdik. Nitekim Aydın Engin 79'da, sonra da 80 başlarında birkaç kez tutuklanıp Selimiye'de, Davutpaşa'da yattı. Bir davadan tahliye oluyor, bir süre sonra yeniden içeri giriyordu.

Bir keresinde tutuklandığında, Ekim 40 günlüktü, hatırlıyorum. Aydın'ın hep sevgiyle Terzi Sadık diye andığı yaşlı babacığı Ödemiş'ten gelmişti, hem torununu hem de oğlunu görmek için. Ekim'i bebek taşıma çantasına koyup görüşe götürmüştük. Hiç unutmadığım, yüreğimi yakan bir görüntü vardır. Rahmetli Terzi Sadık, Aydın'ın aksine zayıf naif bir insandı. Kibar, sesi yükselmeyen, gömleği pantolonu hep ütülü bir adam. Öyle hapishanelerle, mahkemelerle işi olmamış, hiç alışkanlığı yok, ağırına gidiyor oğlunun hapiste olması. Elimizde bebek Selimiye Kışlası'nın kapısına gittik. Etrafta silahlı askerler, nöbetçiler; görüşçüleri itip kakıyorlar, bildiğin görüntüler işte. Baktım Terzi Sadık'ın dudakları, elleri titriyor, ağladı ağlayacak. Kendine yediremiyor, oğluna yediremiyor, sanki suçlu oymuş gibi herkesten, benden bile utanıyor. Neyse epeyce bir itiş kakıştan sonra içeri girebildik. Ekim Bebeğin kutusunu aradılar, o da hiç ağlamadan gülücükler saçıyor etrafa. Nöbetçilerden biri, "Çocuğu içeri sokamazsınız," dedi. Böyle durumlarda hiç tartışmayacaksın, sotaya yatıp elverişli bir an bekleyeceksin. Ben sustum, biraz sonra yanımıza bir onbaşı yaklaştı, "Oya Abla, ben sizin yazılarınızı okurum, benim memleketimde de okurlar sizi. Çocuğu içeri sokarım ben," dedi, kulağıma eğilip. İşte ben de o zaman ağlamaya başladım.

MELEK – Babalarını, analarını hapishanelerde ziyaret ede ede büyüdü bizim kuşağın çocukları. Ya da yıllardır görmedikleri bir adam karşılarına dikilip de "ben babanım" dediğinde, şaşırıp, korkup saklanarak büyüdüler.

OYA – Tabii canım; benim anlattığım bu dokunaklı hikâyeler, Ekim Bebeği görüşe götürmek, yaşlı babanın ezikliği ve kederi, binlerce insanımızın başına gelenler düşünülürse, bunlar çok hafif, anlatmaya değmez şeyler aslında. Bırak görüşe gitmeyi ya da uzun yıllar analarını babalarını görememeyi, anaları babaları hapishanelerde ölen, ortada kalan çocuklar; analarının babalarının gözleri önünde işkence edilen çocuklar oldu.

Tuhaf bir dönemdi. Kim kimden yana, kim kime karşı belli değil. Hani bugün cepheleşme diyoruz ya, o zaman da başka bir cepheleşme vardı, cepheler arasında kanlı çatışmalar vardı. İçeride, askerî tutukevlerinde, sıkıyönetim mahkemelerinde de sol görüşlü astsubaylar, teğmenler, hatta askerî savcılar olduğunu biliyorduk. Sonra birkaç defa daha girdi Aydın içeri. Galiba sonuncusu 80 Şubatı'ydı. Teslim olmak niyetinde değildi ama Parti'den, teslim olsun, içeri girsin, uluslararası kampanya yapalım tahliyesi için talimatı geldi. Ne akıl! Kim takar senin kampanyanı o günlerde... Ben Ankara'ya gittim "kamuoyu oluşturmaya". Meclis'e gittim; CHP'nin solda, TKP'ye yakın, bizim "saylavlar" dediğimiz milletvekilleriyle görüşüyorum, gazetecilerle görüşüyorum. Ortalık karmakarışık ama TKP efsanesi de oldukça güçlü. Adlarını burada vermek istemem, kimileri yaşamıyor, kimileri de şimdi CHP'nin en sağ, milliyetçi, vesayetçi kanadında yer alıyor. Bunlar bana, "Ah vah, elimizden bir şey gelmiyor, biz de komünistiz, biz de TKP'ye yakınız ama hiçbir şey yapamıyoruz," diyorlar. Bir de hiç unutmuyorum, *Cumhuriyet*'in Ankara bürosuna Mustafa Ağabey'le, Uğur Mumcu ile görüşmeye gitmiştim. Uğur, "Oyacığım, ben de komünistim," demişti vurguyla. O günlerde solda yer alan aydınların bir bölümü, kendilerini komünist görürlerdi. Öyle bir hava vardı ki ülkede, bir yandan kan gövdeyi götürürken bir yandan da sıkıyönetim mahkemelerinin asker savcıları 141-142. maddelerin kaldırılmasını ek talep olarak getirirlerdi iddianamelerinde. Çünkü bizlere sürekli 141-142 davaları açılıyordu, mesela Aydın'ın herhalde en az yirmi, benim on on iki kadar 141. ve 142. maddeden, yani komünizm propagandası yapmak, bir sınıfın öteki sınıflar üzerinde hegemonyasını savunmak ya da gizli komünist partisi üyesi olmaktan davalarımız vardı. Sadece bizler değiliz, böyle binlerce dava var. Öte yandan TKP fiilen yarı legal durumda, her şey yazılıyor çiziliyor, tam bir kaos ve çelişkiler ortamı. Savcılar bizar olmuş durumdalar ve o ortamda bu maddelerin anlamsızlığını, işlemediğini görüyorlar.

Neyse işte, dağıtmayayım fazla. Aydın içeri girdi, kamuoyunun da kılı kıpırdamadı tabii. Sadece birkaç gencecik İGD'li (TKP'nin legal gençlik örgütü) duvara "Aydın Engin'e özgürlük" yazarken yakalanıp tutuklandılar, o kadar.

MELEK – Parti neden Aydın'ın teslim olmasını istiyor, sonra da neden yurtdışına çıkmasında pek gönüllü değil?

OYA – TKP merkezi için Aydın da ben de fazla bağımsız, merkezin kararlarını da eleştiren, emirlere körü körüne itaat etmeyip sorgulayan, "kafası karışık yoldaş"lardık. Daha önce de konuştuk, bu yapıları bilirsin. Soru soruyorsan, asker gibi itaat etmiyorsan, basit şeyler de olsa eleştiriyorsan, inisiyatif kullanıyorsan güvenilmez sayılırsın. Ayrıca hücre yapılanmasına sahip illegal örgütlerde merkeze, yani asıl yönetime ulaşma olanağın da yoktur. Çevren, çoğunlukla emireri konumunda yetersiz ve kompleksli kişilerle sarılıdır. Onların süzgecinden geçer seninle ilişkili bilgi ve değerlendirmeler. Günahları boyunlarına ama benim sonradan duyduğum, Aydın tutuklanıp da *Politika*'dan ayrılınca kimilerinin memnun olduğuydu. Zaten 1979 sonlarında artık benim yazmamın da istenmediği haberi geldi. Nedeni, Sovyet çizgisini körü körüne desteklemeye dayalı merkez politikalarına tamı tamına uymamaktı bana sorarsan. Asıl rahatsız eden ise *Atılım*'dan veya başka bir parti yayınından alınan ya da sendikalardan, partili uzmanlardan gelen yazıları aynen kullanmamam, şabloncu bir üslup tutturamamamdı.

Mesela o sıralarda Arjantin'de Videla diktatörlüğü halka kan kusturuyordu. Mayıs Meydanı Anneleri'nin bıkmadan usanmadan hâlâ izini sürdükleri kayıplar, tutuklamalar, ölümüne işkence, faşist baskılar, devlet terörü gırla. Aydın "Videla vidalıyor" diye bir yazı yazmıştı. Parti'den uyarı geldi hemen. Sovyet politikası Arjantin'deki diktatörlüğe karşı değilmiş meğer. Eh, böyle olunca "kardeş parti"nin gazetesi nasıl eleştirir Videla'yı! Benim için de buna benzer şeyler... Özellikle de dünya barış hareketinin güçlendiği, Türkiye'de Barış Derneği'nin kurulduğu yıllardı. Benim daha o zaman bütünsel olmayan bir barış kavramı ve bütün savaşlara karşı olmayan bir barış hareketiyle sorunlarım vardı. Sovyet güdümündeki Dünya Barış hareketinin sadece nükleer silahlara, iki blok arasındaki barışa kilitlenip yerel savaşlara neden karşı çıkmadığını, bunları engellemeye neden çalışmadığını, açıktan olmasa da bunların bazılarını nasıl desteklediğini anlayamazdım. "Bize gerekli savaşlar" olduğu düşüncesi beni hep rahatsız etmiştir. Hani bugün "ama"sız barışçılık diyoruz ya, hep böyle düşünürdüm. Bu hoş görülmezdi tabii, çünkü SBKP'nin çizgisine tersti. Mesela DİSK'in, Maden-İş'in işçi hareketini bölebilecek tasfiyeci uygulamalarını açık açık olmasa bile eleştirdiğimin bilinmesi; faşist terörün tırmandığı o kötü günlerde bir yandan UDC deyip (Ulusal Demokratik Cephe) öte yandan sekterlik, grupçuluk yapılmasından rahatsız olduğumun hissedilmesi, "kafası karışık yoldaş" olmaya yetiyordu.

Bilirsin bu işleri. 80'li yılları anlatırken bu konuya girmek isterim. Leninist-Stalinist veya Maoist, veya şuncu-buncu hiç fark etmez, bu türden yapılar her türlü yozlaşmaya, şef sultasına, lider diktasına elverişlidir. Hepsinin iç yapılanmaları ve işleyişleri antidemokratiktir. Bu türden partiler, hepimizdeki parti yüceltmesine, parti idealizasyonuna dayanarak sürdürürler varlıklarını. Brecht'in, "Benim bir gözüm var, Parti'nin bin gözü" diye giden bir parti güzellemesi vardır. Bir dönemin komünistlerinin ruh halini çok güzel anlatır.

MELEK – 12 Eylül'de içeride miydi Aydın?

OYA – Hayır. 1980 ilkbaharıydı, tutuklu olduğu davalardan birinden tahliye çıktı. Aslında yine tutuklu yargılandığı iki dava daha vardı. Bunların hepsi yazı, çizi nedeniyle. Ne oldu bilemiyoruz; içerideki sağcı-solcu itiş kakışına denk geldi de bilerek mi tahliye ettiler ya da gerçekten de farkında olmadan mı? Tutukluluğunun sürmesi gerekirken tahliye oldu hiç beklemediğimiz şekilde. Tahliye olmadan hemen önce bir binbaşının gelip konuştuğunu, üstü kapalı şekilde yurtdışına kaçmasını tavsiye ettiğini anlatmıştı o zaman. Ekim yedi aylıktı. Aydın, bu defa örgüt, Parti, kim ne derse desin içeri girmemeye kararlıydı. Kararlı olduğunu da Parti'ye iletti. Davutpaşa'daki askerî hapishanenin koşulları çok ağırdı. İçeride çoğu silahlı hareketlerden, sol radikal örgütlerden gelen gençler vardı. İkide bir isyan çıkıyordu. Bu gibi durumlarda silahlı askerlerin koğuşlara girmesi ya da silahlar tutukluların üzerine çevrilmiş olarak pencerelere mevzilenmeleri olağandı. Aydın, hem yaşı itibarıyla hem de birbirinin can düşmanı rakip sol örgütlerin kapışmasını engellemek için koğuş sorumlusu yapılmış, her şeyi göğüslemek zorunda. Bir gidişimde, görüşe çok engel çıkardılar, hapishane müdürüne çıkmakta direttim, kapıda bağırıp çağırmaya başladım. İçeride birşeyler olduğunu anlamıştım. O zamanlar hâlâ bir parça çekiniyorlardı basından. Aydın gazeteci, benim de basın kartım var, bir de hapishane müdürü tanıdıktı galiba. İçeri alındım sonunda. Çok soğuk bir gündü. Yanımda birkaç battaniye, sıcak tutacak örtüler, yün giysiler getirmiştim. Bunları kesinlikle içeri almadılar. Davutpaşa Kışlası'nın taş koğuşlarını düşün, hiçbir ısıtma yok koğuşlarda. Sonra Aydın getirildi, yemekhane gibi uzun sıraların olduğu bir yerde görüştürüldük. Aydın kötü görünüyordu, çok zayıflamıştı. Anlattığına göre, koğuşları değiştirilmiş, yeni koğuşta bir köşeye üst üste dizilmiş incecik yer yataklarında başka bir şey yok. Koğuşu su basmış veya hortumla su sıkılmış, yataklar en alttan başlayarak su çekmiş, hepsi nemli, yatıp uyumak mümkün değil. Herkese günde bir dolu bardak su veriliyor; ister iç, ister yıkan. Bu arada bitlenmişler, zaten tahliye edilip eve geldiğinde üzerinden çıkan her şeyi kalorifer kazanında yakmıştık. 12 Eylül hapishanelerinin provası yapılıyordu bence.

Yıllar sonra Davutpaşa Kışlası'na gittim. Orası Yıldız Teknik Üniversitesi'ne kampus olarak verilmiş, bazı fakülteler oraya taşınmış. Seçmeli derslerden biri olan Türkçe Edebiyat dersi çerçevesinde bir konuşma yapmam için üniversiteye çağrıldım. Aralarında yıllar önceki öğrencilerimin de olduğu profesörler, öğretim görevlileri, öğrenciler konuşma bitince bana kampusu gezdirmek istediler. Aşağı katta laboratuvarlar ve spor salonları vardı, daha yeni yeni yerleşiyorlardı. Birden fizik laboratuvarının Aydın'ın on yedi, on sekiz yıl önce kaldığı koğuş olduğunu fark ettim. Bütün o güçlüklerin, acıların, zulmün yaşandığı mekân. Bir an anlatmak istedim bunu yanımdakilere, yapamadım, kendimi dışarı attım.

İşte oradan tahliye olduktan sonra, bu defa "Legalde kalsın, tutuklama çıkarsa yine teslim olsun," diyemedi ilgili parti birimi. "Bir süre saklansın, çıkışını ayarlayacağız," haberi geldi. Şöyle bir on beş gün kadar geceleri evde kalmadı; gündüz çok dikkatli buluşuyorduk. Ben Ekim'i bebek arabasına koyup yakındaki bir parka gidiyordum, Aydın da oraya geliyordu. Hem oğlunu görüyordu hem karısını. Bunun da kendine özgü bir romantizmi oluyor.

O iki hafta boyunca fena eğlenmedik. Partiden, sol çevrelerden olmayan eski arkadaşlarımızla buluşuyorduk. Küçük bir grubumuz vardı, hâlâ da var; benim kuzinim de olan Yıldız (Prof. Yıldız Sey), Mete (Prof. Mete Tapan), o zamanki eşi, benim Levent Mahallesi'nden çocukluk arkadaşım Nazan (Ölçer), Aydın, ben, bazı eski arkadaşlarımıza, tanıdıklarımıza ziyaretlere başladık. Aydın'ın aranmakta olduğu, hapishaneden nasılsa, kaza eseri çıktığı biliniyordu bizim çevrelerde. "Bir kahve içmeye veya bir kadeh şarap içmeye geliyoruz," diye telefon ettiğimiz ya da çat kapı gittiğimiz dostların Aydın'ı da yanımızda görünce yüzlerinin aldığı şekil görmeye değerdi. Kimileri gerçekten büyük bir sevgiyle sarılıyorlar, Aydın'ın onlarda kalması için ısrar ediyorlardı. Kimilerinin ise yüzü allak bullak oluyor, "Ay ne iyi ettiniz de geldiniz, yazık kayınçomun kardeşinin torununun bilmem nesi var, oraya gitmek zorundayız, yoksa yemeğe kalın derdim," türünden sepet havaları çalınıyordu. Hem eğlendirici hem de insan tanıma açısından öğretici bir testti.

Neyse, sonunda Parti'den haber geldi, Aydın'ın Almanya'ya

gitmesi isteniyordu. Onu Yeşilköy Havaalanı'ndan geçirdiğim günü hatırlıyorum. Bir daha ne zaman, nasıl görüşeceğimizi bilmiyoruz. Ekim yedi buçuk, sekiz aylık. Küçük oğlumuzun ne olacağını, nerede, kiminle büyüyeceğini bilmiyoruz. Yine de çaresiz, telaşlı, gelecek korkusu içinde hissetmiyoruz kendimizi. Daha önce de konuşmuştuk ya; hayatın normal akışı böyleymiş gibi geliyor bize. Hüzünlüyüz tabii, ayrılık zor; ama büyütmüyoruz. Bu bizim hayatımız, diyoruz. Bunu seçtik. Belki romantizm ama garip bir de haz alıyoruz bundan. Uçak kalktı. Bilirsin, burgu gibi bir acı saplanır insanın içine. Eve döndüm; o gün Ekimcik daha bir hüzünlü bakıyor gibi geldi bana. Bilmiyorum neden, bebekken bakışları çok hüzünlüydü. Hep gülen, neşeli bir bebekti aslında ama o yaşta bir bebekte yadırganacak kadar hüzünlü bakardı bazen. Annem evdeydi, benim yerime o ağlayıp sızlıyordu, "Kendinizi düşünmüyorsunuz çocuğunuzu düşünseydiniz bari, böyle hayat mı olur, böyle ana babalık mı olur!" diye epeyce söylendi. Haklı bir yanı da vardı aslında. Ekim'i pusetine koyup evden çıktığımı, karanlık basana kadar sokaklarda dolaştığımı hatırlıyorum.

MELEK – Sen ne yapıyorsun o sırada, *Politika*'da yazmıyorsun artık.

OYA – O sıralarda gazete sıkıyönetim komutanlığınca ikide bir kapatılıyordu. Aydın gittiğinde yine kapalıydı yanlış hatırlamıyorsam. Ama sonra yeniden yayına başladı. Anlattığım gibi, ben artık yazmıyordum orada. Aynı zamanda TKP'nin haftalık legal yayın organı *Savaş Yolu*'nun da sahibiydim. *Savaş Yolu*'nun ilk sayısı Aralık 1978'de çıkmıştı, hatırladığım kadarıyla 1979 sonuna doğru *Savaş Yolu* ile de ilişkim kesildi. Son sayılardan birini Ekim'in doğumundan hemen sonra, ben daha bir haftalık lohusayken Erdener Akbulut'la birlikte bizim evde hazırlamıştık. Tabii bir yandan çocuğu emzirmek, bakmak; bir yandan yazıları hazırlamak, yerleştirmek... Bir iki gün bu yoğunlukta çalışınca bana nöbet geldi. Lohusa nöbeti denirmiş; ateşim çıktı, altımdaki yatağı sallayacak kadar titriyorum, her yanım kıpkırmızı, birşeyler döküyorum, bir yandan bebek acıkıyor, ağlıyor. Aydın yine hapisteydi, annem yan dairede ama halimi görsün istemiyorum, çünkü yine söylenecek, bir haftalık lohusa böyle çalışır mı, böyle yaşar mı diye. Üstelik de haklı.

Haziranda Aydın yurtdışına çıktıktan sonra 1980 yazını Şarköy'de geçirdim bebekle birlikte. Zaten işim yok, bir gelir kaynağım yok. Annem her sene Şarköy'de ev tutardı, orada 1930'ların başlarında mezun olduğu Çapa Öğretmen Okulu'ndan arkadaşları vardı. Çocukla birlikte yazı onun yanında geçirmek işime geldi. Deniz kenarında küçük bir evdi. Çok zor bir yazdı. Ne olacağımız belli değil, küçük bebek var, bir de üstüne Kerbela gibi bir susuzluk. Şarköy'de sular kesilirdi o zamanlar, bir damla su akmaz. İnsan, yaşamının bazı dönemlerini saçma sapan bir olay üzerinden hatırlar ya, 1980 yazı da benim için "susuz yaz"dır.

Eylül'ün hemen başlarında bir gün Şarköy'deki eve –uzak bir akrabaymış, ben tanımıyorum bile– annemin elini öpmeye rütbeli bir subay geldi. 30 Ağustos geçmişti. Ben büyük bir pervasızlıkla, "30 Ağustos geçti, ne oldu darbe yapmadınız?" gibi bir laf ettim. Adam da gayet sakin, "Zamanı gelince olur," diye cevapladı. Yani sıkıyönetime rağmen saldırılar, olaylar, çatışmalar, siyasal çözümsüzlük öylesine yükselmişti ki, darbe ihtimalini değil, hâlâ darbe olmamasını yadırgıyorduk hepimiz.

İşte bu hava içinde, ben 8 Eylül'de Türkiye'den çıktım. Parti merkezinden çağrılmıştım. Neden çağırdıklarını bilmiyordum. Herhalde beni ve Aydın'ı ne yapacaklarını bilemiyorlardı, birlikte konuşup bir karar verecektik. Bir süredir parti tarihi üzerine çalışmam istenmişti. "Türkiye'de İşçi Sınıfının Doğuşu" konulu doktora tezimi hazırlarken okuyabilecek kadar eski yazı öğrenmiştim. Yaz aylarında biraz daha ilerlettim. Bana yurtdışına çıkış emrini ileten yayın birimi sekreteri, parti tarihi çalışması için yararlı bazı malzemenin, Sovyet arşivlerindeki bazı belgelerin fotokopilerinin Merkez'de olduğunu, Doğu Berlin'de bana gösterileceğini söylemişti.

Annemi, teyzemi ve çocuğu Şarköy'deki evden topladım, bizim küçük kaplumbağa VW ile yola çıktık. Yolda araba motor yaktı. Bir ayrıntı: Bu kaplumbağaların motoru arkadadır. Arkası tıklım tıklım dolu, büyük teyzem ile bebek de arkada. Tekirdağ'ı geçince bir rampa vardır, motor çekmiyor bir türlü, üstelik yeni bakım yaptırmışım. Jandarma noktasından geçerken nöbetçi er telaşla dur işareti yapıyor. Ben söylenip duruyorum, "Kadın sürücü gördü de rahatsız etmek istiyor, durmazsam ne yapacak, sanki vuracak mı!" diye. Ama çocukcağız çok telaşlı; mecburen durdum ve o zaman arabanın arkasının alevler içinde olduğunu fark ettim. Zar zor söndürdüler, oradan geçen yardımsever bir bey bizi çekici halatla arabasının arkasına bağladı, böyle maceralı bir yolculukla İstanbul'a geldik. Hemen ertesi gün küçük bir el çantasıyla, sadece dört beş gün kalmak üzere Berlin'e uçtum.

Doğu Berlin'de, Doğu Almanya komünist partisinin misafirlere, resmî heyetlere ayrılmış bir oteli vardı; sanırım şimdi yıkılmış, yerine başka bir bina yapılmış. Spree Nehri'nin kollarından birinin kenarına kurulmuş güzel bir yerdi. Oraya üç beş günlüğüne gelmişim, yanımda küçük bir çanta, bir don bir gömlek denir ya öyle, çocuğu da anneme bırakmışım.

Uzun bir sürgünün başlangıcı

Doğu Berlin'de Doğu Alman Komünist Partisi'nin otelinde kaldığım oda, otelin önündeki, ulu ağaçlarla gölgelenen yemyeşil bir alana bakıyordu. Orta Avrupa'nın yeşili bir başkadır; gölgeli, koyu bir yeşildir. 12 Eylül sabahı, erkenden, ortalık daha yeni aydınlanırken telefon çaldı. Hep yüreğimiz ağzımızda yaşıyoruz ya! Bir telaş yataktan fırladım.Telefonda Aydın Meriç. 1 Mayıs 1976'nın DİSK'teki mimarlarından, daha önce söz etmiştim. Aydın Meriç'i 1 Mayıs'ın ardından TKP merkezine getirmişler, herhalde politbüroya dahil etmişlerdi. O Leipzig'de değil Doğu Berlin'de yaşıyordu. Benimle ilişki kuran da oydu. "Sen ne zaman dönüyorsun Türkiye'ye?" diye sordu telefonda. Ben de, "Yarın dönüyorum," dedim. "Nah dönersin," dedi. Ben anlamadım, "Parti benim için yeni bir karar mı çıkardı?" diye düşünüyorum. Bir de, seni Leipzig'e, Merkez'e alıyoruz derlerse ne yaparım ben diye telaşlanıyorum; bu, hiç istemediğim bir durum. Aydın Meriç, "Radyoyu, televizyonu aç, BBC'yi alıyor, nerede bulursan haberleri dinle, Türkiye'de darbe oldu," dedi. Ve o anda ben pencereden, otelin önünde uzanan o yeşilliğe baktım: Henüz sabah alacasıydı, çimenler büsbütün koyu yeşil görünüyordu. Çimenlerin üzerinde ince uzun, genç bir kadın köpek gezdiriyordu. Köpekli kadın ve yeşil çimenler, ulu ağaçlar, 12 Eylül sabahının beynimdeki fotoğrafı oldu.

Hiç hayale kapılmadım, "Kaldın burada Oya," dedim kendi kendime. Eskiden, yeri geldikçe, "Bu mücadelede pek çok şeyi göze aldım ama korktuğum iki şey var, asılmak ve sürgün," derdim. Olmuştu işte, korktuğuma uğramıştım. Aydın Meriç'in "Nah dönersin" lafı da, benim "kaldın burada Oya" sezgim de doğru çıktı, Türkiye'ye 12 yıl sonra dönebildim.

MELEK – Senin hikâyen de benimkine taş çıkartıyor. Bir yaşında olmamış çocuğunu bırak, küçük bir çantayla yola çık, 12 yıl sonra dön... Peki hep Doğu'da mı kaldın?

OYA – Kısa bir süre, birkaç ay Doğu Berlin'de kaldım. Aydın o sıralarda Batı'da, Frankfurt'ta. Parti bizi ne yapacağını, nereye yerleştireceğini, ne işte kullanacağını bilemiyor. Aydın'ı da Doğu Berlin'e çağırdılar bir karar verebilmek için. O da benim kaldığım otele geldi, birkaç gün birlikte kaldık. Bundan sonraki hayatımızı nasıl düzenleyeceğimizi, ne yapacağımızı Parti ile birlikte kararlaştıracağız.

Aydın Meriç geldi, bizi o zamanlar Doğu Berlin'in en iyisi diye bilinen bir restorana götürdü. Macar şarapları içtik, biraz geleceğimizi konuştuk. Kafalarında hiçbir şey yoktu, belli ki önümüzdeki günlerde bizim gibi pek çok partiliyi yurtdışına çıkarmakla uğraşmaları gerekecekti. Konuşmanın bir yerinde, "İkinizi birden Moskova'ya, Marksizm-Leninizm Enstitüsü'nde uzun süreli eğitime gönderelim," dedi Aydın Meriç. Kafamdan aşağı kaynar sular boşandığını hatırlıyorum. "Bizim bir yaşını bile doldurmamış bir çocuğumuz var, üç dört gün için anneme bırakıp geldim, o ne olacak, beraber mi gideceğiz eğitime?" gibisinden birşeyler geveledim. Aydın Meriç hiç sektirmeden, "Doğu Alman sınır muhafızlarının çocukları için kreşler, yatılı okullar var; çocuk siz dönene kadar orada kalır. Merak etmeyin, çok iyi bakılır," demez mi! Bir an "Şaka mı ediyor acaba?" diye düşündüğümü hatırlıyorum. Galiba ikimiz aynı anda, "Hayır bunu yapamayız," dedik. "Ben bu yaşta çocuğumu yalnız başına hiçbir yere bırakmam, ikimiz birden Moskova'ya gidemeyiz," dedim. Sonradan, parti hayatımdaki en cesur ve doğru kararın bu olduğunu düşünmüşümdür hep. O zamanki kafamızla bakacak olursak, büyük harfle yazılan Parti öneride bulunuyor, ki bu aslında emir demektir. Biz de hayır, yapmayız, diyoruz. Tuhaf bir duygudur bu. Emirlerin, tayinlerin, görevlerin saçmalığını, yanlışlığını bilirsin, yine de hayır demek ağırına gider. Korku değildir, neden korkacaksın ki! Acaba ben yeterince inançlı, yeterince fedakâr değil miyim sorgulamasıdır.

O buluşmamızdan sonra Aydın Almanya'ya, Frankfurt'a döndü. Orada benim için iş imkânları olacağını düşünüyordu, kendisi de, nasıl olsa bir iş bulurum havasındaydı. Bir tek ilkemiz vardı: Parti parası, örgüt yardımı falan almamak; kendi yağımızla kavrulmak. Ama durumumuz belirsizliğini koruyor. Ben, Parti tarihi belgelerini, Aydın Meriç'in ulaştırdığı mikrofilmleri incelemek için Doğu Berlin'de kalıyorum. Parti tarihi yazacağız ya... Beni otelden çıkarıp küçücük bir stüdyo daireye yerleştirdiler. Önüme bazı eski yazı belgeler, mikrofilmler yığdılar. "Etrafta fazla dolaşma, her yer ajan kaynıyor," diye de uyarıldım.

MELEK – Bir çeşit evde göz hapsi gibi yani.

OYA – Bir terslik olmasından, başlarına durup dururken bela açılmasından korkuyorlardı sanırım. Doğu Berlin gerçekten de casus filmlerindeki gibi ajan kaynıyordu. Hem Doğu'nun hem Batı'nın ajanları. Hiç oralı olmadım, zaten bunalmışım, her şey belirsiz, çocuk ne olacak, biz ne olacağız belli değil; bir de dört duvar arasına kapanacak halim yok. Sabahtan akşama kadar Doğu Berlin'i karış karış, sokak sokak dolaşmaya başladım.

İster Batı, ister Doğu, ister Türk istihbaratının ajanı olsun, bana ne! Casus değilim ya! Küçük dairem çok büyük, çok sevimsiz bir blokun üçüncü katındaydı. Penceremden Honecker'in Başkanlık Sarayı'nın arkası görülürdü. Adresi de unutmadım: Sperling Gasse, yani Serçe Çıkmazı. O günlerde Doğu Berlin'i arşınlarken çoğunlukla Unter der Linden Bulvarı'ndan geçerdim. Unter der Linden, yani Ihlamurlar Altında Bulvarı. Belki hatırlarsın, yüzyıl başında Almanya'da işçi hareketinden sahneler olan filmlerde, daha sonra Nazizmin yükselişi ve Nazi dönemi filmlerinde pek çok sahne vardır Unter der Linden'de çekilmiş olan. Şehir duvarla ikiye ayrılmadan önce orası Berlin'in ana damarı. Bütün geçit törenleri, gösteriler orada yapılıyor. Bulvar, Brandenburg Takı'ndan başlar, Alexander Platz'a kadar uzanır. Ortasında, ulu ıhlamur ağaçları vardır. Şimdi yıkılmış olan Berlin Duvarı Brandenburg Kapısı'nın hemen önünden geçerdi. Şehrin ana damarı bu noktada duvarla kesilmiş, boğulmuş gibi gelirdi bana. Sonbahar günleriydi, ıhlamurlar yapraklarını döküyordu. Sonbaharın apayrı bir hüznü vardır, hele de kederliyseniz... Sarı kızıl sonbahar yapraklarına basa basa Unter der Linden'de bir aşağı bir yukarı yürürdüm. Pek fazla mal olmayan mağazalara girer, bebek ve çocuk bölümlerinde dolaşır, Ekim için birşeyler arardım. Birkaç defa Aydın Meriç beni evine götürdü. Karısıyla yakınlığım yoktu ama Türkiye'den bilirdim. Kız kardeşi Sosyoloji'de öğrencim olmuştu. Bir de küçük kızları vardı: Zeynep. İki laf konuşur, insan yüzü görürdüm. Bu ev ziyaretleri, kimse izliyor mu diye etrafa dikkat ederek, gizlilik içinde yapılırdı. Belki de Aydın Meriç'in biraz hava basmak için yarattığı bir atmosferdi, belki de gerçekten çekiniyordu.

MELEK – Bu anlattıkların bana yine annemi anımsattı. Savaş öncesi Berlin'de öğrenciymiş ya annem, çocukken bize hep Unter der Linden'i anlatırdı. O kadar çok anlatmıştı ki ben o bulvarı görmüş gibiydim. Annem Berlin bölündükten sonra hiç gitmedi oraya. Sanırım şehrin bölünmüş halini görmek istemiyordu. Gerilere döndüm yine! Peki sen ne yapıyordun orada?

OYA – Hiçbir şey yapmıyorum, bekliyorum. Zaten daha Türkiye'deyken başlamış olduğum TKP tarihi çalışmasına devam ediyorum. Komüntern'in Türkiye seksiyonuna, yani TKP'ye ait 1920'lere, 30'lara tarihlenen bazı belgelerin mikrofilmlerini, bazı bildirilerin fotokopilerini, bir dönem Nâzım Hikmet'in, Dr. Hikmet Kıvılcımlı'nın partiden ihraçlarıyla ilgili kararların metinlerini getirmişlerdi. Birkaçı hariç pek de önemli şeyler değildi. O sıralarda Sovyetler ellerindeki gerçekten gizli ve önemli belgeleri kimseye vermiyorlardı; sistem çöktükten sonra bütün bu belgeler iki kuruş on paraya ortalıkta sebil oldu, bu da başka bir konu. Sıkıntılıydım tabii. Türkiye'den, annemden ve oğulcuğumdan hiç haber alamıyordum. "Bekle" denmişti, ne zamana kadar ve neyi bekleyeceğimi bilemiyordum. Godot'yu beklerken durumu yani. Bir de üstüne üstlük Federal Almanya Türklere vize uygulaması başlatmaz mı ben orada öyle sersem seperek beklerken. Geçerli Türk pasaportum var; ama vizeyi nereden, kimden alacağım? Batı Berlin'e geçip konsolosluğa gitmek mümkün ama nasıl cesaret edebilirim, arama listeleri çoktan çıkmış; sonradan öğrendim, daha darbe günü İstanbul'daki evin kapısına dayanmışlar. Aydın Meriç dışarı açılan tek pencerem, tek irtibat kişim. O da haftada bir ya uğruyor ya uğramıyor. Telefonu unut, öyle bir olanak yok. Sonunda ilk buluştuğumuzda, "Bana bir bilet ayarlayın, ben gidiyorum," dedim Aydın Meriç'e.

MELEK – Nereye gidebileceksin ki! Türkiye'ye mi döneceksin?

OYA – Yok canım, zaten bu gibi konularda Parti'ye danışmadan adım atılmaz. Kafamdaki düşünce, süresi bitmemiş Türk pasaportumla vize uygulamasını daha başlatmamış olan Belçika'ya uçmak, oradan Almanya'ya girişin çaresine bakmak. Neyse, Brüksel'e bir uçak bileti sağladılar, Batı Berlin'e geçirdiler, doğru havaalanına gittim, Brüksel uçağına bindim, uçak kalkınca gerçekten de derin bir nefes aldım.

MELEK – Brüksel'de ne yapmayı, nerede kalmayı düşünüyorsun?

OYA – Türkiye'den, hem TİP döneminden hem de İstanbul Üniveritesi asistanlar çevresinden arkadaşım Nurkalp (Devrim), 12 Mart döneminden sonra yurtdışına çıktığında Brüksel'e yerleşmiş, Belçikalı Monik'le evlenmişti. Türkiye'ye geldiklerinde görüşüyorduk. Nurkalp de TKP'liydi, anlaşılan daha 74'te partilenmişti. Onların evinde kaldım birkaç gün. Monik Rusça öğretmeniydi, yine kendisi gibi Rusça öğretmeni olan bir arkadaşı vardı. Galiba Anne'dı adı. Anne'ın küçücük "Deux Chevaux (2 Beygir)" denilen dandik bir arabası vardı. Durum ona anlatıldı, hiç tereddüt etmeden beni arabasıyla Almanya'ya geçirmeyi kabul etti. Avrupa ülkeleri arasında ormanların içinde, kırlık alanlarda bazı küçük sınır noktaları vardır. O zaman daha Avrupa Birliği oluşmamış, sınır denetimleri gevşek de olsa yapılıyor. Ama Hollanda, Belçika, Almanya arasında, alışveriş için, birkaç saatliğine gidip gelenler olur, dikkat çekici özel bir durum yoksa, arabayı durdurmazlar.

Anne kullanıyor arabayı, yanında o sırada ikinci çocuğuna hamile olan Monik; arkada da ben. Monik'le ben birbirimize biraz benzeriz, kuşkulu bir durumumuz yok yani. Almanya Belçika sınırındaki ormanlık bir bölgeden, en az kontrol edilen, varla yok arası bir sınır noktasından Almanya'ya girdik. Plan başarıyla uygulandı. Alnının tam üzerindeki saçları sürekli karıştırma tiki olan sevgili Nurkalp her halde o gün saç diplerini acıtana kadar çekiştirmiştir saçlarını. Aslında bir riski de yoktu bu işin. Olsa olsa Almanlar "Vizeniz yok, geçemezsiniz," derlerdi, geri dönerdik. Beni küçük bir tren istasyonuna kadar getirdiler, bilet almama yardımcı oldular. Sanki hapishaneden kaçmış gibi hissettim kendimi, öyle bir özgürlük duygusu, bir ferahlama. Böylece ekim sonunda Almanya'ya geldim, Aydın'la buluştum.

12 Eylül'ü Bodrum'da karşılamak

MELEK – Burada artık yollarımız, başımıza gelenler, yaşadıklarımız çok değişik.

Ben eskisi gibi siyasal bir yapının parçası değilim, yani olayların ortasında değilim. Yaz sonu kalkmış Bodrum'a gelmişim, sevgili hocam Mina Urgan'ın evinde kalıyorum. Vedat Türkali ile eşi Merih Abla da Mina Hanım'a çok yakın bir pansiyonda kalıyorlar. Denize giriyoruz, yiyip içiyoruz, normal bir Bodrum hayatı yaşanıyor, bir yandan da, nereye gidiyoruz, ne olacak bu işin sonu sorusu hepimizin kafasında. Darbe gecesi, ben Bodrum'da başka bir arkadaşımın evinde kalmıştım. Darbe olduğunu sabah radyodan duydum. Sokağa çıkma yasağı var, oysa benim o andaki tek düşüncem, bir an önce kendimi Mina Hanım'ın yanına atmak. Ne de olsa burası Bodrum, darbeyi karşılamak için en müsait, en mülayim yerlerden birindeyiz. Hatırlamıyorum ama bir şekilde dışarı çıkabildim, mandalina bahçelerinin içinden, kendimi Mina'nın evine attım. Baktım Mina televizyonu açmış Kenan Evren'i dinliyor. Hiç unutmuyorum: Mina Hanım, darbe oldu ama durum fena değil havasında. Kenan Evren'in o ilk konuşmasında, herkese eşit mesafedeyiz gibi sözler vardı. Darbe öncesi yaşadıklarımız, biraz önce konuştuğumuz gibi o kadar kanlı, o kadar vahimdi ki, Mina Hanım bile darbeden medet umar hale gelmişti. O sırada Vedat Türkali geldi. Onun suratını hiç unutmuyorum, en aksi bakışıyla baktı Mina Hanım'a ve "Mina saçmalama!" gibi sert bir tepki verdi. Vedat Ağabey'in, "Bizi çok kötü günler bekliyor, bakalım hangimizi nereden toplayacaklar?" dediğini hatırlıyorum. Ben böylece Bodrum'da Mina Hanım, Vedat Türkali ve Merih Abla ile birlikte karşıladım 12 Eylül'ü. Kenan Evren'in o ilk konuşmasını da orada dinledim.

OYA – Peki darbeyi beklemiyor muydunuz? Sen beklemiyor muydun? Biz her gün bugün olacak, yarın olacak, diye yaşıyorduk.

MELEK – Konuşuluyordu tabii; ama insan olayların içinde değilse farklı yaşıyor. Mesela 12 Mart'ta, anbean yaşamıştım her şeyi. 12 Eylül'de siyasi bir grupta, öyle bir ortamda değilim, olayların daha dışındayım. Bodrum'da da Bodrum havasındayım. İzliyoruz elbette ama eskisi gibi, yani 12 Mart'ta olduğu gibi değil. Bir süre

Bodrum'da kaldım, ne olacak diye bekliyoruz. Sonra Ankara'ya, ODTÜ'deki işime döndüm. Tabii Ankara'ya gelince işler değişti, olanları ve olabilecekleri kavramaya başladım. Şöyle de bir durum var: Ben o sırada hiçbir siyasi yapılanma ile bağlantılı değilim, yani bana doğrudan gelebilecek bir tehlike yok; ama tabii ki kimliğim, geçmişim nedeniyle her zaman şüpheli şahıs olmaya devam ediyorum.

OYA – Benim bildiğim ya da Türkiye'deki arkadaşlarımın başına gelenlerden hatırladığım kadarıyla, ilk günlerde ellerindeki 12 Mart listeleriyle toplamışlar insanları. Mesela benim kuzinim Yıldız (Sey) 12 Mart'ta da birkaç gün gözaltına alınmıştı İstanbul'da. Belki de benimle akrabalık ilişkisi nedeniyle. 12 Mart'ta Yıldız, İTÜ Mimarlık Fakültesi'nde doçentti. Bir iki gün tutup bırakmışlardı. 12 Eylül'de de aynı şey geldi başına. Sonradan Almanya'ya geldiğinde anlattı da çok güldük: O sabah bir şeyden haberi yok, radyoda darbeyi ve sıkıyönetim bildirisini duyuyor. "Aman pek iyi oldu, bu böyle gitmeyecekti zaten," diyor. Hiç üstüne alınmadan mutfakta işine devam ediyor. Derken kapı çalınıyor, gürültü patırtı, askerler, cipler; bunu yaka paça alıyorlar. Daha da matrağı, annemin de oturduğu bizim ev Birinci Levent'teydi, Yıldız ise Dördüncü Levent'te oturuyordu. İçine bindirildiği cipin bizim eve yöneldiğini anlıyor. Benim Türkiye'de olmadığımı bildiği için kıs kıs gülüyor içinden, "Kuş kafesten çoktan uçtu, kimseyi bulamayacaksınız," diye düşünüyor. Gerçekten de bizim evin önünde duruyorlar. Takım komutanı teğmen ile iki asker iniyorlar. Biraz sonra geri geldiklerinde, teğmen söyleniyor: "Şunlara bak, biz buralarda burnumuzdan ter damlayarak koşturalım, bunlar Avrupalarda geziyor," diye. Birkaç gün sonra, bir MİT elemanı tarafından sorgulanıp bırakılmış Yıldız. "İlk toplamalar, ellerindeki 12 Mart listelerine göre yapılmıştı," diyordu hep.

MELEK – Benim başıma böyle bir şey gelmedi. Belki de benim 12 Mart maceram daha çok Türkiye dışında yaşandığından, bana dokunulmadı. Bana bir şey olacak korkusu da yaşamadım, 12 Mart'taki gibi değildim artık, dış kapının mandalıydım; sıra bana gelene kadar uğraşacakları çok adam vardı. Ben, 74 affı ile Türkiye'ye döndükten sonra kendime verdiğim söze sadık kalarak hiçbir siyasi grupla ilişki kurmadım. Dolayısıyla beni içeri alsalar da, en fazla biraz yatırıp bırakacaklar, çünkü bende bilgi yok artık.

İşkencede öldürseler bile söyleyecek bir şeyim yok, o nedenle kendimle ilgili korku yaşamıyorum. Ama durumun çok kötüye gittiğini, baskıların, zulmün günbegün ağırlaştığını elbette ki görüyordum. O sırada okulda normal hayatım sürüyor, ODTÜ ve SBF arasında gidip geliyordum.

OYA – Peki ODTÜ ve SBF'de öğrenciler ve öğretim üyeleri arasında tutuklamalar, toplayıp götürmeler olmadı mı?

MELEK – Olmaz mı, tabii oldu. Hele ODTÜ'de. ODTÜ o zamanlar yine çok politik bir yerdi; ama SBF'de biz doktora öğrencilerine falan dokunulmadı. Daha sonra üniversitelerden büyük bir tasfiye başladı, şu meşhur 1402 no'lu yasayla bir yığın akademisyeni işten attılar. Bir kısmı da bu atmosferde çalışılamayacağına kanaat getirip kendisi ayrıldı. 12 Eylül sert başladı ve adım adım ilerledi.

Abu Firaz'ın evinde bir yılbaşı partisi

Böyle bir ortamda 1981 yılının yılbaşı gecesi geldi. FKÖ o sıralar Ankara'da resmî bir temsilcilik açmıştı, Filistin resmî temsilcisi olarak da Abu Firaz vardı. Orhan'ın (Taylan) ablası Ferhan da temsilcilikte Abu Firaz'ın sekreteri olarak çalışıyor. Abu Firaz biraz da gerginliğimizi azaltmak için yılbaşı gecesi hepimizi konutuna davet etti. Hiç unutmadığım bir gecedir. Birincisi, yıllar sonra Orhan'la orada yeniden karşılaştım. Ben Orhan'ı sol hareket içinden değil, Bebek'ten tanırdım. Annesi Seniye Fenmen, kolejde resim hocamızdı. Orhan da o dönemlerde bana ve yaşıtlarıma hiç yüz vermezdi, bizden büyük kızlarla dolaşırdı; bizler de uzaktan bakıp "yakışıklı ama burnu havada" gibi yorumlar yapardık. Neyse, o gece Abu Firaz'ın evinde on dört ya da on beş yıl sonra ilk kez karşılaştık. İkincisi de, gecenin bir saatinde çok genç ve çok güzel bir Filistinli kız ortaya çıkıp olağanüstü zarif ve güzel bir oryantal dans yapmıştı. Bu kadar estetik bir oryantal ilk kez görüyordum. Orhan'la bu dans üzerine, yıllar sonra bir Filistinlinin evinde buluşmanın ilginçliği üzerine konuştuk. Orhan benim geçmiş maceralarımla ilgili bir şey bilmiyordu.

OYA – Orhan Taylan'ı ilk kez 1974'te Behice Boran tahliye olduktan sonra Behice Hanım'a geçmiş olsun ziyaretine gittiğimde görmüştüm. O günlerde Gönül'le (Dinçer) evliydi. Hiç unutmuyorum, sıcak bir yaz günüydü; bunlar karı koca açık renk giysiler giymişlerdi ve ayaklarında Bodrum sandaletleri vardı. İkisi de o kadar zarifti ki gözümü alamamıştım. Gönül TİP'liydi, TİP'in ünlü Beşiktaş ilçesinden. Aydın Meriç'in de hem TİP'ten, hem Robert Kolej Mühendislik'ten yakın arkadaşıydı. İkisi de bilgisayar mühendisidir onların. 1974'te kadın bilgisayar mühendisi ne demek! Gönül, belki de Aydın Meriç'in de etkisiyle TKP'li olmuş, İKD'de (İlerici Kadınlar Derneği), partide önemli konumlarda bulunmuştu. Sonra Orhan'la ayrıldılar. Doğrusu ben hep ayrılmalarının nedeninin sen olduğunu düşünmüştüm; ama Gönül hiç alakası olmadığını söyledi.

MELEK – Hayır, kötü kadın ben değilim. Orhan'la Abu Firaz'ın evinde buluşmamız onların ayrılmasından çok sonradır; arada da söylediğim gibi hiç görüşmemiştik zaten. Buluşmamıza Filistinliler neden oldu. Benim Filistinlilerle olan kopmaz bağlarım hayatımın her döneminde önemli bir rol oynamıştır.

Daha sonra Orhan Ankara'da sergi açmaya geldi. Biz yine görüştük, aramızda bir yakınlaşma doğmaya başladı. Tam o günlerde annem göğüs kanseri oldu. Annem Ankara'ya benim yanıma gelmişti, evde yer olmadığı için aynı yatakta yatıyoruz. Yatakta kan izleri gördüm, bu nedir dedim, annem çok normal bir şeymiş gibi "Göğsümden kan geliyor," dedi. Ben hemen Hüsnü Göksel'i arayıp annemim bütün itirazlarına rağmen onu Hüsnü Bey'e götürdüm. Hüsnü Bey'e doktor olarak inancım tamdı. Hüsnü Bey anneme baktı, "Derhal ameliyat olması gerek," dedi. Annem asla kabul etmiyor, kavga dövüş İstanbul'a döndük ve annem ameliyat oldu. Ben de izin alıp onunla birlikte İstanbul'a geldim. Annemin bir göğsü alındı, morali çok bozuk, ben de hastanede yanındayım. Aralarda hastaneden çıkıp gizlice Orhan'la buluşuyorum. Sonunda bir gece hastanede anneme bu durumu açıkladım. Annem hastalığını unuttu, "Bana bir kanser ameliyatını bile sakin yaşatmadın," diye söyleniyor. Bu kargaşa içinde annem hastaneden çıktı, ben de Ankara'ya döndüm. O sırada kemoterapi henüz yok, radyoterapi yapılıyor. Babam onu götürüyor ve destek oluyor ama tabii zor günler. Ben İstanbul-Ankara arası gidip geliyorum ve Orhan'la buluşmalarımız devam ediyor. Bütün bunlar yaşanırken faşizm ülkenin üstüne çökmüş, hapishaneler, işkenceler almış başını gidiyor. "Biz bu filmi daha önce görmüştük," diyoruz ama filmin yeni kopyası vahşet ve gaddarlıkta eskiye fark atıyor.

12 Eylül çocuklarımız

Orhan, o sırada kapatılmış olan Barış Derneği'nin hem kurucularından hem de yönetim kurulu üyesi. Öte yandan, ben o sırada hiç sormuyorum ama besbelli TKP ile de ilişkili. Gidişata bakınca, kısa zaman içinde okka altına gideceği belli. Bu sefer ben değil onun durumu tehlikede. İşin gelip bir yanından kendisine dayanacağını biliyor. Ben hâlâ ODTÜ'de çalışıyorum, tek sağlam gelir kaynağımız benim maaşım. Orhan benim Ankara'daki çatı katına yerleşti, o daracık odaların birinde desen çiziyor. Bu arada ben Ferhat'a hamile kaldım ve doğurmaya karar verdim. Henüz evli değiliz. Bu kadar çok belirsizlik, parasızlık, hastalık içinde çocuk doğurmak için Beyrut'tan geçmiş olmak gerekir.

OYA – Yok, yok, mutlaka Beyrut'tan geçmek gerekmiyor. Ben Aydın'ın, "İyi düşün, senin yaşamın hele bu dönemde çocuğu kaldırmaz," demesine rağmen, doktorumun, "Son tren kalkıyor, kırk yaşına geliyorsun, doğuracaksan şimdi doğur," demesine daha çok inandım. Ekim'i doğurmaya karar verdiğimde, daha önce konuştuğumuz gibi Türkiye'de kan gövdeyi götürüyordu ve biz o kan gölünün tam ortasındaydık. Yaşamamız mucizeydi. Yarın ne olacağımızı bilmiyorduk. Yine de doğurdum. Sonrasında da Aydın'ın daha bebek kırk günlükken hapse girmesiyle başlayan, yurtdışına kaçmamızla devam eden, güçlüklerle süren bir döneme girdik. Şimdi düşünüyorum da, bir çeşit meydan okumaydı belki bizimki.

MELEK – Belki de öyleydi. Ben çocuklar her durumda doğar ve büyür, diyen Filistin halkını örnek alıyordum kendime. Benim bir çocuğum olacaksa hayatta, o çocuk bu çocuk olmalı. Hamileyken ODTÜ'de derslere giriyordum, öğrencilerim çok şekerdi, "Hocam siz yorulmayın," diye beni oturturlardı. Sekizinci aya kadar çalıştım, izne çıktım ve daha sonra ODTÜ'den ayrıldım. Bu kez atılmadan kendim istifa ettim.

OYA – Hay Allah! Burada da bir benzerlik var. Hamileyken son üç güne kadar çalışmıştım gazetede. Çocuklar, "Abla merdivenlerde doğuracaksın, artık eve git," derlerdi. Ama çok iyi oldu, kırk yaşına yaklaşmışken, ne sezaryen ne bir şey, bağıra bağıra normal doğum yaptım. Her şey bir yarım günde olup bitti. Ekim, 11 Ekim 1979'da doğdu. Ekim ayında doğmasaydı adı Ekim olur muydu bilmem, galiba Ekim Devrimi aşkına yine aynı adı koyardık. Doğumdan iki gün sonra kısmi senato seçimleri vardı, TKP'nin bağımsız adayı İlerici Kadınlar Derneği Başkanı Beria Onger'di. Sloganımız da, "TKP önder, adayımız Onger." Şimdi hatırlayınca yine şaşırdım; ne garip günlermiş. TKP illegal bir parti. Propagandasını yapmak, üye olmak, 5 yıldan, 7.5 yıldan başlıyor. Ve avaz avaz seçimlere giriyoruz,"TKP önder" diye. Ne yazık ki, ateşim çıktığından o gün oy vermeye gidemedim.

Hatırladığım çok duygulu bir olay vardır. Biz TSİP'te Bilge ve Zülfü Dicleli ile iyi dosttuk, Sonra birlikte "ilerleyip" TKP'li olduk. Zülfü, DİSK Maden-İş'e uzman olarak girdi. Bu uzmanlar kadrosunun büyük çoğunluğu TKP'liydi zaten. Bilge de bizimle birlikte *Politika*'da dış politika seksiyonu şefi olarak çalışmaya başladı. Yakınlığımız daha da arttı. O sıralarda kızları Zeynep beş yaşında. Ekim'i doğurduğum gün, akşamüstüne doğru Bilge hastaneye beni yoklamaya geldi. Küçük kızına patikler almıştı. "Yarın gidiyorum, bir süre buralarda olmayacağım, çocuğu anneme bırakacağım," dedi. Gözleri dolmuştu, heyecanlıydı. Ekim'i emzirmeye getirdiler, o benden tecrübeli ya, nasıl emzireceğimi gösterdi, beni veda eder gibi öptü, ağladığını belli etmemek için aceleyle çıktı odadan. Zülfü zaten bir süredir ortalarda görünmüyordu. O zaman anladım ki bunlar gidiyorlar, çocuğu da annelerine bırakıyorlar. Tabii hiçbir şey sormadım. Sorulmazdı, belli ki bir parti görevine gidiyorlardı. 12 Eylül'den sonra Leipzig'de görüştük. Daha sonra da duvar yıkıldıktan sonra çiseleyen bir yağmur altında Berlin'de çok özel bir günü birlikte yaşadık: İki Almanya'nın birleşmesi muhteşem bir konserle kutlanıyordu. Konser Berlin'in doğusuna batısına yerleştirilmiş dev ekranlardan izlenebiliyordu. Orkestra sonradan Avrupa marşı olan Beethoven'in *Dokuzuncu Senfoni*'sini çalıyordu. Unutulmaz bir andı. Şimdi düşünüyorum da, bu kadar yakın olduğumuz arkadaşlarımızla, yoldaşlarımızla nasıl bu kadar ayrıldı yollarımız, nasıl bu kadar ayrı düşebildik... Bu hüzün veriyor.

Neyse, geçelim... Sen Ferhat'ı nerede doğurdun? Kaçlıdır Ferhat?

MELEK – 1982'lidir, Mart 1982. İstanbul'da doğum yaptım. O arada Barış Derneği davası açılmış, herkes içeri alınmıştı. Orhan hemen teslim olmadı, Ferhat doğana kadar kaçak yaşadı, doğumu bekledi. Ferhat doğduktan sanırım bir hafta sonraydı, gidip teslim oldu. Barış Davası'ndan içeri aldıklarıyla birlikte Maltepe Cezaevi'ne kondu.

Bu arada anlatmadığım bir hikâye daha yaşanıyor. Babam açık kalp ameliyatı olmak üzere Aralık 1981 de Cleveland'a gitti. Annemi, babamı, 1972'de benim kaçak olduğum dönemde, bizim evde beni aramak için gelen ekipler alıp şubeye, Sansaryan Han'a götürülmüşler. Bu babam gibi bir insan için büyük darbeydi; orada kalp krizi geçirmiş. Benim her zaman çok vicdan azabı çektiğim bir olaydır. Babamı çok severdim, benim yüzünden başına böyle şeyler gelmesi beni çok üzdü. Babam krizi atlattı ama kalbinde bir sorun olduğu biliniyordu. Tıbba ve bilime inanan, tıp âlemi içinde büyüyen birisi olarak by-pass ameliyatı yapıldığını duyunca ABD'ye gidip ameliyat olmak istedi. Annem ilk günden bu fikre karşı çıktı, bilmiyorum içine mi doğmuştu bazı şeyler. Annemin olağanüstü kuvvetli bir altıncı hissi vardı, olayları hissetmek ve önceden bilmek gibi, hatta ben ürkerdim onun bu sezgi gücünden. Sonuçta babam ısrar etti, ikisi birlikte Cleveland'a gittiler. Ben yedi aylık hamileydim. Açık kalp ameliyatı başarılı oldu, ilk haberi aldık, sevindik, ancak ameliyattan 48 saat sonra bir kan pıhtısı boyun damarlarından birini tıkadı ve babam beynine oksijen gitmediği için bitkisel yaşama geçti, yoğun bakım ünitesine kondu. Olabilecek en feci son... Osman, ABD'ye annemin yanına gitti, çok zor günler yaşadılar ve tıbben yapılacak hiçbir şey olmadığını anlayınca babamı sedye ile uçağa koyup İstanbul'a getirdiler. Babamı Çapa'nın reanimasyon bölümüne yatırdık. Amcam, o zamanlar Çapa'da profesör ve klinik şefi.

Çok zor günlerdi. Annem perişan, Orhan kaçak, hapse girmek üzere, babam ise bilinçsiz yatıyor. Anlayacağın ben Ferhat'ı bu şartlar altında doğurdum. Sıkıyönetim var, gece yasağı var; sancım gece başlarsa, kiminle nasıl hastaneye gideceğim. Zeynep Oral gazeteci olduğu için sokağa çıkabiliyor, onunla gideceğiz doğuma. Gerçekten de bir gece başladı doğum sancıları, Zeynep'le hastaneye gittik. Sezaryen yapmak zorunda kaldılar ama 3.5 kilo ağırlığında çok güzel bir bebeği kucağıma aldığımda bütün bu acılara rağmen o kadar büyük bir mutluluk duydum ki... Bugüne kadar da hayatımda bana en büyük mutluluğu veren olay oğlumun varlığıdır.

Orhan ertesi gün hastaneye gelip oğlunu gördü. Hem çok mutlu oluyorsun, hem de seni bekleyen hapishaneyi düşünüyorsun. Karışık duygular, anlatması çok zor.

OYA – Bilmez miyim! Üstüne üstlük hiçbir şey belli değil. Çıkar mı hapisten, ne zaman çıkar, ne olur? İleriyi göremiyorsun. Acıklı Türk filmi yani. Şimdi aklıma geldi; kim anlatmıştı hatırlamıyorum. Hikâye şöyle: Barış Davası tutukluları içeride, televizyonda çok acıklı bir yerli film seyrediyorlarmış. Filmde esas oğlan hapse giriyor, karısı hamile, para pul yok, tam bir sefalet...O davadan tutuklu olanların hepsi matrak, esprili adamlardı. Bir ara, hangisiyse artık, yahu yazık adama, sahiden içi paralanıyor insanın, şimdi kadın ne yapacak falan diye duygulanırken, birden gülmeye başlıyorlar. Sanırım Hüsbaş (gazeteci, dış politika yazarı Hüseyin Baş) veya bir başkası, "Ulan biz elâlemin haline acıyacağımıza kendimize bakalım, bizim durum bundan beter!" diyor. Hapisteyiz, iş yok güç yok, ne zaman çıkacağımız belli değil, çıkınca ne olacağımız belli değil, çoluk çocuk dışarıda sefil... Rahmetli Ali Taygun atılıyor: "Yahu bu da bir şey mi, bir de dışarıda bir sopranonun beklediğini düşünün!" O sırada Ali, Meral Taygun'dan ayrılmış, Yekta Kara ile birlikte, özel hayatı karmakarışık.

MELEK – Ben zaten bunları anlatırken, okuyanlar, bunlar biraz atıyorlar galiba, süsleyip püslüyorlar olayları, diye düşünecekler korkusundayım. Ama böyle de yaşanıyor işte, insan çok dayanıklı bir yaratık. Diyarbakır Cezaevi'nde yaşananları dinleyince bizim yaşadıklarımız "tatlı hayat" gibi kalıyor. İnşallah bundan sonrasında beterini görmeyiz.

OYA – Haklısın da, bizim kuşaktan, bizim çevrelerden olanlar hiç şaşırmazlar anlattıklarımıza. Hepsinin başından benzer olaylar, fırtınalar geçmiştir. Bizim hikâyemiz aslında bir kuşağın hikâyesi. Ben de bazen, 12 Martlardan 12 Eylüllerden geçmiş olanların, yahu bizler neler neler yaşadık, bu iki kadın, kedi gibi bir taraflarını görmüş yara sanmışlar, demelerinden korkuyorum. Yani demek istiyorum ki, 68'liler, 78'liler çok acılı bir kuşağın çocuklarıdır. Bizim hikâyemiz on binlerce, yüz binlerce hikâyeden ikisi sadece.

"Her zaman iyi şeyler düşünmeli bir mahkûmun karısı"

Aklıma gelmişken, Orhan Taylan Barış Davası dışında TKP Davası'na da dahil edildi mi?

MELEK – Evet, onun için sonra ikinci bir dava daha açtılar. Genel davayla birleştirilmeyen, beş kişilik bir TKP davası.

OYA – Hikâyemize geri dönelim. Orhan teslim oldu ve Maltepe Cezaevi'ne kondu. Aslında ben de Barış Derneği yöneticisi olarak aranıyordum ama yurtdışına kaçtığım için dosyam ayrılmıştı. Biz yurtdışındakiler senin bu anlattıklarını dışarıdan izliyoruz, biraz da eksikleniyoruz, millet hapishanelerde yatarken, işkence görürken paçayı kurtardığımız için.

MELEK – Maltepe Cezaevi tuhaf bir yerdi. Barış Derneği sanıklarını koydukları yer aslında bir cezaevi değildi. Bir depo ya da cephaneliği geçici olarak tutukevine dönüştürmüşlerdi, orada sadece bizimkiler kalıyordu.

OYA – O sanıklar toplumda tanınan bilinen, önemli adlardı. Başkan Mahmut Dikerdem eski büyükelçi, başını hep dik tutan bir adamdı, komünist değildi ama tam bir demokrat ve barışçıydı. Biliyorsun, Barış Derneği, Sovyet ve sosyalist sistem güdümlü Dünya Barış Konseyi'nin Türkiye ayağıydı; TKP'nin kurdurduğu ama komünistler ve partililerden çok ilerici demokratları işin içine kattığı bir yapıydı. Eski İstanbul Belediye Başkanı Ahmet İsvan'ın eşi Reha İsvan vardı tutuklular arasında benim hatırladığım...

MELEK – Dr. Erdal Atabek, sanatçı Ali Taygun, şair Ataol Behramoğlu, ressam Orhan (Taylan), gazeteciler Hüseyin Baş, Ali Sirmen, Niyazi Dalyancı, Doktor Metin Özek, CHP Milletvekilleri Nurettin Yılmaz, Kemal Anadol, Nedim Tarhan benim hatırladıklarım. Başkaları da vardı.

Görüşe gidiyoruz, nizamiye kapısında ilk arama yapılıyor, sonra askerî kamyonlarla yukarıya cezaevine gönderiliyoruz. Bu askerî kamyonlara inip binmek ayrı bir macera. Kamyonlar yüksek ama normal olarak onların kendi merdivenleri var. Bize eziyet olsun diye o merdivenleri değil, yangın merdiveni gibi ince demir bir merdiveni kamyona dayıyorlar. O merdivenden tek başına çıkman olanaksız. İki asker yan tarafta ayakta duruyor, sen onların ellerini tutarak çıkmak zorundasın. Askerin elini tutmak değil tabii ki sorun ama amaç seni çaresiz ve zavallı konuma düşürmek: Siz bize muhtaçsınız, ancak bizim yardımımızla çıkabilirsiniz o kamyona... Kamyondan inmek daha da komik bir operasyon. Boş bir bidonun üstüne bir iskemle konmuş. Sen düşmeden iskemleye basmak, oradan bidona inmek, sonra da yere atlamak zorundasın. Gerçek bir akrobasi. Benim sezaryen dikişlerim var, zorlanıyorum. Bütün bunlar yıldırmak ve bezdirmek için yapılıyor, ziyarete kimse gelmesin. Ama biz her hafta tam ekip yanımızda temiz çamaşırlar ve diğer ihtiyaçlarla gidiyoruz.

Bu hapishane ziyaretlerinde, biz kadınlar toplaşırdık. Arabası olanlar diğerlerini alırdı. Haftada bir giderdik. Bu ziyaretlere ilişkin en komik olaylardan biri şöyle: Bilirsin işte, temiz çamaşır götürülür, kirliler de yıkamak için alınır. Kirliler naylon torbalara konulur, nöbetçi erler tarafından kontrol edildikten sonra bize verilirdi. Bu arada hapishaneden sorumlu bir yüzbaşı var; biz ona Montgomery adını takmıştık, müthiş bir otorite uyguluyor, her şey kurallara bağlı. Buna rağmen daha sonra yaşayacaklarımıza göre yine de hafif bir durum sayılır. Bir defasında kirli torbasını aldım eve getirdim, yattığım odanın kapısının arkasına bıraktım. Annemin evinde kalıyorum, Ferhat küçücük bebek, yanımda yatıyor. Gece bir hışırtıyla uyandım. Uyku sersemliğiyle tam çıkaramıyorum ama kapının arkasındaki torbadan bir hışırtılar geliyor. Kalkıp bakmaya üşeniyorum, uykum da var zaten. Gün boyunca iş güç, çocuk, ev arasında bu olayı da, çamaşırları da unuttum. Ertesi gece yine uykumun arasında bir hışırtıyla uyanıyorum, bu kez daha dikkatli dinliyorum, ses kirli torbasından geliyor. Artık şüphem kalmıyor, torbada bir yaratık var, büyük ihtimalle bir fare. "Gece yarısı annem bunu duyarsa çok fena olur," diye düşünerek, o geceyi de fareyle geçiriyorum. Ertesi gün temizlikçi kadınla birlikte epey bir uğraş vererek fareyi yakalıyoruz. Şimdi bu fare meğersem koğuşun faresiymiş ve bizimkiler de onu besliyormuş. Fare, kendi imkânlarıyla tahliye olmuş ama ne yazık ki bizim pençemize düşmüş. Görüşe gittiğimizde herkes fareyi arıyor. Mecburen farenin tahliye ve ölüm haberini veriyorum. Bizimkilerde bir matem... neredeyse faremizi niye getirmedin diyecekler. Bu arada yüzbaşı da farenin tahliyesini öğreniyor ve kızılca kıyamet kopuyor. Bütün erler sıraya diziliyor, soruşturma başlıyor. Fareyi kim tahliye etti? Eğer torbada canlı fare tahliye oluyorsa kim bilir başka neler de geçiyordur o torbaların içinde! Ben çok üzüldüm olayı anlattığıma ve zavallı erlerin başına gelenlere; ama söylemesem bizimkiler de fare nerede diye aranıp duracaklar.

OYA – Bu zor dönemlerin böyle hoş, matrak hikâyeleri vardır. Bizim solun tarihini acı-tatlı anekdotlar üzerinden anlatsak, kim bilir daha neler çıkar. Benim çok hoşuma giden bir 12 Eylül hikâyesi vardır mesela. TSİP'ten genç kadın arkadaşlardan biri içeri alınıyor. Polis sorgusu, hafif tertip işkence, örgütü çözmeye çalışıyorlar. Kız direniyor ama sonunda pes ediyor. Aklına bir cinlik geliyor. "Tamam, bir buluşmamız olacaktı arkadaşlardan biriyle, sizi oraya götüreceğim," diyor. "Nihayet çözüldü, konuştu," diye seviniyorlar. Kız süslenip püsleniyor. Tabii öyle bir buluşma yok. Bizimki biraz da hava almak için, gezme olsun diye Boğaz'da, galiba Anadoluhisarı'nda bir çay bahçesi adresi veriyor. Gidiyorlar, kız bir masaya yalnız oturuyor. Değişik masalarda siviller var. Bekliyorlar bekliyorlar, gelen giden yok. Bizimki çay üstüne çay içiyor, artık kararlaştırılan kalkma zamanı gelmiş, tam o sırada yan masadaki bey, tek başına oturan genç kadına bakıp gülümsüyor, yerinden kalkıp gelecek yanına. Bizimki panik içinde kaşıyla, gözüyle yapma diyor ama adam anlamıyor, masaya yöneliyor. Tam arkadaş olabilir miyiz, diye sorarken her bir yandan sivil polisler adamın üstüne çullanıyor. Adam, "Niyetim temizdi, arkadaş olmak istiyordum," diye feryat etse de yaka paça götürüyorlar. Meğer adam uzak deniz gemi kaptanıymış, zavallıcık örgüt üyesi olmadığını ispat edene kadar epeyce dayak yemiştir herhalde.

MELEK – Bir daha tövbe etmiştir, tanımadığı hiçbir kadına sarkmamıştır adam.

OYA – Daha ne hikâyeler vardır böyle. Komik veya acıklı illegalite hikâyeleri, hapishane maceraları, kaçaklık maceraları... Şimdi aklımıza gelenleri anlatsak bir cilt tutar. Orhan ne kadar kaldı hapiste?

MELEK – 4 yıla yakın. Çünkü, sözünü ettim ya, Orhan için ikinci bir dava açtılar ve işte ondan sonrasını çok ağır yaşadık. Bunu sonra anlatırım. Barış Davası'ndan ilk tutuklamada bizimkileri

Maltepe'ye yerleştirmişlerdi, sonra Sağmalcılar Cezaevi'ne naklettiler. C BLOK, kaçakçılar koğuşu. Aslında en iyi koğuşlardan biri. Burası bildiğimiz cezaevi; savcısı, gardiyanı, hepsi var. Kaçakçılar nispeten daha varlıklı kişiler olduğu için koğuşun şartları iyi. Bizler pek memnunuz, işimiz kolaylaşmış, yine haftalık ziyaretlere gidiyoruz. Sağmalcılar Cezaevi âlem bir yerdi. Cezaevinin tam karşısında bir kahve vardır, orada çay içer beklersin. Ben o kahvede oturup etrafı gözlemlemeye bayılırdım. Tahliye olanlar, yankeseciler, tombalacılar, adi suçlardan yatanlar çıkar çıkmaz bu kahveye gelirler. Kahvede onları mutlaka bir bekleyen vardır ama öyle aileden falan değil, çalıştıkları şebekenin adamıdır. Tahliye olan kişiye hemen o akşam nerede nasıl bir işe çıkacağı tebliğ edilir. Sonuçta adam hapiste yatmış, yemiş içmiş dinlenmiş, hemen işbaşı yapacak. Bu çark böyle sistemli bir şekilde işler. Kışı hapiste geçirmek için suç işleyip girenler bile vardır aralarında. Sonraları bizimkiler tahliye olduktan sonra Nevizade'ye, Beyoğlu'na yemeğe biryerlere gittiğimizde, oradaki tombalacılar, satıcılar hemen masaya gelirler "Vay abicim! Hoş gelmişsiniz, size bedava Marlboro, hediyemiz olsun," diyerek muhabbete girişirlerdi. Hapishane dostluğunun da raconları var tabii. Diyeceğim o ki sivil cezaevleri bütün korkunçluklarına rağmen o dönemde askerî cezaevleriyle mukayese edilemeyecek kadar rahattı. Ben daha sonra Ankara Mamak'ı yaşadım, tabii mahkûm değil görüşçü olarak. Orası bambaşka bir yerdi, romanlarda okuduğumuz, filmlerde gördüğümüz türden bir faşist zindan.

Sağmalcılar'da şöyle enteresan bir durum vardı: Bizim ziyaret günümüz aynı zamanda kadın koğuşundakilerin ziyaret günüydü. Dolayısıyla biz kadın koğuşuna gelen ziyaretçilerle birlikte bekliyoruz, aramadan geçiyoruz. Orada yaşadıklarımızdan bir değil, on film çıkardı. İçerideki kadınların bir kısmı yankesicilik, hırsızlık, yaralama, bazen de adam öldürme gibi daha ağır nedenlerle yatıyorlar. Ziyaretçi kadınlar kalabalık gruplar halinde gelirlerdi. Hep bir ağızdan konuşup çıkardıkları gürültünün yanı sıra çocuklar sizi her yandan kuşatır, çikolata şeker isterler. Bizim ekipten Sevim Hanım, Metin Özek'in eşi, çok iyi yürekli, saf bir kadındı, bu hapishane ziyaretlerinde bizi bir hayli güldürürdü. Ben de bu arada Orhan'a resim malzemesi götürebiliyorum, kavga dövüş de olsa içeriye boya, fırça gibi malzeme sokmayı başarıyoruz.

Biz sabahın erken saatlerinde görüş için sıraya girdiğimizde kadın mahkûmlara gelen ziyaretçilerle birlikte bekliyoruz. Bu ziyaretçilerin bazıları çok ilginç olurdu. Kadın bir akşam önce pavyonda çalıştığı kılıkta ziyarete gelirdi. Üstünde dekolte payetli bir elbise, file çoraplar, rugan topuklu ayakkabılar, uzun küpeler, saçlarına süslü bir toka takmış, rujunu yenilemiş, gelmiş. Ortada uzun bir masa var, bir yanda bizler, yani ziyaretciler, diğer yanda gardiyanlar. Herkes eşya torbalarını masanın üzerine boşaltıyor, gardiyanlar da eşyaları tek tek denetliyor. Bir gün yine gittik, masanın bulunduğu odada duvarda kocaman kırmızı harflerle BURADA SİGARA İÇMEK YASAKTIR yazıyor. Bizim pavyoncu kadınların biri payetli çantasından bir paket Marlboro sigarası çıkardı, karşısındaki gardiyana, hadi bu da benden sana kıyak olsun diye ikramda bulundu. Gardiyan sigarayı aldı, hem kadınınkini hem de kendi sigarasını yaktı, yasak levhasının altında püfür püfür içiyorlar. Derken yine bu kadınlardan biri içerideki arkadaşına eşya getirmiş, kontrolden geçirecek. Eşyalar bir bez çıkının içinde. Kadın çıkını açıyor, içinden bir adet kırmızı slip don çıkarıyor, gardiyanın burnuna kadar sokuyor, "Kokla bakalım bir yanlışlık olmasın," diyor. Kadın hem dünyayla, hem kendisiyle, hem gardiyanla, hem bizimle dalga geçip kafa buluyor ve sonuçta da eğleniyor. Kasvetlenip ah vah etmiyor bizim gibi. Biz ise çok ciddi, hocanım kılıklı kadınlar, yok boya sokacağız, yok kitap diye gardiyanlarla hak hukuk mücadelesi yapıyoruz.

Bu ziyaretçi kadınların aslında bize çok yararı dokundu. Gardiyanları o kadar havaya sokuyorlardı ki sonunda adamlar bizimle de fazla uğraşmaz hale geliyorlardı. Sağmalcılar bütün zorluklarına rağmen tam bir Aziz Nesin romanı gibiydi. Kadınlar bizim kadın koğuşuna değil erkek ziyaretine geldiğimizi anlayınca hemen sorarlardı: "Kaç leşi var?" "Leşi yok" deyince durumu çok ciddiye almazlardı. "Haa, isim benzerliğinden yatıyordur" ya da "Siyasi mi?" O da onların ilgi alanına girmediği için fazla üstünde durmazlardı. Halkımız, hapishanede yatan herkesin suçsuz olduğuna inanır. İnanmakla kalmaz, seni de ikna etmeye çalışır. Ben hapishane kapısında çok şey öğrendim. Bunlardan biri de jandarmalarla, gadiyanlarla, tüm yetkili kişilerle konuşma biçimi. Mesela bir gün ziyarete gidersin, seni içeri almazlar. Kapıdaki jandarma, "Giriş yok bekle," der. Biz hemen mantık yürütmeye, hakkımız hukukumuz çiğneniyor, giriş saatimiz engelleniyor demeye başlarız. Jandarma büyük bir olasılıkla zaten söylediklerimizi anlamadığı için, "Yok, bekle," der, kestirip atar. Oysa yanımızdaki teyze gardiyanın giriş yok sözünü hiç duymamış gibi yapar, tamamen alakasız bir konuda bir hikâye anlatmaya başlar. Jandarma, kadının kızının son kocasından yediği dayak meselesini büyük bir ilgiyle dinlemeye koyulur ve fikir beyan eder. Bu konu bir süre tartışılır, o arada kadın birden, "Oğlum şu kapıyı az arala da ben içeri girivereyim, üşüdüm," der ve girer. Ben bunu çok yaşadım ama ne çare ki uygulamayı başaramadım. Sebep-sonuç ilişkisine odaklı kafalarımız orada takılıp kalıyor, üstüne üstlük jandarmayı ilgilendirecek hikâyelerimiz de yok. Halkımız ise sebep-sonuç ilişkisini hiç takmıyor, ortada yaşanmış hikâyeler var ve bunlar gelişigüzel bir biçimde anlatılıyor. O zaman anladım ki halkımızla aynı dili konuşmuyoruz aslında. Kelimeler aynı ama onları kullanışımız ve anlamlar farklı.

OYA – Sen o dönemde ne yapıyorsun? Çalışıyor musun?

MELEK – Annemlerde kalıyorum, Ferhat daha sekiz dokuz aylık, iş bakıyorum. Fatma Artunkal'la bir konferansta karşılaştık. Fatma o sırada simültane çevirmenlik yapıyor. Bir gün onun yanında kabine girdim ve "Bu işi yapabilirim," diye düşündüm. "Hadi dene," dedi Fatma. Denedim, becerdim. Böylece yeni bir meslek daha edindim. Orhan hapisteyken simültane çevirmenlikten bayağı para kazandım. Ayrıca her gün çalışmadığım için çocuğuma da vakit ayırabiliyordum.

OYA – Ayrıca kurs murs görmedin mi? Benim bildiğim simültane çevirmenlik birkaç yıllık eğitimle edinilen bir meslek.

MELEK – Yok canım, tamamen alaylı durumu. Ben her şeyi yaşayarak öğrendim. İngilizcem iyi, tiyatrodan dolayı diksiyonum düzgün ve seri konuşuyorum. Ücreti yüksek bir iş olduğundan arada bir çalışsan bile para kazanabiliyorsun.

Sonra sanırım 1983 yılının Nisan ya da Mayıs ayında Barış Derneği Davası'nda bir "ara tahliye" oldu. Tahliye olunca Orhan'la ben kendimize bir ev aramaya başladık. Gümüşsuyu'nda Saray Arkası Sokak'ta güzel bir bahçe katı bulduk. Ev sahibesi, Nur Bekata Mardin, sonradan arkadaşımız oldu, çocuklarımız da hâlâ yakın arkadaşlar. Biz Ferhat'ı da yanımıza alarak kendi evimize taşındık. O günler çok güzeldi, çok sevinçliydik, mutluyduk. Ferhat babasını ilk kez görüyor. İki ay süren güzel bir antrakt yaşadık, hani tiyatroda verilen aralar gibi. Bu sırada seçimlere gidilecek ama 12 Eylül olanca şiddetiyle sürüyor. Sanırım haziran ya da temmuz ayında TKP ile ilgili yeni davalar açılmaya başladı. O sırada birileri içeri alındı. Orhan çok tedirgin; kaldı ki Barış Derneği Davası'ndan da yine içeri girme olasılıkları çok yüksek. Hani derler ya çalıntı günler, işte biz de öyle günler yaşıyoruz. Ne yaşarsak yanımıza kâr kalsın diyerek. Bu güzel günler fazla uzun sürmedi zaten, yeniden tutuklandı.

Saray Arkası Sokak

Senin daha önce anlattığın Levent gibi benim de yaşamımda Gümüşsuyu'nda Alman Konsolosluğu'nun hemen arkasında bulunan Saray Arkası Sokak önemli bir yer tutar. Önce Orhan'la, sonra da Orhan tutukluyken ben orada oturdum. Ferhat o evde büyüdü. Orhan hapse girdikten sonra, ben evde çocukla yalnız kalmak istemedim. Artık çok yaşlanmış olan Ermeni dadım Teta'yı yanıma aldım. Teta, Yehova Şahitlerine katılmış, her hafta onu almaya gelen gençlerle toplantılara gidiyordu. O yokken Gümüşsuyu'nda bana çok yakın oturan Ayla adında Alevi bir genç kız ben dışarıdayken Ferhat'a bakmaya geliyordu. Bize yakın bir apartmanda kapıcılık yapan Ayla'nın babası Dersim isyanında başı çeken köklü bir aileden geliyormuş, derviş gibi bir adamdı.

Benim oturduğum bahçe katının yanında Zehra İpşiroğlu, onun yanındaki dairede o zamanlar birlikte olan Zeliha Berksoy ve Ferhan Şensoy, arka dairede kapıcı Mehmet Efendi ve karısı Ayşe Hanım otururdu. Aynı apartmanın üst dairelerinden birinde ise Ali Taygun'la evlenmiş olan Yekta Kara vardı.

Bizim zemin kat ekibi gerçekten enteresandı. Müslüman kapıcı Mehmet Efendi, Zeliha ve Ferhan'ın nikâhsız oturmalarını tasvip etmez, onlara karşı tavır alırdı. Ferhan Şensoy kendi dairesinin önündeki terasa yerleştirdiği masasında oturur, yeni oyunlarını yazardı. Ne var ki Mehmet Efendi'nin bir odasının penceresi Ferhan'ın yazı yazdığı terasa bakıyordu. Günlerden bir gün bütün apartman Mehmet Efendi'nin karısı Ayşe Hanım'ın korkunç çığlıklarıyla yankılanmaya başladı. Hepimiz dışarıya fırladık. Rivayete göre Ferhan Şensoy o gün hava sıcak olduğu için terasta üryan olarak çalışıyormuş. Allah bilir sadece üstü çıplaktı. Bunu tespit eden Ayşe Hanım korkunç çığlıklarla bağırmaya başlıyor, Ferhan'ın dairesinin üstüne denk gelen apartman girişine mevzilenen Mehmet Efendi oradan hortumla Ferhan'ın üstüne su sıkıyor. Apartmanın gayri müslim yöneticisi hanım ise çaresizlik içinde benden Ferhan'la konuşmamı istiyordu. Sonunda bir şekilde olay tatlıya bağlandı ama her an benzer olaylar yaşanabiliyordu.

Yekta (Kara) ile beraber her hafta Sağmalcılar Cezaevi'ne görüşe gittiğimiz o günlerde, Yekta'nın yanındaki boş daireye, Galatasaray takımına antrenör olarak gelen Jupe Derwall ve karısı taşındılar. Alman çift bir süre sonra mükemmel Almanca konuşan, üstüne üstlük opera sanatçısı olan Yekta ile dostluk kurdular. Bir gün Yekta'ya evli olup olmadığını soruyorlar, Yekta da eşinin tiyatro yönetmeni olduğunu, Ankara'da oyun sahnelediğini söylüyor. Konuyu pek kavramayacaklarını düşündüğü bu yabancılara, kocam hapiste diyecek hali yok.

Yekta ile Derwall'ler giderek daha sıkı görüşür oldular, Yekta beni de tanıştırdı. Bu kez ben yanımda iki yaşımdaki oğlumla ortaya çıkınca benim kocam gündeme geldi. Ben de Yekta'nın yolunda devam ederek kocamın ünlü bir sanatçı olduğunu, Yekta'nın eşiyle birlikte Ankara'da sahnelenen oyunun dekorlarını yaptığını söyledim. Yalandan kim ölmüş!

Türkiye'de çevreleri olmayan Derwall çifti, bana ve Yekta'ya iyice yakınlaştılar. Gelgelelim bizim yalanlar gün geçtikçe dallanıp budaklanıyor. Alman çift eşlerini hiç görmeye gelmeyen bu iki esrarengiz sanatçının sahneledikleri oyunu merak etmeye başladı. Bu nasıl bir oyundu ki bir gün bile izin almaları söz konusu olamıyordu? Şimdi unuttum neler anlattığımızı ama sürekli yeni hikâyeler yazıyorduk. İş o hale geldi ki her duruşmada Ali ve Orhan'ın tahliyesini, sadece onlar ve kendimiz için değil, Derwall çiftine daha fazla yalan söylememek için dört gözle bekler hale geldik. Sonunda Noel tatili geldi. Almanya'ya giden Derwall çifti bizim, Ankara çok soğuk, eşlerimiz orada üşüyorlar, dememizden etkilenerek dönüşte Ali ve Orhan için en iyi kalite yün iç çamaşırları getirdiler. Durum giderek zorlaşıyordu. Yılbaşında bile gelemeyen eşleri açıklayacak yalanlar tükeniyordu. Alman kadın, "Eğer benim kocam yılbaşında beni yalnız bıraksaydı, ben boşanırdım," dediğinde Yekta ile suçlu kediler gibi önümüze bakıyorduk. Sonunda Yekta bir gün bütün cesaretini toplayıp gerçeği açıkladı. Derwall çiftinin yüzündeki ifadeyi ben görmedim ama Yekta çok anlattı. Tam bir şok geçiren Alman çift, bu olaydan sonra bizle ilişkilerini kestiler ve bir süre sonra da o daireden taşındılar.

OYA – Hayret! Tam tersine, sizlere daha fazla yakınlaşacaklarını, destek olacaklarını sanırdım. Nazizmi yaşamış bir ülkenin insanları sonuçta. Ama gözleri korkmuş demek.

MELEK – Barış Derneği Davası sürerken Uluslararası Pen adına iki ünlü yazar, Arthur Miller ve Harold Pinter Türkiye'ye geldiler. Onlara Türkiye'de mihmandarlık ve danışmanlık görevini yapanlardan biri de Gündüz Vassaf'tı. Çeşitli temaslarda bulunan yazarlar Barış Derneği Davası ile ilgili de bilgi almak istiyorlardı. Dil de bildiğimiz için hapiste yatan iki sanatçının eşleri sıfatıyla Yekta ve benimle görüşmelerine karar verildi. Yekta'nın evi hem büyük hem de manzaralı olduğu için Miller ve Pinter buraya akşam yemeğine davet edildiler. Yemek davetinin olacağı günün sabahı bizim apartman çeşitli kılıklarda dolaşan bır sivil, polis ordusu tarafından kuşatmaya alındı. Polisler bu yemeğin hangi evde olacağını keşfetmeye çalışıyorlardı. Benim kapıma gelen bir sivil, saçma sorular sorup içeriye bakmaya çalışınca, evde çalışan kadın ve ben kapıyı adamın suratına kapattık. Bu kuşatma altında konuklar geldiler. Miller ve Pinter çok ayrı iki karakterdi. Sakin, dingin, az konuşan, daha çok dinleyen Arthur Miller'in tersine Pinter, heyecanlı, fevri, aklına eseni söyleyen mizah yüklü bir adamdı. O geceki yemekte ben uzun uzun Miller ile konuştum. Bu büyük yazardan etkilenmedim desem yalan olur. Çok güzel bakan, karşısındakine önem verdiğini hissettiren, seni ilgiyle dinleyen birinden hoşlanmaz mısın?

OYA – Sen de az değilsin ha! Yoksa Miller'le....

MELEK – Yok canım, kötü niyetli olma. Koca hapiste, böyle şeyler düşünecek hal mi var!

Neyse, biz o yemeği kazasız belasız atlattık. Ancak İstanbul'dan sonra Ankara'ya giden iki yazarın Amerikan büyükelçisinin rezidansında yedikleri yemekte, Pinter elçiye hakarete varan sözler söyleyince, yemek elçilikten neredeyse kovulmalarıyla sonuçlanmış. Miller, Amerika'ya döndükten bir süre sonra *The Nation* dergisine yazdığı "Dinner with the Ambassador" (Büyükelçiyle Yemek) adlı enfes bir yazıda Ankara'daki olaylı akşam yemeğini anlatıyordu. Yazının bir bölümünde büyükelçinin karısından söz ederken, onun karşısına "ressamın karısı" olarak beni çıkarıyor ve benim hüzünlü halimden ne kadar etkilendiğini yazıyordu. Yazıyı okuyunca, tabii ki çok sevindim ve onurlandım. Koskoca Arthur Miller benden söz ediyordu. Barış Derneği sanıkları, hapisten çıktıktan sonra bu yazı nedeniyle bana çok takıldılar.

OYA – Orhan Taylan, Barış Derneği dışında, TKP'de faal üye miydi, herhangi bir organda görevli miydi?

MELEK – Bilemem, hiçbir zaman da sormadım. Kendi yaşadıklarımdan sonra benim için, ne kadar az şey bilirsem o kadar iyi, düsturu geçerli olmuştur. O nedenle hiç sormazdım. Ama Orhan'ın halinden parti bağı olduğunu hissediyordum. Yeniden hapse mi girsin, yoksa yurtdışına mı çıksın, buna karar vermek gerekiyordu. Orhan da bana; yurtdışına çıkarsa Ferhat'ı da alıp onun yanına gider miyim, birlikte olabilir miyiz diye soruyordu. "Bir kez siyasi mülteci oldum, bunun ne demek olduğunu biliyorum, şu anda annemi, hasta babamı geride bırakıp yeniden böyle bir serüvene girmem mümkün değil. Benden bunu bekleme, ben bunu yapamam," dedim. Bunun üzerine Orhan da kalmaya karar verdi ama eğer ondan sonra yaşayacaklarını bilseydi yine aynı kararı verir miydi bunu bilemem. Yıllar sonra konuştuğumuzda Orhan, "Ben de bu soruyu kendime çok kez sordum, evet, yine kalmaya karar verirdim," demişti. Bunlar çok zor kararlar. Biz o güne kadar yaşanan Maltepe ya da Sağmalcılar gibi bir süreci göğüsleriz diye düşünüyorduk. Askerî cezaevi ne demek bilmiyorduk. Nitekim kısa bir süre sonra Orhan ve sanırım dört kişiyi daha içeren bir TKP davası açtılar ve Orhan'ı İstanbul'dan alıp Ankara'ya Dal'a götürdüler. Dal, 12 Eylül döneminin en korkunç sorgulama merkezi. MİT denetimi altında. Oraya girip sağ çıkmayanlar da var. Orhan Dal'a girdi ve izini kaybettik. O günler çok korkunçtu, hatırlamak bile istemiyorum. Ankara'daki bütün dostlarımız, gazeteci arkadaşlar, herkes devreye girdi ama tek bir haber almak mümkün değil. Orhan yok oldu.

OYA – Tabii o sıralarda kayıp olan kişiler var, gözaltında kaybolanlar deniyor ve iş bitiyor.

Mamak günleri

MELEK – Bu benim çok ağır geçirdiğim bir dönemdir. Bir yandan da çalışıyorum, o sırada Ağa Han Mimarlık Ödülü Türkiye'de verilecek, onun basın bürosundayım. Evin kirası var, Ferhat'a bakan kıza para veriyorum, evi geçindirmek zorundayım. Aradan bir ay geçti, belki daha fazla, eylül ayında olduğumuzu anımsıyorum. Gitmediğimiz savcı, sormadığımız yer kalmamıştı; Orhan'dan hiçbir haber yok. Yaşıyor mu, öldü mü bilmiyorum. Tam anlamıyla çaresizim, yapabileceğim hiçbir şey yok. Tabii bu arada Barış Derneği sanıkları da yeniden içeri alındılar, Sağmalcılar Cezaevi' ne geri döndüler.

Eylül ayının başlarında şimdi tam gününü hatırlamıyorum, İbrahimpaşa Sarayı'nda Ağa Han Mimarlık Ödülleri töreni var, Ağa Han'ın kendisi de gelmiş. Bizler hepimiz, sabahın erken saatlerinde İbrahimpaşa'ya geldik. Hiç unutmuyorum, üzerimde turkuvaz renkli bir etek bluz var, saçlarım yapılı, makyajım yerinde. Tören durumundayız anlayacağın. Tam o sırada nasıl oldu bilmiyorum Avukat Gülçin Çaylıgil'den bir telefon geldi, benim İbrahimpaşa'da olduğumu öğrenmiş, sanırım Selçuk Batur'a ulaşmıştı. "Söyle Melek'e, hemen Metris Cezaevi'ne gelsin. Orhan'ı Barış Derneği duruşmasına katılmak üzere İstanbul'a getirecekler." Selçuk Batur bana bu haberi iletti, "Hemen fırla git," dedi. Düşünsene, öldü mü kaldı mı bilemediğim kocamı görecektim. İbrahimpaşa'dan fırladım ve önüme gelen ilk taksiye bindim, eski püskü bir Anadol. Benim hiçbir şeyi görecek halim yok, önemli olan şoförün Metris yolunu bilmesi. Şoför zayıf esmer bir adam, "Metris Cezaevi'ne gideceğim, yolu biliyor musunuz?" soruma hafif bir tebessümle ve koyu bir Doğu şivesiyle yanıt verdi: "Bilmem mi yenge!" Yola koyulduk, ben birden yanıma evlenme cüzdanımı almam gerektiğini hatırladım. Ancak birinci derece akrabalar girebiliyordu duruşmalara. Şoföre durumu anlattım. "Tamam yenge, gider eve alırız," dedi. Evlenme cüzdanımı alıp yeniden arabaya bindiğimde şoförle konuşmaya başladık. Benim Metris'e niçin gittiğimi sordu, ben de anlattım. "Üzülme yenge, her şey geçiyor, ben Diyarbakır Cezaevi'nden çıktım ve bak hayattayım, araba bile kullanıyorum," dedi. Konuşa konuşa Metris'e geldik. Ben arabadan inerken şoför uzattığım parayı almak istemedi, "Ben seni şurada kenarda bekleyeceğim yenge, bakarsın bir aksilik olur, giremezsin, buralarda sefil olma," dedi. Ben bu teklifi kabul etmedim, zar zor parasını verdim, vedalaştık. Metris Cezaevi'ne ilk kez geliyordum. Barış Derneği sanıklarından tutuksuz yargılanan Reha İsvan, dışarıda, giriş kontrollerinin yapıldığı yerin önünde duruyordu. Beni görünce "Orhan iyi, merak etme," dedi. Ben heyecanla elimde evlilik cüzdanını, kapıdaki görevli askere uzattım. Rütbesini bilmediğim subay cüzdanı eline aldı, evirip çevirmeye başladı. Belki üç dakika bir şey söylemeden cüzdanın sayfalarını çevirdi. Sonunda kafasını kaldırdı ve bana bakarak, "Artık evlilik cüzdanı ile girilmiyor, ikametgâh gerekli," dedi. Çok şaşırdım, böyle bir uygulama olmadığına emindim. Başladım tartışmaya. Herhalde sesim de yükselmiş olacak ki Reha Hanım'ın bana "Sakin ol Melek," dediğini duydum. Belki on dakika süren bir tartışmadan sonra "Peki, bu seferlik de gir," diye fetva buyurdu. Ben heyecanla içeriye giren turnikeye yönelince, "Nereye gidiyorsun bakalım, henüz aranmadın," dedi. Lanet olası üst arama işlemi yapılacaktı. Bir er beni girişin arka tarafındaki küçük bir odaya götürdü. Bir masa ve iskemleden başka eşya olmayan küçük odada üzerinde beyaz hemşire önlüğü olan kısa boylu bir kadın kollarını kavuşturmuş, ayakta beni bekliyordu. Ben odaya girince tam önüme gelip durdu, "Soyun," dedi. Üzerimde bir etek bluz var sadece. Onları çıkardım, sutyen ve donla kaldım. "Soyun," dedi kadın aynı ses tonuyla. Kadın benim omzuma geliyor, gırtlağına sarılsam oracıkta işini bitirebilirim. Sutyeni ve donu da çıkarttım. Anadan doğma duruyorum önünde ve kadın arama adı altında benim her tarafımı elliyor. Gözlerimi kapattım, kendi kendime "Orhan'ı göreceğini düşün, dayan," diyorum. Sonunda arama bitti, giyindim, tam odadan çıkıyorum, aynı korkunç ses, "Dur bi dakika, işin bitmedi," dedi. Ayakkabılarımın astarını söktürdü, bir on dakika daha geçti, sonunda odadan çıktım, her tarafım zangır zangır titriyor. Bana zorluk çıkaran asker sırıtarak bana bakıyor. "Geç kaldınız, aranmanız uzun sürdü, Orhan Bey'i beş dakika önce götürdüler," dedi. Yüzündeki arsız sırıtmayı hiç unutmadım. Hiçbir yanıt vermeden kendimi dışarıya attım. Bomboş yolda nasıl vasıta bulacağımı düşünürken, az ileride sağda Anadol taksiyi gördüm. Diyarbakırlı beni beklemişti. Beni görür görmez önüme kadar geldi, arabaya bindim ve deli gibi ağlamaya başladım. Şoför bıraktı ağlayayım, belli ki acı ve gözyaşı konusunda tecrübeliydi. O anda tanımadığım şoförle aramdaki sessiz dayanışma, az önce yaşadığım onur kırıcı, aşağılayıcı davranışların acısını dindiren bir merhem gibiydi. Konuşa konuşa İbrahimpaşa Sarayı'nın önüne geldik, yine para almak istemedi, zorla verdim. Vedalaştık ve ben işimin başına döndüm.

Orhan'ın hayatta olduğunu öğrenmiştim artık ama nerede olduğu hâlâ belli değil. Bir gece geç saatte Ankara'dan rahmetli Ufuk Güldemir'den bir telefon geldi: "Melek, Orhan'ın izini buldum, Mamak Cezaevi'ne konmuş, sen hemen atla gel." O anda neler hissettiğimi anlatamam. Ertesi gün Ankara'da Ufuk'la buluştuk. Ufuk yaşça Orhan'dan küçüktü ama Orhan'a büyük bir sevgisi vardı. Ufuk zaten çok değişik özellikleri olan bir insandı, kimseye benzemezdi. Galiba bir gece Ankara'da kaldım ve ertesi gün ziyaret günü olduğu için Ufuk'la Mamak Askerî Cezaevi'ne gittik. Nizamiye kapısı ana baba günü, korkunç kalabalık, gardiyanlar listeden isim okuyor ve ismi okunanlar askerî araçlarla yukarıya, cezaevine gidiyor. Bekliyoruz Ufuk'la. Orhan'ın adı okunmuyor. Ufuk her zaman olduğu gibi bin türlü cambazlıkla gardiyanın elindeki listeye baktı ve sonunda buldu, Orhan'ın adı Salim Taylan olarak yazılmıştı. Salim onun göbek adıydı, kayıtlara öyle geçmişti. Gardiyan, "Ziyaret saati bitti, otobüs yok," diyor, Ufuk bu kez gazeteciyim ayağına yattı ve sonunda biz yukarıya çıktık.

Görüş, tellerle ayrılmış bir kabinde oluyor. Arada telefon yoktu o zaman, karşılıklı bağrışıyoruz. Girdim kabine, Orhan'ı bekliyorum. O kadar heyecanlıyım ki aklıma söyleyecek bir şey gelmiyor. Sonunda tel örgünün arkasında bir adam belirdi. Bu Orhan mıydı? Şaşkınlığımı gizlemeye çalışıyorum ama herhalde yüzümün halinden anlaşılıyor ki, Orhan sürekli "Merak etme, iyiyim," diyor. 15-20 kilo zayıflamış, saçları tıraşlı, askerî hapishane giysileri içinde Auswichtz toplama kampından çıkmış gibi. Yutkunuyorum ama konuşamıyorum. O yine daha sakin, Ferhat'ı soruyor, sürekli "Merak etme," diyor. Ben toparlanıp iki çift laf ediyorum ve üç dakikalık görüş bitiyor. Dışarıya çıktığımda Ufuk beni bekliyor, tek kelime sormadan koluma giriyor, birlikte hiç konuşmadan nizamiye kapısına kadar yürüyoruz. Ufuk başka şeyler anlatıp beni oyalıyor ve sonra birlikte arkadaşlarımızın evine gidiyoruz. İlk şoku böylece atlatıyorum. Daha sonra Diyarbakır Cezaevi'nde yatan kişilerin yakınlarından duyduğum bir cümleyi ben de kendi kendime tekrarlıyorum: "Yaşıyor ya, önemli olan bu."

Sonradan Orhan, Dal'da yaşadıklarını hiçbir zaman ayrıntısıyla anlatmadı ama çok profesyonel kişiler tarafından sorguya çekildiğini ve işkence gördüğünü söyledi. Dal'dan çıkıp Mamak'a geldiğinde, tam kurtuldum diye düşünürken Mamak'ta âdet olduğu üzre bir "hoş geldin" dayağı çekiliyor ve sonra da sanırım kafes denilen bir yere kapatıyorlar. Yani, ya yaşadın ya öldün bir durum.

OYA – Evet, İlhan Erdost, Muzaffer Erdost'un kardeşi, sanırım orada ölmüştü. Duruşmadan getirilirken mi ya da ilk tutuklandığında mı, askerî aracın içinde dövülerek öldürülmüştü.

MELEK – Böylece Mamak Cezaevi ziyaretleri başladı. Görüşme günü çarşamba. Ben her salı yataklı trene binip Ankara'ya gidiyorum, çarşamba akşamı da yine yataklı trenle dönüyorum. Bir süre sonra beni tanımayan garson ve kondüktör kalmadığından bilet bile almadan trene binip vagon restorana oturur, yemeğimi yerdim. Yemeğim bittiğimde kondüktörler bana bir oda ayarlar ve ben makbuz karşılığı paramı öderdim. Hiçbir zaman bana her hafta aynı gün nereye gittiğimi sormadılar. Dönüşte, yani çarşamba geceleri eğer o gün görüşte çok yıpranmış olursam, herhalde yüzümdeki ifadeden olacak, bana sormadan önüme hemen bir tek rakı konulurdu. Bu incelik beni öylesine mutlu ederdi ki, insanların aslında iyi ve merhametli olduklarına yeniden inanırdım.

O sırada AB'nin Ankara Bürosu'nun başında aslen Galli olan bir diplomat vardı: Gwyn Morgan. Gwyn Morgan sıra dışı bir diplomat ve ilginç bir kişilikti. İstanbul'da bir arkadaşımın evinde karşılaştım kendisiyle, arkadaşım bizi tanıştırdı. Gwyn Morgan, "Tanıştığımıza çok sevindim ama ben Melek Taylan'ı çok iyi tanıyorum," dedi. Şaşırdım çünkü ben onu ilk kez görüyordum. "Sizi nasıl tanıdığımı anlatmak istiyorum," diye devam etti. "Bir gece Türk bir gazeteci arkadaşımla yataklı trenle Ankara'ya gidiyorduk. Vagon restoranda tek başına oturmuş rakısını içip yemeğini yiyen bir kadın gördüm. Çok ilgimi çekti, gece treninde tek başına rakı içen bir kadın. Ama ondan daha da fazla etkileyen, kadının yüzündeki derin hüzün oldu. Etrafıyla ilgilenmiyordu, kendi dünyasına dalmış, gitmiş gibiydi. Yanımdaki gazeteci arkadaşa, 'Bu kadını tanıyor musun?' diye sordum. 'Evet, Ressam Orhan Taylan'ın karısı. Kocası hapiste, her hafta onu ziyarete Ankara'ya gider,' dedi. O gün tanıştım seninle."

Sonradan Orhan hapisten çıktığında da çok dostluk ettik Gwyn Morgan'la. Sanıyorum artık emekli olmuş, biryerlerde yaşıyordur.

Bu Mamak Cezaevi ziyaretleri gerçekten çok ağırdı. Ben o zaman anladım askerî cezaevi ne demek. Sivil cezaevlerinde anlattığım gibi insani ilişkiler vardır, Mamak'ta hiçbir insani ilişki yoktu. Nizamiye kapısında sobalı, tıklım tıkış insan dolu bir odada beklemeye başlarsınız. Bu arada gardiyanlardan her türlü küfür, aşağılama, kötü muamele görmeniz zaten normaldir. Ben sabah saat 9 civarında nizamiye kapısında olurdum, Orhan'ı görmem genellikle öğleden sonra üçü bulurdu. Görüş her zaman üç dakikaydı. Nizamiye kapısından başlayarak kaç aramadan geçtiğimizi artık unuttum. Ama cezaevinin olduğu yere vardığımızda, ellerinde zincirli Doberman köpeklerle bekleyen askerler kadınları korkutmak için köpekleri üstümüze salar gibi yaparlar, son anda zincirleri çekerlerdi. Kadınlar korkup çığlık attıklarında da çok eğlenirlerdi. Ben köpekten korkmam, genelde hayvanlardan korkmam. Bir ziyaret günü askerlerden biri yine Doberman'ı üstümüze salınca, benim de beynim döndü ve köpeğin üstüne yürüdüm. Köpek bana saldırmadı, durdu ve baktı. Bütün kadınlar donakaldılar, asker ilk önce şaşırdı, sonra da feci kızdı ama ne yapacağını bilemediğinden, köpeğe saldırdı diyerek beni yüzbaşıya şikâyet etti. Yüzbaşının yanına çıkarıldım. Düşünebiliyor musun, köpeğe saldıran kadın... Yüzbaşı beni tepeden aşağı süzdü. Ben de doğrudan adamın gözlerinin içine bakıyorum. Hüviyetimi aldı, kime ziyarete geldiğimi sordu. Çok duraksayarak konuşuyor, beni kafasında bir yere oturtmaya çalışıyor. Köpek kılığında da olsa, otoriteye karşı çıkma cesareti gösteren bir anarşistle karşı karşıya olduğuna karar verdi. "Umarım bu tür davranışları tekrarlamazsınız," dedi; ben de "Umarım siz de hayvanları insanları korkutmak için kullanmazsınız," dedim. Buz gibi bir hava esiyor ama ben geri adım atmıyorum. Sonra hüviyetimi verdi ve beni görüşe yolladı. O an için bana daha fazla bulaşmamaya karar vermişti. Ama beni unutmadı elbette, her ziyarette, hüviyetimi sorgulayarak, beni bekleterek cezalar uygulamaya başladı.

Bir kış günü kar yağıyor, Mamak buz gibi. Nizamiye kapısında sobalı odada bekliyoruz. Üniformalı bir polis kadın odaya girdi, avazı çıktığı kadar bağırmaya başladı: "Ulan karılar, orospular, o tuvaletlerin hali ne öyle! Bana bakın, toplayın o bokları, alıp yukarıda yatan heriflerinize yedirin, anladınız mı!" Bu minvalde konuşuyor.

O sırada Ankara Sıkıyönetim Komutanlığı tam Mamak'ın yanında. Bu arada biz kadınlar aramızda bir grup kurduk, gidip Sıkıyönetim Komutanı'na Mamak'la ilgili şikâyetlerimizi ileteceğiz.

Ben bağıran polis kadının yanına gittim. Çok sakin ve kibarca, "İsminizi öğrenebilir miyim?" dedim. Kadın o sırada çay içiyordu, duruma aymadı, ismini söyledi, ben bu arada onun yaka numarasını not ettim. Tabii birden uyandı, "Bana bak böcek, sen kim oluyorsun benim ismimi soracak!" dedi. Ben de yine gayet sakin, "Sizi daha yakın tanımak istedim," dedim. Bu yine küfürlere başladı, ben de döndüm sırtımı yürüdüm. Biz bir grup kadın gerçekten Sıkıyönetim Komutanlığı'na gittik, sıkıyönetim komutanı bizi kabul etti. Sözcü benim, şikâyetlerimizi anlattım, paşa konuşmamın düzgünlüğünden benim eğitimli olduğumu hemen anlamıştı. Gayet ilgili dinledi söylediklerimizi. Ayrılırken o güne kadar yapmadığım bir şey yaptım. Paşaya ailemin kim olduğunu, dedemin ilk Türk ilaç firmalarından birinin kurucusu olduğunu, eşimin Mamak'ta yattığını ve benim de onu ziyarete geldiğimi anlattım ve sabahki kadın polisin bize yaptığı muameleyi, aile terbiyem buna müsaade etmez diyerek kelimeleri tekrarlamadan olduğu gibi anlattım. Kadın polisin yaka numarasını verdim ve bir görevlinin bize bu şekilde davranamayacağını belirttim. Bu durumdan tüm kadınlar adına çok rencide olduğumu, kendisinin de bu durumdan rahatsız olacağını umduğumu söyledim. Paşa çok etkilenmişti. Hemen benim yanıma iki özel muhafız verdi ve özel bir arabayla beni Mamak'a yolladı. Benim özel arabayla ve muhafızlarla Mamak'ta boy göstermem bütün görevliler üstünde etki yarattı. O kadın polis görevden alındı, ondan sonra da Mamak'taki görevliler bana her zaman mesafeli davranmaya başladılar. Ama bu da şunu gösteriyor, sen orada sade bir vatandaş olarak hiç kimsesin, hatta böceksin, ama birilerinin torunu olunca işler değişiyor. Acı gerçek budur ve hiç değişmez. Paran ve iktidarın kadar adam sayılırsın; bunlar, yoksa olup olacağın "böcek"tir.

Mamak böyle devam etti. Sonunda bu beş kişilik TKP davasının ilk celsesinde beraat ettiler. Düşün, onca işkence, eziyet ve sonra delil yetersizliğinden beraat. Bu arada Barışçılar yine Sağmalcılar'da yatıyorlar. Ben bu durumda savcılara dilekçeler yazıp duruyorum, Orhan'ın Mamak'tan Sağmalcılar'a naklini istiyorum. Bir savcı vardı, hatta sonra o adam öldü veya öldürüldü, onun karşısına çıktım ve benim için her hafta Ankara'ya gelmenin ne kadar zor olduğunu ve Orhan'ın artık sadece Barış Derneği Davası'ndan yargılandığını, bu nedenle İstanbul'a naklini istedim. Adam beni dinledi, sonra şöyle dedi: "Ülkemizin bütün cezaevlerinde aynı koşullar vardır, siz cezaevi seçemezsiniz."

Orhan'ı bir türlü Mamak'tan nakletmiyorlar. Orhan da kurtulmak istiyor oradan. Orhan Mamak'a düştüğünde 42 yaşında. Koğuştaki diğer tutuklular o kadar genç ki onlar Orhan'a bakıp, "Ağbi, biz senin yaşına kadar yaşayabilirsek daha ne isteriz?" diyorlar. Sonunda tanıdığım, belli çevrelerle ilişkileri olan kişi, beni Ankara'da birisine yolladı. Tanımadığım biri ama insan bu gibi durumlarda her şeyi deniyor. Gittim, görüştüm, Orhan'ın İstanbul'a naklini istediğimi anlattim. "Tamam yenge, bu iş olur, sen merak etme," dedi, ben de akşam trene binip İstanbul'a döndüm.

OYA – Sivil bir kişiden mi söz ediyorsun?

MELEK – Evet, tabii sivil birisi. Perşembe sabahı trenden indim eve geldim. Evde Ferhat, Ferhat'a bakan kız ve Tuba (Çandar) var. Gece belli bir saatte yatıyoruz, saat 02.00'de kapı çalınıyor. O saatte polisten başka kim olabilir? Tuba ve ben hemen fırlayıp üzerimize birşeyler geçirdik, Ferhat'la kızı arka odaya yolladık, ben kapının önüne gidip "Kim o?" diye seslendim. Ve Oya, ister inan ister inanma Orhan'ın sesi. "Melek, aç kapıyı benim," diyor. Kapıyı açıyorum, yanında iki sivil giyimli kişiyle Orhan karşımda duruyor. Ben sanki çok normal bir olaymış gibi hoş geldiniz buyrun diyerek onları içeri alıyorum. Bizim kız hemen mutfağa girip çay demliyor. Orhan da çok sakin görünüyor. "Arkadaşlar bana refakat ediyorlar, sabah Sağmalcılar Cezaevi'ne teslim edecekler," gibi bir açıklama yapıyor. Sivil polisler de çok sakin. Kısacası Tuba ve benim dışımda herkes için çok olağan bir durum yaşanıyor. Çaylar içiliyor, polislere salonda yer yatakları seriliyor ve herkes sabah görüşmek üzere yatmaya gidiyor.

Orhan'la baş başa kaldığımızda neler olduğunu soruyorum. Perşembe günü koğuşa gelen bir gardiyanın "Orhan Taylan, eşyalarını topla, gidiyorsun," dediğini, o zamanın tanınmış bazı mafya babalarıyla birlikte Mamak'tan çıkarıldığını anlatıyor. Babalar Orhan'a çok kibar davranıyorlar, "Siz de herhalde geceyi evinizde geçirmek istersiniz, arkadaşlar size otobüste refakat edecekler," diyerek Orhan'ı iki sivil polisle İstanbul'a gönderiyorlar. Ben tabii hemen Ankara'da görüştüğüm adamı ve "kolay yenge" sözlerini hatırlıyorum ama o anda Orhan'a bir şey söylemiyorum.

Sabah herkes kalkıyor, kahvaltı sofrası kuruluyor, sucuklu yumurtalar yeniyor. Ferhat şaşkın şaşkın Orhan'a bakıyor. Sonra polislerden biri benim ev telefonumdan bir yere telefon ediyor ve saat onda Selimiye Kışlası'nda buluşmak üzere anlaşıyorlar. O arada ben telefon eden polise, "Bizim telefon dinleniyor," diyorum saf saf. Polis benim bu sözlerime gülüyor, "Tamam yenge, dinliyoruz tabii," diyor. Böylece Orhan Sağmalcılar Cezaevi'ne nakledildi. O kişiler de bir daha ne beni ne de Orhan'ı aradılar.

Kapağı Frankfurt'a atınca...

OYA – Sen Maltepe'de, Sağmalcılar'da, Mamak'ta, hayatının "kocası hapse düşmüş, küçük çocuğuyla kalmış kadın" dönemini sürdürürken ben artık Federal Almanya'nın Frankfurt kentinde mülteciyim. Belçika'dan sınırı geçip Frankfurt'a geldiğimde, Aydın beni karşıladı. Alelacele tek odalı küçük bir stüdyo daire bulunmuştu, oraya yerleştik. Aydın o zamana kadar sonradan çok dost olacağımız Ülkü'de kalıyordu (Ülkü Schneider Gürkan). Parti, Aydın'ı Ülkü'nün Frankfurt'un en güzel yerlerinden birinde, şehrin ana meydanı Römerplatz'ın karşısında, Main Nehri'nin kenarındaki evine yerleştirmişti. Ülkü bizden birkaç yaş büyük, Almanya'ya daha 1950'lerin sonunda üniversite okumaya gelmiş, politoloji okumuş Marburg'da, TKP'li olmuş. Hem aileden hali vakti yerinde, hem de çalışıyor, Alman çevresi var, o zamanlar bir Alman'la evli. Kadıncağızın evini partililer misafirhane gibi kullanıyorlar. Neyse... On iki yıl süren Almanya maceramızda Ülkü en yakın dostumuz oldu, neredeyse iç içe yaşadık, Ekim onun ve kadın doğumcu kız kardeşi İlter'in (Kayankaya) elinde büyüdü. Ülkü ve çevresi olmasaydı, sanırım mültecilik yıllarımız çok daha zor geçerdi. Ülkü elitisttir, o güne kadar bizim partili işçi-köylü milletinden epeyce çekmiş, onlarla iç içe olmuş ama ne de olsa sınıfsal fark var, kültürel farklar var. Biz gelince o da biraz nefes aldı galiba. En azından iki laf konuşabileceği, birşeyler tartışabileceği, çok bunalınca da parti dedikodusu yapabileceği birileriydik.

MELEK – Sen Frankfurt'a 80 Ekimi'nde geldin, peki çocuk ne oldu?

OYA – Oğlan annemde. Neyse ki annemin, babamın birinci derecede devlet memuriyeti yüzünden yeşil pasaportu vardı, yani vizeye ihtiyacı yoktu. Biz de başımıza gelecekleri az çok tahmin ettiğimizden Ekim daha altı aylıkken ona ayrı pasaport çıkarmıştık. Böylece aralıkta annem çocukla birlikte Frankfurt'a gelebildi.

Hüzünlü bir anımı anlatmalıyım. Annemle çocuğu havaalanından karşılamaya bir heyetle gittik. Çünkü yeşil pasaport var ama vize uygulaması henüz yeni ve bir sürü sorun çıkabilir, ayrıca çocuğun durumu da belirsiz. Arkadaşımız Ülkü, onun çok iyi dostu olan Evangelist Papaz Lüderwald, en güçlü sendikalardan I-G Metall'den Türkiyeli sendikacı Yılmaz Karahasan... Bir aksilik olursa müdahale edilmeye çalışılacak. Derken bir hostes, kucağında el örgüsü kötü bir battaniyeye sarılmış, yüzü gözü kıpkırmızı bir bebekle çıktı. Annem henüz ortada yok, çünkü Alman memurlar Türkiye'den gelen yeşil pasaportlulara kapıda geçici bir vize mi verecekler ya da hiçbir işlem yapmadan mı geçirecekler henüz bilmiyorlar, onay bekliyorlar. Hostes çocuğu bize teslim edebilmek için "Herr Engin" diye seslendi. Aydın bebeğe yöneldi, ben çocuğa baktım, "Hayır, bu bizimki değil, karışmış," dedim, gerçekten tanıyamadım oğulcuğumu. Meğer zavallıcığım hastalanmış, antibiyotik vermişler, alerji yapmış, uçakta da kusmuş, ellerine geçen ilk örtüye sarmışlar. Aydın, "Az kaldı bizim oğlanı teslim almıyordu anası," diye çok alay ederdi benimle.

MELEK – Böylece aile birleşti, fazla ayrı kalmadınız.

OYA – Birleşti birleşmesine de, benim Moskova'ya, Aydın'ın deyimiyle "talim terbiye"ye gitmem gündemde. O sırada güzel bir ev bulduk, kirası da ehven; tek odadan çıkıp oraya attık kapağı. Yerleştik, diyemiyorum çünkü hiçbir eşyamız yok. Evde eski kiracılardan kalma kırık dökük bir kanepe var, yatak odasında iki kişilik lenduha bir yatak, bir de büyük gardırop var. Almanya'da, kapı önlerine eski eşyalar yığılır, ihtiyacı olan alsın diye. Çünkü bir vasıta bulup attırmak epeyce zahmetli iştir. O eşyaların arasından yatak falan topladık; Ülkü'nün çevresi, Frankfurt'taki TKP'liler, Alman Komünist Partisi DKP çevreleri çocuk odası, beyaz eşya, birşeyler buldular. Gittik IKEA'dan bir yuvarlak masa, dört sandalye aldık, bir de bol bol beyaz örtü; eski, delik deşik koltukların üstüne örtmek için.

MELEK – Çalışıyor musunuz? Neyle geçiniyorsunuz? Çocuk var, ev kiralamak falan...

OYA – Ciddi bir işte çalışmaya daha sonra başlayabildik. O sırada İstanbul'daki motoru yanmış eski vosvos (VW) satılmıştı, annem onun parasını getirdi, biraz da kendi ekledi galiba. Aydın, Ülkü vasıtasıyla IG-Metall sendikasının Türk işçiler seksiyonunun Türkçe yayınlarına yardım etmeye başladı. Henüz ikimiz de tek kelime Almanca bilmiyoruz; ama o çevrelerde çalışanların savruk bir Türkçe ile teybe okudukları çevirileri deşifre ediyor ve daktiloya geçiriyoruz. Ülkü bize bu türden işler kaydırıyor. Alman Komünist Partisi'nden arkadaşlar bir eski araba buldular, yani arabamız bile oldu. Çok benzin yuttuğu için pek sık kullanamıyorduk ama olsun. Ara sıra Türk dernekleri, sendikalar belli bir konuda, mesela Türkiye'deki siyasal gelişmeler konusunda konuşma yapmaya çağırıyorlardı. Ben ilk defa orada konuşmacıya para verildiğini gördüm. Çok utanıp almak istemedim önce, sonra baktım ki usul bu, üstelik meteliğe kurşun atıyoruz, almaya başladım.

Partiden para almamaya kararlıydık. Başka türden bir bağımlılık yaratır böyle şeyler. Komünist partisi, yoldaş dayanışması falan da dense, dedikodusu yapılır, gün gelir kullanılır da. Tabii bütün bu kazandıklarımız devede kulak. Metal paraları kuruş kuruş toplar Ekim'e süt alırdık. Çok küçüktü, Ülkü'nün evinin karşısında Römerplatz'da Weichnacht'ta (Noel), Ostern'de (Paskalya) bayram yeri, panayır kurulurdu. Ekim zavallıcığım hiçbir şey istemezdi. İyi ki anlayacak, isteyecek yaşta değil, diye düşünürdüm. Bir kere yakınımızdaki marketten sarı ördek biçimi bir çocuk şampuanı almıştık. Büyük lüks! Gözleri parlamış, "Ekim sevindi," demişti eline verdiğimde. İçim acımış, ağlamıştım.

Ama sürgün sefaleti edebiyatı yapmayayım. Bir süre sonra, öğrendik ki sosyal yardım, kira yardımı gibi haklarımız var. Batı Almanya o sıralarda henüz sosyal devlet niteliğini koruyor. Bunu neden epeyce geç öğrendiğimize gelince; Almanya'daki bizi gerçekten seven arkadaşlarımız, parti çevreleri, sosyal yardımı bizim "şanımıza" yakıştıramıyorlar anlaşılan ya da akıllarına gelmiyor ihtiyacımız olduğu. Bir ara benim bir temizlik firmasında çalışmam söz konusu olduğunda da, bu işi bulana adeta darıldılar, Oya Baydar'a temizlik önerilir mi diye. Oysa benim için hiçbir sorun yok; iyi temizlik yaparım, bu işi severim, yüksünmem de. Yani karnımız aç mı, tok mu bir yana, kuyruklar dik, iş beğenilmiyor bize. Aydın ben Frankfurt'a gelmeden önce, kimselere haber vermeden önce bir Wimpi'cinin mutfağında çalışmış kısa süre, sonra bir matbaada kaçak çalışmaya başladı. Daha sonra taksi şoförü oldu; sıkı çalışır, iyi para kazanırdı. Dil kurslarına devam ettik, iyi kötü, anlayacak düzeyde Almanca öğrendik. Ben de sosyal demokratların gelenekli ve güçlü STK'sı Arbeiterwohlfahrt'da Türklere danışmanlık hizmeti veren Türk-Danış'a girdim, yine bazı Türkiyeli dostların kayırmasıyla. Yani bir iki yıl sonra büyük maddi sıkıntımız kalmadı.

MELEK – Moskova'ya "talim terbiye"ye gittin mi?

OYA – Evet, tabii; Parti böyle uygun görüyorsa gidilecek. Ben de istiyorum doğrusu. Bu hem bir ayrıcalık hem de oraları yakından göreceğimi, içinden tanıyacağımı, derslerden de yararlanacağımı düşünüyorum. Şubat başı haber geldi, Moskova'ya gitmek üzere acele Berlin'e çağırıldım. Annem Ekim'i getirmişti, hâlâ Frankfurt'ta bizimleydi; ama o sıralarda vatandaşlıktan çıkarmalar başlamıştı, vatandaşlıktan çıkarılanların mülklerine devlet el koyuyordu. Annem, Levent'te benim üstümdeki ev elden gider diye korkup Türkiye'ye döndü acele. Aydın daha bir buçuk yaşında bile olmayan Ekim'le Frankfurt'ta yalnız kaldı. Kendi tabiriyle o yıl, yılın annesi seçildi.

Karlı bir şubat gününde önce Batı Berlin'e, oradan Friedrichstrasse'den, yani mûtat metro geçiş noktasından Doğu Berlin'e geçtim. Orada gerekli pasaportu, vizeyi, evrak olarak ne lazımsa hepsini alıp Doğu Berlin'in uluslararası havaalanı Schönefeld'den Moskova'ya uçtum.

Moskova Havaalanı'nda Türkçe konuşan bir *tovariş* (yoldaş) tarafından karşılandım ve çok karlı bir gün, Nâzım'ın şiirindeki karlı kayın ormanlarının ortasından geçen bir yoldan Moskova dışında büyük bir köşke getirildim.

Moskova'da "talim terbiye" günleri

En çok karları hatırlıyorum. Bembeyaz bir masal ormanının içinden geçen karlı yolu. İçimdeki heyecanla mutluluk, merakla hüzün karışımı tuhaf duyguyu.

Sovyet ülkesinin, Moskova'nın yabancısı değildim. İlki turist, daha sonrakiler Airflot'un ya da bir başka kurumun davetlisi olarak en az üç kez gitmiştim oralara. Ama bu defa bambaşkaydı, Rus romanlarında okuduğumuz "daça"lardan, orman veya kır köşklerinden birine gidiyorduk, üstelik de Soğuk Savaş döneminin casusluk filmlerinde gördüğümüz türden, ormanlar içine saklanmış esrarengiz bir eve...

Geçmiş gün; hatırladığım kadarıyla bindiğimiz siyah arabanın içinde bir saati aşkın yol aldık. Gece bastırmıştı birden. Otomobilde bana eşlik eden genç hiç konuşkan değildi. Nereye gidiyoruz, ne olacak, ne ben soruyorum ne o bilgi veriyor. Yolculuk boyunca hiç konuşmadık. Ama ben artık SBKP'nin güvenli kollarındayım ya, en küçük bir kuşku yok içimde.

Anayoldan çıkıp orman içi bir patikaya saptık, otomobil büyük bir kapıdan, ulu ağaçlarla dolu bir bahçeye girdi. Dört bir yan bembeyazdı, karlar pırıl pırıl parlıyordu karanlığın içinde. Karların yansıttığı süt mavisi, tuhaf bir ışık vardı her yerde. Bina, yüksekçe bodrum katı olan, zemin katına taş merdivenle çıkılan iki katlı büyük, kâgir bir köşktü.

Benden önce gelenler olmuştu. Bir ikisini gözüm ısırsa da İKD (İlerici Kadınlar Derneği) Genel Sekreteri Zülal Kılıç'tan başka kimseyi tanımıyordum, gerçek kimliklerini bilmiyordum. Oysa legalde çalıştığım, gazetede fotoğrafımla boy gösterdiğim için onların çoğu benim gerçek kimliğimi biliyordu. Yıllar sonra oradaki bazı arkadaşlarla Türkiye'de veya yurtdışında gerçek kimliklerimizle karşılaştık. Heyecanlı ve duygulu oluyor bu karşılaşmalar.

Herkesin okul süresince kullanacağı bir parti adı vardı. Benimki Ayşe'ydi. Ertesi sabah kalkıp kahvaltı salonuna indiğimde gece görmediğim birkaç kişiyle daha karşılaştım. Ve birden kimi gördüm! Ertan Uyar. Daha önce sık sık söz ettim ya ondan; hem İstanbul Sosyoloji'den öğrencim, hem Aydın'ın ve benim yakın arkadaşımız. Demek ki içten içe orada kendimi çok yalnız hissediyormuşum ki nasıl sevindim, bilemezsin. İllegalite raconuna falan da uymadık, birbirimizi tanımazlıktan gelmedik, sarıldık sarmalaştık.

Bir kış masalı sahnesi dekorunu andıran, gizemli bir yanı da olan bu binada fazla kalmadık. Ahmet Ümit orayı ilk polisiye romanı *Kar Kokusu*'nda anlatmıştır. Romanı okur okumaz, hah işte burası orası dedim, romandaki bazı karakterlere de kimlerin ilham verdiğini anladım doğrusu. Ahmet bizden sonra eğitime gelenlerdenmiş ve uzun kalmış yanlış bilmiyorsam.

Genelde ülkelerinde silahlı mücadele süren illegal partilerden gelenleri ayrı tutarlardı. Güvenlik gerekçesiyle olmalı. Onların bu gözden uzak bölgelerde silahlı mücadelenin gerektirdiği silah, vb. eğitimi aldıkları söylenirdi. O günlerde Nikaragua'da gerilla savaşı veren Sandinistalar zafer kazanmışlardı. O grubu çok iyi hatırlıyorum, çünkü aralarında savaşta sakatlanmış, çoğu kavruk, zayıf, gencecik çocuklar vardı. Gündüzleri bizlerle birlikte ana binada ders görürlerdi. Savaşın ortasından, kan ve ateşten geldikleri için çok sempati toplamıştı Nikaragualılar. Onlar da muzaffer gerillalar olarak pek bir afili dolaşıyorlardı ortalıkta.

Birkaç gün sonra Moskova'nın içinde asıl kalacağımız yurt binasına nakledildik. Burası ders göreceğimiz Marksizm-Leninizm ve Toplumsal Bilimler Enstitüsü'ne yürüme mesafesindeydi. Kaldığımız yurtla Enstitü binası arasında, *beriozka* denilen akkavak ağaçlarının bulunduğu geniş bir park vardı. Yurttan okula giderken Nâzım'ın Vera ile birlikte yaşadığı ve öldüğü evin önünden geçerdik. Ortasında devasa çöp tenekelerinin durduğu büyük bir avlu bulunan, avlunun dört tarafını çeviren dört beş katlı çok daireli Moskova apartmanlarından birinin ilk katındaydı Vera'nın oturduğu daire. Sokağa bakan penceresinde bir Hacivat-Karagöz çifti asılıydı. Her önünden geçişte büyük bir hüzün dolardı içime.

Marksizm-Leninizm Enstitüsü dünyanın her yanından, komünist partilerinden gelenlerin ders gördükleri, birbirine bağlı birkaç büyük binadan oluşan geniş bir kompleksti. Bazı ülkelerden gelenler ana binadaki odalarda kalıyorlardı. Bizim kolektifin (parti gruplarına kolektif denirdi) bir bölümü, mesela sendikacılar da oradaydı yanılmıyorsam.

Türkiye kolektifi, ikiye ayrılmış olarak otuz kişi civarındaydı. Sadece iki kadın vardı: O sırada İlerici Kadınlar Derneği Genel Sekreteri olan Zülal Kılıç'la ben. Yurtta Zülal'le aynı odayı paylaşıyorduk. Birkaç gün birbirimizi kolladıktan, tanımaya çalıştıktan sonra gerçekten çok iyi dost olduk. Daha önce Türkiye'de tabii ki karşılaşmış, birlikte iş de yapmıştık zaman zaman ama yakınlığımız yoktu; hatta itiraf edeyim, onun sıkı partili, sekter görünümlü, biraz da iddiacı üslubu beni rahatsız ederdi. Ama Moskova günlerinde, onu daha iyi tanıyınca bunun önyargı olduğunu anladım. Bazen biri hakkında çok özel koşullarda, birkaç dakika veya birkaç saat içinde bir yargı edinirsiniz. Bunun çok yanlış olabileceğini, her insanın içinde, "derununda" derdi eskiler, göründüğünden çok farklı ve çeşitli kimlikler, huylar, yüzler taşıyabileceğini zamanla öğrendim. Zülal'le arkadaş olunca, hem o okul macerasını daha kolay taşıyabildik hem de zaman zaman çok eğlendik.

Zülal keskin bir zekâya, hırzırca bir mizah duygusuna sahiptir. Birkaçı hariç bizim yoldaşlar, hele de tam tersi olması gerekirken, kolektif sekreteri gibi yönetici konumda olanlar kültürel açıdan, bilgi ve yaşamışlık açısından oldukça geriydiler. Bu hem ideolojik-bilimsel yetersizlik olarak yansıyordu, hem de bu yanlarını örtmek için komünizm diyerek, devrimcilik diyerek sekter davranışlara, bireysel yaşamlarımıza karışmaya kalkışmalarına, bir sürü sevimsiz duruma yol açıyordu. *Arsenic and Old Lace* diye, Türkiye'de de *Ahududular* adıyla birçok kez sahnelenmiş bir komedi vardır. Orada birbirlerine hemşire diye hitap eden iki kötücül yaşlı kadın, evlerine sözde pansiyoner olarak aldıkları adamları kendi imalatları ahududu likörüyle öldürüp cesetleri yok ederler. Bu işlemin adı "huzura kavuşturmak"tır, gerçekten de kurbanlarını huzura kavuşturduklarına inanırlar. İşte biz de Zülal'le birine çok bozulduk mu, "Hemşire, huzura kavuşturalım mı?" diye sorar, sonra da bir muzırlık yapardık kurbanımıza.

Bizim kaldığımız yurtta aynı kattaki odalarda, Kuzey'den, İskandinav ülkeleri partilerinden gelenler vardı. Kalabalık değillerdi, her ülkeden üç dört kişiydiler. Bunların hepsi hiçbir gizlilik koşuluna uyması gerekmeyen legal partilerdendi. Finlandiya, İsveç, Norveç gruplarının çoğunluğu, belki de hepsi kadındı. Sarışın, güzel, alımlı ve rahat kadınlar. Bir de Kanadalı çok cici genç bir kadın hatırlıyorum. Ülkesine bizden önce dönmüştü, biz oradayken cinnet geçiren akademisyen kocası tarafından öldürüldüğü haberi geldi. Gruplar sık sık değişirdi; bir ara Irak partisinden, Suriye'den, İran'dan gelenler oldu. Onları hatırlıyorum, çünkü bizim odanın hemen karşısındaki, her sabah girdiğimiz üst tarafları yarı açık duşlarda, tam duş yaparken kafamızı kaldırdığımızda yukarıdan gözetlendiğimizi fark eder, başımızı kaldırınca Ortadoğulu yoldaşların esmer yüzleri ve kara gözleriyle karşılaşırdık.

Enstitü'deki Türkiye grubu otuz kişi kadardı, sendikacılar çoğunluktaydı. 12 Eylül'den sonra tutuklanacakları, işkence görecekleri apaçık belli olan DİSK sendikalarının TKP üyesi ya da açık sempatizanı yöneticilerinin büyük kısmı yurtdışına çıkarılmış, bir bölümü Bulgaristan'a sanırım, bir bölümü de eğitimden geçmeleri için Moskova'ya gönderilmişti. Sendikacılar arasında DİSK'in en önemli sendikası Maden-İş'in başkanı Mehmet Karaca, Genel Başkan Yardımcısı Kemal Daysal, Maden-İş Yürütme Kurulu üyeleri Murat Tokmak, Halit Erdem, Ekrem Aydın, Bank-Sen Genel Sekreteri Yücel Çubukçu, Genel Başkan Yardımcısı Turhan Ata, Enver Türkoğlu vardı. Grup kalabalık olduğundan onlar ayrı ders görüyorlardı. Bizim grupta ise, orada tanıştığım, gerçek kimliklerini hiç bilmediğim gençler yanında Zülal, Ertan ve Barış Derneği Genel Sekreteri Avukat Enis Coşkun tanıdıklarımdı.

Enis, Zülal, ben, partiye çok merbut olduğu halde zevk sefa faslında bize takılan Ertan ve bir süre sonra özel eğitim görmek, belki de hem bizleri denetlemek hem de Leipzig'in boğucu havasından bir süre kurtulmak için gelen Veysi (Sarısözen) yeme içme faslında birlikte olurduk. Bizler, hani ayıptır söylemesi sefa pezevengi türünden olduğumuzdan içkisiz, âlemsiz yapamıyoruz. Zaten başka türlü de dayanılmaz o hayata. En önemli sorunumuz, "Leylek" bulabilmek. Kötü Rus konyağının şişesinin üstünde leylek resmi vardı. Özellikle Enis'le, "Kaç Leylek buldun?" muhabbeti kaynatırdık. Moskova'dan ayrılırken Enis Coşkun'la Zülal metal bir plakete kazılmış bir leylek resmi hediye ettiler bana. Hâlâ durur masamın üstünde.

Politbüro üyesi Veysi'yi de almışız arkamıza, suçla bağlamışız ya, Zülal'le paylaştığımız odada ya da küçük toplantı odalarından birinde kendimize göre âlemler yapıyoruz. Bir de tabii, yıllar sonra dedikodu gibi olmasın, kimsenin günahını almayım ama, Finlandiyalı, İsveçli, Norveçli yoldaşlarla bizimkilerin arasında daha yakın yoldaşlık bağları da kuruluyor. İskandinavyalı kadın yoldaşlar için son derece doğal, hatta "sağlığa yararlı" ilişkiler bunlar; ama bizim kolektif sekreterimiz ve diğer sıkı partili ahlak zabıtası komiserler için sakıncalı ilişkiler.

Bizim kolektif özellikle erkek arkadaşların pişirdiği birbirinden lezzetli yemekler yüzünden çok popülerdi. Ama, diğer grupların değerlendirmelerine göre en sıkı disiplinli, en içine kapalı ve sekter tavırlı olanlar da bizlerdik. Hani devrimci yemez, içmez, şaapmaz anlayışı... Çevrede fazla dolaşmamız hoş görülmezdi, ne de olsa illegal partiyiz ya, ama takan kim! Yakındaki köylü pazarına gidilir, bulunabildiği kadarıyla yeşil sebze, yaşlı Rus kadınların küçücük bahçelerinde yetiştirdikleri birkaç ürün alınıp yemek yapılır, özellikle de İskandinavyalılar, bir de Yunanistanlılarla Portekizliler davet edilir, birlikte yiyip içilir, çalınıp söylenirdi.

İçmek deyince aklıma geldi; Zülal'le içki bulabilmek, bir şişe sek Macar şarabı ya da Leylek elde edebilmek için neler çektiğimizi, içki satan semt dükkânındaki uzun kuyruklarda ne kadar beklediğimizi, hemen arkamızdaki sarhoş Rus'un elle tacizlerine bile direnerek nasıl kahramanca savaştığımızı hatırlıyorum. O pek sevdiğimiz Rus votkaları, Ermeni konyağı, kaliteli içkiler sadece turistlerin dövizle alışveriş edebildikleri, bizlere kesinlikle yasaklanmış olan *beriozka* adlı devlet mağazalarında bulunurdu. 1980'lerin başlarında Sovyetler'de, Moskova'da bile tüketim malları darlığı vardı. Özellikle de ortalama veya ortalamanın üstünde kalitede mal bulmak zordu. Bazı dükkânların, devlet mağazalarının önünde uzun kuyruklar gördük mü, oraya iyi birşeyler geldiğini anlardık. Macaristan'dan sabun, Çekoslovakya'dan yumuşak tuvalet kâğıdı, Türkiye'den portakal, bilmem nereden çay gibi...

Ama Moskova muhteşem bir şehirdi. Devrimci romantizmimiz, klasik Rus edebiyatının, Dostoyevskilerin, Tolstoyların, Puşkinlerin eserlerindeki Rusya imgemizle birleşince, şehir daha derin bir gizem, neredeyse mistik bir çekicilik kazanıyordu. Hele de Kızıl Meydan! Masal filmlerindekileri andıran rengârenk bezemeli kilise, yanında pembe kiremit renkli Devrim Müzesi binası, karşıda Moskova Nehri'nin kenarında kurulu Kremlin Sarayı'nın Lenin'in mozolesini ve mumyalanmış Lenin'i barındıran yine pembe kiremit rengi duvarları ve içinde, bütün meydana hâkim Kremlin'in dört kulesinin üzerinde parlayan dört yakut yıldız. Tabii ki yıldızlar yakuttan değildi ama gerçekten yakut gibi muhteşem parlarlardı. Hele geceleri özellikle aydınlatılan saray kubbesinin üstünde ışıklı lacivert gecenin içinde parlayan o dört yıldız, komünizmin simgesi gibiydi. 1990'larda, sosyalist sistem çökerken içimi en fazla acıtan, sormaya cesaret edemediğim soru; orak çekiçli bayrakla birlikte o dört yıldızın da indirilip indirilmediğiydi. Şimdi biliyorum, indirilmemiş.

Her bir istasyonu müze gibi olan Moskova Metrosu herkesi etkilemişti. Hele sabah ve akşam saatlerinde neredeyse dakikada bir geçen trenler her zaman hıncahınç dolu olurdu. Bir de Nâzım'ın mezarının da bulunduğu özel mezarlık... Buraya öyle elinizi kolunuzu sallayarak giremezdiniz. Büyük gruplar için önceden randevu alınır, özel gittiniz mi kapıdaki bekçilere uzun uzun laf anlatmak gerekirdi. "Nâzım'ın memleketinden geliyorum," demek her zaman işe yarardı. Stalin döneminin çirkinden çok garip mimarisiyle, uzay filmlerinde görülen görkemli ama tekinsiz binaları andıran gökdelenleri belirlerdi şehrin siluetini. Üzerinde Moskova Üniversitesi'nin kurulu olduğu ağaçlık ormanlık yemyeşil tepeler, pek az araç geçen devasa geniş bulvarlar, heykeller, anıtlar; beyaz gelinlikli, siyah resmi kılıklı genç çiftlerin evliya ziyareti gibi geldikleri Meçhul Asker Anıtı'nın sönmeyen ateşi, kışın bembeyaz karlar, eksi yirmide sokaklarda dondurma kuyrukları, baharda beyaz pembe çiçek açan ağaçlar, akkavakların sokakları kar gibi kaplayan pamukçukları; ve kızıl sarı muhteşem bir sonbahar.

Leningrad insanı güzelliğiyle, Rusya ve dünya tarihinin en görkemli sahnelerinin oynandığı tarihiyle, romantizmiyle büyüleyen bir şehirdir. Moskova heybetiyle ezer; ama karşı konmaz şekilde içine de çeker insanı. Leningrad'ın Baltık kentlerinin tümünde hissedilen hüzünlü romantizminin yerini Moskova'da bütün duyguların en uçta ve gürültülü yaşandığı Rus coşkusu alır. Kızıl Meydan ve çevresini yüz binlerin değil gerçekten milyon kişinin doldurduğu; sabahlara kadar danslarla, şarkılarla, havai fişeklerle ve tabii bol içkiyle süren 1 Mayıs ya da 1 Eylül veya Haziran'daki kurtuluş günü kutlamalarını hatırlıyorum. O sabah aynı meydanda seyrettiğimiz, dosta düşmana tehditkâr bir güç gösterisine dönüşmüş askerî ağırlıklı, kasvetli ve ürkütücü resmi geçitle tam bir tezat. Kremlin'in duvarının önüne kurulmuş kürsüde töreni put gibi izleyen parti, devlet, ordu bürokratlarının abus çehresi nerede; meydanda dans eden, öpüşen, ellerinde içki şişeleriyle şarkılar söyleyen halkın taşkın neşesi nerede... Bütün bunlar 1980'lerin başları için geçerli izlenimlerdi. O zamanki ruh halimin de izlerini taşıyordur kuşkusuz. Zaten rejim yıkıldıktan sonra, birkaç kez fırsat çıktığı halde Moskova'ya bir daha gitmek istemedim. Kapitalizmin ve mafyaların vahşi saldırısı altında şehrin büyüsünün dağıldığını, Kremlin'in hâlâ parlayan kızıl yıldızlarının bile Moskova'ya ve bana o günlerin ruhunu geri getiremeyeceğini düşündüm.

Ortada fazla dolaşmama kuralını çiğneyerek şehri köşe bucak dolaşıyordum. Moskova'da şehir rehberliği yapabilirdim neredeyse. Nehrin kollarında gezi gemilerine biner, ünlü Arbat Sokağı'nda dolaşır, geniş parklarında bahçelerinde dinlenir, ara sokaklarına dalardım. Arkadaşlarla konuşurken dünyada sevdiğim üç şehri İstanbul, Moskova, New York diye sayardım da, bizim imanı bütün yoldaşlar New York'u da dahil ettiğim için biraz bozulurlardı.

Marksizm-Leninizm öğreniyoruz

Enstitü'de dersler sabah dokuzda başlıyordu. Önce çevirmenler *Pravda* gazetesinden haberleri, yorumları Türkçeye çevirerek okurlardı. Galiba dört çevirmenimiz vardı. Haberler de yorumlar da hep resmî söylem çerçevesindeydi. *Pravda* saatleriyle ilgili hatırladığım ilginç bir olay, 12 Eylül cuntasının en hızlı ve zalim günlerinde gazetede çıkmış olan "Generaller Ankara'yı imar ediyorlar" başlığı altında cuntanın olumlu faaliyetlerini anlatan bir haberle yine tesadüfen aynı gün çıkmış olan Bolşoy balesinin Ankara ve İstanbul'a çok başarılı bir turne gerçekleştirdiği haberiydi. Sanırım sınıftaki herkes bu haberlere bozuldu; öyle ya, askerî diktatörlük var ve hem Kâbemiz hem sığınağımız kabul ettiğimiz Sovyetler Birliği, zalimlerimize katillerimize methiyeler düzüyor. Ben, her zamanki gibi bozulmakla da kalmadım, "Bunlar doğru değil!" diye itiraz ettim. Hemen sonraki derste de konu yeniden gündeme geldi. "Türkiye'de faşist bir askerî darbe oldu; pek çok ilerici, demokrat, komünist şu sırada tutuklanmış ya da yurtdışına kaçmak zorunda kalmış durumda, ben de bunlardan biriyim," gibisinden birşeyler söyledim. TKP Politbüro üyesi Veysi (Sarısözen) de dersteydi.

O bazı derslere giriyor, galiba ayrıca özel bir eğitim de alıyordu. Hoca "Türkiye'de neler oluyor?" diye doğrudan Veysi'ye sordu bu defa. O da, 12 Eylül'e giden günlerde çatışmalar olduğunu, çok kan döküldüğünü, ordunun çatışmaları sona erdirdiğini, MHP'lilerin tutuklandığını, Maocu-goşist hareketlere darbe vurulduğunu, bazı aşırı tasarruflar ve uygulamalar olsa da ülkeye görece sükûnet geldiğini, buna benzer şeyler söyledi. Yine dayanamadım, "Yoldaşın anlattıklarını tamamlamak istiyorum," dedim. "Darbeciler anayasayı yürürlükten kaldırdılar, Meclis'i feshettiler, bütün siyasal partileri, demokratik kuruluşları, dernekleri kapattılar. İktidar ve ana muhalefet partisi başkanları, yöneticileri dahil siyasi kadroları tutukladılar, sendikalar fiilen çalışmaz hale geldi, grevleri yasakladılar, demokratik hak ve özgürlüklerin dirhemini bile bırakmadılar, idamlar yapılıyor, 18 yaşını doldurmamış gençler idam edildi, on binlerce insan hapiste..." falan diye sürdürdüm. Ortalık buz kesti; çünkü TKP 12 Eylül cuntasına faşist demiyor, bu konuda Türkiye'de parti içinde tartışmalar olduğunu duyuyoruz. Hoca, hangisiydi hatırlamıyorum, konuyu uzatmadan kapattı. Aslında Türkiye'de neler olup bittiğini pekâlâ biliyordu, bana sorarsan. Veysi de cuntanın faşist olduğuna bal gibi inanıyordu ama Sovyet Partisi veya devletinin taktik hattının milim dışına çıkmaktan, gerekirse bu hat konusunda ağırlık koyup öyle değil böyle deme gücünden yoksun olan, TKP'nin resmî görüşünü savunuyordu.

Benzer bir olay, Enstitü'deki bütün kolektiflerin katıldığı, binden fazla izleyicinin olduğu Zagladin konferansında tekrarlandı. Zagladin, Türkiye'de de kitapları çevrilmiş, okuduğumuz, tanıdığımız ideologlardan biri. Konferansta günümüz dünyasında Sovyet politikalarını anlatıyor. Konuşmanın aklımda kalan özü özeti, Sovyetler'in uluslararası dayanışma için neler yaptıkları. Sorular faslına geçildi. Ben istim üzerindeyim o günlerde. Veysi'nin anlatımından da çıkardığım kadarıyla, bizimkiler, askerler öteki sol hareketlere vururlar, kendimizi koruyalım, az hasarla atlatalım, bir süre sonra meydan bize kalır hesabındalar belki de. Ben ise cuntanın faşist özünde ısrarlıyım, mücadelenin yurtiçinde de dışında da buna göre sürdürülmesinden yanayım. Bu yüzden de açık açık dile getirilmeyen bir tepki var bana karşı. Yani bir kere daha parti çizgisinden kaymış kafası karışık yoldaş konumundayım.

Zagladin'in konuşması bitip de "Soru sormak isteyenler var mı?" denince el kaldırdım. Sovyetler'in cunta ile ilişkilerini neden sürdürdüğünü, neden başka ülkeler için yapıldığı gibi köşeye sıkıştırma politikası izlenmediğini, neden faşizme karşı demokratik güçlerle dayanışmak yerine cunta rejimi ile iyi ilişkiler sürdürmenin yeğlendiğini sordum. Tercüman birkaç kez tekleyip ne demek istediğimi tekrarlattı. Zagladin ise hiç sektirmeden, Parti politikası ile devlet politikasının ayrı olduğunu, devlet politikası olarak Türkiye halkını yalnız bırakmamak için ilişkileri sürdürdüklerini ama Parti politikası olarak komünistleri desteklediklerini söyledi. Benim için olmadığı gibi kimse için de inandırıcı değildi, çünkü Parti ve devlet politikalarının, Parti ile devletin bir ve tek olduğunu bilmeyen yoktu.

İşçi sınıfının uluslararası dayanışması, enternasyonalist dayanışma vb. konularında bir süredir kafamda dönüp dolaşan sorular biraz daha pekişti, Parti'nin ideolojik çizgisinden sapan yoldaş konumum da bir kez daha tescil edildi.

Enstitü'de Ekonomi Politik, Sosyal Psikoloji, Strateji-Taktik, Felsefe, SBKP Tarihi, Rusça, bir de durum çok komik olduğu için hiç unutmadığım Konspirasyon, yani illegal koşullarda çalışma dersleri okuyorduk. Hocaların bir bölümü yasak savan bürokratlardı ama Ekonomi Politik dersleri veren görece havalı profesörle felsefeci, belli ki bizlere gösterdiklerinden de ciddi sorular soran, kendi kafalarında tartışan insanlardı. Ekonomi Politikçi, kapitalizmin dönemini tamamladığı klasik tezine açık açık karşı çıkıyor, emperyalist aşamada sistemin kendini yeniden üretme yeteneğine vurgu yapıyordu. Tabii bizim ortodokslar adama soldan karşı çıkıyorlardı. Komünistten çok komünisttik yani. Bir de galiba Sosyal Psikoloji hocasıydı, keyif ehli genç bir adam vardı. Biberli votka, cevizli votka falan yapmayı öğretirdi bizimkilere. Aramızdan birileri onun evine de gitmişlerdi galiba.

En matrağı İllegalite dersiydi. Çok yaşlı, derste zaman zaman uyuklayan tonton bir Rus geliyordu o derse. Stalin hayranıydı, aklı gençliğinde İkinci Dünya Savaşı sırasında Yugoslavya'da katıldığı antifaşist direnişte kalmıştı. Bildiği gizli çalışma yöntemleri de o günlerden kalmaydı. Bir BATA marka ayakkabı hikâyesi vardı ki her derste tekrarlanırdı. Ödev de verirdi. Mesela yakındaki bir parkta gizli bir buluşma veya belge alışverişi tatbikatı gibi. Stalin'i eleştirdik mi kıpkırmızı olur, "Ah, ah; bütün suç o Beria'da, Stalin çok iyi bir yoldaştı ama o Beria var ya, sokakta güzel bir kadın gördü mü hemen getirtir, sorulursa Stalin Yoldaş istedi derdi," diye anlatmaya başlardı.

Orada öyle aylarca ders gördük, sonunda çoğu sözlü olan sınavlara da girdik. Enis Coşkun'u hiç unutmuyorum. Bir sözlü sınavda aynı odadayız, Enis geçmiş hocanın karşısına. Soruyu duymadım ama Enis'in "Şimdi bu karşılaşmamızda...." diye söze başladığını duydum. Ben pufladım, açıkça güldüm, çünkü "karşılaşma" sözcüğü bizim çevirmenlerin tartışma, münazara yerine sık sık kullandıkları bir sözcüktü ve sınava çekilmeyi kendine yediremeyen Enis, hocaya eşit ilişki içinde olduklarını, karşılıklı tartışacaklarını söylemek istiyordu.

Ben kendi hesabıma yedi ay süren bu eğitimden ilim bilim olarak pek bir şey kazanmadım. Rusça da öğrenemedim. Öğretilenler zaten okuduğum şeylerdi ve çok kalıpçıydı. Sosyalizmin, Marksist felsefenin, çağdaş dünyanın ve ekonomi politiğin sorunlarının derinleştirilip tartışılabileceği bir ortam beklerken; hoca anlatır, öğrenci not alır, notlarını ezberler anlayışı egemendi. Belki de ben çok fazla şey bekliyordum, belki suç bendeydi. Partilerin özel kişileri için özel dersler, küçük gruplar olduğunu, buralarda ileri düzeyde tartışmalar yapılabildiğini duydum; ama ben bunlardan biri değildim. Buna karşılık Sovyet ülkesini, Rus toplumunu içinden tanıma fırsatım oldu. Sovyetler Birliği'ne daha önce turist veya davetli olarak üç kez gelmiştim, biraz biliyordum. Ama gündelik hayatta halkın içinde yaşamak bambaşkaydı.

Talim Terbiye günlerinde cevapları değil ama soruları derinleştirme olanağı buldum; bir de Zülal'le orada kurulan dostluğumuz yanıma kâr kaldı. "Hemşirem, bunu da huzura kavuşturalım mı?" şakası da cabası.

Şimdi pek çok konuda farklı düşünüyoruz. Seyrek de olsa yine buluşuyoruz Alaattin'le, Zülal'le; ama bazı hassas konuları açmamaya çalışıyoruz. Hemşirem belki beni de huzura kavuşturmayı düşünüyordur son zamanlarda, kim bilir!

Sistem ve ideoloji donup kalmış

Ağustos sonu, yedi ay sonra Frankfurt'a dönüp de Aydın'la ilk baş başa oturduğumuzda, "Şimdi anlat bakalım, neler oluyor oralarda, nedir izlenimin?" diye sorduğunda, "Her şey donmuş, sistem, toplum ve ideoloji hepsi kaskatı kesilmiş, Sovyetler'dekiler buraları görseler, biraz buralarda, gelişmiş kapitalist ülkelerde yaşasalar karşı devrim olurdu," cevabını verdiğimi hatırlıyorum. Çok değil, sadece sekiz yıl sonra Berlin Duvarı, ardından da sistem çöktüğünde o sözleri ikimiz de sık sık hatırladık.

Sovyetler'deyken sadece Moskova'da okulda ders görmekle veya şehrin sokaklarında dolaşmakla kalmamıştık. Sanayi komplekslerine, fabrikalara, işyerlerine, toplu konut bölgelerine, tarım işletmelerine, kolhozlara, sovhozlara gitme imkânımız da olmuştu. Bizim gruptan bazı arkadaşlar gördüklerini pek beğenmişler, sosyalizmin zaferi olarak niteleyip iman tazelemişlerdi. Bence ekonomiye hantallık hâkimdi.

Bize övünerek gezdirdikleri sanayi komplekslerindeki, fabrikalardaki teknoloji, kullanılan araçlar ve iş organizasyonu dedem zamanından kalmaydı. Emek verimliliği çok düşüktü, tam istihdam sağlanması için bulunan tek çare bir kalası dört kişinin taşımasıydı. Kapitalizmin işçiyi iliklerine kadar sömürme yöntemlerini kullanmadığımız, emeği sömürmediğimiz, insanı koruduğumuz için böyle, Fordizmi reddediyoruz gibisinden mazeretlerin inandırıcılığı yoktu. Bir yandan en ileri savaş teknolojisi ve uzay teknolojisi geliştirilmeye çalışılırken, Sovyet uyduları gökyüzünde dolanıp uzak yıldızlara, Ay'a giderken, bilimsel-teknolojik devrim üzerine belki ilk çalışmaların yapıldığı, ilk kitapların yazıldığı bir ülkede bilimsel teknolojik devrimin vardığı düzeyle uzaktan yakından ilgisi olmayan bir üretim sistemi vardı.

Kitleleri doğrudan ilgilendiren tüketim olanaklarına ve paylaşıma gelince; içinde yaşadığında bunun yetersiz ve eşitsiz olduğunu anlıyordun. İnanarak veya propaganda sloganı olarak sık sık duyduğumuz, "Ne yapalım bazı şeylerden mahrumuz ama Vietnam'a yardım etmemiz gerekiyor, Küba'ya destek olmamız gerekiyor," sözleri insanları mutlu etmeye, tatmin etmeye yetmiyordu.

Kadın hakları, doğum izni, analık izni, işçi hakları kapitalist Avrupa ile kıyaslandığında yer yer daha geriydi. Hele de 1980'lerde, sosyal demokrat partilerin iktidarda olduğu refah devletlerindeki uygulamalarla karşılaştırma imkânınız varsa...

Rejim; artık pek de etkili olmayan, halkta bezginlik yaratmış Sovyet ülkesi ve Sovyet insanı yüceltmesi, İkinci Dünya Savaşı'ndaki kahramanlık öyküleri, devrimin ilk yirmi yılında tartışmasız olan dev kazanımların hatırası ve dışa kapanma sayesinde ayakta duruyor gibi gelmişti bana. Topluma yansıyan, toplumu saran bir ideolojik canlılık, tartışma, eleştiri ortamı yoktu. Beni asıl çarpan bu olmuştu. Sovyetler'in ve diğer sosyalist ülkelerin birer yeryüzü cenneti olduğunu hiçbir zaman düşünmemiştim. Komünist toplum bir yana sosyalist topluma geçişin bile bir süreç olduğunu, adım adım yürüneceğini, uzun bir yolun başında durduğumuzu biliyordum. Bu yüzden benimki hayal kırıklığı değil, bazı konuları daha derin düşünme, korkusuzca, özgürce sorgulama ihtiyacıydı. Mesela o çok ünlü tek ülkede sosyalizm meselesi, mesela toplum mühendisliğinin ve Leninist volontarizmin sınırları, proletarya diktatörlüğü, burjuva demokrasisi, özgürlükler, sosyalist ahlak ve sosyalist insanın yaratılmasının olanakları, mesela artı-değer, sömürü ve işçi sınıfının 20. yüzyıl sonlarında bilimsel-teknolojik devrim ışığında yeniden düşünülmesi gibi...

Oysa 1980'lerin başlarında Sovyet ülkesinden aldığım izlenim, bu devasa soru ve sorunların, sorulmuyor olması demeyeyim, belki de soruluyordu, ama çözümler üzerinde düşünmek yerine üstlerinin örtüldüğü, yok saymanın yeğlendiğiydi. İdeolojinin donmuşluğu dediğim de tam buydu işte. İnsanlık tarihinin en cesur, en büyük atılımı, ezilen insanın zulme, baskıya, sömürüye karşı heyecan ve umut verici isyanı olan bir düşünce ve eylem; dinamizmini, kendini yeniden üretme ve yepyeni biçimlerde ileriye yönelme yeteneğini kaybetmişti. Durgunluk, bürokrasi, teslimiyetti hâkim olan. Devrimi izleyen dönemde büyük ivme kazanmış bu dev toplum, Rus edebiyatıyla, düşüncesiyle beslenmiş, çok iyi aydınlara, düşünürlere sahip olmuş bu ülke tabii ki alttan alta kaynıyordu. Bir patlamaya gebeydi. Gorbaçov, neden değil sadece sonuçtu bence.

Öte yandan, ezilenlerin kendi kaderlerine hâkim olmak için yarattıkları, "insanlığın tarihinde ışığın parladığı" anların en görkemlilerinden birini, 1917 Devrimi'ni bu insanlar, Rus insanı yaratabilirdi ancak diye de düşünmüştüm. İkinci Dünya Savaşı'nda, Nazilere, Hitler ordularına karşı böylesine direnebilmeyi de bu halk gerçekleştirebilirdi ancak. O direnç, o coşku, başkaldırı ruhu... Mesele şu ki 20. yüzyıl sona ererken hâlâ elli yıl, altmış yıl öncesinin düşünce ve uygulama kalıpları toplumu da, düşünceyi de kaskatı dondurmuştu.

Sonraları, sosyalist ülkeler topluluğu Polonya'dan, Çekoslovakya'dan başlayarak, Berlin Duvarı'nın açılmasıyla Doğu Almanya'ya sıçrayarak art arda çökerken bunları tekrar tekrar hatırladım. Çöküşte kendim dahil hepimizin, kendisini sosyalist, komünist sayan, özellikle prosovyet kanatta yer alanların payını düşündüm. Belki denizde bir katre, bir damlacıktan ibarettim ama, kendimi bile temize çıkartamadım. Bir tek cümleyle özetleyecek olursam: Kafamızda beliren soruları, eleştirileri, diktatörlük düşüncesiyle hesaplaşmayı, Marksizme onu çökertmek için değil geliştirmek ve ilerletmek için kendi içinden eleştiri getirmeyi, reel sosyalizmin hatalarını, sınırlarını yüksek sesle tartışmayı becerebilseydik; bu kadar özgür düşünceli olabilseydik; eleştirilerimizi sadece en yakınlarımıza fısıldamakla kalmayıp açıklamaya cesaret edebilseydik; "disidan" (sapkın, ayrılmış) ilan edilmekten korkmayıp *disidan* ilan edilenlerin ne dediklerine bakabilseydik; yani özgürlükler için yola çıkmış bizler yeterince özgür ve cesur olup özlediğimiz topluma varabilmek için yanlış yolları ve araçları reddedip sosyalizmin amaçlarını tavizsiz savunabilseydik, bugün dünya belki de daha farklı bir noktada olurdu.

MELEK – Moskova macerasından sonra ne zaman döndün Frankfurt'a?

OYA – Ağustos sonuydu. Bizim grup daha bir süre kaldı, çünkü Türkiye'den çıkanları ne yapacaklarını, nereye yerleştireceklerini bilmiyorlardı. Oysa benim yerim, evim vardı. Eğitim dönemi bitmişti. Milleti kolhozlarda falan oyalıyorlardı. Zaten çok bunalmıştım, aklım küçücük bir çocukla bıraktığım Aydın'daydı. "Beni gönderin," diye ısrarcı oldum. Veysi merkezle daha kolay ve hızlı haberleşebildiği için sesimi duyurabildim, döndüm.

Hiç unutmadığım bir dönüştür bu. Moskova'dan çantalarımda bir sürü çocuk oyuncağı, ıvır zıvırla yine Batı Berlin üzerinden trenle dönmüştüm. Aydın'a ne zaman döneceğimi haber verememiştim. Sabahın çok erken bir saatinde eve geldim. Kapıyı çalıp Aydın'ı uykudan uyandırdım, yanına yatağa uzandım. Biraz sonra Ekim uyanmış, uyku tulumunun içinde çuval yarışı yapar gibi düşe kalka yatak odasının kapısına geldi ve orada zınk diye durdu. Yüzündeki korku dolu şaşkınlığı görmeliydin. Çocuk her sabahki gibi uyanıp babasının koynuna gelecek ama ne görsün, orada tanımadığı biri var! Bana alışması, yeniden anne bellemesi birkaç gün sürdü. Neyse ki getirdiğim oyuncaklarla tavladım onu.

MELEK – Hep Frankfurt'ta mı kaldınız siz on iki yıl boyunca?

OYA – Evimiz, resmî ikametgâhımız oradaydı ama Berlin'e sık sık gidip geliyorduk. Parti Berlin'de *Türkiye Postası* diye on beş günlük bir siyasal göçmen gazetesi çıkarılması kararı alınca Aydın'a ihtiyaçları oldu. Ahmet Kardam'la Filiz Kardam Berlin'delerdi. Oğulları Umut on iki, on üç yaşlarındaydı. Tanıdığım en yetenekli çocuklardan biriydi. Gitar çalar, resim çizer... Büyüdüğünde bu alanlara yönelmemiş duyduğum kadarıyla. Senin 1973'te Amsterdam'da MDD'ci olarak tanıdığın Ahmet, TKP'nin güvendiği yöneticilerden biri olmuştu. Yayın faaliyeti ona bağlıydı. Bu yüzden yakın ilişkimiz vardı. Aydın on beş günde bir Batı Berlin'e gidiyor, beş gün, bir hafta kalıp gazeteyi hazırlıyor, sonra yine Frankfurt'a dönüyordu. Berlin'in havası Frankfurt'tan farklıydı. Orada Parti yapılanması, partililer daha değişikti. Partili ressamlar, müzikçiler, heykeltraşlarla daha entelektüel ve biraz da bohem bir hava vardı. Özellikle Aydın iyi dostlar edinmişti Berlin'de; çoğuyla dostluğumuz hâlâ sürüyor.

MELEK – O zamanlar Berlin Doğu Almanya'nın ortasında bir ada gibi değil mi? Batı Almanya'dan Berlin'e nasıl gidiliyordu?

OYA – Uçakla gidersen kolay, Batı Berlin Havaalanı'nda inersin. Doğu Almanya'yı kat ederek trenle de gitmek mümkündü ama uzun ve sıkıcıydı; ayrıca Doğu Almanya'da tren bazen durur, saatlerce beklerdi. Uçak bizim için hem pahalıydı, hem de Batı'da dağıtılacak bir sürü dergi ile dönüldüğünden pratik değildi. Altımızda eski, dandik bir araba vardı; onunla önce Doğu Almanya'ya geçilir, çeşitli kontrol noktalarında dura dura Batı Berlin'deki ünlü "Check Point Charlie" kapısından şehre girilirdi. Yapay bir kentti Batı Berlin. Senin de dediğin gibi Doğu Almanya denizinin içinde küçük bir ada. Ortasından duvar geçen, bölünmüş, ayrılmış bir şehir. Doğal olmayan, aşırı ışıklı, pırıl pırıl bir tüketim merkezi, kapitalizmin bilim kurgu kenti. Türkiye'den gelmiş nüfus şehrin bazı semtlerine damgasını vurmuştu; Kreuzberg gibi semtler Anadolu kasabalarını andırıyordu o zamanlar. Kreuzberg pazarını ilk gördüğümde çok şaşırmıştım. Hermannplatz, Harman Palas olmuştu bizimkilerin dilinde. Küçük bir Türkiye kurulmuştu orada. Birleşmeden sonra Berlin gerçek kimliğini buldu, şimdi çok güzel bir şehir. Türkiyeliler de, artık üçüncü, hatta dördüncü kuşakta şehrin ayrılmaz parçası olmuş görünüyorlar.

MELEK – Doğu Berlin'e nasıl geçiyordunuz?

OYA – Turistler nasıl geçiyorsa öyle. Ama tabii epeyce zor, aşırı kontrollü, sinir bozucu bir geçişti bu. Doğu Berlin'e Batı Berlin'deki belli bir metro istasyonundan: Friedrichstrasse'den özel vizeyle belli saatler içinde geçilirdi. Turistler de böyle geçerlerdi. Uzun kuyruklarda saatlerce beklenirdi. Doğu'dan Batı Berlin'e çıkış çok daha denetimli ve güçtü anlayabileceğin gibi. TKP'nin merkezi Leipzig'deydi. Bizler orada bir işimiz olduğunda, toplantı için çağrıldığımızda mesela çok seyrek geçerdik Doğu'ya.

MELEK – Birleşmeden önce Doğu Almanya'da yaşayan Türkler var mıydı?

OYA – Parti merkezi Leipzig'de olduğu için, orada yaşayan partililer vardı. Kimisi, yaşlı kuşak onyıllardır oradaydılar, kimisi 1970 ve 1980'lerden sonra merkezi güçlendirmek için Doğu'ya alınmışlardı. Bunlar merkezî yayın işlerinde, benzer parti görevlerinde çalışıyorlardı. Türkiye'den tanıdığım bir iki aile vardı Leipzig'de. Aydın Meriç de karısı ve küçük kızıyla Doğu Berlin'deydi. Bilmediklerim de vardır herhalde. İnsanın kendi tercihi dışında, yabancı bir yerde zorunlu olarak kalması bana hep ağır gelmiştir. Görev, mörev ama, Doğu'da yaşamayı istemezdim doğrusu. Kapitalist dünyaya özlemimden değil, oradaki kuşatılmışlık hali beni boğduğu için.

MELEK – Siyasal göçmenliği, mültecilik halini ben çok kısa yaşadım. On iki yıl dile kolay, insan yabancılaşmıyor mu, kopmuyor mu ülkesinden?

OYA – Bu senin nasıl yaşadığına, kafanı, hayatını nasıl tanzim ettiğine bağlı. Aydın'la ben sürgüne çıktığımızda kırk yaşındaydık. Yeni ve yabancı bir yerde, yepyeni bir hayat kurmak için geç bir yaş. İkincisi; ilk imkânda Türkiye'ye dönmek üzere kurgulamıştık hayatımızı. *Elveda Alyoşa*'da bir hikâyem vardır: "Bir duraktır Frankfurt" başlıklı. "Bir şehir değildir Frankfurt. Dünyanın dört bir yanından kalkan bütün trenlerin çoktan kaçtığı, kederli, biraz da korkulu bir gece garıdır. Kırk yılın yenilgilerinin yüküyle ağırlaşmış eski bavullar üstünde, geciken bir şafağın sabırla beklendiği bir sabahçı kahvesidir..." diye başlar. İşte o anlatıdaki gibi bavullarımızın üstünde oturmuş dönüşü bekliyorduk sanki. Ekim'i sürekli dönüşe hazırlıyorduk. "Burası bizim asıl vatanımız değil, kaka amcalar var bizim ülkemizde, kaka amcalar sana kötülük yapmasınlar diye kaçıp buraya geldik; ama onlar bir gün gidecekler, biz de döneceğiz," diyorduk. Bir peri masalı yazıyorduk çocuğa. "Türkiye'de çilekler portakal kadardır, istediğin gibi yersin. Denizler sıcacıktır, hiç üşümezsin; bizim orada güzel evlerimiz var, çok arkadaşın olacak..."

İlk fırsatta dönmek üzere kurguladığımız için kendimizi, kedisiz olamayan ben uzun süre kedi bile edinmedim. Bilirsin, kedi yerleşik yaşam sever, yerleşikliğin sembolüdür. Sonra, bir arkadaşım hastalandı, Türkiye'ye dönerken kedisini bana bıraktı. Zaten dünden teşneyim kedilenmeye, bu defa reddedemedim. Simsiyah, kuzguni siyah Nina; tuvalet kutusu, deriden yapılmış şık taşıma çantası, yemek kapları, yani çeyiziyle geldi. Nina sürgünümüzün o kadar ayrılmaz parçası oldu ki, anlatmadan geçemem. Zavallıcığı, hem de iki defa evsahibimizin iki canavar köpeği paraladı, ölümlerden döndü. Köpeklerin sahibi çok telaşlandı.

Almanya'da bu işler ciddidir; polise başvurup da saldırgan hayvan kararı çıkarırsanız köpeğin uyutulması bile gündeme gelebilir. Pimpirikli Almanların ödleri koptu, köpekleri önce kaçırdılar, merdivenlerdeki kan izlerini yok etmek için çabaladılar, sonra da mahkemeye başvurup ciddi tazminat alırız korkusuyla para bile teklif ettiler. Çok şaşırdım, "Köpeklerinize zarar verebileceğimizi nasıl düşünüyorsunuz; eninde sonunda hayvan onlar, bilinçli katil muamelesi yapılır mı?" dedim de rahatladılar.

Nina o kadar kötüydü ki, veterinerler "Bu düzelmez, uyutalım," dediler. İzin vermedik; ağlaya ağlaya, kutucuğunda ölü gibi yatan kediciğimizi eve getirdik. Ve inanır mısın! Sekiz canı çıkmış kedi dokuzuncu canıyla kurtuldu. Bir gün bacakları üzerinde titreye titreye doğruldu ve su içti, sonra da hızla düzeldi. Dönüş yolları açılınca İstanbul'a birlikte döndük. Toplam on yedi yıl bizimle yaşadı. *Kedi Mektupları* romanımın baş kahramanıdır Nina.

Bir de, Türkiye'den çok gelen gidenimiz olurdu. Bizim Frankfurt'taki o evden; IKEA'dan otuz yıl önce alınmış, hâlâ kullandığım o küçük yemek masasından kimler gelip geçmedi ki! Hele Frankfurt kitap fuarı olduğunda, kalacak yer darlığı çekenler soluğu bizde alırlardı. Ahmet İnsel'le, Ümit Kıvanç'la, Tanıl Bora ile ilk kez bizim evde tanıştık. Bazen uykudan uyanır, oturma odasına geçerim ki eski püskü kanepede biri kıvrılmış yatıyor ya da kahvaltı sofrasında hiç tanımadığım biri var. Bir sabah daha tan ağarmadan evin kapısı çalındı; açtım, elinde küçük bir valizle uzun boylu, temiz yüzlü bir delikanlı. Galiba yine kitap fuarı zamanıydı. "Bana bu adrese gelmemi söylediler," dedi mahcup bir sesle. Ben de gözlerimi bile tam açmadan, uyku sersemi, içerideki odayı işaret etmişim, "Git oraya yat," demişim. Tanıl Bora ile ilk tanışmamız böyledir. O odada herhalde en az iki üç kişi vardı yatan. O sıralarda İletişim Yayınları'nın yöneticilerinden olan Fahri Aral başta olmak üzere.

Bizim evin üst katındaki Amerikalı askerler giderken sünger yataklarını bırakmışlardı, ben de onları üst üste Ekim'in odasına yığmıştım. Yeni gelen olunca, bir yatak daha çekip yatırıyorduk. Ekim öylesine bunalmış ki, bir seferinde Veysi (Sarısözen) gelmişti, birkaç gün önce de Frankfurt'ta bir toplantıya gelen Mehmet Karaca (eski DİSK Genel Sekreteri, o dönemde Paris'te siyasi mülteci) gece bizde kalmıştı. Karaca'nın horlaması meşhur. Ekimcik baktı ki iş kötü, odasında yine biri yatacak, Veysi'ye sokulup "Amcam, sen horlar mısın?" diye sormuştu.

Mustafa Abi (Ekmekçi), TSİP'li eski arkadaşlar, Turgut Kazan ve karısı Deniz, Gençay (Gürsoy), Mete Tunçay, tabii ki Oya Köymen, Orhan Silier zaten Frankfurt'taydı, kitap fuarları için gelen Fahri (Aral), İsviçre'de Basel'de mülteci olarak yaşayan Faruk (Aral), Ayşen-Çağatay Anadol, eş dost, akraba daha pek çokları gelir giderlerdi. Türkiye'den, Türkiyeli arkadaşlarımızdan, dostlarımızdan kopmazdık hiç.

MELEK – Bütün o yıllar boyunca mülteci statüsünde mi yaşadınız?

OYA – İlk gittiğimizde, Türk pasaportlarımızın süresi geçmemişti; Alman dostların yardımıyla istisnai şekilde bir yıllık oturma izni alabildik. Bir yıldan sonra iltica başvurusunda bulunmamız gerekti. Başka çare yoktu, yine de mültecilik başvurusu hiç kolay olmuyor, insanın yüreği kaldırmıyor. Mülteci, sığınmacı demek Türkçesi. Ülkenden kaçmak zorunda kalmışsın, başka bir ülkeye sığınıyorsun. Hele o günlerin psikolojisinde ağır gelmişti bu durum bize.

İltica başvurusundan sonra mahkemeye ifadeye çağırıyorlar. O özel mahkeme Nürnberg şehrindeydi, hani İkinci Dünya Savaşı'ndan sonra Nazi ileri gelenlerinin yargılandığı şehir. Hatırlıyorum; Ekim daha bebekti, onu götüremedik, bir arkadaşımıza bıraktık. Aydın'la Nürnberg'e geldik. Birbirimize göstermek istemiyorduk ama heyecanlıydık. Aydın'ı çok zor koşullarda bile aldırmaz bir soğukkanlılık içinde izlemiştim o güne kadar. O gün, mahkemenin bulunduğu binanın geniş, mermer merdivenlerinden çıkarken elimi kavramış elinin titrediğini hissettim. İltica başvurumuz kabul edilmez diye değil, belgelerimiz çok sağlamdı. Hakkımızdaki kesinleşmiş hükümler, arama kararları, biyografilerimiz, hepsi sunulmuştu mahkemeye. Aydın'ı bu kadar etkileyen, mültecilik durumuydu. O gün bana birbirine sarılmış iki küçük fare biblosu hediye etmişti, bir de kart iliştirmişti: "Yabancı deliklerde iki yazık farecik: sen ve ben" diye.

MELEK – Ben mülteci olmak konusunda senin anlattığın tür duygular yaşamadım. Aslına bakarsan hangi ülkenin vatandaşı olduğum benim için fazla önem taşımıyordu. Kendimi sığınmacı olarak da hissetmedim. Bir süreliğine başka bir ülkede yaşamak zorundaydım. Bir tür teknik zorunluluk. Ama böyle düşünmemde belki de bu sürenin uzun olmayacağına dair inancımın payı vardı.

OYA – Ben de Aydın'a göre daha az sorun yapmıştım konuyu. Kadınlar galiba daha gerçekçi oluyorlar hayat karşısında. Mülteci statüsü yaşamımızı kolaylaştıracaktı, o zamanların Almanyası'nda bugüne göre çok daha geniş olan bazı sosyal haklardan yararlanabilecektik; bunlar önemliydi benim için. Bir de, 12 Mart'ta işkenceye götürüldüğümde ya da hapishane koşullarında bile içimin rahat, dingin olmasını sağlayan, "Neden buradayım?" sorusuna verdiğim cevaptı beni rahatlatan. Burada, bu koşullardayım, çünkü adaletli, eşitlikçi, özgür ve barışçı bir dünya ütopyasına inandım, bu yolda yürümeye çalıştım. Bunun bedeli vardı, üstelik kimse beni zorlamamıştı bu yola çıkmam için. Kendi iradem, kendi seçmemdi, şimdi o bedeli ödüyorum ve yakınmaya, mızmızlanmaya hiç hakkım yok. İnsanın ruh hali bu olunca, olayları daha rahat karşılıyor.

On iki yıl dile kolay

Ama on iki yıl dile kolay dedin ya, doğru. Bazen içime bir ateş düşerdi, gerçekten sanki içim yanıyor gibi olurdu. Sadece özlem değil, memleket hasreti değil, daha farklı bir duygu. Şöyle anlatayım: Sanki ömrümden, ömrümüzden çalınmış on iki yıl... Üstelik keyifli yaşamadığımızı da söyleyemem. Hele çalışmaya başlayıp halimiz vaktimiz düzelince, Avrupa'yı çok güzel dolaştık. Zaten bizim gibi siyasai mülteci konumunda olan arkadaşlarımız Avrupa'nın çeşitli ülkelerine dağılmışlardı. Yüzlerce, bazen binlerce kilometreyi göze alır, hafta sonu için mesela Kopenhag'a Zülal'le Alaattin'e, Hasanlara (Gürkan), Amsterdam'a Toros'a, Gönül'e giderdik. Yazları Yunanistan'da ya da İspanya'da, Fransa'da tatil yapardık. Bazen, cuntamız sayesinde bilgimizi görgümüzü geliştiriyoruz, çocuğumuz da özel okul sınavlarına girmeden, dünyanın parasını harcamadan dil öğreniyor, diye dalga geçerdim.

Bütün İtalya'yı kuzeyden başlayıp çizmenin ucuna, oradan da Sicilya'ya kadar dolaştık. Bir defada değil, her yıl bir bölgesine giderek. Yugoslavya'yı da öyle. O yıllarda Yugoslavya ucuz ve iyi tatil beldesiydi. Kendi arabamızla ve her zaman arkadaşlarımızla gidiyorduk tatile. Kuzeyden güneye, bütün yolları ezbere bilirim. Bak aklıma geldi, bir Norveç tatili maceramız vardır ki anlatılmaya değer.

Norveç'te, Oslo'ya yüz kilometreden fazla uzakta bir köyde kar tatili yapmak üzere bir dağ evi kiraladık bir haftalığına. Biz Frankfurt'tan çıktık, Kopenhag'da Zülal ve Alaattin'le buluştuk. Alaattin'in annesi Müslime Hanım Teyze, kardeşi Amerika'dan gelmiş Hayrettin, onun oğlu, bir de Hasan'ın küçük afacan oğlu Barış, bir de Ekim, Aydın, ben Kopenhag'dan iki arabayla yola çıktık. Yılbaşı'nı orada geçirip döneceğiz.

Bu Kuzey ülkelerinde alkollü içki son derece kısıtlıdır. Hem çok pahalıdır hem de her yerde satılmaz. Bunu bildiğimizden arabaların arkasına, ilk aramada bulunmayacak yerlere bol miktarda rakı ve şarap zula ettik. İsveç, Norveç, Danimarka sınırlarından alkollü içki ve belli yiyecek maddelerini geçirmek yasak; ama biz Türküz ya, yasak bize işlemiyor. Sadece içki yok arabalarımızda, cevizli sucuktan normal sucuğa, beyaz peynirden pastırmaya her türlü yiyecek var. Asıl önemlisi de bizim Alaattin başta olmak üzere, çoluk çocuk, herkes etçi. Etsiz yapamıyorlar. Bir yarım koyun alınmış, parçalanmış, torbalara konmuş, o da bagajda. Aralık sonundayız ama garip bir yıl, hava ılık neredeyse. Danimarka'dan İsveç'e feribotla geçtik, karaya çıktık, tam gümrüğe geliyoruz, önümüzdeki Alaattin'in arabasının arkasından bir şey damladığını fark ettim. Yağ mı sızdırıyor, nedir derken, bir de ne görelim, et paketlerinden kan damlıyor. Adamlar fark ederlerse yandık, sadece etler değil içkiler de elden gidecek. Aydın arabayı öndeki arabaya iyice yaklaştırdı, tampon tampona gidiyoruz neredeyse. Böylece kazasız belasız geçtik sınırdan.

Yılbaşı gecesi, kaldığımız dağ evinin deposunda bulduğumuz bir el arabasının içine şöminede yakmak için hazırlanmış odunları doldurduk, karları pırıl pırıl aydınlatan ay ışığında, et ve sucuk kızartarak mangal sefası yaptık. Norveç dağlarından göğe sucuk kokuları ve ızgara dumanları yükseldi. Türklüğümüzü ispat ettik böylece.

O kadar içki getirmiştik, yine de yetmedi. Son gün barutsuz kaldık. Zülal'le ben, Müslime Teyze'nin tabiriyle "Her 'şeyim hıyar' diyene bir avuç tuzla koşanlardan" olduğumuz için, "Aşağı köye inip içki buluruz," dedik. Köy dediğin yer dağınık nizam üç beş evin, bir bakkalın, bir benzincinin ve ona bağlı kahvenin bulunduğu ufacık bir yerleşme. Bakkala gidip Zülal'in Danimarkacasıyla içki istediğimizi söyleyince, adam sanki eroin, kokain istemişize döndü. Anladı ki yabancıyız. Bize nerede içki bulacağımızı söyledi: 75 kilometre uzaktaki bir küçük kasabada içki satılırmış ama yol kardan kapanmış, donmuş fiyordun üstünden gitmeyi göze alabilirsek oraya ulaşabilirmişiz. Bu kadarını göze alamadık doğrusu. Norveç'i, İsveç'i görünce, bu ülkelerin kırsalında geçen romanları, hikâyeleri daha iyi anladım. Kışın saat üç buçuk dörtte kararan hava, bastıran kasvetli hüzün, duyguları bile donduran hava, her ağacın arkasından bir cin fırlayacakmış duygusu veren koruluklar, ormanlar, buz tutmuş fiyortlar, insansız kırlar, büyük bir yalnızlık...

İşte böyle Norveç'in fiyortları, Loire Vadisi'nin şatoları, Toscana'nın bağları, Floransa'nın heykelleri, Sicilya'nın yanardağları, Adriyatik Denizi'nin mavi koyları, Yunanistan'ın, İtalya'nın antik kentleri derken, dolaşıp durduk Avrupa'da.

Parti mahkemesi önünde!

MELEK – Aydın'ın Berlin'e gidip dergi çıkartması dışında siyasal çalışmalardan tamamen kopuk musunuz? Parti çalışması yok mu?

OYA – Frankfurt'ta epeyce TKP'li vardı. Bunlar daha çok Frankfurt Türk Halkevi çevresindeydi, orası bir çeşit yerel merkez sayılırdı. Burada bazı çalışmalara katıldığımız, Avrupa çapında bazı etkinliklerde yer aldığımız oluyordu. Ama öyle aktif bir siyasal çalışma içinde değildik. TKP Almanya'da güçlüydü, bir sürü TKP'li işçi ve aydın vardı. Ama tam bir göçmen örgütüydü. Daha ilk baştan, Almanya'da veya Avrupa'nın herhangi bir ülkesinde, o ülkenin kendi komünist partisinden ayrı bir TKP örgütlenmesi bize yanlış gelmişti. "Tek ülke, tek sınıf, tek parti" diye bir ilkesi vardı dünya komünist hareketinin. Doğru mu, değil mi, şimdi pek emin değilim ama o zaman o ilkeyi doğru bellemiştik. Eğer sosyalist isek, komünist isek ve enternasyonalizme bağlıysak o ülkenin partisine üye olup orada çalışmalıyız, diye düşünüyorduk. Öte yandan Parti'nin Almanya'daki tepe kadrolarıyla da ne kafamız ne üslubumuz uyuşuyordu. Almanya'da TKP örgütlenmesi ve faaliyeti kum havuzunda oynamak gibi geliyordu bana. Dar bir çevrede sözde illegal çalışma, küçük despotlar, daracık ufuklu şefçikler yaratmaya elverişliydi. Bunlardan bol miktarda vardı etrafta. Bir de buna, 12 Eylül rejimi faşist mi değil mi tartışması eklenmişti. 12 Eylül'ün faşist özlü bir darbe olduğunu savunduğum için, daha Moskova'da okuldayken "kafası karışık yoldaş" ilan edilmiştim.

Türkiye Postası çıkarken de ufak tefek ama sürekli tartışmalar, sürtüşmeler oluyordu. 1985'ti galiba, beni yeni parti programını tartışmak için Leipzig'e çağırdılar. Merkezdekiler benden memnun değiller, eleştirel bakışımdan, hele de şeflere biat etmememden hazzetmiyorlar ama yine de iyi kötü "ulema"dan sayılıyorum!

Toplantı için Leipzig'e gittiğimde, yıllardır göremediğim Diclelilerde kalacağım söylenince çok sevindim. Zülfü ile Bilge (Dicleli) hem TSİP'ten, hem de hepimiz TKP'li olduktan sonra *Politika* gazetesinden, DİSK'ten arkadaşlarımız. Onlar 79'dan beri Leipzig'de, merkezdeydiler. İkisi de çok iyi Almanca ve İngilizce bilen, Boğaziçi mezunu, okuyan, dünyayı izleyen iyi yetişmiş insanlar. Benim gibi çıkıntılık yapmayan, Parti'ye sadık militanlar. Gece yemekte sohbet ederken, eskisi gibi rahat konuşamadığımızı fark edip üzüldüm. "Arkadaşlık"ın yerini "yoldaşlık" almıştı; eski bir arkadaşlarıyla değil merkezinde bulundukları bir yapının üyelerinden biriyle konuştuklarının bilincindeydiler. Onların da bazı sıkıntıları olduğunu hissetsem de, aktardığım soru işaretlerim, eleştirilerim cevapsız kalıyordu. Geceyi havadan sudan, çocuklarımızdan, tanıdıklarımızdan, Batı ve Doğu'daki farklı hayat koşullarından konuşarak bitirdik. Arkadaşlık, her zaman siyasal birlikteliklerden, siyasal yoldaşlıktan çok daha önemli olmuştur benim için. Siyasal ayrılıkların, düşünce farklılıklarının yürek soğumasına yol açması hep içimi acıtır. Ne yazık ki hayatta sık sık başımıza gelen bir şey bu.

MELEK – Ne kötü değil mi? Dostlarını siyasi görüşlerine göre değerlendirmek. Karşı çetenin adamı senin dostun olamaz. İnsan ve birey olarak değil, hangi tarafın adamı olduğuna göre dost veya sevgili seçiyorsun. Benim siyaset dışında kalmak istememin temel nedenlerinden biri de budur. Ben dostlarımı özgürce seçebilmek, dilediğim kişiyi sevme özgürlüğümü korumak istiyordum. Orhan'la olan ilişkimde bu sorunu yaşamıştık. Maocu geçmişten gelen kız TKP'li oğlana gidiyor! Dayanamayıp girdim araya. Sen devam et.

OYA – Devam edeceğim de, sizin konunuzda bildiğim bir şeyi anlatayım. Evlenmeniz söz konusu olduğunda Orhan Parti'ye sormuş, en azından bilgilendirmiş. O ilişkiyi kuran arkadaş çok sonra anlatmıştı bana. Parti'den onay gelmiş, Orhan da rahatlamış. Neyse, devam edeyim.

Ertesi gün toplantıda, önümüze konan program taslağını konuşmaya başladık. Program taslağı birtakım hazmedilmemiş fikirlerin sıralandığı, tutarsız, eklektik bir metindi. O sıralarda Sovyetler'de içten içe birşeyler kıpırdanıyordu. SBKP Genel Sekreteri Andropov; onun 1984'teki ölümünün ardından kısa bir dönem Genel Sekreter olan yaşlı Çernenko, ondan sonra bu mevkiye gelen Gorbaçov, donmuş katılmış sistemin artık eskisi gibi süremeyeceğini anlamışlardı, değişim ve gevşemeden yanaydılar. Sonrası malum: Gorbaçov, *Glasnost* (açıklık), hemen ardından da Perestroika (yeniden yapılanma) kavramlarını getirdi. Yani hem bizim reel sosyalizm dediğimiz, komünist ülkelerin gündelik siyaset ve politikalarında, hem de teoride ciddi bir sorgulama ve yeniden yapılanma başladı. İşte, Sovyet partisinin ağzının içine bakan, SBKP hapşırınca nezle olan bizim TKP de kendini bu yenileşmeye uydurmaya çalışıyordu. Yeni programın esbab-ı mucibesi de buydu anlaşılan.

Doğrusu lafımı esirgemedim, eleştirilerimi sıraladım. Bu eleştiriler ne kadar doğru ve yerindeydi, ne kadar tepkiseldi, şimdi hatırlamakta ve değerlendirmekte zorlanıyorum. İtiraf edeyim ki, ben program taslağını soldan eleştiriyordum, yani yeterince enternasyonalist ve devrimci bulmuyordum. Sovyetler'de esmeye başlayan rüzgârların şiddetinin de farkında değildim henüz. Yine de bugünden geriye bakıp düşününce, bizimkilerin Sovyet politikasına uymak için, Türkiye toplumunun iyi bir çözümlemesini yapmadan, içselleştirmeden getirdikleri yeni programın eklektik olduğunu söyleyebilirim. Taslağın tartışıldığı toplantıda, "Bu program çok karışık," demiştim de, Veysi o her zamanki cinliğiyle "Zaten durumlar karışık yoldaş," cevabını vermişti. Ne zaman hatırlasam gülerim bu cevaba.

Kısaca, Parti politikası ve merkeziyle aramız giderek soğuyor, güven ilişkileri aşınıyordu. 1987 yazında, hepsi Partili olan arkadaşlarımızla Yunanistan'da tatil yaparken, Parti bizim oradaki konuşmalarımızı dinletmiş, iyi mi! Tatilden dönüşte bizi sorguya çağırdılar. Düşünsene, Stalin mahkemelerinin kıçı kırık bir parodisi. Konuştuğumuz da bir şey olsa canım yanmaz. İpler orada koptu işte.

MELEK – İnanılır gibi değil. Dinleyip ne yapacaklar?

OYA – Bu türden partilerin yapısını ve işleyişini anlayabilmek için sıradan ama iyi bir örnektir bizim dinlenmemiz. Hani şimdi telefon dinlemelerinden şikâyet ediliyor, siyasal hasımlar birbirlerini dinliyor, video kasetler çıkıyor, kayıtlar gerektiğinde kullanılmak üzere şantaj malzemesi olarak saklanıyor ya; bu konularda kimsenin kimseye söyleyecek sözü yok bence. Tencere dibin kara, seninki benimkinden kara... Burjuva partisiymiş, komünist partisiymiş, yöntemler pek fark etmiyor. Parti içi demokrasi mekanizması çalışmayınca, gizlilik de üzerine binince gayri ahlaki yöntemler. Pis politika devreye giriyor.

İşte Partimizin bizleri, Yunanistan Komünist Partisi'nden birilerini ya da Yunanistan'daki TKP'li sıkı yoldaşları kullanarak dinlettiğini öğrenince, bizim zurna zırt dedi.

Bizleri teker teker Doğu Berlin'e sorguya çağırdılar. Ben gitmemeye kararlıyım. Çocuğu bahane ettim, "Aydın gitsin, sonra gerekirse ben de giderim, çocuğu yalnız bırakamayız," dedim. O kadar doluyum, o kadar sinirliyim ki, kendime güvenemiyorum, gitsem büyük hır çıkacak. Önce Gönül gitmiş galiba, tam bir sorgu yapmışlar, arkasından Aydın girmiş sorgu odasına. "Yoldaş, Parti her şeyi biliyor, senden önceki yoldaşımız her şeyi anlattı," türünden klasik polis sorgusu numaraları. Komik bir şey anlatayım da işin ciddiyetini anla! Aydın'a, "Toplantıları sen yönetiyordun yoldaş, 'Karımın uykusu geldiği için toplantıyı bitiriyorum,' diyorsun mesela, bir de Parti marşınız var," diyorlar sorgu sırasında. Aydın gülsün mü ağlasın mı! İşin aslı şu: Yunanistan'a tatile giden küçük arkadaş grubumuzda herkesin Parti politikalarına, Parti merkeziyle ilişkilere ilişkin soru işaretleri vardı. Hepimiz öteden beri esas olarak legalde çalışan kişilerdik ve herkes birbirinin partili olduğunu biliyor. Geceleri uzoları, şarapları açıp yemek masasında biraraya geldiğimizde, yeni programı, yeni yönelimleri, kararları, kafamızın basmadığı işleri konuşuyoruz. Her kafadan bir ses çıkıp ipin ucu kaçtığından, Aydın'a, "Hadi sen yönet biraz bu konuşmaları," dedik. O da sürekli gırgır geçerek, espriler patlatarak yapıyor bu işi. Bir defasında, günümüzde devrim ne demek, devrimci mücadelenin anlamı nedir, kimlerle, hangi güçlerle diye konuşurken, Âşık Hüseyin Çırakman'ın TİP döneminden kalma bir türküsü vardır, o geldi Aydın'ın aklına. Sululuk olsun diye, o ağzın taklidini abartılı biçimde yaparak, "Deeevrimciler güç birligi, sen de gatıl sen de gatıl; işçi köylü meclisine, sen de gatıl, sen de gatıl... Onlar yiyor börek çörek, bize düşen kuru ekmek" diye çığırmaya başladı. Parti marşı dedikleri bu işte.

MELEK – Sormadınız mı kim dinlemiş, nasıl dinlemiş diye?

OYA – Ben Veysi'ye sordum, o sırada Parti Genel Sekreteri olan Haydar Kutlu'ya (Nabi Yağcı) sordum. Çok iyi hatırlıyorum: Kutlu ile Berlin'de bir otomobilin arka koltuğunda yan yana oturuyorduk. Neden oradaydım, hiç hatırlamıyorum şimdi, herhalde yine program ya da yayın meseleleri var. Ya da bu dinleme işinden kendileri de rahatsız olmuşlar, bir şey yokmuş gibi davranmaya çalışıyorlar. Aslında hiçbiriyle görüşmek istemiyordum bu olaydan sonra, sıtkım sıyrılmıştı. Ama kafamda da bu iş nasıl oldu, kimleri kullandılar, çözmek vardı. Bu yüzden gittim herhalde. Doğrudan girdim; "Bizi Yunanistan'da dinlettiniz," dedim. Nabi Yağcı, "Benim hiç haberim yok, ben Moskova'daydım, bilseydim böyle bir şey yaptırmazdım," dedi. Galiba doğruydu. Veysi'ye sordum, o da üstlenmedi tabii. Stalinist kafalı birinin işgüzarlığıydı belki de. Rahmetli Sıtkı Coşkun'dan kuşkulanıyordu Alaattin'le Zülal. Sıtkı da Kopenhag'daydı onlarla birlikte, nerede tatil yapacağımızı da o biliyordu. Kimse üstlenmedi işin sorumluluğunu.

Yunanistan'ın daha çok iç turizme açık, bizim Ege'ye bakan doğu sahillerinde, Pelion bölgesinde tatil yapıyorduk. Çok güzel bir yerdi: Bir hafta bir köyde, bir hafta da başka bir deniz kenarında kalmıştık. İkinci kaldığımız evin elektrik sisteminde arıza olduğunu söyleyen bir adam gelmiş, bazı kontroller yapması gerektiğini söylemişti. Biz de, hiç kuşkulanmadan adamı evde bırakıp denize inmiştik. Belki o zaman teyp yerleştirdiler, belki hiç böyle değil, başka bir biçimde; ama sonuç değişmiyor: Parti bizden kuşkulanıp dinletti. Ne kadar ahlaksız bir şey. Yaptıran kimse, aklınca Parti'nin ve komünizmin yüce çıkarlarını koruyor hainlere karşı. Neresinden baksan pis bir olay, siyasal etik dışı. Bu türlü pis işler, hep devrimin, Parti'nin, komünizmin, kutsal bir şeyin yüce çıkarları için yapılır zaten. Yani öyle sanılır ya da öyle kamufle edilir.

Bu olaydan sonra, hepimizin Parti bağları koptu. İçimiz iyice soğumuştu. Bir de uzaktan gözünde büyüttüğün merkezi, merkez kadrolarını yakından tanıyınca, içinde yaşayınca büyü büsbütün dağıldı.

MELEK – Bazen gerçekler ancak somut olaylar yaşanınca insanın kafasına dank ediyor. Soyut düzeyde yapılan tartışmalarda her zaman her davranışın sözüm ona akılcı nedenleri vardır. Oysa basit bir gündelik olayda gerçek birden sırıtır. Peki Parti'nin sizi dinletme olayından, bağlarınızın kopmasından sonra kendini nasıl hissettin? Kötü olmadın mı? Güvenin, inancın yıkılmadı mı?

OYA – Parti'yi kale, Moskova'yı Kâbe gibi görenlerden değildim zaten. Gerçekçiydim bu konularda. Parti tapıncım hiç olmadı. Sosyalizmi de, Parti'yi de idealize etmemiştim. Bir sürü eksiğin, yolunda gitmeyen şeylerin olduğunu yaşayarak görmüştüm. O nedenle TKP'den koparken kendimi hiç kötü hissetmedim, aksine bir ferahlama duydum. Yine de bir siyasal hareketten ayrılmak her koşulda zordur, boşanma gibi bir şeydir. Cemaatten ayrılmak gibidir; kendini yalnız hissedersin, dostların senden uzaklaşır, en azından eski sıcaklıkları, güvenleri kalmaz. Hele de illegal yapılarda daha da ağır yaşanır bu durum.

MELEK – Senin bu konudaki görüşlerin Moskova'da parti okuluna gittikten sonra mı değişti? Yoksa daha önceden de var mıydı soru işaretlerin?

OYA – Bir dünya cenneti tasavvur etmediğimi, sosyalizmi adım adım yürünecek bir yol olarak kavradığımı söylemiştim daha önce. Ama Moskova'da, Sovyetler'de bir süre kalınca, Doğu Almanya'yı, bazı toplantılar için gittiğim sosyalist ülkeleri tanıyınca, gündelik yaşama ilişkin epeyce gözlem yapma olanağı edindim. Marksizmin teorisinin ve felsefesinin sosyalist blokun gözüyle yorumlanmasındaki aşırı siyasallaştırmayı fark ettim. Leninizmin, 1917 Rusyası'nda, devrimci durum ve devrim anıyla sınırlı bir model olduğunu, sürekliliğinin ve evrenselliğinin tartışılabileceğini düşünmeye başladım. Sonraki düşüncelerimde, sorgulamalarımda sosyalist sistemi tanımanın payı vardır kuşkusuz. Ama Marksizme edebiyattan, felsefeden gelmiş olmanın, sosyoloji okumuş olmanın da payı vardır. Marksizme kör inanç olarak değil, dünyayı ve tarihi açıklamakta elimize verilmiş sağlam bir pusula, iyi bir yöntem olarak baktım ben. Tartışılması, eleştirilmesi kâfirlik sayılan bir din değildi Marksizm ve sosyalizm.

İşin özeti şu: Gerek Parti, gerekse reel sosyalizm konusunda gerçekçiydim, cennet hayalleri beslemiyordum. Komünist partisi yönetimlerinin, yani "çelik çekirdeğin" en fedakâr, en bilgili, en özverili kişilerden oluştuğu söyleminin bir masaldan ibaret olduğunu da zaten içinde yaşayarak görüyorsun. Tabii çok iyiler var; ama onların birkaç katı kariyerist, cahil, zavallı da var. Aslında, illegalite ortamı, dar bir çevreye sıkışıp kalmak, hep aynı kişileri görüp aynı konularla ilgilenmek, yaşamı ve ilişkileri çeşitlendirememek, mayası iyi de olsa insanı sekter ve at gözlüklü yapıyor. Kendi kendinin turşusunu kuruyorsun deyim caizse. İçinde olduğun yapıya tam uyum göstermek görece rahatlatıcı bir durum. Bir süre sonra o yapıyı kendinle özdeşleştiriyorsun; aksayan birşeyler, yanlışlar, hatta etik zaaflar varsa bile görmez oluyorsun, görmek istemiyorsun. Türkiye'de durum yine de farklıydı. Parti yarı legaldi, ben legalde çalışıyordum. Ama Almanya'ya gidince, büsbütün dar ve yabancı bir çevreye sıkışıp kalmış insanlarımızın yukarıda anlatmaya çalıştığım ruh haline iyice gömüldüklerini gördüm. Sadece TKP'yi kasdetmiyorum, demokratik olmayan dar ve cemaatçi yapılardan, bırak devrimi, özgür düşünce ve özgür bireyin çıkamayacağını sezdim. Bu yüzden de Parti'den ayrılma süreci beni etkilemedi.

MELEK – Ama unutma ki sen siyasi kimliğinin yanı sıra yazar Oya Baydar'sın. Bütün bu olayları yaşadıktan sonra yazarlığa yeniden dönüş yapmayı düşünmedin mi? Bunları yazman, partili olmandan çok daha önemli.

OYA – Bu tatsız olaylar sırasında yazar Oya Baydar değildim. Edebiyata dönüşüm Berlin Duvarı'nın yıkılmasından sonradır. Bunu anlatacağım yeri geldiğinde. Hatırlarsın, 84, hele de 86'dan sonra Türkiye'de askerî rejim yavaş yavaş gevşemeye başlamıştı; seçimler yapılmış, Özal iktidara gelmişti. 1985'te İstanbul'da Sıkıyönetim kaldırıldı. Davalar sürüyordu ama yayın faaliyeti bir ucundan başlamıştı. O süreçte bizim TSİP'li eski arkadaşlar *Yeni Düşün* diye aylık bir sanat edebiyat dergisi, bir de siyasi içerikli *Görüş* dergisi yayımlamaya başlamışlardı. *Düşün*'ün yöneticisi, Boğaziçi Üniversitesi'nde İktisat Bölümü başkanıyken 1402'lik olup YÖK tarafından üniversiteden çıkarılan has arkadaşım Oya Köymen'di. 1987 baharında *Düşün*'e edebi metinler yazmaya başladım. Bunların bazıları sonradan *Elveda Alyoşa* anlatılarında yer aldı. *Görüş*'te de, yaşayıp gördüklerimden sonra sosyalist uygulama ve örgütlenmeye ilişkin, kafamda belirmiş olan sorulara; sosyalizm ve özgürlük, Leninist parti yapısı, ekonomik-siyasal indirgemecilik gibi hassas konulara değinmeye çalıştım. Oldukça mahcup eleştirilerdi bunlar ama tabulara dokunuyordu. Stalinist dönem uygulamalarının sadece o dönemle sınırlı kalmadığını, bireyin ezilişini, parti yüceltmesi ve kutsallaştırmasının sonuçlarını, benzer konuları işliyordum. Bazı eski arkadaşların "diş gıcırdattıkları", "inkâr var" dedikleri kulağıma geliyordu. "İnkârın inkârını inkâr ediyorum..." diye bir yazı yazdığımı hatırlıyorum. O yazıda, asıl inkârcıların ütopyamızın özünde mündemiç (içkin) özgürlükleri ihanet ve münkirlik sayanlar olduğunu anlatmaya çalışıyordum.

MELEK – O dönemde artık Parti üyesi değilsin.

OYA – Zaten bu türden illegal partilerde normal siyasal partilerde olduğu gibi üyelik olmaz, sen de bilirin. TKP'de oldukça bürokratik bir üyelik başvurusu süreci vardı ama kaydı kuydu olmazdı bu işlerin. Öyle olunca da resmen politbüro kararıyla ihraç edilmemişsen Parti'desin demektir. Dinleme olayından sonra bizler fiilen "uyuyan birader" durumundaydık artık. En azından ben öyleydim; ne onlar beni arıyor ne de ben onları. Zaten 1986'da TİP'le TKP'nin birleşmesi gündeme geldi. Brüksel'de sürgün yaşamı sürdüren Behice Hanım (TİP Genel Başkanı Behice Boran) gitgide bozulan sağlık durumuna rağmen TİP'in Genel Sekreteri Nihat Sargın'la birlikte bu birleşmenin olması için çalışıyordu. TKP'nin Leipzig'den çıkması, Batı Avrupa'ya ayak atması, birleşmeden sonra da koşullar elverince Türkiye'ye dönülmesi gündemdeydi.

Behice Hanım'ı, TBKP'nin (Türkiye Birleşik Komünist Partisi) kuruluşunun Ekim 1987'de Brüksel'de yapılan bir basın toplantısıyla açıklanmasından iki gün sonra kaybettik. Cenazesinin Türkiye'ye getirilmesi büyük olay oldu. Milletvekillerine, parti başkanlarına yapıldığı gibi cenazesi Meclis bahçesinde saygı duruşuyla uğurlandı. İstanbul'da toprağa verilirken, orada bulunanların anlattıklarına göre, 12 Eylül sonrasının en büyük kitle gösterilerinden biri olmuş. Annem bile arkadaşlarıyla birlikte katılmış cenaze törenine. Annem bile, diyorum, çünkü annem bütün başıma gelenleri, dolayısıyla kendi başına gelenleri hep sosyalizmden, partilerden, komünistlerden bilirdi.

Kısacası, 1986-87'ye gelindiğinde TKP, artık eski TKP değildi. TİP'le birleşip yeni sulara, Birleşik Komünist Partisi'ne doğru yelken açıyordu. Ben TBKP'ye de üye olmadım, Avrupa'daki bir iki kuruluş toplantısına katılmak dışında ilgilenmedim. Sorgulanmamış, yüzleşilmemiş hataların ve eski kadroların toplamından "yeni"nin çıkamayacağını düşünüyordum. Türkiye sosyalist/komünist hareketinin çok derin, ciddi, topyekûn bir kendini sorgulama, değerlendirme ve açık, cesur bir özeleştiri sürecinden geçmesi gerektiğini savunuyordum.

İşte o sıralarda *Glasnost, Perestroika* söylemleriyle gelen Gorbaçov, Soğuk Savaş döneminde "Demir Perde" denilen sınırların yıkılmasını sağlayıp Batı dünyasını olduğu kadar komünist partileri ve ülkeleri de şaşkına çevirirken, 1989 sonbaharında Berlin Duvarı yıkıldı.

Berlin Duvarı üstümüze çöktü

MELEK – Siz o günlerde Frankfurt'ta mısınız?

OYA – Frankfurt'tayız ilk birkaç gün. Televizyonların sabahtan akşama kadar yaptıkları canlı yayınlardan izliyoruz olup bitenleri. Bir akşam Berlin Duvarı'nın kapıları açıldı ve insanlar bir sel gibi, bir nehir gibi Doğu Berlin'den Batı Berlin'e, oradan da bütün DDR'yi (Deutsche Demokratische Republik) geçerek Batı Almanya'ya aktılar. Düşünsene; kırk yıldır aşılamayan, üstünden atlayıp kaçmaya çalışanların anında kurşunlandığı o Duvar yıkıldı, kalenin kapıları açıldı.

Birkaç gün sonra Berlin'e gittik. Kumsaldaki kum taneciği kadar bile olsak, bizim de parçası olduğumuz bir dünya, bir çağ değişiyordu. Duvarın yıkılışını, sonrasını, antikomünist çılgınlığı, hayalleri, umutları ve ardından gelen hayal kırıklığını, kaosu, yenilgi psikolojisini daha uzun anlatmak isterim aslında. *Elveda Alyoşa*'da, *Hiçbiryer'e Dönüş*'te, *Kedi Mektupları*'nda kıyısından köşesinden söz etmiştim o günlerden.

Unutamadığım şeyler, gözümün önünden gitmeyen sahneler var. Berlin Duvarı'nın çöküşü 9 Kasım gecesidir. Aradan belki iki, belki üç gün geçmişti ki Doğu'ya kapitalizm önce küçük girişimcilerle girdi. Üzerinde "9 Kasım'da Oradaydım" yazılı tişörtler mi istersin, Doğu Berlin'in kalbi Alexanderplatz'a kurulan döner tezgâhları mı istersin! Ama asıl ticaret, çöken Duvar'ın irili ufaklı parçaları üzerinden sürüyordu. Fındık büyüklüğündeki parçalar iki mark, ceviz büyüklüğündekiler üç mark, daha büyük ve renkli olanlar beş mark, on mark; daha pahalıları da varmış, ben görmedim. Kapış gidiyordu Duvar'ın parçaları. O Duvar yükselirkenki coşkuyu, sosyalizmi kurtarma umudunu, o Duvar'ı aşıp Batı cennetine geçmek uğruna vurularak ölenleri, Duvar'ın ardında kalan inançları ve öte yanda bekleyen belirsiz geleceği düşünürsen, üç kuruşa satılan Duvar kırıntılarının, hele de o günlerde bana nasıl koyduğunu anlayabilirsin.

Sonra Frankfurt'ta nehir boyunda kurulan bitpazarının o yıllardaki hali... Doğu'dan gelenler neler çıkartmamışlardı ki pazara: delinmiş, yırtılmış, ortalarındaki komünizm simgeleri kesilip çıkarılmış Doğu Alman ve Romanya bayrakları; yırtılmış parti afişleri, halk milislerinin kızıl yıldızlı kasketleri, sırmalı sancakları, karmakarışık bir madalya, rozet, kızıl yıldızlı apolet, üniforma yığını, parti liderlerinin yırtık fotoğrafları, Honecker'in başına palyaço takkesi giydirilmiş posteri, Lenin nişanları, tabii bol miktarda Duvar parçası, artık hiçbir değeri kalmamış DDR paraları... Bir tarihsel dönem, bir halkın, birkaç komünist kuşağın değerleri, inançları düşmüştü pazara. Çöküşü en acı ama en gerçekçi resmeden o bitpazarıydı bence.

Bir de, Trabilerle ilk gelenlerin hali vardır gözümün önünde. Doğu Almanların, VW'nin eski kaplumbağa modeline benzeyen küçücük, teneke gibi bir halk arabaları vardı. Trabi'ydi markası. Batı'dakilerin küçümseyerek dalga geçtikleri Trabi sahibi olmak DDR'de bir ayrıcalıktı. Sahneyi gözünün önüne getir şimdi: Doğu Almanlar Trabilerle kuzeydoğu sınırlarından konvoy halinde Batı Almanya'ya giriyorlar, Batılılar, yerleşim bölgelerinde yolların iki yanına çoluk çocuk dizilip bu arabaları alkışlıyorlar. "Trabi klatschen" (Trabi alkışlamak) diye bir eğlence çıkmıştı. Şimdi bile sana anlatırken gözlerim yaşarıyor; arabaların yanında yürüyenlere, camlarından sarkanlara muz atıyorlar, onlar da havada kapıyorlardı. Muz, Doğu Almanya'da lüks gıda maddesi sayılırdı, bulunmazdı kolay kolay. Hayvanat bahçelerinde maymunlara atar gibi muz atıyorlardı o insanlara. Doğu Alman halkı çok aşağılandı o süreçte. Benim gibi, eskiden beri Berlin Duvarı'ndan rahatsız olanlar, insanların kaçmasınlar diye duvarların ardına hapsedilmelerini sosyalizmle bağdaştıramayanlar, biz belki de kendilerine muz atılanlardan daha çok etkilendik, örselendik olup bitenlerden. İnançlarımız, değerlerimiz, kimliğimiz, umutlarımız çiğneniyor gibi hissettim ben. İşte bu ortamda, yeniden edebiyata döndüm.

MELEK – Seni dinlerken düşünüyorum da, ben Berlin Duvarı meselesine çok daha uzaktan baktım. Birincisi Türkiye'de çok ayrı bir yaşam mücadelesi içindeydim, ikincisi de ben Beyrut'tan sonra kendimi daha çok Ortadoğu'ya ait hissediyordum, ilgim oraya yönelikti. Avrupa'yı çok sorguluyordum. Senin anlattıklarında pis bir aşağılama, kapitalizmin zaferi havası var sanki.

OYA – Aşağılama var tabii. Bilinçaltı bir hınç var, işte yendik sizi, bize muhtaçsınız, sizi gidi komünistler havası var. Daha sonra Doğu'dan Batı'ya göç başladığında, aşağılama daha da arttı. Hatta ben, "Türkler kurtuldu" demiştim. O zamana kadar en fazla aşağılanan yabancı grup Türklerdi. Doğu Almanlar, Doğu Bloku'ndan göçmenler gelince paryalık sırasında Türkiyelilerin yerini bir süre onlar aldı.

Doğu'dan gelen opera sanatçıları, konservatuvar hocaları sokak çalgıcısı, sokak şarkıcısı oldular; akademisyenler şoför olarak iş bulabildiklerinde kendilerini mutlu saydılar. Batı tüketim toplumuyla yeni tanışıyorlardı; giyimlerinden kuşamlarından, mahcup ve ürkek havalarından hemen tanıyabilirdiniz onları. Çok acıydı, siyasal-ideolojik bir yıkım değildi sadece, çağımızın insanlık dramıydı yaşananlar. Yıkılan sadece bir duvar değil, yüz milyonlarca insanın 80 yıllık yaşamları, değerleri, umutlarıydı. Bütün televizyonlar sabahtan akşama bu yıkımın çeşitli sahnelerini sergiliyordu. Türkiye'de o kadar fazla ilgilendiğini sanmıyorum medyanın; ama Almanya'da sistemin yıkılışını izleyen günlerde olup bitenleri aralıksız seyrediyorduk televizyonlarda.

Meydanlardan Lenin heykellerinin indirilmesi, bayraklardaki kızıl yıldızların oyulup çıkartılması, komünist partilerin ileri gelenlerinin hakarete uğratılması, hırpalanması, hatta Romanya'daki gibi öldürülmesi.... O sahneyi hiç unutmuyorum: Romanya'da dev bir Lenin heykeli parçalanıyor. Meydanda korkunç, öfkeli bir kalabalık ve siyah cüppeli bir papaz, hiç gözümün önünden gitmez; Lenin heykelinin boynuna ip geçirilmiş, –daha sonra Saddam'ın Bağdat'taki heykeline de yapıldı ya aynı şey– papaz elindeki büyük bir haçı heykelin başının üstünde tutuyor, şeytanı kovmak için.

Ekranlarda DDR'deki, sosyalist ülkelerdeki rejimin, komünizmin nasıl bir canavar olduğunu anlata anlata bitiremeyen itirafçılar mı istersin, STASI (Doğu Alman MİT'i) ajanı avı görüntüleri, STASI ajanlarını ihbar için yarışanlar mı istersin; ezik, çok ezik bir sesle "Her şey kötü değildi, evet yanlış uygulamalar oldu ama sosyalizme doğru yürüyorduk," demeye çalışırken sözleri Batılı TV moderatörlerince suçlamalarla, azarlarla kesilen parti üyeleri mi istersin! Tam bir dezenformasyon ve kapitalist medya saldırısı.

İstatistiklere göre, Duvar'ın yıkılışını izleyen iki yılda DDR'de intiharlar akıl almaz şekilde artmış. Bir rejim mahkûm edilmeye çalışılırken bir halk mahkûm edildi, ezildi, aşağılandı. Sadece Doğu'dakiler değil Batı Alman komünistleri de gerçek bir travma yaşadılar.

Beni yeniden edebiyata döndüren bu olaylar oldu. Her intiharı, yerlerde sürünen her bayrağı, her kızıl yıldızı, "tarih yazıyoruz" diye yola çıkmış insanların o yenik, ezik halini içimde hissettim. Bütün bunlara tanık olmaya dayanamadım işte. Bir şehri ortasından bölen o Duvar'dan hep nefret ederdim; ama yıkılınca altında kaldım. "Böyle yaşayamam," diye düşündüğüm günler oldu; ağırıma gidiyordu, kaldıramıyordum. Elli yaşıma gelmişim, Türkiye'den uzaktayım, Parti, örgüt aidiyeti bitmiş; oysa yirmilerimden başlayıp o yaşa kadar ilmek ilmek dokuduğum bir kimliğim, bir değerler dünyam var. Elli yaşıma kadar yaşamımı, kimliğimi etkilemiş, hatta biçimlendirmiş bir değerler sistemi sallanıyor, yıkılıyordu. En önemlisi de bu yıkılışta, bizzat o sistemin taşıyıcılarının, yandaşlarının, hatta kendimin payı olduğunu düşünüyordum ve çaresizdim. Bunları görmek, izlemek, gördüklerim karşısında çaresiz kalmak, "Yanlış neredeydi, benim o yanlışta payım ne?" sorusunun içimi kemirmesi beni neredeyse hasta etti. Sait Faik'in dediği gibi, yazmasam çıldıracaktım. Kendimle başa çıkabilmek için yazmaya başladım. *Elveda Alyoşa,* o ruh halinin ürünü oldu.

MELEK – Şunu anlıyorum ben senin anlattıklarından. Senin için milat partiden ayrılman değil, Duvar'ın yıkılması olmuş.

OYA – Sadece benim miladım değil, prosovyet çizgide olmayanlar açısından bile Berlin Duvarı'nın yıkılışı milattır. Antisovyet hareketlerden gelen bir arkadaşım, birlikte kafa çektiğimiz bir gece, bu konuları konuşurken ağlamaya başlamıştı. "Bana ne oluyor yahu, bana ne oluyor yahu, sizin pezevenkler için ağlamak bana mı düştü!" diye kendine kıza kıza ağlıyordu.

MELEK – Üzerinde düşünülmesi, sorgulanması gereken pek çok şey var sosyalist sistemin yıkılışında ve senin anlattığın ruh halinde. Yıkılan, sadece duvarla simgelenen bir şey değil. Bir tarih var arkasında. Ayrıca, ne kadar eleştirsek de, Stalin ve Kızıl Ordu olmasa Hitler nasıl yıkılacaktı? Avrupa'nın kaderi ne olacaktı? Bunlar hepsi sorular...

OYA – Ortada bir de devrim var. Ve o devrim en azından başlangıçta gerçekten ezilenlerin isyanıydı, ezilenlerin devrimiydi. O çağın "başka bir dünya mümkün"ünün somutlanmasıdır. Bütün dünyayı etkilemiştir, milyonların umut kaynağı olmuştur. Bütün dünyadan dönemin en iyi kafaları; düşünürler, yazarlar, sanatçılar, aydınlar ütopyanın nihayet gerçekleşeceği umuduyla, çekim gücüne kapılıp devrimin yanında yer almışlar, akın akın Sovyet ülkesine koşmuşlar, ezilenlerin başkaldırısını selamlamış, desteklemişlerdir. Kızıl Yıldız, sadece Sovyetler'in değil bu umutların, bu atılımın, kitlelerin başkaldırısının simgesidir.

Şimdi aklıma geldi, anlatayım. O günlerde bize bir sürü gelen giden var yine, tabii hep bu konu konuşuluyor, sürekli Ekim Devrimi sözleri geçiyor. Bizim oğlanın adı Ekim, on yaşında o sırada. Ekim Devrimi'yle ilgili kötü birşeyler olmuş, bu kadarını anlıyor. Bir gün "Peki benim adım ne olacak şimdi?" diye sormaz mı! Çocuk adının telaşına düşmüş, tehlikeli, kötü bir adla kalmak istemiyor. Oğlan benim adım ne olacak şimdi, diye sorunca, bende bir ağlama... "Adın Güzeldir Ekim" diye birşeyler karalamıştım. Ama sonra baktım gereğinden fazla sulu gözlü, ölçüyü kaçırmışım, yırtıp attım.

MELEK – *Elveda Alyoşa* daha sen Türkiye'ye dönmeden yayımlanmıştı, nasıl oldu bu?

OYA – Herhalde 1990'dı, Frankfurt Kitap Fuarı'na Erdal Öz gelmişti. Rastlantısal olarak karşılaştık. Erdal'la yıllardır görüşmüyoruz, zaten eskiden de yakın bir dostluğumuz yoktu, tanışlık vardı sadece. 12 Mart'ta Ankara'da aynı askerî araçla işkenceye götürülmüşüz galiba. Yıllar sonra o günleri konuşurken, "O sen miydin, ben miydim," falan derken, tarihlerden çıkarmıştık bunu. Fuarda konuşuyoruz; "Neler yapıyorsun?" diye sordu, ben de "Buralarda sürünüyorum işte, canım çok sıkkın bu günlerde," dedim. Ben zaten kötü olduğum zamanlar kendimi hiç tutamam, hemen "çok kötüyüm" derim; bu da galiba depresyonu aşmanın bir yolu kendimce. Erdal üsteleyince, "Kendi kendime birşeyler karalıyorum oyalanmak için," dedim. O sırada Erdal'ın Can Yayınevi'ni kurduğundan bile haberim yok. "Yazdıklarını yolla, basayım," dedi Erdal, yayınevinden söz etti. "Olur mu, nasıl basarsın, ben siyasi mülteciyim, arananlar listesindeyim, resimli afişlerle arıyorlarmış, sen benim yazdıklarımı nasıl basarsın?" dedim. "Ben basarım," dedi. Öyle bir yanı vardı Erdal'ın, balıklama dalardı inandığı işe, hesapsız kitapsızdı. O öyle deyince bana da bir heves geldi, yazdıklarımı derledim topladım, *Elveda Alyoşa*'nın son bölümü olan "Brandenburg Kapısında Ölüm" adlı uzun hikâyeyi ekledim, Erdal'a yolladım.

Erdal kitabı basmış ama benim haberim yok. Kitabın Sait Faik Hikâye Armağanı'nı kazandığını önce bir arkadaşımın telefonu üzerine öğrendim, sonra Erdal'dan haber geldi. Sevindim doğrusu.

Kutsal aileye dair

MELEK – Senin bunları yaşadığın günlerde benim bambaşka sıkıntılarım var. 86'da Orhan hapisten çıktı. "Yeniden nasıl başlayacağız, aileyi yeniden nasıl kuracağız, ne olacağız?" diye düşünüyoruz. Ferhat babasını hatırlamıyor pek, nasıl hatırlasın, hiç görmemiş, birlikte yaşamamış neredeyse. "Bu adam kim?" diye soruyor.

OYA – Orhan'la sizin aranızda bir uzaklaşma mı olmuştu? O kadar yıl ayrılıktan hapishane kapılarında, görüşlerde yaşananlardan sonra hemen bir uzaklık olmaz diye düşünüyor insan.

MELEK – Bunları anlatmak benim için hâlâ çok zor. Bütün o ayrı kaldığımız, birbirimizle yazıştığımız, sadece ziyaretlerde görüştüğümüz süreçte şöyle bir şey oluyor: Ayrılık, kendi içinde bir romantizm besliyor, gerçeklikten kopuşu da birlikte getiriyor. Dışarıda kalan, hayatla tek başına boğuşuyor, içeride yatana da bunları yansıtmak istemiyor, hapiste yatanı koruma içgüdüsü gelişiyor. Sen de bunu yaşadın, bilirsin. Hapishane mektuplarında hep hayal edilen bir gelecek vardır. Bu hayal edilen yaşam biraz da gerçekdışıdır, idealize edilmiştir. Rahmetli annemin bir sözünü hatırlarım hep, "Bunların en mutlu oldukları zaman Orhan hapisteykendi," demişti. Çünkü gerçeklerin dışında, idealize edilmiş bir ikili yaşam kuruyorsun kafanda. Dışarıya çıkıp yaşamın gerçekleri ile karşılaştığında o kurgu yıkılıyor, gerçekler çarpıyor yüzüne. Gündelik yaşamda mektuplardaki kurgu dünyasını bulamıyorsun. Benim açımdan bakarsan, daha önce de anlattım; o üç buçuk yıl çok zor bir dönem. Babam hasta, daha sonra onu kaybediyoruz. Ben hastanede bir baba, hapishanede bir koca, morali bozuk bir anne, evde bakmam gereken küçük bir çocukla baş etmek ve para kazanmak zorundayım. Babamın hastalığı nedeniyle ailenin mali sorunları da üzerimde. Herkese bakan insan benim. Daha önceki yaşamımda bilmediğim yeni ilişkilere alışmaya çalışıyorum, iş yaşamının sorunlarıyla boğuşuyorum. Sanırım o süreçte ben çok değiştim. Bu gerçeği, belki de ilk kez bunları sana anlatırken bu açıklıkta görüyorum. Orhan'ın tanıdığı, sevdiği devrimci, idealist genç kadının yerini çok daha sert, kararlı, otoriter bir iş kadını aldı. Orhan dahil herkesi koruyan, herkesten sorumlu, herkese bakan kişi oldum. Bir tür aile reisi, hanımağa yani. Orhan da hapishane, işkence ve tüm yaşadıklarından dolayı mağdur olmuş olan devrimci kişi. Roller değişti.

OYA – Ama sen bir yandan da çok yorgunsun. Onca yükü taşımaktan.

MELEK – Evet, yorgunsun ama o yeni role de alışmışsın. İpler senin elinde, karar veren kişi sensin. Ben her şeyi bilirim havası da var. Orhan hapisten çıkmış, o hayatın dışında bir kişi, o otursun resmini yapsın, ben de işime bakayım gibi. Belki de o zaman Orhan'ın bir sanatçı, benim ise hayatı çekip çeviren bir işkadını olduğum gibi yeni bir rol dağılımı oldu aramızda. Bu bir kararla olmadı elbette, yaşananların bize gelip dayattığı bir durum. Bu nedenle hapisten sonrası bizim için zor bir dönem oldu. Hem hayalleri korumaya çalışıyorsun, hem de hayat seni alıp başka yerlere sürüklüyor. Bugün geriye dönüp baktığımda, bizim Orhan'la ayrılmamıza neden olan sorunun anlatmaya çalıştığım böyle bir rol değişimi olduğunu düşünüyorum. Ben Orhan'la evlendiğimde çok genç değildim, 34 yaşında yetişkin bir kadındım. Ama ilk evlendiğimizde şartlarımızın zorluğuna rağmen Orhan beni koruyan, kollayan, benden daha deneyimli –aramızda 5.5 yaş fark vardı– kişiydi. Ferhat'ı doğurmam konusunda bana çok destek olmuş, zor koşullarda olsa bile "Çocuğumuz olsun, nasıl olsa altından kalkarız," diyerek yanımda durmuştu. Demek istediğim ben erkeğin, Orhan'ın kanatları altındaydım. Daha sonra ise ben kanatlandım ve herkesi kanadımın altında almaya başladım.

OYA – Çok iyi anlıyorum; benim de ilk evliliğim benzer nedenlerle yıkıldı. Benim de Muzaffer'le olan evliliğimde daha baştan benzer bir durum vardı. Bir kere Muzaffer benden sadece birkaç ay büyüktü. Yirmili yaşlarda erkekler, hele de Muzaffer gibi çok dar bir çevrede yetişmiş, hayata ancak kitaplarla açılmış genç bir adam, aynı yaştaki kadına göre daha toy oluyor. Evlilikte kadına ve erkeğe biçilen roller bizim evliliğimizde o kadar tersti ki, bir süre sonra adam dayanamadı, kendi kimliğini bulmak için bir çıkış aramaya başladı.

MELEK – Evet, çünkü sonunda adamlar da kendilerini ezilmiş hissediyorlar ve buna isyan ediyorlardı. Orhan da belki öyle oldu.

OYA – New York'tayken Muzaffer önce çok ısrar etmişti bana yanına gelmem için, orada yalnız yaşayamadığını söylüyordu. Ben ise onu anlamaya hiç yanaşmıyordum, şikâyetlerini mızmızlık, güçsüzlük sayıyordum. Doktoramı, partiyi, siyasal çalışmaları bahane etmiş, hemen gitmemiştim. Şimdi düşününce böyle bir kişilik gösterisinden, yani kocasının karısı olmama durumundan haz da almıştım açıkçası. Doktoram reddedilip de üniversiteden ayrılınca New York'a gittiğimde çok öfkeliydi bana. "Ben, sen olmadan çorabımı bile kendim alamayacak haldeyim, yalnız bir hayat kuramıyorum, çok uğraştım başka kadınlarla ilişki kurmak için, peşimde dolaşan şu kızlarla birlikte olmak, seni cezalandırmak için, ama bunu bile beceremiyorum," demişti. Bir de, "Sen arabadan inerken bile elini tutturmazsın, kendine yardım ettirmezsin, senin yanında insan kendini erkek gibi hissetmiyor!" diye bağırmıştı bir gün.

Sonraları bunun üzerine çok düşündüm. Geleneksel kadın-erkek ilişkisinde rol dağılımı çok önemli. Roller ters dönerse iş aksıyor. Bir de öteki boyutu var: kadının durumu. Genellemeyeyim, kendimi anlatayım. Muzaffer bana bu kadar bağımlı olduğu sürece, ona metelik vermez görünmekten keyif alıyordum galiba. Yakışıklı, havalı bir adamdı. Ben de "İşte bu adam benim kocam ama ben özgür bir kadınım!" havalarındaydım. Ne zaman ki, yukarıda anlattığım süreçte onda jeton düştü ve benden bağımsızlaşma adımları attı, ne zaman ki hınç alırcasına uzaklaştı benden, göstere göstere başka ilişkilere girdi, aaa, o zaman adam gözümde önem kazandı, bir süre umutsuzca bunca yıl aldırmadığım kocamın peşini kovaladım. Biz kadın kısmı da bir tuhafızdır yani.

MELEK – Evet, evet, anlıyorum. Bak yine annemi anacağım şimdi. Annem beni bu gibi konularda her zaman çok eleştirmiştir. Mesela o kadınlı erkekli bir toplumda sigara içeceği zaman, çok az sigara içerdi aslında, sigarasını eline alır ve bir erkeğin yakması için mutlaka beklerdi. Sigarasını ele alıp bekleyişinde bile özel bir hava olurdu, bazen bir değil iki erkek birden yerinden fırlardı.

Annem bana hep şaşardı, davranışlarımı aşırı erkeksi bulurdu. "Bu halinle nasıl olup da seni kadın yerine koyup beğeniyorlar anlamıyorum," derdi. Sol hareket içine girdikten sonra bu davranışlarım herhalde daha da abartılı hale gelmişti, adamların bana korumacı davranmalarına tepki duymak gibi. Bu da kendi içinde çelişkili bir durum, bir yandan da korunmak ve sığınmak istiyorsun.

OYA – Çok doğru. Kendinden güçlü erkek isteği kadınlarda epeyce yaygın bir duygudur, hele gençlikte. Ama bir şey söylemek istiyorum; rollerin tersine dönmesi meselesinde erkeğin duyduğu huzursuzluk erkeğine göre çok değişiyor. Bazı erkeklerle yaşamıyorsun bunu. Mesela ben Aydın'la evliliğimde hiç böyle bir sorun, benzer duygular yaşamadım. Bu biraz da yapı meselesi. Aydın'ın ailesinde, çocukluğunda, ilkgençliğinde kadınlar hep dominant olmuş, annesi de öyleydi. Bu konuda herhangi bir kompleksi yok. Bizim tipimizde kadınları ve bizim yaşadıklarımızı şöyle bir düşünürsen, bizler evliliğe ya da erkeğin parçası olmaya yatkın değiliz açıkçası. Ben bunu bazen kendimde bir eksiklik olarak da hissederim. Aydın'la evliliğimizin bunca yıldır yürüyebilmesinin temel nedenlerinden biri onun bu bağımsızlığı sorun etmemesi, bundan rahatız olmaması.

MELEK – Ben ilk evliliğimde, yine de geleneksel evlilik formatına daha yakın şeyler yaşadım. Annem bana çeyizlik gecelikler, sabahlıklar falan almıştı. Doğrusunu istersen ben bu şık gecelikleri, kadınsı iç çamaşırları giyme işine hiçbir zaman çok yakın olmadım. Ama ilk evliliğimde, hem yeni heves hem de elimin altında bunlar var diyerek iyi kötü birşeyler giyerdim. Bunlar hep üzerimde eğreti duruyor gibi gelirdi. Sonraki yıllarda kaçak yaşarken, daha önce de sözünü ettiğim gibi üzerimde ne varsa onunla yatar kalkar oldum. Gece uyurken yakalanmak ve yakalandığında gecelikli olmak her nedense bana çok kötü gelirdi. Dantelli gecelikle yatarken birisi gelmiş burnuna silahı dayamış. Daha saçma bir durum olabilir mi? Giysilerimle yatıp kalkmak huyum çok uzun yıllar sürdü. Bunları şunun için anlatıyorum: Annemin "femine" olmakla ilgili bütün söylem ve öğretilerini ben yaşadığım hayat içinde kaybettim gitti. Şimdi bazen TV dizilerinde görüyorum kadınları o şık kıyafetler içinde. Bana öylesine uzak bir dünya ki. Ama artık gecelik giyiyorum ya da pijama veya eşofman gibi birşeyler.

OYA – Artık şık sabahlıkların da var, biliyorum. Ayrıca giydiğin her şey özenlidir, şıktır, abartılı olmadan Paris modasını yansıtır. Travmalar epeyce atlatılmış görünüyor. Özenli ve hoş giyinmek ayıp değil ki. Komünistlik, devrimcilik, hele de sizin Maocu saflarda öyle bir rüzgâr estirmişti ki o zamanlar, kadın militanlar için özenli giyinmek, güzel kılıklar, süslenmek burjuva ya da küçük burjuva sapması sayılırdı.

MELEK – Tabii şöyle de bir durum var: Biz "burjuva kızları"yız, Kolej'de okumuşuz, o günün terminolojisiyle "halktan değiliz". Bize şu söylenirdi: "Halkımızda kadın-erkek ilişkileri farklıdır, siz burjuvalar bunun dışında olduğunuz için bunları bilmezsiniz. Halk sizin gibilere tepki duyar." Gayet iyi hatırlıyorum, kızların, yani bizlerin etek boyuyla ilgili bir genelge çıktı: "Etekler dizin altında olacak." Ben de o güne kadarki giyim biçimimi yavaş yavaş terk ettim, daha doğrusu sıradan ve göze batmayacak şekilde giyinmeye özen göstermeye başladım.

OYA – Evet, bir süre sonra da devrimci, militan kızlar parka ve postallarla dolaşmaya başladılar.

MELEK – Bu asıl bizden sonrakilerde, 78 kuşağında gözlendi. Bizim dönemde olay "mazbut giyinme" şeklindeydi.

OYA – Etek boyları dedin de aklıma geldi. Moskova'da parti okulundayken, bizim kolektif sekreteri benim giyimime karışmaya kalkışmıştı. Bir gün Enstitü'nün yemekhanesinde akşam yemeği yiyoruz, o gün Moskova'da hava çok sıcak, ben de şubat ayında kışlıklarla gelmişim, yaza kadar kalacağımızı hesaplamamışım. Çok bunaldım, gittim kendime hem de çocuk reyonundan yazlık bir entari aldım. Kısa kollu, büzülebilen bir yakası olan, beyaz üzerine sarı çiçekli şapşal, basit bir şey. Bizim sekreter döndü bana, biraz da utangaç bir edayla, "Yoldaş bu elbise nedir böyle?" dedi. Ben hoşuna gittiğini sandım. "Hava çok sıcak, hiç yazlığım yokmuş, bugün aldım," dedim. Adamcağız, "Yoldaş, bu böyle olmuyor ama, elbisenin yakası fazla açık," demez mi! Tepem fena attı, "Bana bak, bugüne kadar benim giydiğime çıkardığıma ne babam ne kocalarım ne sevgililerim karıştı, sana hiç laf düşmez," diye bağırdım, adam pıstı.

MELEK – Sekreter dediğin Rus mu Türk mü?

OYA – Tabii ki Türk; Türkiye kolektifinin sekreteri. Muhafazakâr değerlere sahip tam bir taşra erkeğiydi. Sosyalizmin meseleleri üzerine konuşulurken, "Ben bu işlerden anlamam yoldaş," derdi büyük bir rahatlıkla. Anlamıyorsun ama Marksizm-Leninizm Enstitüsü'nde ilim bilim öğrenmeye gelmiş bunca partilinin başına geçirilmişsin. Tabii bu onun suçu değil. Aslında iyi yürekli bir adamdı, bu yüzden fazla kızamazdım ona. Hıncımı korkutarak alırdım. Parti okulundaki kod adı Suphi idi. "Nasıl olsa Türkiye'ye döneceğiz bir gün, orada seni arayıp bulacağım, karınla birlikte yakalayınca koşup boynuna sarılacağım, 'Suphi, Suphi! Beni Moskovalarda çocuğunla bırakıp gitmeye utanmadın mı. Bana acımıyorsan çocuğuna acı!' diye bağıracağım," derdim. Zavallıcık kıpkırmızı kesilir, ciddiye alır, "Yapmazsın yoldaş, yapmazsın değil mi?" diye heyecanlanırdı. İçinden, "Bunun gibi hafifmeşrep kadınlarla nasıl devrim yapacağız?" diye geçirdiğinden eminim.

Bizim toplumda kadın-erkek ilişkileri konusundaki bağnazlık her kesimde, kadınların da erkeklerin de içine işlemiştir. Temelinde de, erkeğin kadının namusundan sorumlu olduğu, ona karışma, çekidüzen verme hakkına sahip olduğu anlayışı yatar. Bizim sekreter de bana sahip çıkıyor, partinin namusunu koruyordu aklınca.

MELEK – Şunu da belirtmemiz gerek: 68 ve daha sonra benim siyasi hâreket içinde olduğum 70'li yıllarda, ikili bir durum vardı. Bir yanda geleneksel toplumun değerleri, onun karşısında da 68'in rüzgârı. O rüzgâr olmasa, senin benim gibi kadınların bu işlere girmeleri mümkün olmazdı. Teorik olarak böyle olması gerektiği biliniyor, söyleniyor; sorun bu düşüncelerin hayata geçirilmesinde ortaya çıkıyor. Filistin kurtuluş hareketinde, kadınların da devrim sürecinde aktif rol alması kabul görüyordu. Leyla Halid'i hatırla. Uçak kaçırmak gibi bir eylemde erkeklerle birlikte olan bir kadın kahraman, geleneksel kadın rollerini ters yüz eden bir imaj. Türkiye'de de 70'lerde kadınlar eylemlerde erkeklerle eşit düzeyde yer almaya başlamışlardı.

OYA – Eylemlerde yer aldılar, inanmış fedakâr militanlar oldular, en önemli işleri onlar yüklendiler. Ama yöneticilik düzeyinde aynı şeyi söyleyemeyiz. Bir tek Behice Boran istisnaydı bana göre.

Sen, 1980 sonrasında feminist hareket içinde yer aldın mı Melek?

MELEK – Hayır, feminist hareket içinde hiç olmadım.

OYA – Ben de olmadım. Bu, sanırım öncelikle bir kuşak meselesi, bizden on yaş daha küçük olanlar ve 1980 sonrasında gelenler feminist hareketlere daha fazla ilgi duydular. Belki de 80 sonrasında sosyalist hareketin geri çekilmesi ve bastırılması feminist örgütlenmelere daha fazla alan ve olanak tanıdı. Bir de sanırım fazla ezilen kadınlar olmadık biz. Ne babamdan ne tanıştığım, yakınlaştığım erkeklerden baskı gördüm. Ben TKP'nin kadın yapılanması olan İKD içinde de yer almadım. Kendimi kadın sorununa yakın hissetmedim.

MELEK – Bizim harekette zaten kadınlar için ayrı bir örgütlenme yoktu. O dönemde erkekler arasında tek kadın olarak kaldım çoğu zaman. Öyle olunca da erkeklerin dünyasında var olan bir kadın oldum ve kendimi ezdirmemeye çalıştım. O yıllarda birçok erkek arkadaşla çok yakın oldum, kadın-erkek ilişkisi anlamında değil, dostluk olarak. Erkekler hangi sorunlara kafa yoruyorsa ben de o sorunlara kafa yormaya çalıştım. Kadın sorunlarıyla ilgilenmem çok daha sonraki yıllarda başladı.

OYA – Bu konuda çok benzeşiyoruz; ama bu, galiba bizim kadın sorununda bilinç eksikliğimizden, geç bilinçlenmemizden geliyor.

MELEK – Elbette. Bugünkü gözümle bakarsan aynen öyle.

OYA – İşin bir de şu yanı var: Bizler, sosyalist devrimciler, toplumsal sorunların devrim olunca çözüleceğini düşünürdük. Ana çelişki, yani emek-sermaye çelişkisi çözülünce diğer sorunlar da çözülecekti. Kadın sorunu, insan-doğa çelişkisi, yani çevre sorunları, halklar, yani Kürt sorunu, hepsinin çözümü devrime odaklıydı. Sovyetler Birliği'nde kaldığım sürede, toplumu içinden gözleyince kadın sorununun çözülememiş olduğunu gördüm. Aile yapısının bizde de olan sorunlarla yüklü olduğunu gördüm. Bütün yasalar ve uygulamalar kadın-erkek eşitliğini sağlamaya yönelikti; ama gerçek hayatta bu eşitlik kadın işçilerin de inşaatlara sırtlarında ya da el arabalarında taş taşımaları, ağır işlerde de çalışmaları eşitliğiydi. Belki biraz abarttım ama ne Parti'de ne devlette yönetici konumda, etkili ve erk sahibi kadın yoktu; olsa olsa yerel yönetimlerde, o da az sayıda yer alıyorlardı. Yasalar da, pozitif ayrımcı olmaktan çok korumacıydı. Özetle eril erkek iktidarı ve onun yapıları dimdik ayaktaydı. Şekli olarak kadın örgütleri, kadın günleri vb. hepsi var; ama kadınlar gerçek anlamda, toplumda ve zihinlerde erkeklerle eşitlenmemişlerdi. Demek istediğim, "devrim olacak, kadın meselesi de çözülecek" inancı, feminist düşünceye ve harekete uzak kalmamda etken oldu sanırım.

MELEK – Bir de şu kutsal aile meselesi var. Açık söylemem gerekirse iki evlilik yaptım ama hiçbir zaman evliliğin kurum olarak savunucusu olmadım. Birincisinde kendi evim olsun, aileden kopayım diye özgürleşmek için evlendim. Orhan'la ise 12 Eylül döneminde şartlar zorladığı için. Kutsal aile, gençliğimden bu yana inanıp savunduğum bir şey olmadı.

OYA – Benim için de öyle. İlk evliliğimde annemin bu evliliğe kesinlikle karşı çıkması, krizler geçirmesi etkili oldu. Sadece annem değil annemin çevresi de Muzaffer'i damat adayı olarak benimsememişti. Resmen evlenmemiz hem bu tepkilere inattı, hem de aile baskısından kurtulmak içindi senin gibi. İkinci evliliğim ise bizim örgütün mahalle baskısıyla oldu. Yoksa benim de aile kurumuna ve evliliğe tepkim vardı. Ama ikimiz de itiraf edelim: Şu veya bu nedenle evliliği kabul ettik, kurala boyun eğdik yani.

MELEK – Şimdi biz burada çok açık konuşuyoruz, kendimizle yüzleşmeye, geçmişi düşünürken dürüst davranmaya çalışıyoruz ya, onun için anlatmak istiyorum. Ben ilk evliliğimde de eşimin soyadını hemen hemen hiç kullanmadım, o anlamda kimsenin "karısı" olmak istemedim. Zaten o dönemde bu rolü oynayacak bir halde de değildim, olsa olsa "X Bey'in dağa çıkan karısı" olurdum. Sonra Orhan'la evliyken, Barış Derneği Davası sırasında da "eşleri hapiste yatan kadınlar" olduk medyada. Zulüm altındaki eşlerine destek olan kadınlardık; bu da çok doğal bir şeydi, başka türlüsü olamazdı, şaşılacak bir yanı da yoktu. Orhan hapisteyken bu bir sorun olmadı ama Orhan hapisten çıktıktan sonra bana yapılan "eş" muamelesi sürdü ve ben kendimi Orhan Taylan'ın eşi olarak buldum. Sanki Melek ortadan yok olmuş, silinmişti. Bu duygu bende tepki yarattı, "Ben Orhan Taylan'ın eşi sıfatıyla var olmak istemiyorum," diye düşünmeye başladım, kendi yolumu çizmek, kendim olmak istedim. Bu da bizim ayrılma nedenlerimizden biridir. Eş rolüne uyum sağlayamadım; o zaman da anladım ki ben zaten eş rolüne girebilecek biri değilim. Kategorik olarak evliliğe karşı olmadım ama benim yapım o eş olma durumuna uyum sağlamıyor.

OYA – Doğrusu ben de bir erkeğin eşi, şusu, busu olmaktan, öyle görülmekten ibaret bir kimliği benimseyemezdim. Ama bu benim başıma pek gelmedi, daha doğrusu kendimi öyle duymadım. Aksine komik durumlar da oldu zaman zaman, Aydın'a Aydın Baydar diye davetiye gelmesi gibi. Yine hakkını teslim etmem gerek, Aydın da böyle şeyleri hiçbir zaman sorun yapmadı, belki de bana hissettirmedi.

Öyle görünmemeye, belli etmemeye çalışsak da, aslında iddialı ve kendi kimliğine düşkün kadınlarız biz. Ama bir şey biliyorum kendi öz yaşamımdan, bir adama körkütük âşık oldun mu, onu kaybetmemek istedin mi ne iddia kalıyor ne de eş gibi görünmeme kaygısı. Tabii sözünü ettiğim türden tutkulu bir aşk evlilikle, uzun süreli ilişkiyle bağdaşmaz, o da ayrı konu.

Siz Orhan'la ne zaman ayrıldınız?

MELEK – 92 yılıydı herhalde. İlk başlarda evliliği sürdürmeye çalıştık ama sonradan işler iyice kötüye gitti, evdeki durum Ferhat'ı da olumsuz etkilemeye başladı ve biz evlerimizi ayırdık. Tabii bütün bunlar tam bir barış havası içinde oldu dersem yalan söylerim. Sonradan aramızda dayanışma ve dostluk yavaş yavaş yeniden kuruldu, zaten oğlumuz var. Araya evliliği, aşkı, meşki soktuk. Hikâyemize gelirsek, 1990'ların başlarında benim halim böyle işte. Sen hâlâ Almanya'da mülteciliğe devam, ama galiba dönüş de yaklaşmış durumda.

Dönüş yolları açılıyor

OYA – 1991'de Özal döneminde TCK'nın (Türk Ceza Kanunu) 141, 142 ve 163. maddeleri kaldırıldı, bazı maddelerin cezaları indirildi. Aydın'la benim davalarımızın ve mahkûmiyetlerin çoğu 141 ve 142'dendi. 311 ve 312'den, 159'dan da vardı ama onlar, en fazla birkaç yıl yatılacak, yani göze alınabilecek ufak tefek suçlar(!). Tam bu gelişmeler olurken, benim üç yaşımdan beri çocukluk arkadaşım Özdem Sanberk, Dışişleri Bakanlığı Müsteşarı olmuş. O da asker çocuğudur, ailece tanışıklığımız da bu yüzden. Yıllardır görüşmemişiz; ama annelerimiz görüşüyorlardı, birbirimizden dolaylı haber alıyorduk zaman zaman. Bir gün Özdem'den hiç beklemediğim bir telefon geldi. "Şimdi hemen Bonn'a, Türkiye Büyükelçiliği'ne telefon edip Büyükelçi Onur Öymen'den randevu alacaksınız, Onur'u ben nasılsam öyle bil, rahat rahat konuşun, derdinizi anlatın, size pasaportlarınız verilecek," dedi. Özdem aslında çok özel bir muamele yapmıyor ama süreci hızlandırıyor, bürokratik engelleri aşmamızı sağlıyor. Telefonda konuşuyorum Özdem'le ama hâlâ inanamıyorum, "Emin misin?" diye soruyorum.

MELEK – Bunca yıl sonra Türk devleti ile yeniden ilişki kuracaksınız, bu da kolay değil.

OYA – Tabii, biz konsolosluğa, elçiliğe hiç uğramıyoruz o zamanlar. Bir kere Aydın gitmişti galiba Sümeyra'nın cenazesini Türkiye'ye gönderebilmek için gerekli muameleleri yaptırmaya. Sümeyra'yı şarkıcı olarak hatırlarsın: o etkileyici sesini. 12 Eylül'den sonra galiba Ruhi Su korosuyla birlikte işçilere "Enternasyonal" öğrettiği için hakkında soruşturma başlatılmış, dava açılmış, aranıyordu ve yurtdışına kaçmıştı o da bizim gibi. Frankfurt'ta kanserden kaybettik Sümeyra'yı. Cenazesini Türkiye'ye gönderebilmek için bir yandan Türkiye'dekiler, bir yandan Almanya'da bizler epeyce mücadele etmek zorunda kalmıştık. Alman makamları siyasi mültecilerin kendi resmî makamlarıyla ilişki kurmasını hoş karşılamazlardı; ayrıca biz de başımıza bir şey gelir diye konsolosluğa gitmekten çekinirdik. Neyse, Özdem'den bu haber gelince hemen Bonn'daki büyükelçiliği aradık, bizi bağladıkları büyükelçilik sekreterine "Sayın Müsteşar Özdem Sanberk'in talimatıyla arıyoruz, Sayın Büyükelçi de durumdan haberdar, randevu rica ediyoruz," dedik. Böyle sayınlı mayınlı konuştuk. Hemen, bir iki gün sonrası için randevu verildi. Kalktık gittik.

MELEK – Nasıl bir his bu Oya? Hem de Onur Öymen!

OYA – Onur Öymen'i bir insanlık durumu, bir portre olarak anlatmak isterim. "Nasıl bir his?" diye soruyorsun ya; çok hoş bir his. İçin pırpır, kanat takmış uçuyorsun; düşünsene, yıllar sonra memleketine dönebileceksin. O günü hiç unutmuyorum. Onur Öymen'i ne zaman ekranda görsem, o ilk karşılaşmanın Onur Öymeni'ni hatırlayınca içim acıyor. Onur Bey bizi odasının kapısında, ayakta karşıladı, buyur etti. Biz, ezilip büzülüyoruz; "özür dileriz, vaktinizi aldık, rahatsız ediyoruz" gibi sözler söylüyoruz. "Özdem Sanberk size gelmemizi söyledi, onun için buradayız," falan. "Haberim var," dedi, sonra da unutmadığım o sözü söyledi: "Sizin değil, devletin sizden özür borcu var, özür dilemesi gerekenler sizler değilsiniz," dedi. Bizzat kendisi orada bizim yanımızda Frankfurt Konsolosluğu'na telefon etti, başkonsolosla konuştu, adlarımızı verdi, yasal engelin kalktığını hatırlattı, hiçbir güçlük çıkarılmadan pasaportlarımızın verilmesini istedi. Bu tavrı beklemiyorduk, memnun mesut ayrıldık.

O zamanlar Federal Almanya'nın başkenti Bonn'du. Bonn, küçücük bir şehir. Bir gün Almanya yeniden birleşince başkentin yeniden Berlin'e taşınacağının ifadesi olarak böyle küçük bir kasaba seçilmiş. Bonn'daki elçilik binasının geniş merdivenlerinden inip kendimizi sokağa attığımızda içimdeki tuhaf duyguyu hatırlıyorum.

MELEK – Şaşkın değil misiniz biraz?

OYA – Herhalde şaşkındık ama heyecan, sevinç öne geçmiş olmalı. Asıl şaşkınlığımız bir TC büyükelçisinin, "devletin sizden özür borcu var" gibi sözler söylemesiydi. O günkü Onur Öymen'le bugünkü Onur Öymen'i karşılaştırıyorum, hatta karşılaştıramıyorum bile. İnsan nasıl bu kadar değişir, 12 Eylül mağdurlarından devletin özür dilemesi gerektiğini söyleyen; yani statükocu, ceberrut devlete, 12 Eylül'e, darbeye karşı çıkan Öymen nasıl olur da bugünkü CHP'nin en statükocu, devletçi, vesayetçi, şoven sözcülerinden biri haline gelir! Dersim mezalimini nasıl savunur, Kürt hareketinin bastırılması için nasıl örnek gösterir Dersim'i!... O günkü devletle bugünkü devletin özünde aynı olduğunu nasıl düşünmez! Bu siyaset-iktidar çarkı insanı gerçekten de kemiriyor, kendi olmaktan çıkarıyor. Hiç kapılmamak lazım.

Pasaportlarımızı kolaycacık aldık, hemen dönüş planları yapmaya başladık. 141-142 kalkmış ama 159, 311, 312. maddelerden ikimizin de kesinleşmiş hapis cezalarımız var. Daha sınır kapısından girerken alıp cezaevine koyacaklar. Yani iş pasaportla bitmiyor. Bunu göze aldık; "Bir iki yıl yatarız, sonra da bu iş biter, özgürlüğümüze kavuşuruz," diye düşündük. Ama Ekim var, bir de kedi Nina var, hep birlikte dönüp ikimiz de içeri girersek ne olacak? Biz sürekli bunu konuşuyoruz, çözüm arıyoruz. Ekim geldi bir gün, "Beraber konuşalım, beni ortada bırakmayın, kurt-kuzu-ot hikâyesindeki gibi yapın," dedi. Hikâyeyi, daha doğrusu zekâ oyununu hatırlıyor musun? Hani kayıkçının bir kurdu, bir kuzuyu ve bir balya otu karşı kıyıya geçirmesi gerekir. Nasıl yapacak? Galiba önce kuzuyu geçirir, kurtla ot birlikte kalır. Sonra otu geçirir ama kuzuyu geri getirir, hemen kurdu bindirir kayığa. Kuzu yalnız bekler, kurt otu yiyemeyeceği için kayıkçının içi rahattır. Sonra döner kuzuyu alır. İşte Ekimcik de, bana böyle bir çare bulun diyor. Sonunda Ekim, kedi Nina ve ben Frankfurt'ta kaldık, Aydın Türkiye'ye döndü. Hapse gireceği besbelli, girdi de. Ama umduğumuzdan çabuk çıktı, bizim hesabımıza göre, aynı maddeden cezalar birleştirilse bile bir buçuk yıl kalması gerekirken, hukuksal bir boşluk mu, göz yumma mı, birkaç ay kaldı Sağmalcılar'da, sonra Frankfurt'a kurt-kuzu nöbetini devralmaya döndü.

MELEK – Doğrudan havaalanından mı aldılar Aydın'ı?

OYA – Evet; bizim durumumuzda olup da ilk dönenlerden biriydi. Daha önce TBKP yöneticileri, Nabi (Haydar Kutlu), Nihat Sargın ve bazı partililer dönmüşlerdi; ama onlarınki siyasal bir dönüştü ve henüz sözünü ettiğim bu affa benzer uygulama başlamamıştı o zaman. Hepsini de içeri attılar zaten, işkence de cabası. Bir de Şanar Yurdatapan'la Melike Demirağ bizlerden önce dönmüşlerdi; ama onların kesinleşmiş cezaları yoktu, vatandaşlıktan çıkarılmışlardı sadece.

O sırada, tam pasaportlarımızı almışız, Aydın dönüşe hazırlanırken çok acı bir olay yaşadık. Yakınlarının, dostlarının ölümü insanı her zaman etkiler; ama uzaktaysan, yurtdışındaysan ve gelip son anlarında birlikte olma, hiç değilse cenazesine katılma olanağın yoksa acı büsbütün büyür, isyana dönüşür. Mayısın ikinci haftasıydı, Anneler Günü'nde Aydın'ın Ödemiş'te yaşayan annesi Adalet Anne'yi aradık telefonla. Her zaman güzel güzel konuşan, bizi cesaretlendiren, "Vatan haini de deseler, ikide birde evi basıp hakaretler de etseler, kim ne derse desin sizinle iftihar ediyorum," diye mektuplar yazan Adalet Anne konuşamıyor. Gayret ediyor ama konuşamıyor. Telefonu yanındakiler aldı, biraz rahatsız olduğunu, yutma ve konuşma zorluğu çektiğini söylediler. Ödemiş'te hastane, doktor var tabii ama anlaşılan orada deva bulması mümkün değil. Biz iki gün önce almışız pasaportlarımızı, Aydın hemen dönüp annesini görmek, İstanbul'a, olmazsa İzmir'e getirip hastaneye kaldırmak istiyor. İnfaz yasasında bir hüküm varmış, en ağır suçlulara bile böyle ölüm kalım durumunda özgürce veya mevcutlu olarak birkaç günlük infaz ertelemesi yapılabiliyor. Aydın'ın bütün isteği birkaç gün annesiyle kalıp, işleri yoluna koyup sonra teslim olmak.

Türkiye'de kim varsa devreye girdi. İnsan hakları kuruluşları, Emil Galip, Mustafa Ağabey (Ekmekçi), onların ulaştığı Adnan Kahveci, daha kimler kimler... Ne bakanlar kalıyor ne diğer yetkililer başvurulmadık. Ama olmadı, bu çabalar sürerken Adalet Anne'yi kaybettik. Zar zor söyleyebildiği son cümleler "Çocuklarımı görüp de ölebilseydim; onlara söyleyin, hiç incinmedim, onlarla iftihar ediyorum," olmuş. Aydın'ın kardeşi Ayten de yıllardır İngiltere'deydi ve o da bizim gibi dönemeyenlerdendi. Babacıkları Terzi Sadık'ı da yine o sürgün döneminde yitirmiştik.

Annesinin ölümünü haber alınca Aydın gerçekten de kahroldu. Çok özel, kişilikli, akıllı, dünyadan haberdar bir kadındı Adalet Anne, hem de tarikat ehliydi: Uşaki tarikatındandı. Bağnaz dindarlıkla, şekilci Müslümanlıkla hiç ilişkisi yoktu. Özgürlükçü, hoşgörülü, cesurdu. Hem anmak hem de sana tanıtmak için bir ayrıntı aktarayım: Babası Kurtuluş Savaşı'nda Ege'de eşkıya takibi falan derken savaş bitince jandarma subayı olarak orduya girmiş. Adalet Anne, ihtiyacı ve hakkı olduğu halde babasından maaş almayı hep reddetmişti, "Gaddar bir adamdı, halka zulüm, gaddarlık yapardı, onun parası bana haramdır," diye. Aydın'ın gelişmesinde, kişilik yapısında önemli etkisi olduğunu düşünüyorum. Cenazesine bile katılamadı anasının.

Aydın'ı İstanbul'da havaalanında kalabalık bir heyet karşılamış, insan hakları savunucuları, gazeteciler, avukat arkadaşlarımız... Hani acaba o günlerin yumuşama havası içinde içeri alınmadan kurtarabilirler mi diye. Ama yine de Aydın onlarla bile görüşemeden doğrudan Emniyet'e, oradan da hapishaneye götürülmüş ve giderken, yani 80 öncesinde içeride bıraktığı gençleri hâlâ orada bulmuş. Düşün; o sıralarda askerî hapishanelerden tanıdığı çocuklar hüküm giymiş, sivil hapishanelere nakledilmişler, 91'de hâlâ içerideler.

Aydın sonbaharda Almanya'ya döndü, Ekim'i devraldı, bu defa ben Türkiye'ye gideceğim. Tam o sırada hoş bir şey oldu, Aydın'ın hep benim kafama kakıp keyiflendiği bir şey: Ben yeni pasaportumda Oya Engin'im ama hakkında arama kararı olan, davaları süren ya da hüküm giymiş kişi Oya Baydar. Evlilik öncesi soyadım. Böylece hapishane çantamı bile hazırlamışken hiçbir şey olmadan giriverdim Türkiye'ye. Aydın o gün bugün "Şerefli adım sayesinde paçayı kurtardın," deyip durur. Sonra on yılı aştığı için davalar, soruşturmalar zamanaşımına uğradı, ben hiç hapse girmeden kurtardım. 1992 Eylülü'nde de Ekim ve kedi Nina dahil, üç insan bir kediden oluşan dört canlı ailemiz, kesin dönüş yaptık. Sürgün maceramız on iki yıl sonra böylece sona erdi.

IV

Hayatımızda yeni sayfalar açıyoruz

MELEK – Ben o yıllarda farklı şeyler yaşadım. Ferhat daha küçük; on, on bir yaşlarında. Biz Orhan'la ayrılma kararı vermişiz; ama evin çekip çevrilmesi, Ferhat'ın bakımı benim üzerimde. Ferhat ilkokuldayken tatsız şeyler yaşadı. "İşte babası hapiste yatan çocuk bu," türünden sözler, bir çeşit parmakla gösterilmek... Daha sonra, gençlik yıllarında da hep sol hareketten gelen ailelerin çocuklarıyla arkadaş oldu, çünkü daha küçük yaşta öteki "normal" çocuklar tarafından dışlandığını hissetmişti. Babasının hapiste olması meselesi de kafasını çok kurcaladı. "Benim babam ne yaptı da hapiste yattı?" diye. Hatta daha sonra bunu Orhan'a sordu. Felsefe okumasının temelinde de belki bütün bunlar vardır; hayatı sorgulamaya çok küçük yaşta başladı ister istemez.

İşte ben aile sorunlarıyla, çocuğun sorunlarıyla boğuşuyorum. Babamı kaybettik ama İbrahim Ethem'de şirket ortaklığımız devam ediyor. Bir ara, bizim aile adına yönetim kuruluna girdim, iş hayatının içinde olmaya başladım.

Aynı yıllarda Murat ve Taciser Belge ile görüşüyoruz. Taciser benim Filoloji'den sınıf arkadaşım, Murat da biz öğrenciyken asistandı. Daha sonra evlendiler. Ben Türkiye'ye döndükten sonra da ara ara görüşürdük. O yıllarda Avrupa bütünleşmesi gündemde, Demir Perde kavramı kalkmış, duvarlar yıkılmış; ama Avrupa'da bütünleşme sorunları yaşanıyor.

Murat Belge bu sıralarda Helsinki Yurttaşlar Derneği'nin Türkiye kolunu kurmak için çalışmaya başladı. Helsinki Yurttaşlar Derneği, Avrupalı sol aydınların kurmuş oldukları uluslararası bir sivil toplum kuruluşuydu. Doğu ve Batı Avrupa'nın bütünleşmesi sorunları, AB projesine karşı tutum belirleme gibi konular üzerinde çalışan, Avrupa'nın çeşitili ülkelerinde faaliyette bulunan bir yapı; Helsinki Nihai Senedi'nin ilkelerini hayata geçirmek üzere kurulan bir Avrupa örgütlenmesiydi.

Türkiye Helsinki Yurttaşlar Derneği, Meclis'ten çıkan özel bir yasa ile kuruldu. Ben kurucu üye değildim, sonradan katıldım. Yavaş yavaş toplantılara gitmeye, daha aktif görevler almaya başladım. Orada, daha önce bilmediğimiz bir konuyu: Bir sivil girişim nedir, nasıl çalışır, ne işe yarar, öğrenmeye çalışıyorum. Bu arada hatırlarsan Yugoslavya'nın parçalanması ve Bosna Savaşı gündeme geldi. Aynı yıllarda Körfez Savaşı olmuştu. Biz kendimizi savaşlar içinde bulduk. Soğuk Savaş bitmiş, gerçek savaşlar dönemine geçilmişti. Kaldı ki Yugoslavya'nın dağılması, oradaki çatışmalar, özellikle Bosna Savaşı 1945'ten sonra Avrupa'nın gördüğü ilk savaştı. Ben Filistin hareketi ile olan bağlarımı her zaman sürdürmüştüm, Sabra Şatila katliamı olduğunda Ferhat bebekti, altı aylıktı kucağımda, ben BBC'den haber dinleyip durmadan ağlıyordum. Ferhat da gözlerini kocaman açıp bana bakar, yaşlarımı silmeye çalışırdı. O bağlamda düşünürsek ben hiçbir zaman depolitize olmadım, olamazdım. Bu olayların içinde yaşamış birinin ilgisiz kalması, dünyaya başka gözlerle bakması çok zor, imkânsız.

Helsinki Yurttaşlar Derneği, Yugoslavya'daki iç savaş konusunda aktif çalışma yürütüyordu. Bosna'da olup bitenleri yakından izliyorduk. Çok vahşi, insanlıkdışı bir savaştı; Lübnan İçsavaşı'ndan sonra, bende en büyük travmayı yaratan olaylardan biridir Bosna. Avrupa, etnik temizlik amaçlı bu katliama, bu zulme sessiz kaldı.

OYA – Ben bu konuda kendimi eksikli hissederim hep. Bir iki olay vardır ki hayatımda, kendimle, vicdanımla hesaplaşmada yenik düşerim. Ben Bosna Savaşı'nı gerektiği kadar içimde duymadım. Orada kötü şeyler oluyor, keskin nişancılar, Hırvatlar insanları öldürüyor, tamam; gazeteciler, televizyon muhabirleri vahşeti, korkuyu, katliamı aktarıyorlar. Görüyorum, biliyorum bunları; ama bir de acıyı içinde duyup da fırlayıp oraya gitmek, zulme uğrayanların yanında yer almak, en azından bu dürtüyü hissetmek vardır ya... Bosna Savaşı, İspanyol İçsavaşı gibi, şarkılarıyla, anlatılarıyla, romanlarıyla, filmleriyle içimde yer edip benim kendi savaşım olmadı. Bosna benim kafama ve yüreğime çok geç dank etti. Bu konuda kendimi hep sorgularım: Neden duyargaçlarım zayıf kaldı? Oradaki zulüm neden kafamı ve siyasal algılamamı aşıp yüreğime, vicdanıma ulaşamadı? Bizde Bosna'ya ağırlıklı olarak İslamî kesimler sahip çıkmışlardı, mitingleri, toplantıları onlar düzenliyordu büyük ölçüde. Onlar da meseleyi bir insanlık dramı ve insanlık suçu olarak değil Müslüman kıyımı olarak yansıtıyor, Müslümanları cihada çağırıyorlardı. Bunun da payı olmalı benim uzaklığımda. Kim olursa olsun, hangi kesimi vurursa vursun bütün mağdurlara ve mağduriyetlere herkesle birlikte sahip çıkmayı öğrenmem için daha biraz zaman geçmesi gerekiyordu. Senin mağdurun benim mağdurum, senin zalimin benim zalimim yerine dünyanın zalimleri ve mağdurları noktasına kolay gelinmiyor. Bunun için insanın kendi içindeki ve dışındaki pek çok engeli aşması gerekiyor.

MELEK – Anlayabiliyorum. Benim bütün bu anlattıklarımda ve olaylara bakışımda beni sol bakış ve söylemden ayıran bir farkım vardı galiba.

OYA – Nasıl bir fark, bunu konuşalım.

MELEK – Lübnan deneyimi, özellikle de Filistin halkını tanımış olmak ve El Fetih'le daha sonra kurduğum ilişkiler, Filistin davasını anlamak için sonradan yaptığım bütün çalışmalar, (SBF'de doktora tezimi de Filistin milliyetçiliği üzerine yapmak istemiştim) bende İslamiyet ve sol arasındaki ilişkileri sorgulamak ve anlamak ihtiyacını doğurmuştu. İslamiyet ve sol düşünce ilişkisini epeyce zamandır kafamda evirip çeviriyordum. Bu nedenle İslamcı düşünürleri okumaya ve tanımaya çalıştım.

Filistin hareketi 1970'lerde tamamen laik bir temel üzerine oturuyordu. İki büyük kuruluşun liderleri: Havatme ve George Habash Hıristiyan. Arafat ise Müslümandı. Orada şunu gördüm: Filistin hareketi içinde Hıristiyan Filistinliler büyük ağırlığa sahiptiler, özellikle de entelektüel açıdan. Diğer yandan İslamiyetin hem Filistin halkı için, hem de El Fetih için başka bir anlamı vardı. Bu başka anlam üzerine düşündüm, kendimi bu konuda çok cahil hissettim ve öğrenmeye, kendimi eğitmeye başladım. Cumhuriyet Türkiyesi'ni ve eğitim sistemini sorgulamaya başlamam da o zaman oldu. Yaşayıp gördüklerime dayanarak bu sorgulamaya başladım. Türkiye'de içinde bulunduğum sol aydın çevrelerin bu konular üzerinde ne kadar az düşünmüş olduklarını, ne kadar az şey bildiklerini fark ettim. Belki bu yüzden Bosna Savaşı'nı ben kafamda farklı bir yere oturtabiliyordum. Yugoslavya'nın parçalanması; Hırvat, Boşnak ve Sırpların ayrılması tabii ki sadece dinsel ayrılıklardan kaynaklanmıyordu, bir din savaşı değildi; ama öyle tanıtıldı, öyle yaşatıldı. Bugün içinde bulunduğumuz; hem ülke olarak bizi hem de bölgemizi ve dünyayı şekillendirmeye yönelik plan o zamanlar devreye sokuldu. Unutmayalım ki 1. Körfez Savaşı yaşanmış; Saddam, Batı tarafından silahlandırılmış, güçlendirilmiş ve önce İran ile savaşa sokulmuş, sonra da Körfez Savaşı çıkıyor. Biliyorum, komplo teorilerinden herkese artık fenalık geldi; ama ne yazık ki dünyadaki güçler dengesi üzerine kurulu bu oyunun kendisi zaten bir dizi komplodan oluşuyor. Bana göre Filistin meselesi de bilerek İslamlaştırıldı. Bunun gibi, Bosna Savaşı ve Boşnak halkına yapılan katliam da onların Müslüman olmalarıyla açıklandı.

Bugün yaşadığımız büyük çatlaklar, Avrupa'nın İslam karşısındaki tutumu, bunlar Bosna Savaşı sırasında belirgin şekilde ortaya çıktı. Avrupa, Boşnakların katledilmesine göz yumdu, Boşnakları yalnız bıraktı. Ondan sonra NATO'nun devreye girmesi ve savaşın sona erdirilmesi, yani Sırplara karşı yapılan askerî harekât da çok tartışıldı ve Avrupa sol çevrelerinde yeni kırılmalara yol açtı. Diyeceğim şu: Ben 90'lı yıllarda yaşanan bu gelişmelere hem ilgi hem de tepki gösterdim. Oynanan büyük oyunu kavrayabiliyordum çünkü.

Helsinki Yurttaşlar Derneği o yıllarda daha çok Avrupa sorunlarıyla ilgilenen gerçekten uluslararası bir yapılanmaydı. Sırplara karşı girişilen NATO saldırısı çok tartışıldı, bizim içimizde de görüş ayrılıkları oldu. Bu arada Ortadoğu'da Saddam'ın yükselişi, İran'da sertlik yanlıları ile ılımlılar arasında iktidar mücadelesi o yıllarda başladı.

Helsinki Yurttaşlar Derneği'nde iki dönem yönetim kurulunda aktif olarak çalıştım. Dernek o yıllarda Türkiye'nin sorunlarına da eğilmeye başladı. Kürt sorunu tabii ki gündemdeydi, giderek yakıcı hale geliyordu. Doğu illerindeki belediyelerle Batı illerindeki belediyeler arasında ortak çalışma yapmak, kentleri eşleştirmek için bir proje başlattık. Bu projede çalışırken, yıllar sonra bu kez bir sivil toplumcu olarak Güneydoğu'ya gittim. Daha önce kaçak olarak yaşadığım yerlere bilerek, isteyerek geri döndüm. O güç günlerde beni barındıran, koruyan, aralarına alan insanlar için, Kürtler için birşeyler yapabilmek, onlara daha yakın olmak için geri döndüm. Başta Diyarbakır olmak üzere, Urfa, Mardin,

Antep gibi Güneydoğu illerini yeniden keşfettim, arada geçen yıllarda nelerin değiştiğini gözlemledim.

1990'ların başlarında, bir yandan Helsinki Yurttaşlar Derneği'ndeyim, bir yandan da, 1992'de arkadaşım Nurdan Arca ile birlikte, bir film şirketi kurduk, amacımız belgesel film üretmekti. Küçük işlerle başladık, giderek işi öğrendik, ilişkilerimiz gelişti. Böylece belgeselciliğe başladım.

OYA – "Namus Cinayetleri" konulu belgeselini görmüştüm, bir de son çektiğin "Diyarbakır'daki Kadınların Barış Şenliği" belgeselinin ham halini. Başka neler yapmıştın?

MELEK – Belgesel film yapmak; yazı yazmak veya röportaj yapmak yerine, bir sorunu görsel olarak anlatabilme olanağıydı benim için. Gazetecilikten görsel anlatıma döndüm. Zaman içinde film çekmenin zor olduğunu, işin görsel ve teknik yanlarını bilmek gerektiğini kavradım. İyi bir izleyici olduğum için film izleyerek çok şey öğrendim. İşe başladığımda daha genç olsaydım film eğitimi almak isterdim. Nurdan'la birlikte, bizim şirketimizde on sekiz yılda on dört belgesel yaptık, ayrıca birçok genç yönetmenin filmlerine prodüktör olarak destek verdik.

OYA – Senin daha önce film işleriyle, belgeselcilikle ilişkin var mıydı?

MELEK – Hayır, yoktu. Sadece Amsterdam'da siyasi mülteci olarak yaşarken tanıdığım İranlı bir arkadaşım vardı, daha önce söz etmiştim: Feride. Onun yönettiği, Hollanda'da yaşayan Türklerle ilgili bir filmde çalışmıştım, asistanı olarak. Nurdan'la eşi Özcan Arca film işine benden daha yakın kişilerdi, ben de onlarla birlikte çalışarak öğrendim, yani alaylıyım diyebilirim. Benim edebiyata olan ilgim, yaşadıklarım, siyasi birikimim; bir fikri, bir hikâyeyi toparlamak, derli toplu yazmak konusunda yararlı oluyordu. Film dilinde sinopsis denir, yani filmin kısa hikâyesi; işte onu yapabiliyordum.

Film işinde de yine Güneydoğu'da çalışmaya başladım. Film çalışmalarım bölgeyi ve insanları yeniden tanımamam için büyük bir olanak yarattı. Namus cinayetleri meselesi ile bu sırada tanıştım, bu konuda bir film yaptım; oldukça ses getirdi. 1999'da Diyarbakır'a gitmek bayağı bir olaydı, köylere gitmek daha büyük olay.

Arkanda beş altı sivil polisle dolaşıyorsun, kamerayla dolaşmak daha büyük sorun. Ama bu süreçte çok şey gördüm, çok deneyim kazandım. En ilginci, 70'li yıllardaki Kürtlerle 90'ların sonunda bulduğum Kürtlerin çok farklı olmalarıydı. 70'lerin başında oralarda köy, mezra dolaşırken beşikte bıraktığım çocuklar artık dağlarda komutan olmuşlardı. "Nasıl oldu da Kürtler bu hale geldiler?" diye şaşırmadım. O yıllarda bugün yaşananların tohumlarını, izlerini fark etmiştim zaten. Toprağın bir silahlı mücadeleye gebe olduğunu, bunun başka bir yolunun bulunmadığını sezmiştim. Filistin hareketini de düşününce, "Ne oldu bu adamlara, niye dağa çıktılar?" gibi bir şaşkınlığım olmadı, onları anlamaya çalıştım.

Kürt ulusal hareketini anlamak

OYA – Sen o bölgeleri tanıyıp Kürtler arasında yaşadıktan sonra devrimci köylü hareketinin olsa olsa o bölgelerden doğacağını düşündüğünü söyledin konuşurken. Ben ise galiba hep geç kalanlardanım; Kürt sorununun özünü kavrayışım da epeyce geç oldu.

Özetle, eskiden şöyle düşünürdüm: Güneydoğu'da ağalık var, aşiretler var, feodalite var, halk eziliyor, sömürülüyor. Ayrıca devletin baskısı, jandarma zulmü de üstüne biniyor. Oralarda yaşayanlar Kürtler; demek ki işçi sınıfının yanında olduğumuz, sömürüye karşı mücadele ettiğimiz gibi Kürtlerin hakları için de mücadele edeceğiz. Yani, milli mesele olarak değil sosyalist devrim perspektifinden bir kavrayış benimki. Hatta geçende biri hatırlattı, Ankara'da 1970 başlarında DDKO'da (Doğu Devrimci Kültür Ocakları) bir konuşma bile yapmışım Kürtler konusunda. Konuşma bile yapmışım ama konunun özünü tam kavramamışım.

O zamanlar benim için Kürt sorununun çözümü; halkların kendi kaderlerini tayin hakları çerçevesinde, devrim ve sosyalizmle kendiliğinden gerçekleşecek bir süreçti. Tabii bu sadece bana özgü bir durum, benim aymazlığım değildi. Sosyalist olduğumuz için, bu meseleye de bütün ezilenlere karşı nasıl bir sorumluluğumuz varsa o duygularla yaklaşıyorduk. Kahramanca savunuyorduk Kürtlerin haklarını, yazılar yazıp yıllarca hapse mahkûm ediliyorduk. TİP'in 12 Mart sonrasında kapatılmasının gerekçesi son kongresinde Kürt sorununu programına almış olmasıydı. Yine de eksik bir şey vardı, şimdi daha iyi anlıyorum.

Kürt sorununun esas olarak bir ulusal hareket ve kimlik sorunu olduğunu, sadece iş ve aş meselesi olmadığını; bizim ulusalcı solun çok değişik kesimlerinin bugün de ağız birliği etmişçesine söyledikleri gibi oralardaki feodal yapının yıkılmasıyla kendiliğinden çözüme kavuşmayacağını (bu arada feodal dedikleri yapı da artık çok tartışmalı, büyük ölçüde çözülmüş görünüyor, aşiret ilişkileri ise bambaşka dinamiklere sahip) kavramam oldukça yeni; son on yıl içinde diyebilirim. Bunun önemli bir nedeni o zamanlar benim konuya yaklaşımımın teorik, kitabi ve siyasi olması; bölgeyi, Kürt insanını yakından tanımamış, yani nasıl söylemeli, ruhuna nüfuz edememiş olmam. Sen ise oralarda yaşamışsın, Kürt halkıyla iç içe olmuşsun, insana ulaşmış, gözlerine bakmış, elini tutmuş, dostlar edinmişsin. Bunu çok önemsiyorum. Sorunun çözümünün püf noktası burada gibi geliyor bana.

MELEK – Evet, seninle bu konuda yaşadıklarımız çok farklı. Ben kitapların, teorik tartışmaların değil, yaşamın içinde buldum kendimi. Birincisi o yıllarda o coğrafyada işçi sınıfı diye bir şey yok. Kürtler yaygın bir biçimde kırsal alanda yaşayan, tarım ve hayvancılıkla geçinen, aşiret ilişkileri içinde, şıhlarına, aşiret reislerine bağımlı, bambaşka bir toplum. Ayrı bir aidiyeti, farklı bir dili ve kültürü olan bir topluluk. Ben 71'de oralara gittiğimde ne Kürtleri tanıyordum ne Kürtlerin tarihini biliyordum. Bu arada darbe olmuş, sıkıyönetim var, baskı var; ama ben orada başka bir gerçeği kavradım. Oralardaki baskı sadece darbe ve sıkıyönetimle ilgili bir şey değildi. Geleneksel olarak uzun yıllardır var olan ve bölge insanlarının da içselleştirmiş olduğu bir baskı türü, buna karşı da insanların içinde birikmiş tepkiler ve karşı koyma geleneği var. Bizim Maocu tezlere göre devrim zaten kırsal kesimlerden doğacak, yani devrimin buralardan çıkması hem doğal, hem de bizim teoriye uygundu.

Ayrıca Kürt milli hareketinin geçmişinde de silahlı mücadele var. Kürtler zaten hiçbir zaman silahı bırakmamışlar, bırakamamışlar. Klasik Marksist teori çerçevesinde düşünürsek, bu bölgede Kürt işçi sınıfının önderliğinden söz etmek mümkün değil. 1980'den sonra silahlı mücadeleye girerek görünür hale gelen Kürt milli hareketi Marksizmden, sol ideolojiden etkilenmiş, hele de başlangıçta sosyalist söylemi kullanmıştır, ama büyük ölçüde ulusal kurtuluş hareketleri modelini izler.

OYA – Benim içinden geldiğim Marksist enternasyonalist hat, bence meselenin etnik ve ulusal boyutunu yeterince göremedi, kavrayamadı. Geleneksel solda, çok uzun süre, halklar meselesine, Kürt meselesine özel vurgu yoktur. Bu tavır, Kürtleri yok saymaktan, asimilasyoncu eğilimlerden değil, farkındalık eksikliğinden kaynaklanıyordu bence. "Dağda yürürken karlar kart kart ettiği için Kürt denmiş, aslında Kürt mürt yok, herkes Türk" rezaleti ve cehaletinden söz etmiyorum. Bunu söylemek sola haksızlık olur. Ama Türkiye solunun büyük ölçüde ulusalcı/antiemperyalist Kemalist ideolojinin etkisi altında geliştiğini de unutmayalım. Bizlere göre, bölgedeki feodal yapı devrimle yıkılacak, Kürt halkı özgürleşecekti.

Genellemek istemem, kendi payıma konuşayım. Tabii ki, bizim hareketlerde de meselenin gerçek boyutlarını görenler, bilenler vardı; özellikle de Kürt aydınları ve sosyalistleri. Bu konunun tabu olduğunu, Kürt sözcüğünün bile kullanılamadığını da hatırlayalım. Mesela ben 1975'te "Türkiye halkları" diye yazdığım için beş buçuk yılla yargılandım. Düşünsene, Kürt bile demiyorum, "halklar" diyorum ve bu bölücülük oluyor.

İşin etnik kimlik ve ulusal mücadele boyutu ancak adamlar silaha sarıldıktan, dağa çıktıktan ve sorun aynı zamanda bir Ortadoğu sorunu haline geldikten sonra dank etti herkesin kafasına. Ne zaman ki Eruh baskını ve izleyen olaylarla Güneydoğu'da savaş başladı, o zaman herkes aydı.

Benim gibi silaha kategorik olarak sonuna kadar karşı da olsan, bugün Kürt sorununu ülkenin birincil sorunu olarak tartışabiliyorsak, hatta Kürt sözcüğünü kullanabiliyorsak bunun silahlı mücadelenin başlayıp yükselmesiyle gerçekleştiğini teslim etmek zorundayız. Ama şunu da hemen söylemeden bırakmayayım sözü: Otuz yıl önce gerekli olanın, tek çıkar yol olanın bugün artık çıkar yol olduğunu düşünmüyorum. Silahlı mücadelenin ve silahı pazarlık unsuru olarak kullanmanın artık çözüme hizmet etmeyen bir çıkmaz yol olduğunu düşünüyorum.

MELEK – Bir milli hareketin silahlanması, gasp edilmiş olan hakların kazanılması için zorunlu olarak başvurulan bir mücadele yöntemidir. Silah başlı başına amaç olamaz. Silahlı mücadele belirli bir hedefe varmak için yürütülür ve o hedefe vardıktan sonra da bırakılır. Sonra silahla kazanılmış olan hakların pekiştirilmesi, toplumla bütünleşmesi süreci başlar. Ama bazen, hatta sık sık, araçla amaç iç içe geçebiliyor. Araç olarak kullanılan silahlar amaç haline gelebiliyor. Silahlı mücadele kronik bir duruma, hatta bir yaşam biçimine dönüşebiliyor. İşte bu noktada asıl hedef, yani elde edilmek istenen haklar, varılmak istenen nokta kaymaya, bulanıklaşmaya, silikleşmeye başlıyor. Üstelik silahlı çatışma onyıllar boyunca sürüyorsa, hedefin bulanıklaşması, silikleşmesi, hatta değişmesi kaçınılmaz olur.

İşin bir başka yanı daha var: Son otuz yıldır yaşanan silahlı çatışmalar, sadece askerî bir olay olarak görülemez bence. Hiçbir silahlı çatışma salt askerî alanda kalmaz. Sonuçta ölen ve öldüren insanlar var, en başta aileleri olmak üzere onların yakınları var ve her ölüm genişleyen halkalar halinde bütün topluma yayılıyor.

Sorunun kaynağını da görmemiz gerek. Silahlı mücadeleyi hangi koşulların doğurduğunu... Devlet, Türk milliyetçiliğiyle bütünleşerek diğer kimlikler üzerinde hegemonya ve baskı kurmuş, onları bastırmaya, asimile etmeye çalışmış. Sorunun kaynağı bu.

OYA – Daha açık söyleyecek olursak, Kürtleri dağlara çıkmaya, silaha sarılmaya iten Türk ulus-devletinin inkârcı, asimilasyoncu, zorba politikaları oldu. Şimdi bunu çok daha açık görüyorum. Son Kürt isyanı denilen PKK'ye gelene kadar, kaç ayaklanma, kaç kital, kaç isyan, kaç kırım... Ve devlet ders almıyor, böyle olmuyor bu iş, diyemiyor, devlet aklı denilen şey orada kendi kendine de zarar vererek dumura uğruyor.

MELEK – Son otuz yıl boyunca yaşananları da unutmayalım. 40 bin cana mal olmuş bir savaş var, JİTEM var, faili meçhul cinayetler, Diyarbakır Cezaevi, verilen kayıplar, akan kan, çekilen acılar var. Bu kadar çok kan ve acı olduğu zaman, yüzleşme ve hesaplaşma ihtiyacı ortaya çıkıyor. Bu yaşananların sindirilmesi ve unutmak değil ama aşılabilmesi için en az iki üç neslin barış içinde yaşaması gerekiyor. Bu otuz yılın muhasebesinin dürüstlükle yapılması lazım. Bunu yapmak için de devletin yapısının değişmesi gerek. İdeal olan; tarafların karşılıklı masaya oturup günah sevap muhasebesini açık yürekle yapabilmesidir. Herkes kendi günahını çıkaracak, ondan sonra nasıl birarada yaşarız diye bakacağız.

Şimdi dünyada da bizde de özür dileme kampanyaları başladı bazı konularda. İyi, güzel bir şey; ama ben hep kendi çocukluğumu hatırlıyorum. Yaramazlıkları, münasebetsizlikleri yapıp sonra özürle işin içinde sıyrılma yolunu pek benimsemiştim. Sonunda annem, "Bana bak," dedi, "ha bire özür dileyeceğine baştan suçu işlememeye bak."

Özür dilemek iyi bir şey, bir başlangıç ama yaşanan acıları ve hasarı ne kadar ortadan kaldırır, orası ayrı bir mesele. Bugün en iyimser olasılıkla silahlı mücadele bitse, silahlar sussa, operasyonlar dursa bile, önümüzde yeni bir süreç olacak. Bu süreçte her iki taraf da iyi niyetini ve barıştan yana tutumunu sürekli göstermek durumunda. Kürt gençlere bakıyorum; savaşın içinde doğup büyüyen bir nesil bu. Çocukluklarından itibaren silahların, ölümlerin, savaşın içinde yaşadılar, tankların gölgesinde büyüdüler, orada bilendiler ve çözümü silahta görmeye başladılar. Filistin'de de böyle oldu. Bizim devlet, bugün gösteride polise taş attı diyerek çocukları ve gençleri hapse atarsa, bir nesli daha kaybetmiş oluyor. Çocuk, hapishanelerde nefreti ve kini öğreniyor, bileniyor. Bir kısırdöngü sürüp gidiyor.

OYA – Son zamanlarda duygusal kopuştan, yüreklerin soğumasından, iki halkın karşılıklı güvenlerini yitirmesinden çok söz edilir oldu. Doğru bir yanı da var bunun bence. Senin de değindiğin gibi, genç kuşaklar özellikle, hınçla dolular. Çoğu zaman hedefini şaşıran, kör bir hınç ve öfke bu.

Şimdi Kürt sorununda en büyük çıkmaz, bir yanda savaş sürdükçe kabaran, kitlesini genişleten Türk milliyetçiliği; onun karşısında ise dilinin, kültürünün, ulusal kimliğinin tanınmasını ve kendi kendini yönetmek isteyen Kürt toplumu. Bu toplumun sözcülüğünü üstlenmiş görünen Kürt siyasal hareketinin talepleri konjonktürel olarak değişiyor; İmralı'da yıllardır tecritte yaşayan liderinin manevi vesayetini taşıyor; Kandil diye anılan silahlı kanadının ağırlığı ve yönlendirmesiyle barış istese bile bu barışı nasıl inşa edeceğini tam bilemiyor. "Gelinen noktada, tam da aracın amaçlaşması sorunuyla karşı karşıyayız," diye düşünüyorum. Silahlı mücadele Kürt gerçekliğini ve sorunun özünü gözümüze soktu; ama varılan noktada silahlı mücadele, yollara döşenen mayınlar, her gün genç insanların ölmesi, şehit cenazeleri, gerilla cenazeleri, bütün bunlar çözümü zorlaştırıyor. Evet, başta silahlı mücadele kendi haklılığını içinde taşıyan bir başkaldırı biçimiydi; şimdi otuz yıl sonra tıkandığını, silahın çözüm değil çözümsüzlüğü körüklediğini görmek gerekmiyor mu?

MELEK – Bizim coğrafyamızda Osmanlı İmparatorluğu'nun çözülmesi sürecinde, çok etnisiteli, çok dinli ve dilli bir toplumdan tek dil, tek din, tek etnisiteye dayalı bir ulus-devlet yaratılmak istendi. Başta, bu projede sorun var. Bugünün dünyasında, biraz siyaset bilimi bilen birisi İmparatorluk çözülürken, Milli Mücadele'den sonra, gevşek bir federatif yapı kurulması gerektiğini söyleyecektir. Türkiye'nin doğusu, batısı, kuzeyi, güneyi, birbirinden kültürel yapı, dil ve etnik bileşim olarak

1920'lerde de farklıydı. Bu farklılığı birlik içinde korumak yerine tek bir etnik grubun mutlak hâkimiyeti getirilirse sorun çıkar, nitekim de çıktı. Ulus-devlet projesini zorlayıp, başta ordu olmak üzere, ulus-devletin şiddet kullanma tekeline sahip güçlerini ve ideolojik elitlerini baş aktör haline getirirsen, bu yapıdan özgür ve demokratik bir toplum çıkması çok zor. Nitekim de çıkamadı.

OYA – Bence de doğru söylediklerin; ama unutma ki bunları şimdiki gözümüzle, bütün o deneyimi sorunlarıyla birlikte yaşamış olarak, 2000'lerde söylüyoruz. 20. yüzyıl başlarının bölge ve dünya koşulları, Türkiye'nin toplumsal tarihi, o dönemin "toplumsal mühendislik" deneyimleri ve çağın ulus-devletler çağı olduğu düşünülürse, o yapıdan çıka çıka bu çıkmış işte. Kuruluş halindeki Türk ulus-devleti kendisinin inkârı anlamına gelecek olan federatif yapıya izin veremezdi. O konu dünyada, bölgede, Türkiye'de pek çok şey değiştikten sonra ancak bugün gündeme gelebiliyor, hem de sadece dar çevrelerde telaffuz edilme düzeyinde bir tartışma zemini olarak; ve yine de kıyametler kopuyor.

İşin Türk ulus-devletinin günahları yanını bir kenara koyup Kürt ulusal hareketinin gelişmesini inceleyecek olursak orada da bir yığın sorun var. Orada da otoriter bir yapı, Stalinist eğilimler var. Üstelik önümüzdeki dönemde Kürt siyasal hareketinin kendi içinde ayrışacağı, bunun da sertleşmelere, hatta çatışmalara neden olacağı öngörüsünde de bulunabiliriz. Son zamanlarda bunun belirtileri görülüyor.

O günlerden bu günlere dünyada da, Türkiye'de de, Kürt hareketinde de çok şey değişti. Farklı bir evredeyiz. Yeni koşullara uygun yeni politikalar gerekiyor ve bu yeni politikalar barışçı olmak zorunda. Ama barışın dilini konuşmayı henüz hiçbirimiz bilmiyoruz.

MELEK – Şimdi bir de dünyada kimlik politikaları gündeme geldi. Faşizm ve sol totaliter rejim deneyimlerinin yaşanmasından sonra, insanların kimlik arayışı, köklerine dönme isteği kabardı. Bu haklı bir istek olabilir ama ortada yine bir sorun var: Kimlik arayışları ile ulus-devlet projesi nasıl bağdaşacak? Kimlikler ulus-devletin neresinde ve nasıl konumlanacak? Bizim bölgemizde, özellikle sınırlarla ilgili ciddi sorunlar var. Değişik halklar yapay sınırlarla bölünmüş; birleşmek istiyorlar, iyi güzel ama nasıl? Sınırlar savaş olmadan değişebilir mi?

OYA – Dağ gibi sorunlar var, haklısın. 21. yüzyıla doğru giderken belirginleşen ve mikro-milliyetçilikler doğuran kimlik siyasetleri konusunda çok farklı görüşler var, biliyorsun. Dünyanın çağ değiştirmekte olduğunu düşünüyorum. Geçiş çok sancılı olacağa benziyor. Ulus-devletin sonu geldi deniyor ama, bence bu süreç henüz ilk adımlarını atmakta. Üstelik de her an duraksayabilen, geriye dönen adımlar bunlar. Yani, ulus-devletlerin çözülmesi kolay ve çabuk olmayacak besbelli. Küreselleşmenin ulus-devletlerle yürümeyeceği ortada, çok daha büyük birlikler gerekiyor. Ama bak Avrupa Birliği bile nasıl bocalıyor, nasıl iki adım ileri bir adım geri ritminde yürüyor.

Şöyle bir gelecek tahayyülüm var, biraz da fantezi: Zor ve çatışmalı bir dönemden sonra, ulus-devletlerin içlerinden önce küçük federatif veya başka yapıda topluluklar doğacak, sonra da tabii onyıllar, belki de yüz yıl alan bir süreçte bu toplulukların gönüllü birliğiyle daha geniş birliklere doğru gidilecek. Yerinden yönetim, doğrudan demokrasi gibi yöntemler küçük topluluklar için elverişlidir. Bunlardan bugün hayal bile edemediğimiz özgür ve demokratik toplumlar doğabilir ve onların gevşek birliği de bugün hayal bile edemeyeceğimiz özgür, hatta eşitlikçi bir toplum yaratabilir. Tabii bu, en iyimser senaryo. Bir de kötü senaryo var ki, sanki daha gerçekçi. Kötü senaryoma göre mikro-milliyetçilik ulus-devletleri atomize ederken sürekli çatışma içinde kabile toplulukları doğacak ve bunları zapturapta alabilmekte ulus-devlet bile aciz kalınca süper güçler, bölgeler üstünde despotik hâkimiyetler kuracaklar.

Neyse, konuyu dağıtmayayım; senin benim gibi, bunca belaya, sıkıntıya bulaşıp da bu ülkede pişen aşlara maydanoz olmaktan yine de vazgeçemeyenler için Kürt sorunu tabii ki birincil sorun. Nasıl çözülebilir, ne yapılabilir? Yıllardır kendi çapımızda, karınca kararınca birşeyler yapmaya çalışıyoruz. Bazen umutlanıyoruz, bazen umutsuzluğa, bezginliğe kapılıyoruz. Barışçı çözüm deyip duruyoruz da, barışçı çözümün içi nasıl dolacak, bu çatlamış, yarılmış, cepheleşmiş ülkede diyalog, uzlaşma, barış ortamı nasıl sağlanacak?

Çözüme giden yolda en önemli engel milliyetçi siyasal odakların kışkırttığı Türk milliyetçiliği ve iki halk arasında her gün derinleşen güven bunalımı, yürek soğuması gibi geliyor bana. Kürt milliyetçiliğinin masum olduğunu da söylemiyorum; masum milliyetçilik yoktur. Ama hızlı bir barış planı uygulamaya konulabilse, Kürt halkının direnci, inan bana Türk kesiminden çok daha kolay çözülür. Tabii çok geç kalınmazsa...

MELEK – Sorunun çözümüne yönelik zaman zaman kıpırdanmalar oluyor. Artık herkes, her kesim bu savaşın böyle devam edemeyeceğini görüyor. Mesele çözümleri yaklaştırabilmek, her iki tarafın savaş lobilerini tecrit edebilmek. Kolay bir süreç olmayacak, besbelli.

OYA – Bazen umutlanıyoruz. "Tamam artık, galiba yol alınacak," diyoruz, sonra her şey yeniden başlıyor. Sisifos efsanesindeki gibi. İşin siyasal boyutunu, konuya siyasal açıdan bakışı bir yana bırakırsak, o bölgedeki insanın, Kürt insanının duygularını, neyi nasıl kavradığını anlayabilmemiz, moda deyimle empati kurabilmemiz gerek. Empati kurabilmek için de önce tanımak, yakınlaşmak, sesini duymak, göz göze gelmek, elini tutmak gerek. Siyasal çözümler bir yana, sanırım Kürtlerin en fazla ihtiyaç duydukları şey, çiğnenen onurlarının iadesi, aradaki güven ilişkilerinin onarılması. Dillerinin, tarihlerinin, törelerinin tanınması. Haklarının lütfeder gibi, "Eh, ne yapalım, demokrasinin gereği buymuş madem, verelim bari" üslubuyla değil, bu hakların gaspedildiği kabul edilerek iadesi...

OYA – İş konusunda, sen de benim gibi biraz her boyaya boyanmışsın. Ben de her türlü işi yaptım. 1992'de Türkiye'ye döndüğümüzde Aydın da ben de iş peşindeydik. Aydın 1992 sonbaharında *Cumhuriyet* gazetesine girdi. O sırada hatırlarsın *Cumhuriyet*'te büyük sarsıntılar, kopuşlar olmuş, Genel Yayın Yönetmeni Hasan Cemal'in, idari sorumlu Emine Uşaklıgil'in, senin ağabeyinin de içinde bulunduğu ekibinin çizgisiyle mutabık olmayan İlhan Selçuk ve takımı: Uğur Mumcu, Oktay Akbal, Ali Sirmen, o sıralarda küçücük gencecik ama çok parlak bir gazeteci olan Yasemin Çongar gazeteden ayrılmış ya da ayrılmak zorunda bırakılmışlardı. Şimdi düşünüyorum da işin ideolojik planında yine bu cuntacılık, vesayetçilik, geleneksel sol bakışla özgürlükçü, demokratik bir sol arayışı; çağın değiştiğini görenlerle geçmişe yapışıp kalanların kavgası vardı. Hatta yanılmıyorsam, bardağı taşıran damla Osman Ulagay'ın Özal'ın ekonomi politikalarıyla ilgili bir yazısı olmuştu. Biz de bütün bu süreci dışarıdan izliyorduk. Ben her zaman "Türk aydınının masa başı sohbetlerinden *Cumhuriyet* gazetesi eksik olmaz," derdim. En azından o zamanlar öyleydi. Bir süre sonra İlhan Selçuk ve o zamanlar *Cumhuriyet* çizgisini paylaşan, kamuoyunda etkili, tanınmış aydınlar bir kampanya başlattılar, gazetenin tirajı dramatik biçimde düştü ve Berrin Nadi'nin de ağırlığını koymasıyla gazete yeniden İlhan Selçuk ve ekibinin eline geçti, ama bu arada da pek çok kişi, mesela Uğur Mumcu, Ali Sirmen, Yasemin Çongar, daha başkaları gazeteden ayrılmışlar, *Milliyet*'te çalışmaya başlamışlardı. İlhan Selçuk yeniden yönetime dönünce Uğur Mumcu da geldi. Bazıları dönmedi, kimisi de çok sonraları döndü *Cumhuriyet*'e.

Biz Türkiye'ye döndüğümüz sıralarda İlhan Selçuk yeniden gazetenin başına geçmişti; ama gazetenin tirajı yerlerde sürünüyordu. Bir sürü borç, harç, haciz. Kadroda boşluklar vardı, ihtiyacı da olduğu için Aydın'ı işe aldı. Sonradan, Aydın'ın *Cumhuriyet*'e girmesine, yazıişleri müdürü olmasına, köşe yazılarına Uğur'un karşı olduğunu öğrendik, Moskova çizgisinde komünist sayıyorlar ya onu. Ama hakkını teslim etmek gerek, İlhan Selçuk bu türden olumsuz tavırları engellemişti o zaman. Neyse işte, Aydın'ın *Cumhuriyet* macerası apayrı bir konu, burada yeri değil. Ben de iş peşindeyim tabii; kira vereceğiz, Ekim'i Alman Lisesi'ne yazdırdık, o zamanlar bizim bütçemizi aşan bir okul ücreti var; Almanya'da ödeme yapmadan yararlanabildiğimiz, mesela sağlık, eğitim gibi harcamalar Türkiye'de sorun. Yani spor olsun, meşgale olsun diye değil ihtiyacımız olduğu için çalışmam gerek. Bir süre sonra Orhan Silier'in başında olduğu Tarih Vakfı'nın çıkarmaya başladığı *İstanbul Ansiklopedisi*'ne editör olarak girdim. Çağatay (Anadol) vardı ansiklopedinin başında. Keyifli ve konu itibarıyla benim için öğretici bir çalışma ortamıydı. Benim "araya giren garip oyun" dediğim yurtdışında mültecilik macerasından sonra, ellimizi devirirken hayatımızı yeniden kurmaya; bir çeşit sıfırdan başlamaya çalıştık.

MELEK – Dönüş ve senin tabirinle hayatı yeniden kurmak nasıl bir duyguydu Oya?

OYA – Karışık, çelişik ama ne iyi ettik de döndük duygusunun ağır bastığı bir ruh haliydi. Bizim oğlan on iki yaşındaydı. Önce korkmuştuk uyum gösteremez diye. Bazı örnekler vardı, çocuklar uyum gösteremediği için Almanya'ya geri dönen aileler olmuştu. Biraz da bizim etkimizle herhalde, Ekim, hiçbir güçlük çıkarmadı, uyum sağlamış göründü. Ama ilginçtir, 17 yaşında liseyi bitirir bitirmez de Almanya'ya dönmek, orada okumak istedi. Sonra da uzun zaman kendini daha çok o kültürün, o yaşamın parçası hissetti. Orada bir Alman kızla evlendi. Sonra orada da tutunamadı. Şimdi Türkiye'deler; çalışıyor, şikâyet etmiyor ama belki de içten içe oraya daha bağlıdır, bilmiyorum, sormaya cesaret edemiyorum.

Kendi adımıza Aydın'la ben, zorlanmadık. Türkiye değişmişti, ama temelde sorunları, insanları, duygusal dünya hep aynıydı. Yani bilmediğimiz bir iklime gelmemiştik. Bir şansımız da eski arkadaşlarımızın çoğunu, dostluk olarak, dayanışma olarak bıraktığımız yerde bulmamız oldu. Duygusal uzaklaşma olmamıştı aramızda.

MELEK – Döndükten sonra sen gazetecilik, köşe yazarlığı falan yaptın mı?

OYA – Hayır, döndüğümüz sırada gazeteciliği, hele de köşe yazarlığını hiç düşünmedim. Kapıda da kuyruk yoktu, gel yaz diye; ama istesem bir yere kapılanabilirdim. İstemedim, çünkü kendimde bu hakkı görmüyordum. Onca yıl, insanlara büyük bir kesinlikle "şöyle olmalıdır, böyle olmalıdır" diye nutuk atmışsın; sonra hayat her şeyin o kadar basit olmadığını, mutlak doğrular olarak vaaz ettiklerinin yanlış da olabileceğini göstermiş. Ayrıca doğrunun tekelini kim vermiş ki bana. Duvarın yıkılmasından, sosyalist sistemin çökmesinden çok daha önce bu konularda düşünmeye, sorgulamaya, kendimle ve inançlarımla hesaplaşmaya başlamıştım. Her zaman söylediğim gibi ütopyamızdan, varmak istediğimiz eşitlikçi, adaletli, özgür, barışçı düzenden en ufak kuşku duymadım. Zaten insanlığın kadim özlemi, hedefi, hayali bu değil midir? Ama o hedefe yürümek, ütopyaya yaklaşmak için tutulan yollar, kullanılan yöntemler, iktidarın ve siyasal insanın ahlaki olanın önüne geçmesi, insanı kemirmesi gibi konuları kendimi acıtarak ve çevremin tepkilerini, kınamalarını göze alarak sorguladım, hâlâ da sürdürüyorum bu sorgulamayı. Bu durumda yeniden kalemi elime alıp daha eski yazıların dumanı tüterken, henüz kendi iç hesaplaşmamı, yüzleşmemi bitirmemişken "şöyle yapılmalı, böyle düşünülmeli" türünden yazılar yazamazdım. Çok sonra, iki yıl önce *Taraf* gazetesinde kısa süreli bir köşe yazarlığı maceram oldu. Darbeciliğe, vesayetçiliğe karşı, çorbada tuzum bulunsun istemiştim. Birkaç ay sürebildi.

Gazeteciliğe değil, edebiyata döndüm. Daha önce de anlatmıştım; 1980'lerin sonlarında, bizim reel sosyalizm adını verdiğimiz sosyalist sistem çöktüğünde bir çeşit terapi gibi başlamıştım yazmaya. *Elveda Alyoşa* yayımlandıktan sonra 1991 Sait Faik Hikâye Armağanı'nı alınca, bu da bir teşvik oldu, 50 yaşımdan sonra edebiyata, romancılığa döndüm. *Kedi Mektupları* 1993'te yayımlandı, Yunus Nadi Roman Ödülü'nü aldı. Sonra, benim en sevdiğim, yazdıklarımın en iyisi dediğim *Hiçbiryer'e Dönüş* 1998'de çıktı. 2000 yılında yayımlanan ve Orhan Kemal Roman Ödülü'nü alan *Sıcak Külleri Kaldı* romanına kadar edebiyat çevreleri beni yok saydılar, ciddiye almadılar. En önemli ödülleri al, bir şey değişmez; çünkü artık değerlendirme, edebi ürün üzerinden değil yazarın kişiliği, medyatikliği falan üzerinden yapılıyor. 2000'e kadar, hakkı olmadığı halde edebiyat alanına giren heveskâr komünist kadındım pek çoklarının gözünde. Mesela *Kedi Mektupları* romanı Yunus Nadi Ödülü'nü genç bir kadın yazarımızın romanıyla paylaşmıştı. Benim çok hoşuma gitmişti bu sonuç. Paylaşılan ödül yazardan bir şey eksiltmiyor ki. Buna karşılık, daha sonra aramızda saygılı bir ilişki doğan genç yazarımız, gazetenin sorularını cevaplarken, ödülü paylaştığı için buruk olduğunu, ayrıca da böyle hayatını edebiyata, romana vermemiş, amiyane tabirle söylersek mantar gibi bitmiş bir yazarla paylaşmanın memnuniyetsizlik verdiğini söylüyordu. 2000'lerde bu yargı ve dışlama kırıldı. Özellikle Cevdet Kudret Roman Ödülü'nden, yani *Erguvan Kapısı* kitabının saygın eleştirmenlerden tam not ve bence hak ettiğinden fazla övgü almasından sonra... *Kayıp Söz, Çöplüğün Generali*, hatta 47 yıl sonra yeniden yayımlanan gençlik romanım *Savaş Çağı Umut Çağı* hep ilgi gördü. En çok satanlardan olmasam da, yeni bir romanım çıktığında listelere giriyor, aranıyor, okunuyor şimdi. İyi bir okur kitlem var; en önemlisi de önceleri sadece bizim kuşak kendi hikâyesini dinlemek için okurken beni, çoğu genç yeni bir okur kitlesi oluştu.

MELEK – Bir süre önce Paris'teydim, *Kayıp Söz*'ün Fransızcası bütün büyük kitapçıların vitrinlerinde yerini almıştı. Hangi dillere çevrildin?

OYA – Almanya'da, Fransa'da, Yunanistan'da, Bulgaristan'da, Bosna'da yayımlandı. İngiltere'de önümüzdeki bahar, Brezilya'da ise şu günlerde piyasaya çıkacak. *Kayıp Söz*'den sonra *Erguvan Kapısı*'nı da basmaya hazırlanıyor Almanya'daki yayınevim. Bulgaristan, İtalya ve Beyrut'ta bir yayınevi çeşitli romanların haklarını satın aldı, çeviriye başladılar. Fena gitmiyor, yayımlandığı ülkelerde beni bile şaşırtan çok iyi eleştiriler alıyor. Ama elli yaşından sonra piyasaya çıkarsan biraz geç kalmış olursun.

Dur sana bir hikâye anlatayım, benim durumumu tam yansıtıyor. Hikâyeyi bana bu yaz kaybettiğimiz Elâcığım (Güntekin) anlatmıştı. Cenazesinde de birlikteydik zaten. Bak, yine kederlendim; insan çocukluk arkadaşını yitirdi mi kendi ömründen de bir parça kopmuş gibi oluyor. Yaşamın anılara dönüşmüş bölümü yitirdiğin arkadaşınla birlikte gidiyor sanki...

Elâ'nın annesi Hadiye Hanım sert, dominant bir kadındı; Elâ ise tam aksi, sanki bu dünyadan değilmiş gibi yaşayan, hayatın gerçeklerine epeyce uzak biriydi. Hadiye Hanım öldükten sonra, bir gün Elâ'ya uğramıştım. Konuşmaya çalışıyoruz ama ne mümkün; Elâ'ya sürekli telefonlar geliyor, birileri neyin nasıl yapılacağını soruyorlar, emir bekliyorlar. Galiba Büyükada'daki evin restorasyonu söz konusuydu o günlerde; ustalar, müteahhit falan sürekli arayıp duruyorlar.

"Eskiden annem yaşarken bunların hepsi besleme muamelesi yaparlardı bana; bütün emirleri annemden alırlardı; yanılıp da lafa karışacak olsam cevap bile vermezlerdi. Şimdi mirasla birlikte güç de bana geçti ya, hanımefendi hanımefendi diye peşimde dolanıyorlar," dedi Elâ. Sonra da hikâyeyi patlattı: "Osmanlı döneminde bir paşa varmış, sadrazam olmayı hayal eder, sadaret mührünü bekler dururmuş. Ellisine gelmiş, altmışına gelmiş, yetmişi geçmiş mühür bir türlü gelmiyor. Sonunda tahta yeni padişah mı çıkmış nedir, doksanına doğru sadaret mührü ve fermanı eline ulaşmış. Paşa bakmış bakmış fermana, sonra Harem dairesine gitmiş, oradaki güzelim kadınların, cariyelerin üzerine işemiş. Geç gelen iktidar bu kadar işe yarıyor," demişti Elâ. Benimki de o hesap. Yetmişime geldim, ancak yazar sayılmaya, çevrilmeye başlandım. Benimki de yaşlı sadrazam misali işte.

Lafı toparlayacak olursam, artık sadece edebiyatla, özellikle romanla uğraşıyorum. Bir çeşit hayata başlarken yapmak istediğim işe geri döndüm diyebiliriz. Bugüne kadar uğraştığım işler arasında en keyiflisi de bu.

Dönüşten söz ettik. Şimdi düşünüyorum da yurtdışından döneli on sekiz yıl olmuş. On sekiz yıl diyorum ve inanamıyorum bunca zamanın geçtiğine. Ürkütücü bir şey zamanın böyle akıp gitmesi.

MELEK – Evet, akıp gidiyor zaman, yaşarken fark etmiyoruz. Böyle dönüp arkada bıraktığımız yıllara bakınca, yaşadıklarımızı hatırlayınca garip bir duygu oluyor.

OYA – Bunca insan geçti hayatımızdan, acı tatlı bunca olay, anlatılanlar ve anlatılamayanlar, hatırlananlar, hatırlanmayanlar, unuttuklarımız, unutmak isteyip de unutamadıklarımız, unutmaktan korktuklarımız ya da unutmak istediklerimiz. Bizimki; farklı duygular, farklı dürtülerle, farklı ortamlarda ama aynı amaca doğru, paralel çizgiler gibi kesişmeden akıp geçen iki yaşam; iki kadın hikâyesi işte.

MELEK – Paralel çizgiler bir gün kesişti...

Barışta buluşma

OYA – Evet, barışta buluştuk. Hatırlıyor musun? Tünel'de Tarık Zafer Tunaya Kültür Merkezi'nde Barış Girişimi toplantısı vardı. 2001 yılı mıydı Barış Girişimi'nin kuruluşu? 11 Eylül'den hemen sonra, ABD Afganistan'ı bombalamaya başladığında "Terörün gücüne de, gücün terörüne de hayır" diyerek Barış Girişimi'ni kurmuştuk. Sen yoktun başlangıçta. O sıralarda ÖDP Genel Başkanı olan Ufuk Uras parti başkanı olarak değil kişi olarak bir çağrı yapmış, hepimiz toplaşmıştık. Irak Savaşı'nın eli kulağındaydı, savaşa karşıydık. 1980'den sonra Türkiye'de barış hareketi, barış örgütlenmesi kalmamıştı. İdeolojik, siyasal hiçbir ayrım gözetmeden en geniş kesimleri toplayacak bir hareket hayal ediyorduk. Gerçekten de barışçı, demokrat kimlikli pek çok aydın, kurucu olarak ya da eylemlerinde yer alarak katılmıştı Barış Girişimi'ne. Biliyor musun, Barış Girişimi'nin mottosu, ana sloganı olan "Terörün gücüne de, gücün terörüne de karşıyız" sözü Hrant'a aittir. O bulmuştu. Kuruluş aşamasında da büyük katkıları oldu. Canım Hrant; "Barış Eşeği olalım, barışı yüklenelim," derdi. Ama'sız barışçılık fikri böyle doğdu.

MELEK – Ben o sırada Helsinki Yurttaşlar Derneği'ndeydim. 11 Eylül ikiz kuleler saldırısından sonra dünyanın çok daha vahşi olaylara sahne olacağı belli olmuştu. Eski iki kutuplu dünyanın sona ermesiyle yeni bir barış arayışı ortaya çıkmıştı. Bölgesel savaşlar ve ABD'nin dünyada tek büyük askerî güç olması, bizleri çok yakından ilgilendiriyordu. Türkiye dört bir yanından çatışmalarla kuşatılmıştı. Bu durumda bizim de barış arayışı içinde olmamız kaçınılmazdı.

OYA – Biz de o günlerde Barış Girişimi olarak genişlemeye çalışıyoruz. Sen-ben-bizim oğlan kalmayalım, eski solcularla kısıtlı bir hareket olmasın, ama'sız, yani senin savaşın-benim savaşım, senin barışın-benim barışım ayrımı yapmayan bütün barışçılar, demokratlar katılsın istiyoruz. Bu amaçla, genişçe bir çağrı yaparak düzenlediğimiz toplantıda, benim gözüm kapıda, kimler gelecek bakalım diye bekliyorum. Tanımadığım üç kadın girdi kapıdan. "Oh, iyi, dar çevreden olmayan, tanımadığım birileri de geliyor işte," diye sevindim. Biri, "Aaa! Melek Taylan da gelmiş," dedi. Baktım, önce tanımadım, hafızamı zorladım, evet, sendin. 32 yıl önce, ilk gördüğümde, "İnsan nasıl bu kadar güzel olur," diye düşündüğüm sen. Mihrap da yerindeydi doğrusu. Böylece devrimde buluşamasak da barışta buluştuk sonunda. Ama pek hatırlamıyorum, sen girişimin çalışmalarına, toplantılarına aktif olarak ne zaman katılmaya başladın?

MELEK – Ben de tam tarihi hatırlamıyorum. Ama Helsinki Derneği'nde bu konular sürekli gündemde olduğu için ben de Barış Girişimi içinde buldum kendimi. Irak'a uygulanan yaptırımlar döneminde Irak'ı çok yakından izlemeye başlamıştım. ABD saldırısı ve işgal süresince bu işgalin Irak halkı ve bütün bölge için bir yıkım olacağını kamuoyuna anlatmak için çok yoğun bir çalışma içine girdik. Irak Savaşı'na karşı bütün dünyada çok büyük protestolar ve sokak gösterileri oldu. Bunlar, 68'den sonra Avrupa'da ve dünyadaki en büyük katılımlı halk gösterileriydi. O günlerde sizin Barış Girişimi çok aktifti; savaşa karşı gösterilerde, başka barışçı örgütlerle dayanışma içinde mitingler, toplantılar düzenliyor, imza topluyor, arı gibi çalışıyordu. "Burada olmam gerekir," diye düşünüp geldim.

OYA – Evet, doğrusu canımıza dişimize takmıştık. Sağcı solcu ayırmadan Müslümanıyla, komünistiyle, şu parti, bu örgütle en geniş protesto eylemlerini örgütlemeye çalışıyorduk. Kadın eli sıkmayan Abdurrahman Dilipak'la birlikte televizyon programlarına çıkmaktan mitinglerde konuşmaya, birlikte parlamentonun kapısını aşındırmaya kadar az iş yapmadık. Sol sekter kesimlerden eleştiriler de gelmişti bu konuda. Burası yeri değil ama Barış Girişimi deneyimi, üzerinde düşünülmesi, artısıyla eksisiyle değerlendirilmesi gereken bir çalışmadır.

MELEK – İşte ben de o günlerde aktif olarak katılmıştım girişimin çalışmalarına. Bizim Meclis'ten çıkan, 1 Mart tezkeresine ret kararı çok önemliydi mesela. Türkiye barış güçleri birden dünya barış hareketinin gözünde önem kazandı. Irak Savaşı'na karşı çıkan uluslararası barış güçleri daha sonra Irak Dünya Mahkemesi'ni kurmak için çalışmaya başladıklarında, davanın İstanbul'da görülmesini sağlayabilmiştik.

OYA – 1 Mart tezkeresinin reddinde ve Türkiye'nin savaşın dışında kalmasında önemli payımız vardı gerçekten. Irak Dünya Mahkemesi hazırlıklarıyla sen hepimizden fazla uğraşmıştın. Biz girişim olarak lojistik destek sağlamıştık daha çok. Sen maddi manevi bütün gücünle dalmıştın işin içine.

MELEK – Irak Dünya Mahkemesi, ABD'nin Irak'a saldırısı, savaş ve insan hakları ihlallerini tespit etmek ve yargılamak için çeşitli ülkelerden hukuçulardan, akademisyenlerden, gazetecilerden, tanıklardan oluşan bir heyetin bu ihlalleri inceleyip suçluları bulması ve yargılaması amacıyla kurulmuştu. Aslında sivil toplumun sembolik mahkemesinin değil, uluslararası toplumun Bush ve Blair'i savaş suçluları olarak yargılaması gerekiyordu. Bunun gerçekleşmeyeceğini bildiğimiz için alternatif mahkeme kurma kararı gündeme geldi. Türkiye'den bir heyet ilk günden itibaren bu sürecin içinde yer aldı ve sonradan alınan ortak bir kararla mahkeme 2005 yılında İstanbul'da yapıldı. Bu mahkeme çok önemli işler yaptı, mahkeme belgeleri Türkçe ve İngilizce olarak yayımlandı. Hiç değilse gelecek nesillere ve Irak halkına bir kayıt bırakıldı.

OYA – Mebuse (Avukat Mebuse Tekay), sen, ben, üçümüzün de Yengeç burcu olduğunu keşfettiğimizde, övünmek gibi olmasın ama birlikte epeyce iş yapmıştık. Üç Yengeçler Örgütü'ydük. Bana sorarsan, hele de bir dönem fitili ateşleyen daha çok Mebuse olurdu. Kürt sorununu Kürt ve Türk aydınları birlikte tartışmak için kurduğumuz Diyalog grubunu, bir de Vakit Geldi kadın grubunun o çok canlı, çok umut verici ilk toplantısını hatırlıyorum. Çok farklı çevrelerden, Türk, Kürt, Ermeni, örtülü, açık, genç yaşlı ve de hepsinin adı ünü bilinen, işkadını, yazar, sanatçı, akademisyen, sivil toplumcu, belediye başkanı, sendikacı Türkiye'nin yüz kadar kadınıyla birbirimizi tanıyıp anlayabilmek için buluşmuş, konuşmuştuk. Bütün katılanların o toplantıdan mutlu ve umutlu ayrıldıklarını hatırlıyorum. Sonrasını aynı hızda getiremesek de bence önemli bir yol açmıştı. Alçakgönüllülük yapmayalım, bunların ilk adımı, ilk ivme demeyim, fazla iddialı olur ama ilk fikir bizden; yani Üç Yengeçler'den gelmişti. Tabii hemen bir adım sonrasında diğer arkadaşlarımız el verdiler, devreye girdiler; üç kişi ne yapabilirdik ki zaten diğerleri olmasa! Bu toplantıları örgütlemek için ne çok çalışıyorduk hatırlasana. Söyleniyor, şikâyet de ediyorduk tabii her şeyin üstümüze yığılmasından. Ama kaşınan da bizdik, şikâyete hakkımız yoktu doğrusu. Kimse diyalog grupları kurun; her kesimden kadınları biraraya getirip ötekileştirmeye karşı bir hareket örgütleyin demiyordu; hatta galiba erkek milletinin biraz da sinirine dokunuyorduk, en azından işgüzar ve hayalci buluyorlardı bizi. Mebuse'nin geniş ilişki ağı ve ondan çok daha geniş yüreği, vicdanı; senin her biri önemli bir yerde, önemli pozisyonlarda, adı ünü bilinen arkadaşların, Kolejlilerin ama daha önemlisi Kürt kadınlar, örtülü Müslüman arkadaşlarımız... Ben kendi hesabıma, o süreçte çok şey öğrendiğimi düşünüyorum.

MELEK – Bir de o bildiriler, imza toplamalar... Barış meselesinden Kürt meselesine, askerin vesayetçi dayatmalarından sonunda Hrant'ın öldürülmesine varan şoven milliyetçi kışkırtmalara kadar ne çok konuda bildiri yayımladık. Kimisi gerçekten de ses getirmişti.

OYA – İmzaladığım ya da imzalattığım bildirileri birbirine eklesen Edirne'den Hakkâri'ye kadar uzanır. Bir ara öyle olmuştu ki, telefonda sesimi duyan "Bu kadın yine imza isteyecek" telaşına kapılıyordu. Ruh halimizi ve bu her şeye maydanoz olma gayretimizi çok iyi yanıtan biraz yakası açılmadık bir deyim vardır. Zülal Kılıç'ın kayınvalidesi Müslime Teyze Erzurumlu bir Anadolu kadınıdır. Çoğu biraz ayıp harika hikâyeleri, deyimleri vardı onun.

Zülal'e, Gönül'e, bana, bizim gibilere, "Gızlaaar, siz her 'şeyim hıyar' diyene bir avuç tuzla koşarsınız," derdi. O tabii "şey"in adını da açıkça söylerdi. Hem biraz saflık, hem işgüzarlık, hem koşuşturma... Müslime Teyze haklıydı galiba.

Ufak ufak bitirsek mi artık!

MELEK – Bu sabah seni beklerken düşündüm. Biz bu geçmişe yolculuğu yapmak için yaklaşık bir buçuk yıldır konuşuyoruz, çalışıyoruz. Düşündükçe, konuştukça sorunların çözülemediği, yol alınmadığı duygusu doğuyor. Hep aynı yerdeyiz sanki. Bunu düşününce, üzerime öyle bir ağırlık çöktü ki...

OYA – Ben de aynı ağırlığı, yorgunluğu duyuyorum sık sık. Sonra küçücük bir umut ışığı beliriyor, sanki her şey iyi olacakmış gibi bir duygu. Hiç ders almamışçasına yeniden umutlanıyorum, kendime de kızıyorum yeniden iyimserleştiğim için.

MELEK – Dün akşam evde oturmuş çalışıyordum. Çoktandır üzerinde düşündüğüm "düşman" kavramı üzerine birşeyler yazmak istiyordum. İnsanlar ve toplumlar düşmansız olamıyor. Derrida'nın bu konuda yazdığını biliyordum, biraz onu karıştırdım. Nazilerin düşünürü Carl Schmitt de yazmış bu konuda, "Siyaset, düşmanın kim olduğunu saptamaktır," diyor. Düşman saptandıktan sonra öldürmek, savaş, hepsi ardından gelecektir. Düşman yaşatılmaması, yok edilmesi gerekendir. Derrida da konuyla ilgili çok ilginç bir yazı yazmış: İnsanın bağışıklık sistemi, "immune sistem" vücudu yabancı ve zararlı maddelerden, yani düşmanlardan korumak için çalışıyor; ama bu sistemin düşmanı yanlış algıladığı da oluyor bazen. O zaman kendine karşı bağışıklık, yani "auto-immune" sistem devreye giriyor ve vücut kendi kendine zarar vermeye başlıyor. Birçok hastalık bugün buna bağlanıyor. Ben bunu okuduğumda kendi kendime dedim ki: "İşte bizim ülkenin hali, düşmanı yanlış algılaya algılaya bağışıklık sistemi de sapıtmış, auto-immune sistem devreye girmiş, kendi kendine zarar veriyor."

OYA – Hiç böyle düşünmemiştim ama çok doğru. Toplum sürekli düşman yaratıyor, ötekini düşman olarak tanımlıyor, bağışıklık sistemi giderek bozuluyor, kendi kendini kemiriyor ve hastalanıyor.

MELEK – Birbirimizin belleğine ayna tutarak yaptığımız şu geçmişe yolculuk kuşağımızın gerçekten acılı bir kuşak olduğunu yeniden düşündürdü bana. İçinde yaşarken akışın parçasısın, kendi hikâyeni hem yazıyor hem yaşıyorsun. Ama yıllar sonra anlatıcı ve okur olduğunda, böyle mi yaşamışız diye şaşıyorsun.

OYA – Bu ülkede kaç nesil ağır bedeller ödedi, kimileri canlarından, kimileri yurtlarından oldular, sevdiklerini yitirdiler, yaşamları parça parça oldu. En ağır bedeli Kürtler ve bir de rejimle uzlaşmayanlar ödedi. En ağırından olmasa da biz de kendi çapımızda bir bedel ödedik, çok şey yitirdik, çok şeyden vazgeçtik. "Niçin, ne uğruna?" diye soruyor insan bazen kendine.

İnsanın ezilmediği, sömürülmediği, daha eşitlikçi, daha özgür, adaletli bir dünyada ve de ülkede barış içinde yaşanabilsin diye değil mi? İnsanların uğruna hayatlarını verdikleri devrim mücadelesi; hepsi bu amacın gerçekleşmesi için değil miydi?

MELEK – Dünyayı değiştirmek, devrim yapmak gibi büyük projelerde amaç herkesin, bütün insanların özgür, eşitlikçi, adaletli bir dünyada barış içinde yaşaması değil midir? Senin, benim için öyleydi. Ancak devrimler daha özgürlükçü, daha insancıl, daha eşit ve adaletli bir dünya yaratma konusunda tümüyle başarılı olamadılar. Yeni güç ve iktidar ilişkileri kuruldu; ayrıcalıklı gruplar, ayrıcalıklı kişiler, oligarşik yapılar oluşturdular. İnsanlar yine ezildi, hiyerarşik yapılar çözüleceğine güçlendi. Böyle olunca da ortaya çok temel yeni sorular çıktı. Devrimler, ütopyalar, iktidar sorgulanır oldu. İnsanların güç ve iktidar ilişkileri içine girdiklerinde nasıl değiştiklerini, bütün o savunulan ilkelerin silindiğini gördüm. Kendi adıma güçten ve iktidardan uzak durmaya özen gösterdim, bu tür ilişkilerin dışında tuttum kendimi. Her türlü iktidardan uzak durmak benim için çok önemli.

OYA – Bu iktidar meselesi benim de temel meselem oldu uzun zamandır. Yazdığım romanlara da yansıdı. *Sıcak Külleri Kaldı*'da mesela, cinsel iktidardan siyasal iktidara, erkin insanın en güzel duygularını kemiren çürütücü gücünü anlatmaya çalıştım. "İktidar bozar" doğrularımdan biri haline geldi. Ama kimse yanlış anlamaya kalkışmasın. Asla pişmanlıktan söz etmiyorum. Niye böyle yaşadım, neden bu yoldan gittim, neden böyle yaptım demiyorum. Biliyorum, sen de demiyorsun. Biliyorum, hayata yeniden başlasak yine aynı yerlerde olurduk. Tabii yürüdüğümüz yolları sorgulayarak, hatalarımızdan ders çıkararak, daha geniş ufuklu düşünmeye gayret ederek, kendimizi de düzelterek, yine aynı amaca doğru yürürdük. Beni yıpratan, bezginliğe düşüren soru, "Neden bu yollardan yürüdüm, neden böyle yaşadım?" değil; "Bunca yılın, bunca yolun vardığı yer neden başlangıç noktasına bu kadar yakın, nerede hata yaptık, neyi ıskaladık?" sorusu.

70 yaşıma gelmişim, önümde az zaman kalmış, insan umut verici birşeyler de görmek istiyor şu ahir ömründe. Geçenlerde yaşı yetmişe dayanmış olanlar, bir yaşlılar heyeti kurduk, her zamanki gibi bir de metin çıkardık. O metnin son cümlesi, "Barışı görmeden ölmek istemiyoruz"du.

MELEK – Bu çalışmaya başladığımızda ortam bu kadar karışık değildi. Kürt sorununun çözümüne doğru adımlar atılacağı, savaşın bitebileceği, kanın durabileceği umuduna kapılmıştık. Türkiye geçmişiyle yüzleşerek, halklarıyla bütünleşerek yeni bir yola girecek sanıyorduk. Ama öyle olmadı. Sürekli gelgitler, belirsizlik, artan gerilim, somut adımlar atılamaması... Bizi kötümser kılan da bu herhalde.

OYA – Türkiye büyük bir değişim sürecine girmiş görünüyor. Toplum kabuğunu çatlatmaya çalışıyor ama değişim çok kaotik bir çalkantı hali olarak yaşanıyor. "Değişmeyen tek şey değişimdir" sözüne hep inanmışımdır, Marksist felsefenin de temelidir zaten. Ama bu yaşa gelince, değişimin yönünün daha iyi bir dünyaya doğru olduğunu dünya gözüyle görmek istiyor insan. Bunları söylerken "başka bir dünya mümkün" diyerek yaşanabilir bir dünya için, barış için, çevre için, adalet, eşitlik, özgürlük için her türlü ayrımcılığa başkaldıran; bizden çok farklı, çok daha yaratıcı, cıvıl cıvıl yöntemlerle mücadele veren gençleri görünce, dinleyince yeniden umutlanıyorum. Kendi kötümserliğime kızıyorum.

MELEK – Bence sorun sosyalizmin çöküşünden sonra neo liberal düzenin, yani sermayenin ve şirketlerin kurduğu global hegemonyada yatıyor. Kısacası dünya daha iyiye gitmiyor. Sermaye de, teknoloji de, bilim de bir azınlığın elinde, çoğunluk ise giderek daha yoksullaşarak, daha çok dışlanarak yaşamaya mahkûm ediliyor. Tüketim toplumu bir göz boyama, bir aldatmaca. Paranın sermayenin tekelinde kalmasını sağlayan, insanlara ise sağılacak koyun gözüyle bakan bir model. Modern toplum adı altında insanlara sunulan bu acı reçete nereye kadar gidecek bilmiyoruz. Beni kötümser kılan nedenler arasında bu da var.

OYA – Tabii ki işin özü, temeli bu: Her şeyi; doğayı, insanı, sanatı, duyguları, değerleri metalaştıran kapitalizm. Mücadelemiz, yanlışıyla doğrusuyla bu vahşi düzene karşıydı. Temel çelişkiyi emek-sermaye çelişkisi olarak bellemiştik. Eksiğimiz diğer çelişkileri arka plana atmak ya da hiç hesaba katmamak, yani indirgemecilik olsa da, özünde doğruydu bu çözümleme.

20. yüzyıl, çelişkilerin çatışmalarla çözüldüğü bir çağdı, devrim o çatışmalı çözümün adıydı bir bakıma. Marksist öğretinin temelinde de antagonist (uzlaşmaz) çelişkiler vardır. Marksizmin 19. yüzyıl, 20. yüzyıl kapitalizmini, o çağların dünyasını açıklayan bütünsel bir felsefe ve yöntem olduğunu düşünüyorum; ama şunu da kabul edelim ki uzlaşmaz görülen çelişkilerin çatışkılı çözüm yöntemleri 21. yüzyılda artık tartışılmaya başlıyor. Çelişkilerin birbirini yok etmesi yerine uzlaştırılması amacıyla, yapıcı diyaloğa dayanan yeni bir bakış açısı gelişiyor. Günümüzde savaşlar, çatışmalar dünyanın dört bir yanında hem de en vahşi biçimiyle sürüyor ama uzlaşma ve diyalog kavramları ve yöntemleri de çatışma ortamının içinde filizlenip boy vermeye başlıyor. Çatışkı çözümü diye bir ders üniversitelerin ilgili bölümlerinde okutulmaya bile başlandı. Biliyorsun, bu yöntem daha çok etnik çatışmaların çözümünde devreye giriyor. Bunlar geleceğin tohumlarını içinde taşıyan umut verici gelişmeler.

Bak ne diyeceğim; biz bütün bunları sansürsüz, açık açık konuşuyoruz ya şimdi; kendini "sol" sayan; solculuğu, devrimciliği yüz yıl öncesinin, kırk yıl öncesinin sloganlarını papağan gibi tekrar etmek sanan; iyi veya kötü, beğenelim beğenmeyelim ama yeni bir dünya kurulmakta olduğunu kabullenemeyen ortodoks çevrelerden kimilerinin neler söyleyeceğini biliyorum: "Biri burjuva, öteki küçük burjuva iki tuzu kuru kadın oturmuş dönek dönek konuşuyorlar," diyecekler.

MELEK – Haa, bir de bu var değil mi? Döneklik... Döneklik her zaman üzerinde çok konuşulan, insanlara çok çabuk yapıştırılan bir etiket oldu. Ben de bir zamanlar dönek sayıldım ama bu beni etkilemedi fazla. Hikâyemi anlatırken de söylediğim gibi benim yüzüm her zaman insanlara dönük oldu. Bu anlamda düşündüğümde dönek falan değilim. Söylediklerim hep işin özüne ilişkindi ve o öz değişmedi. Ama yöntemler konusunda elbette değiştim. Bu konuşmalarımız boyunca kendi deneyimlerimiz üzerinden yılları, yöntemleri sorguladık zaten.

OYA – Siyasi, felsefi, ahlaki amacımız açısından ben de hep aynı yerde duruyorum, yüzüm hep aynı yöne dönük. Ama dünyanın döndüğünün, değiştiğinin de farkındayım. Bu yaşımda, çağı anlamaya çalışıyorum. Değişimi anlayamazsam; eskiyi unutmadan, eskinin deneyimlerini sorgulayarak yeni düşünceler peşinde koşmazsam; kırk yıl öncesinde durur, aynı lafları, aynı sloganları tekrarlamakla yetinip donup kalırsam o zaman dönekliği hak etmiş olurum asıl, diye düşünüyorum.

Nasıl bir dünya istemiştik biz? Sen dağlara çıktığın, mezralarda dolaştığın, Filistin kamplarına kadar uzandığın zaman nasıl bir dünyanın peşindeydin? O tasavvurun, ütopyan değişti mi? Benimki değişmedi.

MELEK – Değişmiş olsa, niye uğraşıp duruyorum ki hâlâ şu yaşımda? Gidip bir sahil kasabasında ayağımı uzatıp, kitabımı okuyup yiyip içmek, bu keyif kaçırıcı konularla hiç uğraşmamak varken niçin hâlâ dağ bayır dolaşarak, sürekli seyahat ederek insanlara ulaşmaya, filmler yapmaya çalışıyorum ki? Uğraşıyorum; çünkü benim için başka bir yaşam biçimi anlamsız olurdu. Irak Savaşı olduğu zaman neler yaşadığımı, 2006 Lübnan Savaşı'nda kalkıp yeniden oralara gittiğimi, Gazze Savaşı sırasında gecelerce uyumadığımı ben biliyorum. Bitmeyen bir didinme içindeyim. Sen de öyle değil misin?

OYA – Bazen, "Artık yaşlandım, yoruluyorum," diyorum ama sonra bir işe çağırdıklarında ya da durumdan vazife çıkarıp kendi kendimi görevlendirdiğimde yine koşturmaya başlıyorum. Biliyor musun işin aslı nedir? Kendi hesabıma konuşayım: Ne yaptımsa kendim için, kendi hayatıma bir anlam kazandırabilmek için yaptım. Peşinde koştuğumuz, bazen yaşamımızı bile hiçe saydığımız davalar aslında kendi yaşamımızı anlamlı kıldığı için önemli, hatta kutsal gelir bize. İnsanın kendini aşabilmek ve şu anlamını kavrayamadığı hayata anlam kazandırmak için duyduğu bir ihtiyaç bu. Böyle hissedince de pişman olmak, bırakmak, "dönmek" kendimi inkâr olur; yaşamıma yüklediğim, kazandırdığım anlamın inkârı olur ki, bu kişinin kendini inkârı demektir.

Galiba bizim kuşağın özelliği bu. Elli yıl önce birlikte başladığım arkadaşlarımın çoğu, tıpkı senin benim gibi hâlâ koşturuyorlar, hâlâ konularla ilgililer. Nerede Kürt sorunuyla ilgili bir toplantı, nerede yeni anayasa tartışması, nerede insan hakları ihlallerini protesto varsa, oralarda buluşuyoruz çoğunlukla. Nasıl içi ısınıyor insanın! Bazen karşı cephelerde yer aldığımız da oluyor. Birlikte başlamışız ve şimdi karşı karşıya geliyoruz; bu bana gerçekten acı veriyor, kızıyorum. Ama biraz budalaca bulsan da, itiraf edeyim: Bir zamanlar yüreklerimizin birlikte çarptığı, aynı yollarda birbirimize dayanarak yürüdüğümüz, siyasal yakınlığın, örgütdaşlığın ötesinde gerçekten dost olduğumuz arkadaşlarım, nerede yer alırlarsa alsınlar, birbirimize ne kadar kızarsak kızalım, onları yüreğimden hiç atamıyorum; atmak da istemiyorum zaten çünkü geçmişimin, benim bir parçam onlar.

MELEK – Ben bütün bu yaşadıklarımda kimseyi yargılamadım. Kızdığım ve eleştirdiğim çok şey oldu; ama hep şöyle düşündüm: Yola birlikte çıktık, yol kazaları oldu, kayıplarımız, acılarımız oldu ama ruhumuzu satmadık. Ruhlarını satmayanlar nerede olurlarsa olsunlar birbirlerini bulurlar, ruhlarını satanlar ise vicdanlarıyla baş başa kalırlar.

Ne dersin, burada bitirelim mi artık? Fazla bilgece konuşmaya başladık, yoksa yaşlanma alameti mi bu!

OYA – Evet; noktayı koyalım, yoksa bu muhabbet bitmez. Bunca lafın özeti: Yaşadık işte...

MELEK – Evet, yaşadık... Anadilde eğitim konulu bir toplantı vardı bugün, oraya gidecek misin?

OYA – Oraya sen git de ben şu yeni anayasa toplantısına gideyim.

MELEK – Anlaşıldı, biz noktayı koyamayacağız, taa ki hayat bize nokta koyana kadar.

OYA – Özdemir Asaf ne diyor şiirinde:

> "Daha gidecek yerlerimiz var,
> Kalacak bir türkü söyler gideriz."

DİZİN

U

Ü

V

Y

Z